Né en 1950, José Frèches, ancien élève de l'ENA, est également diplômé d'histoire, d'histoire de l'art et de chinois. Conservateur des Musées nationaux au Louvre, au musée des Beaux-Arts de Grenoble et au musée Guimet, il crée en 1985 la Vidéothèque de Paris. Il devient président-directeur-général du *Midi libre* et membre du conseil artistique de la Réunion des Musées nationaux. Il anime aujourd'hui une agence de communication et dirige une galerie d'art. Il a publié plusieurs essais, notamment sur Toulouse-Lautrec et sur Le Caravage chez Gallimard ; il est également l'auteur de deux trilogies romanesques parues aux éditions XO : *Le disque de jade* et *L'impératrice de la soie*.

L'IMPÉRATRICE DE LA SOIE

2.

LES YEUX DE BOUDDHA

JOSÉ FRÈCHES

L'IMPÉRATRICE
DE LA SOIE

2.

LES YEUX
DE BOUDDHA

XO ÉDITIONS

Quel est le visage de celui qui se perd ?
C'est celui de l'homme orgueilleux de sa caste, orgueilleux de sa richesse, orgueilleux de sa lignée, et qui méprise ses propres parents.

Bouddha

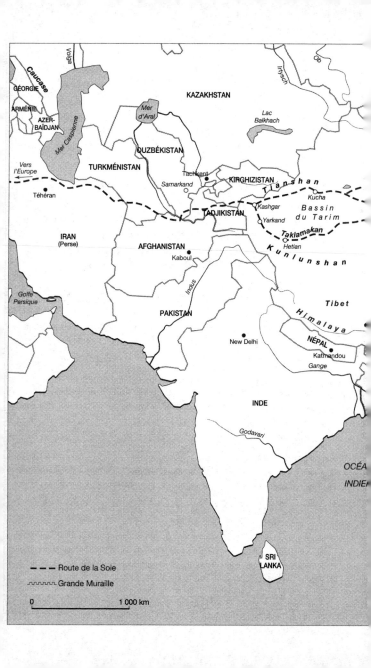

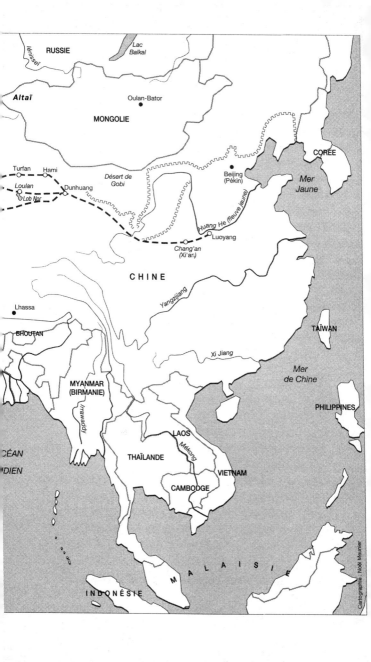

Liste des principaux personnages en fin de volume.

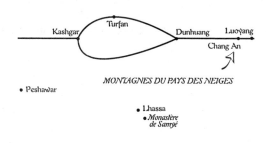

MONTAGNES DU PAYS DES NEIGES

• Peshawar

• Lhassa
• Monastère
de Samyé

22

Domicile de Pinceau Rapide, Chang An, capitale des Tang, Chine

Figé comme une statue, Aiguille Verte, ivre de rage, serrait les poings.

L'échec était cuisant et ruinait d'un seul coup tous les espoirs qu'il avait caressés sur la Route de la Soie, lors de son retour à Chang An.

Devait-il tout de suite la réduire en bouillie, la griffer au sang et lui arracher la langue, ou bien attendre le retour de Pointe de Lumière pour le faire sous ses yeux ?

C'était la première fois qu'on traitait de la sorte cet agent secret, un Ouïgour au physique très chinois, infiltré à Chang An pour le compte de l'Église manichéenne.

La gifle avait si violemment frappé sa joue, alors qu'il s'attendait qu'une fille aussi facile acceptât son baiser, et même s'en réjouît, qu'il avait heurté la table basse et renversé les coupelles d'alcool de riz à moitié vides qui y étaient posées.

Mais plus encore que ce soufflet, c'était la phrase lancée par une Lune de Jade outragée qui avait atteint de plein fouet son ego :

— Salaud ! Lui je l'aime, et pas vous !

Heureusement pour lui, il n'y avait pas eu de témoins à sa piteuse tentative.

Le geste et la parole, encore plus douloureuse, avaient eu pour cadre le petit boudoir secret qui abritait les exercices amoureux débridés de Lune de Jade et de son jeune amant Pointe de Lumière. Aiguille Verte, conformément à son plan, avait obtenu du peintre Pinceau Rapide qu'il en fît sortir Pointe de Lumière, au prétexte que des visiteurs importants souhaitaient le rencontrer.

Ce dernier, qui ne se doutait pas un instant du traquenard dans lequel il venait de tomber, s'était docilement exécuté.

Lune de Jade était ainsi demeurée seule dans la chambre secrète, à la disposition du Ouïgour qui y avait fait irruption alors que, cuisses largement ouvertes, elle épilait avec le plus grand soin sa fente intime.

Depuis qu'ils avaient remarqué que cette opération renforçait leur plaisir au cours de leurs ébats, elle y procédait autant qu'il le fallait, à peine un léger duvet recouvrait-il sa vallée des roses.

D'ordinaire, une fois ce subtil jardinage accompli, elle enduisait longuement sa divine porte avec de l'onguent pour empêcher toute irritation et là, sous le regard à la fois attendri et fiévreux de Pointe de Lumière, elle ne pouvait s'empêcher d'avoir un nouvel orgasme, ce qui avait le don de mettre dans tous ses états Aiguille Verte, posté derrière la fausse fenêtre.

Dès qu'elle s'était aperçue qu'un inconnu venait de pénétrer dans la chambre, Lune de Jade, aussi effarouchée qu'une pucelle, s'était précipitée sur un châle de soie ajouré dont elle s'était promptement recouverte.

Elle était encore à moitié nue et ce tissu léger ne cachait rien de l'essentiel de ses sublimes atouts.

— Sortez immédiatement d'ici ou j'appelle mon mari ! avait protesté la jeune ouvrière, terrorisée par cette arrivée inopinée.

Voilà que cette effrontée appelait déjà ce Pointe de Lumière son « mari » !

Ivre de jalousie, Aiguille Verte, dont le sexe coincé dans les braies était tellement gonflé qu'il lui faisait mal, s'était avancé vers elle presque mécaniquement, comme un cheval attiré par le bol de picotin tendu par son palefrenier.

— N'approchez pas de moi, Aiguille Verte, sinon je vais hurler !

— Lune de Jade… n'aie pas peur ! Comme tu es belle… Je ferai aussi bien que Pointe de Lumière… J'ai des atouts insoupçonnés… avait-il bredouillé.

— Je pensais que vous nous vouliez du bien en nous cachant ici avec Pointe de Lumière, au nom de votre prétendu réseau du Fil Rouge !

— Non seulement je te veux du bien, mais je te désire ! avait-il laissé échapper, abandonnant toute réserve devant la jeune femme, presque nue, qui lui faisait face.

— Je ne vous permets pas de me toucher ! s'était-elle écriée en reculant vivement, au moment où, n'y tenant plus, il l'avait empoignée.

Elle était souple et rapide, ce qui lui avait permis de se dégager.

— Tu es moins effarouchée dans les bras de Pointe de Lumière ! avait-il maugréé en essayant maladroitement de lui saisir de nouveau le poignet.

— Comment le savez-vous, espèce de salopard ? avait-elle soufflé, haletante et furieuse.

— Et si je te disais que des personnes te regardent, lorsque tu fais l'amour avec lui ?

— C'est impossible !

— Approche-toi de cette peinture : tu pourras constater qu'elle est formée d'une toile rigide percée de milliers de trous qui permettent de voir à travers ! Je me tenais juste derrière, avait-il éructé en désignant le faux paysage qui occupait tout un pan de mur du boudoir secret.

Devant cette femme si longtemps désirée et enfin à sa portée, il avait perdu tout contrôle de lui-même. Alors, armant son bras, il avait violemment enfoncé son poing au beau milieu de la cascade et des montagnes peintes par Pinceau Rapide et, lorsqu'il l'avait retiré, il y avait laissé un énorme trou, faisant apparaître la chambre secrète.

— Mais c'est ignoble : nous avons été espionnés ! Votre organisation du Fil Rouge n'est qu'un vulgaire réseau de voyeurs ! Pointe de Lumière aurait mieux fait de m'écouter lorsque je lui ai conseillé de se méfier de vous ! s'était-elle écriée en découvrant, derrière le paysage en lambeaux, le réduit d'où Aiguille Verte l'observait.

Sa colère la rendait tellement belle qu'il se sentait fondre à nouveau devant elle, tel un petit garçon lorgnant l'étal d'un confiseur.

— Si le Fil Rouge ne vous avait pas mis à l'abri, vous seriez tous les deux en train de croupir dans une des geôles du Grand Censorat. Laisse-moi t'embrasser, Lune de Jade, et tu pourras partir d'ici ! Dis-moi ce que tu veux et je te le donnerai !

— Jamais ! Vous n'êtes qu'un gros porc et vous me dégoûtez ! Ne me touchez pas !

— Mais pourquoi lui et pas moi ! avait-il gémi d'une curieuse voix de fausset.

Alors, la gifle était partie, accompagnée de la phrase assassine.

Elle n'aimait donc que ce maudit Pointe de Lumière !

Les poings d'Aiguille Verte étaient si serrés qu'ils en étaient devenus blancs comme l'ivoire.

Il regardait Lune de Jade qui, à présent, lui faisait face, et il voyait briller le petit anneau d'or qui perçait son nombril. Malgré le châle censé l'envelopper, elle paraissait encore plus nue et désirable que d'habitude.

Il avait envie de la réduire en miettes mais aussi de la serrer dans ses bras, de la couvrir de baisers des pieds à la tête, d'enfouir son nez dans ses cheveux et, surtout, de la pénétrer par tous les orifices, comme il l'avait vu faire par Pointe de Lumière tant de fois auparavant.

Tel un fauve, il était prêt à bondir sur elle, mais il se ravisa : s'il s'en faisait une ennemie irréductible, plus jamais il ne pourrait profiter de son corps superbe.

Il fallait inventer autre chose qui la laissât intacte, toujours à sa portée, et obligerait la jeune femme rebelle à revenir à de meilleurs sentiments.

Alors la décision s'imposa, dans sa tête prête à éclater.

Il venait de trouver une façon aussi expéditive qu'implacable de faire payer comptant à Lune de Jade sa gifle et surtout sa préférence pour Pointe de Lumière : il suffisait de dénoncer celui-ci aux autorités chinoises.

Cette vengeance lui permettrait d'éliminer un rival, tout en fragilisant la situation de Lune de Jade, qui, privée de son principal soutien et pourchassée à coup sûr par la police secrète, n'aurait d'autre issue que de se jeter dans ses bras.

Mais il ferait également d'une pierre deux coups.

Car il ne doutait pas qu'une telle dénonciation valait de l'or, au moment où les autorités, hantées par le trafic de la soie clandestine, enquêtaient vainement sur la disparition de ces jeunes gens que le marchand Rouge Vif abritait au-dessus de son magasin.

Contre un renseignement aussi capital, il obtiendrait de quoi offrir à Lune de Jade tout ce qu'elle n'avait jamais eu : des bijoux d'or pur, des vêtements de soie, des pots d'onguents précieux, sans oublier toutes sortes d'animaux de compagnie.

Et à toutes ces raretés, auxquelles succombaient les plus belles courtisanes, le Ouïgour était sûr qu'une femme de la trempe de Lune de Jade, aux sens si aiguisés et aux postures si raffinées, ne saurait pas résister.

N'était-ce pas la méthode à la fois la plus simple et la plus efficace pour arriver à ses fins ?

Pointe de Lumière définitivement éliminé, il pourrait s'emparer de cette jeune femme et en user à sa guise, car elle n'aurait pas vraiment d'autre choix.

Il imaginait déjà avec volupté la terreur qui emplirait les yeux de l'effrontée, lorsque des gardes chinois en armes feraient irruption, au petit matin, dans l'atelier de Pinceau Rapide pour se saisir de Pointe de Lumière.

Il se voyait avec ravissement se payer le luxe de leur dire qu'ils devaient laisser libre la jeune femme, car elle n'était en rien mêlée au trafic de soie.

Jubilant intérieurement, il s'entendait même révéler aux policiers que le jeune homme la séquestrait, et que ses dénégations étaient bien la preuve que son ravisseur la terrorisait.

Il était certain, ainsi, de tenir une revanche digne à la fois de l'affront qu'elle lui avait infligé, mais aussi de ce désir fou qu'il éprouvait pour elle.

Au moment où il s'apprêtait à sortir du boudoir pour aller dénoncer ce rival honni, il entendit qu'on le hélait.

— Mais tu es fou, Aiguille Verte ! Regarde un peu ce que tu as fait de ma peinture !

C'était Pinceau Rapide, que le fracas provoqué par le

violent coup de poing d'Aiguille Verte sur la fausse fenêtre avait fait accourir, suivi de Pointe de Lumière.

Alors, ce même poing s'abattit avec autant de violence, cette fois en plein milieu de la face du peintre voyeur, dont le nez, telle une grenade mûre, éclata sous le choc dans une giclée de sang.

— Et moi, regarde ce que je fais de ta face de singe ! hurla l'auteur du carnage pictural à sa nouvelle victime qui gisait à terre.

Pointe de Lumière n'eut pas le temps de se ruer à son tour sur le Ouïgour pour le maîtriser, car celui-ci se précipita, tel un buffle en furie, vers la sortie de l'atelier du peintre dont il dévala quatre à quatre les escaliers avant de disparaître.

— Qu'est-il arrivé, mon amour ? Il t'a fait du mal ? Il avait l'air d'un tigre en rut ! murmura, fou d'angoisse, Pointe de Lumière, tandis que Lune de Jade se jetait dans ses bras en pleurant à chaudes larmes.

— Aiguille Verte a essayé d'abuser de moi. Avec cet ignoble peintre, ils passaient leur temps à nous reluquer ! Regarde là-derrière, cette chambre secrète ! C'est à cet endroit qu'ils se tenaient pendant que nous faisions l'amour ! gémit-elle en désignant l'alcôve d'où les deux hommes les espionnaient.

— C'est incroyable ! Et dire qu'il s'était présenté comme le chef du réseau du Fil Rouge, chargé de nous mettre à l'abri ici ! Si le Parfait savait que ce fil rouge qu'il me noua autour du poignet a eu de telles conséquences, je suis sûr qu'il tomberait des nues… constata, désappointé, Pointe de Lumière, après avoir passé la tête à travers le paysage défoncé.

— Quoi qu'il en soit, quand cet abominable Aiguille Verte s'est approché de moi comme un buffle en furie, il avait le regard d'un fou ! Si tu savais ce que j'ai eu peur ! souffla-t-elle, blottie dans les bras de son amant.

Son désarroi la faisait frissonner.

Pour essayer de la calmer, il l'embrassa tendrement et leurs langues, une fois de plus, se mêlèrent, atténuant peu à peu les effets du choc qu'elle avait encaissé.

— Moi qui croyais de ce Pinceau Rapide qu'il était un être délicat et un calligraphe poète ! lâcha-t-elle en jetant un regard aussi courroucé que lourd de reproches au peintre qui gisait, toujours inconscient.

— Peut-être ne trouve-t-il son inspiration qu'en regardant des jolies femmes ! plaisanta-t-il pour la consoler.

— Ou bien des jolis garçons ! lâcha-t-elle en souriant à son tour, tandis que Pointe de Lumière plaçait sa main sur son bas-ventre, avant de caresser lentement sa fente intime épilée de frais et encore imprégnée de l'onguent que son amante y passait lorsqu'elle avait été surprise par l'assaut d'Aiguille Verte.

Incorrigible, il sentit son sexe se durcir.

C'était toujours ainsi, entre eux. À peine l'effleurait-il qu'il avait furieusement envie d'elle.

Pour un peu, il lui eût fait de nouveau l'amour, si elle n'avait pas commencé à se rhabiller.

— Ne t'en fais pas, ma Lune de Jade, cet homme est parti ! S'il était resté ici, Fil Rouge ou pas, je l'aurais réduit en bouillie !

À présent qu'elle avait enfilé un joli fourreau à fleurs, elle lui parut très contrariée.

— Tu as l'air inquiète, mon amour… Ai-je tort ?

— J'ai un mauvais pressentiment. Quand il s'est enfui, Aiguille Verte dégageait de mauvais souffles Qi !

— Nous autres, Koutchéens, ne connaissons ni les mauvais ni les bons souffles.

— Eh bien, moi, je crois aux souffles. Une vieille teinturière du Temple du Fil Infini, adepte taoïste et un peu sorcière, m'y a initiée. Au début, je n'y comprenais rien. Un soir, elle m'emmena dans une forêt et m'expliqua comment il fallait s'y prendre pour capter les souffles positifs venus des entrailles de la terre, là où sommeillent les dragons, expliqua-t-elle.

— Tu penses sincèrement que des dragons vivent sous nos pieds ?

— Les dragons sont partout, Pointe de Lumière ! La plupart sont gentils. Il suffit de ne pas les déranger, quand on construit une maison ou qu'on creuse une tombe. Ici, nous appelons «Fengshui», «vent et eaux», cette pratique consistant à déranger le moins possible les dragons du sol.

— Quand tu m'as vue pour la première fois, as-tu perçu un souffle favorable ?

— Il était même si fort et si agréable, si tu veux tout savoir, que je me suis sentie légère comme une plume ! Ne t'es-tu jamais demandé pourquoi j'avais succombé si vite à tes avances ? Je suis tout sauf une créature facile. Très vite, j'ai su que tu étais mon Yang, et que j'étais ton Yin… La fusion de nos corps a engendré la Grande Harmonie. Voilà pourquoi nous aimons tellement faire l'amour ensemble, ô Pointe de Lumière ! murmura-t-elle tendrement.

C'était la première fois qu'elle révélait tout cela à son amant.

— Je comprends tes propos, même s'ils se réfèrent à des pratiques qui me sont étrangères et à des concepts qui m'échappent encore. Pour nous autres, manichéens, la Lumière joue le rôle de tes souffles.

— Nous nous aimons. C'est le plus important ! conclut-elle. Et nous avons intérêt à quitter ces lieux au plus vite.

— Mais dehors, notre tête est mise à prix ! Personne ne sait que nous sommes ici.

— J'en doute ! L'énergie négative que dégageait

Aiguille Verte m'a convaincue qu'il comptait nous dénoncer aux autorités. J'ai vu dans son regard halluciné l'éclat de la vengeance. Il faut partir ! souffla, de nouveau en larmes, Lune de Jade qui avait enfoui son visage contre la poitrine musclée et douce de Pointe de Lumière.

— Calme-toi, mon amour.

— Je t'assure ! Il faut fuir Chang An !

— Mais quitter Chang An sans les vers de bombyx ni les cocons ne serait pas raisonnable.

— Ne m'as-tu pas dit que c'est pour moi que tu es revenu ?

— Je suis certes venu pour te retrouver, mais, si je retourne à Turfan avec toi en prime, ce ne peut être les mains vides… Cargaison de Quiétude ne le comprendrait pas ni ne me le pardonnerait ! protesta-t-il.

— Tu serais prêt à m'y emmener ? demanda-t-elle, aux anges.

— Bien sûr, mon amour. Je te l'ai promis : nous ne nous séparerons plus ! Je solliciterai de Cargaison de Quiétude une autorisation exceptionnelle et nous serons mari et femme !

Elle lui tendit alors, d'un air radieux, un petit sac de tissu.

Il constata qu'il contenait une dizaine de cocons, ainsi qu'une feuille de papier pliée, à l'intérieur de laquelle se trouvaient ces minuscules grains sombres tels que les pondait, par milliers, un seul ver à soie.

— Je vois que tu as pensé à tout, Lune de Jade ! s'exclama, ravi, le jeune Koutchéen.

— C'est ma réserve de précaution ! Je me la suis procurée dès l'après-midi où tu es venu me rejoindre, la semaine dernière, au Temple du Fil Infini… Je savais bien que tu me les réclamerais ! fit-elle en essuyant la dernière de ses larmes.

— Comme tu as bien fait ! Avec ça, je suis sûr d'obtenir le pardon de Cargaison de Quiétude et il acceptera de me relever de mes vœux d'Auditeur ! Alors, nos épousailles, selon le rite de l'Église de Lumière, ne seront plus qu'une formalité…

— Plus rien, désormais, ne nous retient. Nous sommes en grand danger et le temps joue contre nous. Il faut nous enfuir avant de nous faire repérer ! s'écriat-elle avec fougue, en prenant la main de son amant.

Plus que jamais, l'un comme l'autre étaient décidés à accomplir ensemble leur destin.

Dans un coin de l'atelier, affalé au pied d'un paravent doré à la feuille, Pinceau Rapide, dont le visage boursouflé ressemblait à une citrouille, n'avait toujours pas repris connaissance.

— La voie est libre, mais il serait dangereux de sortir comme ça d'ici ! Si ce maudit Aiguille Verte est parti nous dénoncer, il aura sûrement donné notre signalement aux autorités, ajouta-t-elle.

Avisant, sur une étagère, un tas de vêtements utilisés par le peintre pour déguiser ses modèles vivants, ils le fouillèrent avant de choisir de s'habiller à la hâte, elle en soldat chinois et lui en prêtre taoïste.

— Ce turban te va à merveille, Lune de Jade ! Tu es méconnaissable, mon amour ! s'exclama, en plaisantant, Pointe de Lumière.

— Tu as l'air d'un vrai médecin taoïste ! dit-elle, après avoir touché le chapeau en forme de mortier que Pointe de Lumière venait de mettre sur sa tête, semblable à celui que portaient les prêtres des temples taoïstes.

— Mon petit fantassin saura bien me défendre, même sans sabre, si des patients sont déçus parce que je n'arrive pas à les guérir ! ajouta-t-il en souriant.

Constatant avec étonnement qu'elle s'était emparée,

dans un pot de grès, d'un de ces gros pinceaux faits de crin de cheval que les peintres utilisaient pour dessiner les nuages, en les trempant dans l'encre avant de les écraser sur le papier de riz, il lui demanda la raison de son geste.

— Nous pourrions en avoir besoin ! expliqua-t-elle mystérieusement.

Puis, après avoir vérifié que personne, dans la rue, n'en surveillait l'entrée, ils se glissèrent en rasant les murs et sans faire le moindre bruit hors de l'atelier de Pinceau Rapide.

La ruelle sur laquelle il donnait était déserte.

— Vers où faut-il aller pour trouver la direction de la Route de la Soie ? chuchota le faux prêtre taoïste.

— Suis-moi ! répondit le pseudo-soldat chinois

Le quartier où habitait Pinceau Rapide était situé à l'est de Chang An, si bien que pour gagner la Porte de l'Ouest, il leur fallut traverser de part en part le centre de la capitale des Tang.

Lune de Jade, familière des lieux, servait de guide à son amant, lui indiquant au passage le nom des imposantes bâtisses qui s'alignaient le long des larges avenues du quartier du pouvoir où s'élevaient les palais des ministères et les bâtiments des administrations.

— Voilà le ministère des Armées impériales ! s'écria-t-elle en avisant une immense façade crénelée et quasiment aveugle dont les murs peu accueillants étaient hérissés d'un bossage pointu.

— Cette muraille ressemble à une carapace de dragon… murmura le Koutchéen.

— C'est pour rendre le bâtiment imprenable en cas d'émeutes…

— De quelles émeutes veux-tu parler ? J'ai constaté que les policiers interviennent pour disperser le moindre rassemblement de badauds ! fit-il, tout étonné.

— S'il prenait aux gens des campagnes, dont les fils sont versés de force dans les bataillons des armées des Tang et qui souffrent régulièrement de la faim parce que les armées régulières opèrent des razzias dans leurs greniers, de venir manifester leur colère autour de ce ministère, son architecture suffirait largement à les dissuader d'aller plus loin !

— Je ne savais pas que le peuple souffrait à ce point ni que les armées impériales pouvaient se comporter aussi vilement !

— Non contentes de les dépouiller de leur force de travail, les autorités s'en prennent parfois à des familles entières ! C'est ainsi que tout mon village fut déporté ici, comme un vulgaire butin de guerre ! Le peuple de l'empire du Milieu est un peuple opprimé par sa caste dirigeante, laquelle se nourrit de lui comme le champignon du tronc d'arbre sur lequel il pousse.

— Une révolution pourrait donc éclater en Chine centrale à tout moment, constata Pointe de Lumière.

— L'empereur s'efforce de ne montrer du luxe dans lequel il vit que le strict nécessaire à la reconnaissance de son pouvoir par ses sujets. C'est pourquoi les murs d'enceinte de tous les palais impériaux sont si hauts qu'il faudrait se transformer en oiseau phénix pour arriver à les franchir.

— Et pourtant, ces marchands ambulants, ces commères et ces passants que nous croisons dans les rues depuis tout à l'heure, ils ont tous la face souriante !

— Le peuple des Han est par nature débonnaire et joyeux. Il est habitué aux inondations, aux sécheresses et aux famines. Mais il ne faut nullement te fier aux apparences. Ici, chacun a peur de la police secrète du Grand Censorat Impérial. Au Temple du Fil Infini, par exemple, nous nous tenions sur nos gardes, car nul ne sait au juste qui espionne l'autre !

— Tu parles comme un vieux philosophe ! constata le Koutchéen, amusé et surtout quelque peu admiratif devant la perspicacité dont faisait preuve sa jeune amante.

Ils marchaient depuis deux bonnes heures, lorsque la silhouette massive et biscornue de la Porte de l'Ouest, aisément reconnaissable à ses toits recourbés en « queue d'hirondelle » dont les pointes relevées se détachaient sur le ciel, apparut soudain au bout d'une immense avenue encombrée par l'inextricable fouillis des charrettes et des brouettes des paysans venus vendre leurs denrées sur les innombrables marchés de la capitale.

En s'approchant du portail étroit qui permettait de sortir de Chang An, ils constatèrent non sans effroi qu'une longue file d'attente serpentait devant lui.

— Que se passe-t-il ? D'habitude, ici, il n'y a pas cette queue ! demanda Lune de Jade à un vieil homme.

— C'est une initiative intempestive de l'administration des péages publics. Il semblerait que les fonctionnaires de l'octroi soient sous haute surveillance ! Ma fille, qui m'attend à la campagne, risque de s'inquiéter ! gémit-il.

— Ils ont heureusement cessé d'accepter les petits arrangements permettant d'ordinaire à ceux qui entrent et sortent de Chang An de s'acquitter de ce péage, au mépris des règlements, avec des marchandises qui finissent directement dans la poche des fonctionnaires, lança un autre quidam dont l'allure trahissait le confucéen respectueux des lois.

— Ils exigent des pièces ! Je n'ai plus qu'à retourner chez moi ! ajouta, furieuse, une femme qui venait d'être refoulée avec sa brouette remplie à ras bord.

— J'ai entendu un garde souffler à l'oreille de son collègue que les agents du Grand Censorat viennent de faire une descente ! À tous les coups, ils cherchent à nous empêcher de fuir la capitale ! souffla au prêtre taoïste le soldat chinois, qui s'était rendu en reconnaissance tout près de la porte devant laquelle les contrôles zélés avaient repris, comme par enchantement, sous l'œil méfiant des policiers arborant le fatidique brassard blanc du service du préfet Li…

— Nous n'avons pas de chance ! Nous risquons de nous faire prendre ! Et si nous revenions en arrière ? chuchota, angoissé, Pointe de Lumière.

— Surtout pas ! Au point où nous en sommes, nous éveillerions l'attention… Avance et laisse-moi faire. Sous mon uniforme de soldat, je ne crains rien ! lui lança-t-elle en s'efforçant de cacher sa propre inquiétude.

— Mais moi, alors, comment vais-je franchir ce contrôle ? Autour de nous, je ne vois que des religieux bouddhistes. En tant que seul prêtre taoïste, j'aurai du mal à passer inaperçu ! La hâte n'est pas bonne conseillère, Lune de Jade… murmura-t-il, de plus en plus perplexe.

Les circonstances ne leur laissèrent guère le temps de réfléchir. À peine avait-il achevé sa phrase que le jeune Koutchéen entendit qu'on le hélait.

— Un homme en proie à des convulsions vient de perdre connaissance ! Un prêtre taoïste de ton espèce doit sûrement connaître les fumigations opportunes qui le feront revenir à lui !

L'homme en uniforme qui venait ainsi d'interpeller Pointe de Lumière portait au bras les deux caractères « Grand » et « Bureau », inscrits en noir sur fond blanc, qui signalaient son appartenance aux brigades spéciales du Grand Censorat Impérial.

L'amant de Lune de Jade, les yeux rivés sur le terrible insigne, hésitant sur la conduite à tenir, sentant qu'une sourde panique l'envahissait, se retourna pour demander du regard au pseudo-soldat chinois ce qu'il convenait de faire.

La réponse était claire : les yeux en amande de la jeune Chinoise lui intimaient l'ordre d'y aller.

— Amène-moi auprès de lui et je l'examinerai, bredouilla le faux médecin en s'efforçant de faire bonne figure.

L'homme gisait à terre au pied du guichet où s'effectuait le paiement des cautions de sortie.

Pointe de Lumière se pencha au-dessus de lui et colla son oreille contre sa bouche pour savoir s'il respirait encore.

Le Koutchéen, dont le cœur battait la chamade, réprima un cri. À sa grande stupéfaction, l'homme était bien vivant, puisqu'il lui chuchota :

— Je t'en supplie, aie pitié de moi ! Dis-leur que je suis mort. Pour moi, c'est le seul moyen de sortir d'ici sans payer l'octroi.

— Alors, que peux-tu faire pour lui ? demanda l'agent des brigades spéciales.

— Hélas ! Cet homme est mort. Il ne respire plus. Tout taoïste que je suis, je ne peux plus rien pour lui !

— Ainsi tu ne transportes même pas une petite pilule d'immortalité ? Mais quelle espèce de prêtre taoïste es-tu donc ? plaisanta l'agent secret, dont l'humour douteux provoqua néanmoins dans la queue un gigantesque éclat de rire, la foule étant soucieuse de s'attirer les bonnes grâces d'un homme qui, d'un simple haussement de sourcil, pouvait vous faire conduire tout droit à la prison.

— Toute ma réserve est restée au temple ! gémit le faux médecin.

— Retourne à ta place dans la queue ! s'écria alors le policier.

Lorsqu'il regagna la file d'attente, Pointe de

Lumière, accablé, s'aperçut que Lune de Jade n'y était plus.

— Qu'on emmène ce corps à l'extérieur de la ville, vers le premier charnier! ordonna l'agent du Grand Censorat.

Surgis de leur guérite, des douaniers s'empressèrent, nuque baissée, d'obéir aux ordres de celui qui était venu interrompre le trafic lucratif auquel ils s'adonnaient.

C'est ainsi que le prétendu cadavre sortit de Chang An sans payer le moindre écot.

Pointe de Lumière constata avec inquiétude qu'on ne plaisantait pas, fût-ce chez les agents des douanes, avec les directives d'un membre des brigades spéciales.

Il arriva enfin, à son tour, devant le guichet derrière lequel trônait un fonctionnaire dont la bouche édentée, au milieu d'un visage rougeaud et criblé par la vérole, exhalait une odeur fétide.

— C'est deux taels de bronze! lâcha le fonctionnaire en provoquant un irrépressible mouvement de recul de la part du Koutchéen, lequel ne s'attendait pas à une telle puanteur.

— Même pour un religieux taoïste?

— Le péage d'entrée et de sortie est obligatoire! C'est un décret impérial qui le dit! lança l'homme d'un air entendu.

Il indiquait du regard l'agent secret qui, quelques pas plus loin, inspectait la queue devenue proprement interminable de tous ceux qui avaient besoin, ce jour-là, de quitter la capitale.

— Et si j'avais oublié au temple l'argent dont je dispose? suggéra Pointe de Lumière en s'efforçant de paraître le plus naturel possible.

— Eh bien, dans ce cas, il te faut aller le chercher. Aucun passe-droit n'est possible. Depuis ce matin, on ne sort pas de Chang An sans payer sa caution de deux taels de bronze ! assena une nouvelle fois le douanier à la face inquiétante.

— Ils ont encore augmenté les tarifs ! L'empereur Gaozong nous coûte de plus en plus cher... maugréa à voix basse une matrone, juste derrière le Koutchéen.

Consterné, croyant qu'il avait perdu Lune de Jade, Pointe de Lumière s'en voulait terriblement d'avoir omis ce droit de péage.

— Laissez passer ce prêtre ! Même s'il n'a pas de quoi payer la caution de sortie, je réponds entièrement de lui ! Vous avez ma parole d'officier de l'armée impériale !

Le soldat qui venait de prononcer ces mots le plus sérieusement du monde arborait une fine moustache qui lui donnait l'air péremptoire.

Le gros douanier se pencha en avant pour voir à quel niveau de la queue en était l'agent des brigades spéciales.

— File d'ici ! La prochaine fois, pense à me rapporter une de tes pilules d'immortalité, et nous serons quittes ! lâcha-t-il, mi-figue, mi-raisin, au Koutchéen, lequel, sans demander son reste, franchit la peur au ventre cette maudite Porte de l'Ouest, craignant à tout moment d'être rappelé par les cerbères qui la gardaient.

Puis il se fondit dans la foule bigarrée où marchands et moines, paysans et voyageurs, aventuriers et héros, escrocs et voleurs préparaient, les uns leurs chevaux et leurs chameaux, tandis que les autres, qui devaient se contenter de leurs jambes, enduisaient leurs mollets d'onguent, ou bien laçaient avec soin leurs chaussures que les pierres coupantes du chemin ne ménageraient pas.

Au départ de la grande route qui s'étirait entre le monde asiatique et le monde occidental, dans un indescriptible brouhaha, au milieu des mugissements des animaux de trait, des bêlements des troupeaux et des cris des volatiles entassés dans des cages de bambou, Pointe de Lumière entendait déjà parler presque toutes les langues de la terre.

Quelque peu rassuré de s'être si bien tiré d'affaire, c'était à présent le sort de son amante qui inquiétait l'Auditeur manichéen.

Où donc pouvait-elle se trouver ?

Au moment où, machinalement, il plongea la main dans sa poche pour vérifier la présence du petit sac aux cocons et aux œufs de vers à soie, il faillit trébucher sur le dos d'un minuscule agneau à la toison noire et bouclée qu'un berger proposait à la vente.

Avec soulagement, il constata que le sac était toujours là.

Au moins pourrait-il rapporter à Cargaison de Quiétude ce qu'il lui avait demandé.

Pour autant, il ne voulait pas revenir à Turfan sans Lune de Jade.

Il était de plus en plus perplexe et nerveux, finissant par craindre le pire.

Que pouvait-il faire ?

Demeurer sur le caravansérail de cette aire de stationnement pour attendre la jeune femme et se renseigner, fût-ce discrètement, sur son sort était extrêmement risqué.

Ici et là, au milieu des hommes, des femmes et parfois des enfants qui accomplissaient les derniers préparatifs de sanglage des marchandises sur le dos des animaux, des policiers de la patrouille des marchés, reconnaissables à leur ceinture rouge et blanche, inspectaient minutieusement les denrées et demandaient aux marchands, l'air sévère, ce qu'ils comptaient en faire et où ils se rendaient.

Lorsqu'ils se faisaient un peu trop insistants, il ne restait plus au négociant sur le dos duquel ils étaient tombés qu'à y aller de son offrande en nature, pour émousser les élans des sbires dont la réputation d'avidité n'était plus à faire.

Il fallait partir, quitte à guetter sa jeune amante au premier village, et là, changer au besoin de costume, se procurer de la menue monnaie afin de payer l'octroi et revenir à la capitale pour se lancer à sa recherche.

La mort dans l'âme, Pointe de Lumière se préparait donc à entrer dans la file des marcheurs, lorsqu'il entendit qu'on le hélait doucement.

— Mais où étais-tu, Lune de Jade ? J'ai eu la peur de ma vie !

À son grand soulagement, il retrouvait enfin, juste derrière lui, le sourire éclatant de cette bouche qui savait lui donner de si bons baisers.

Elle sortit de sa poche une touffe de poils noirs qu'elle colla au-dessus de ses lèvres.

— Tu n'as donc pas reconnu le soldat à moustaches ? Le pinceau du peintre voyeur aura servi à quelque chose ! s'écria-t-elle en éclatant de rire.

Du subterfuge de la jeune ouvrière de la soie, le Koutchéen n'eut même pas le temps de rire. Des cris éclatèrent à la Porte de l'Ouest, qui ne laissaient aucun doute sur les intentions de ceux qui les poussaient :

— Écartez-vous ! Écartez-vous ! Il y a parmi vous deux fugitifs ! Une certaine Lune de Jade et un certain Pointe de Lumière ! S'ils nous entendent, qu'ils se rendent sur-le-champ aux autorités impériales ! En cas de coopération, il ne leur sera fait aucun mal !

— Les salauds ! Et dire que s'ils nous prennent ils nous déchireront comme des chiffons ! souffla Lune de Jade dont la mine s'était subitement rembrunie.

C'était le même agent spécial du Grand Censorat qui

inspectait déjà la queue au guichet de la douane lorsqu'ils avaient failli se faire prendre.

Entouré de trois hommes portant le même lugubre brassard que lui, il répétait son exhortation, les mains en porte-voix, tandis que, sur leur passage, la foule baissait la tête et s'écartait comme la volaille du poulailler à l'arrivée du renard.

— À ceux d'entre vous qui fourniront un renseignement valable sur ces deux criminels recherchés, il sera remboursé la caution de sortie de la capitale et octroyé un bon qui les dispensera de payer leur prochaine entrée ! hurlait à présent un autre agent spécial dont la voix se rapprochait dangereusement.

— Il faut partir ! Je crains que ça ne se gâte rapidement ! lâcha Pointe de Lumière.

— Tâchons de rester en vue l'un de l'autre pour ne plus nous perdre. Mais il faudra faire comme si nous ne nous connaissions pas jusqu'à la prochaine halte, le temps d'abandonner ces vêtements par trop voyants ! fit-elle, inquiète, en lui caressant subrepticement le bras.

— Plus on s'éloigne du centre du pouvoir et plus la surveillance se relâche, sur la Route de la Soie. D'ici à deux jours, tu verras à quel point les patrouilles de police se seront faites rares !

— En attendant, elles sont à nos trousses ! soufflat-elle en faisant un écart avant de disparaître derrière une charrette remplie de morceaux de bambou coupés.

Pointe de Lumière sentit qu'on lui tapotait le dos.

Il se retourna, prêt à bondir sur ce qu'il croyait être un des agents de la police secrète.

— Tu dois t'y connaître en plantes médicinales ? Tous les religieux taoïstes sont aussi médecins !

La tête de la créature aussi ridée qu'une pomme flétrie qui venait de prononcer ces mots lui arrivait à peine au milieu de la poitrine. Son visage glabre était coiffé d'un bonnet de laine, si bien qu'il était impossible de déterminer son sexe. Surpris par son apparence, le jeune Koutchéen détailla son accoutrement fait de peaux de lapin cousues entre elles, formant une ample cape qui le dissimulait complètement.

— Je me présente : Petit Nœud à Défaire Facilement, pour te servir…

— Euh !… Trou d'une Aiguille ! Heureux de te rencontrer…

Juste derrière, Pointe de Lumière apercevait Lune de Jade qui l'observait derrière le charroi de bambous coupés, la main sur la bouche, près d'éclater de rire.

Trou d'une Aiguille !

Voilà comment une fière Pointe de Lumière pouvait se transformer en trou minuscule !

— Trou d'une Aiguille, au drôle de nom, où vas-tu ?

— Pourquoi me poses-tu cette question, Petit Nœud à Défaire Facilement ?

— J'ai de l'argent et je paie comptant ! dit la créature avec l'air entendu de celui qui proposait une excellente affaire à un futur compère.

Sous le nez de Pointe de Lumière, le petit homme au manteau de peau de lapin passait et repassait un beau tael d'argent : de quoi manger pendant un mois au moins, prétendait-il, dans une bonne cantine.

— Si tu acceptes de faire avec moi deux grands marchés sur la Route de la Soie, je te donnerai trois taels d'argent ! Tu seras presque un homme riche… ajouta-t-il emphatiquement.

— Tu es donc marchand ?

— Oui ! De plantes médicinales. Et lorsque j'ai la chance de pouvoir me payer les services d'un médecin, les clients affluent à mon étal et je vends beaucoup plus de remèdes…

Derrière Petit Nœud à Défaire Facilement, un serviteur au teint basané tenait deux chameaux par une longe attachée à l'anneau qui leur perçait le museau.

Les animaux disparaissaient littéralement sous les ballots de toile qui recouvraient tout leur corps, à l'exception des pattes, du cou et de la tête.

— Voilà ma pharmacopée ambulante. J'ai là tout ce qui peut soigner les maladies et les douleurs du corps : les ingrédients des Quatre Natures, le froid, le chaud, le tiède et le frais ; ceux qui relèvent des Cinq Éléments, le métal, l'eau, le bois, la terre et le feu ; et puis ceux du type Yang, qui sont faits pour réchauffer, et ceux de type Yin, faits pour refroidir ! J'ai du musc de bouquetin tibétain de première qualité, au prix imbattable de son poids en or fin ; j'ai aussi du fiel de serpent noir et venimeux du Yunnan ; de la semence de radis qui agit sur la rate et du ginseng de Mandchourie, de l'aconit non vénéneux mais aussi du bézoard, la concrétion stomacale du buffle, sans oublier la bile d'ours séchée, la poudre d'os de tigre, la jeune corne de cerf encore duveteuse et bien sûr la défense de vieux rhinocéros mâle ; j'ai également de la poudre *tutie* pour les yeux endoloris et aveuglés, ainsi que de l'angélique *danggui*, dont l'agent actif est anti-inflammatoire, et des fruits de lampourde et de liquidambar pour soulager les rhumatismes ; et même, pour ceux qui acceptent de payer, je propose de la poudre de longévité ! Tu dois connaître ça, Trou d'une Aiguille, en bon taoïste, la poudre de longévité…

— Évidemment ! Il s'agit de la poudre du jade dont sont faits les fruits qui poussent sur les Îles Immortelles ! Plus sérieusement, quand on n'a pas la chance de pouvoir les cueillir, il suffit de mélanger du cinabre à de l'extrait de ginkgo *biloba*, appelé aussi l'arbre de dix mille ans. On obtient une pâte sombre qu'il convient alors de mouler en pilules, lesquelles sont très efficaces, rétorqua, le plus sérieusement du monde, Pointe de Lumière.

En bon adepte du manichéisme, il ne croyait pourtant pas un mot de cette légende selon laquelle les îles de l'immortalité flottaient, couvertes d'arbres aux fruits de jade, sur le dos de tortues géantes au large des côtes chinoises.

Mais s'il voulait donner le change à son interlocuteur, il devait faire semblant de prendre pour argent comptant cette croyance fort populaire, dont le clergé du Tao tirait l'essentiel de ses ressources en vendant à des tarifs prohibitifs des pilules et des poudres à base de cinabre censées apporter « dix mille ans de plus » à ceux qui les ingurgitaient.

Heureusement pour lui, Lune de Jade lui avait raconté cette légende entendue de nombreuses fois dans la bouche des bonimenteurs de tous poils qui hantaient les marchés, vantant à des foules crédules les secrets de la composition de leurs remèdes hors de prix.

— C'est vers ces îles divines que le premier empereur, Qin Shi Huangdi, envoya un jour mille jeunes gens et mille jeunes filles, en les priant de lui rapporter ces fruits au goût et à l'aspect inénarrables ! Ce n'est pas aujourd'hui que notre empereur de Chine oserait se lancer dans pareille aventure ! ajouta, avec un drôle de rire de gorge, Petit Nœud à Défaire Facilement que ces évocations rendaient quelque peu lyrique et même imprudent, à en juger par les œillades étonnées que lui jetèrent deux hommes qui sanglaient des mules.

Il n'était pas rare, en effet, d'être condamné à une lourde amende et au fouet, voire à l'amputation d'un pied, sur simple dénonciation d'un témoin anonyme, pour persiflage de l'autorité suprême.

— Et si j'accepte, tu auras besoin de moi combien

de temps ? demanda Pointe de Lumière qui voyait dans la proposition du marchand de simples un moyen de se fondre dans l'anonymat.

— Juste demain et après-demain. Après, tu pourras continuer sans moi. D'ailleurs, vois-tu, je n'oserais jamais t'embaucher à temps plein... tu me coûterais bien trop cher.

Pointe de Lumière essaya de lire dans les yeux de Lune de Jade, qui ne cessait de l'observer, la conduite à adopter.

Un imperceptible hochement de la tête du sémillant soldat chinois lui fit accepter, sans même discuter, la proposition de Petit Nœud à Défaire Facilement.

D'ailleurs, la progression de l'agent au brassard blanc qui, les mains toujours en porte-voix, fendait la foule dans leur direction, eût coupé court à toute éventuelle hésitation.

Quelques instants plus tard, Pointe de Lumière ayant pris place sur le dos d'un des chameaux, le convoi du marchand de plantes médicinales s'ébranlait d'un pas lent et majestueux sur la Route de la Soie, entre un troupeau de moutons et un chariot tiré par la seule force des bras d'un homme emmenant ailleurs — qui sait, pour une vie meilleure ! — sa femme et ses cinq enfants.

Le lendemain, à la première ville d'étape, aux abords de laquelle ils avaient passé la nuit, ils s'installèrent sur la place du marché à un emplacement dont Petit Nœud à Défaire Facilement avait âprement discuté le prix auprès de l'agent municipal chargé de les louer aux commerçants ambulants.

— Approchez, bonnes gens, approchez ! J'ai les remèdes et j'ai aussi le médecin !

Il n'avait pas été nécessaire à la créature en peau de lapin de le dire deux fois : déjà, une foule de badauds affluait comme une nuée de mouches autour d'un morceau de miel.

Pointe de Lumière s'était très vite mis à sa nouvelle activité de bonimenteur et de guérisseur.

L'air le plus docte possible, il délivrait ses consultations, expliquant avec force détails comment il fallait s'y prendre pour passer un certain type d'onguent, ou encore quelle était la posologie exacte pour telle sorte de pilule. Le marchand de plantes lui avait même appris comment pratiquer la moxibustion, en faisant brûler de l'armoise qu'on plaçait dans de minuscules coupelles sur la peau du front des patients, ravis de cette méthode réputée infaillible pour dissiper miraculeusement les maux de tête.

Il manqua de pouffer de rire lorsqu'il vit Lune de Jade, débarrassée de son accoutrement de soldat chinois, l'observer de loin, hilare, postée à côté de l'étal d'un maraîcher qui lui avait demandé de l'aider à surveiller ses légumes.

— J'ai un fils cul-de-jatte ! Que pourrais-tu faire pour lui ?

Le visage chafouin du policier qui venait de poser cette question a priori idiote ne disait rien qui vaille au faux médecin taoïste, qui avait failli éclater de rire avant de s'apercevoir de la qualité de celui qui venait de l'interroger.

Plaisantait-il ? Ou bien se doutait-il de quelque chose ?

C'était surtout ce que craignait le Koutchéen, désormais sur ses gardes.

— Il faut que je le voie ! Un médecin a besoin de voir son malade ! articula Pointe de Lumière qui sentait la boule de l'angoisse s'installer dans son ventre.

— C'est vrai, je n'y avais pas pensé. Serez-vous là demain ?

— Demain, nous serons sur un autre marché ! Le devoir nous appelle ailleurs, pour soigner d'autres malades ! lança sur un ton théâtral le marchand de plantes médicinales, tandis que le policier penaud tournait les talons.

Pointe de Lumière, soulagé, constata que le fonctionnaire ne plaisantait pas le moins du monde.

Jusqu'où la crédulité des patients allait-elle se nicher face à leur médecin, lequel, en l'occurrence, se contentait d'en avoir revêtu les habits !

Le marché suivant, le jour d'après, avait été du même acabit.

À la grande satisfaction des chameaux de Petit Nœud à Défaire Facilement, les ballots de plantes et d'onguents avaient déjà diminué de moitié, ce qui leur permettait de trottiner bien plus facilement que la veille.

Le soir même, au moment où ils allaient se séparer, Petit Nœud à Défaire Facilement était si satisfait de leur collaboration qu'il proposa à Pointe de Lumière une association.

— Trou d'une Aiguille, tu es le médecin le plus talentueux avec lequel j'ai eu l'occasion de travailler : nous pourrions marcher ensemble. Tu es doué comme personne pour la vente. Grâce à toi, depuis deux jours mon chiffre d'affaires a doublé. Qu'en penses-tu ?

— Merci pour ta confiance. Mais j'ai à faire beaucoup plus loin vers l'ouest, presque à l'autre bout de la Route de la Soie !

— Où vas-tu ? Après tout, je peux changer d'itinéraire ! À partir du moment où il y a des marchés, ça me va !

— C'est rigoureusement impossible, Petit Nœud à Défaire Facilement.

— Toi et moi, ensemble, nous ferions fortune très

vite ! La Route de la Soie, quand on sait en tirer parti, est une véritable mine de jade.

— Un jour peut-être, qui sait, nous aurons l'occasion de travailler ensemble ! Pour l'instant, il n'en est pas question.

— Et si je t'offre cinq taels par jour ? ajouta le marchand, de plus en plus insistant.

— Trou d'une Aiguille, enfin te voilà ! Ta famille t'attend à Dunhuang. Cela fait une bonne semaine que nous te cherchons partout !

C'était Lune de Jade, qui venait prêter main-forte à son amant.

— Voici ma sœur, Petit Nœud à Défaire Facilement. Elle est venue à ma rencontre.

— Tu vas jusqu'à Dunhuang ! Je n'y suis encore jamais allé. On dit que les marchés y sont particulièrement réputés… Combien y a-t-il de jours de marche pour se rendre là-bas ?

— Vingt jours au bas mot, et en avançant très vite. Mais il y a surtout un octroi fort cher à régler quand on passe la Porte de Jade. Avec ta cargaison de plantes médicinales, tu risques d'y laisser tout ce que nous avons gagné depuis deux jours !

— N'existe-t-il pas des chemins de traverse pour éviter l'octroi ? s'enquit le marchand de simples qui ne se faisait pas à l'idée de renoncer à ce médecin à l'indéniable charisme commercial.

— Il y en a plusieurs, qui longent la Route de la Soie. Il faut accepter de marcher à travers des collines de pierres, en plein désert, et d'être la proie éventuelle des bandits qui rôdent à la recherche de la marchandise passée en contrebande. Peu de voyageurs s'y risquent, surtout lorsqu'ils transportent des chargements aussi précieux que le tien… expliqua le jeune homme au marchand de remèdes dont la mine s'allongeait.

Pointe de Lumière salua, pour prendre congé, Petit Nœud à Défaire Facilement dont le visage décomposé exprimait désormais un profond désappointement.

— À un jour prochain, peut-être ! Si tu as besoin de moi, tu sais où me trouver : deux marchés de plus et je reviens à Chang An ; et ainsi de suite. Jusqu'à présent, je ne me suis jamais aventuré plus loin ! Mais ta jolie sœur m'en a donné le goût ! maugréa tristement le marchand.

À nouveau seuls au monde, c'est heureux comme des amoureux réunis après une longue séparation que Lune de Jade et Pointe de Lumière se remirent en route au milieu des caravanes et des troupeaux.

Malgré le vent glacé de ce début d'hiver qui desséchait leurs lèvres au point de les rendre dures comme de la laque, et brûlait leurs oreilles ainsi que la pointe de leurs nez, ils avançaient sans peine, comme si rien ne pouvait leur ôter l'énergie qu'ils portaient en eux.

Ils étaient jeunes et beaux ; ils étaient, de surcroît, intelligents ; ils avaient confiance dans l'avenir.

À deux, lorsqu'on s'aimait, tout paraissait plus facile, même en plein désert, sur une route où les convois, pressés d'arriver à l'étape, se croisaient sans s'intéresser moindrement à ces jeunes gens au visage si juvénile qu'on les prenait pour des adolescents, et qui n'avaient que leurs jambes pour marcher et leurs poings pour, éventuellement, se défendre.

Un jour, pourtant, alors qu'ils traversaient une zone montagneuse où la neige ourlait déjà les crêtes, Lune de Jade ne put s'empêcher de réprimer un sanglot.

Pointe de Lumière, dérouté et inquiet, lui demanda ce qui n'allait pas.

— Es-tu sûr que Cargaison de Quiétude te pardonnera tes incartades et nous laissera nous marier ? finit-elle par lâcher, après qu'il eut insisté mille fois pour qu'elle consentît, enfin, à livrer la cause de sa tristesse.

— Tu ne veux donc pas que nous revenions à Turfan, Lune de Jade ?

— Je ne sais pas. J'ai peur que la vie nous sépare, Pointe de Lumière… Tu as prononcé des vœux religieux. Ta hiérarchie risque de te culpabiliser en t'accusant de désertion, le jour où tu lui apprendras que tu veux faire ta vie avec la mienne. Alors, c'est moi qui risque de devenir le problème, pour toi. Et cela, Pointe de Lumière, je ne le veux pas, voilà tout ! murmurat-elle, toute craintive.

Il lui ouvrit ses bras, dans lesquels elle se jeta comme une petite fille apeurée.

— Je ne supporterai pas que tu m'abandonnes une fois de plus ! Si cela devait arriver, autant nous séparer maintenant ! ajouta-t-elle en sanglotant.

— Mon amour, jamais je ne t'abandonnerai. Si je suis revenu à Chang An, c'est pour toi ! J'ai même détruit pour ça tous les cocons vivants de l'élevage… J'ai commis un crime contre la Communauté de la Lumière ! N'est-ce pas la preuve irréfutable que je t'aime ? Entre ma religion et l'amour que j'éprouve pour toi, je crois t'avoir prouvé que mon choix était clair !

— Au nom de quoi celui que tu nommes Parfait, Cargaison de Quiétude, accepterait-il de te relever de tes vœux ? Je préfère que tu le saches : je ne serai pas une maîtresse dans l'ombre de Pointe de Lumière ! Je veux être ta femme pleine et entière ! ajouta-t-elle, cette fois avec véhémence.

— Sans la soie, tous les projets de Cargaison de Quiétude d'installer en Chine centrale l'Église de Lumière seraient à coup sûr anéantis ! Et cette soie,

Lune de Jade, elle dépend de ça ! s'écria-t-il en brandissant le petit sac avec les cocons et les lentes.

— Mais ce prêtre tiendra-t-il parole ? Une fois que tu lui auras rapporté les cocons et les vers, tu ne lui serviras plus à rien !

— Tu es trop méfiante, Lune de Jade ! Les adeptes de la religion de la Lumière sont des gens remarquables.

— Il n'empêche ! Je me méfie des prêtres et des églises. Pour eux, la fin justifie toujours les moyens !

— Il est vrai que la foi parvient à aveugler les hommes au point de leur faire commettre parfois les pires crimes ; mais j'ai confiance dans mon Parfait. Cargaison de Quiétude, compte tenu des principes qu'il professe, ne saurait être qu'un homme de cœur. D'ailleurs, dès mon arrivée, je le mettrai au fait des projets qui sont les nôtres.

— J'espère que cet homme de foi ne décevra pas ton admiration et ta confiance à son égard, Pointe de Lumière. Et je puis t'assurer que je ne souhaite qu'une chose : que tu aies raison, mon amour adoré…

— Ne sois pas inquiète. Nous avons tout notre temps pour réfléchir à la façon dont nous lui présenterons la situation. L'important, pour l'instant, est de franchir la Porte de Jade, dont nous ne sommes pas loin.

— Combien nous reste-t-il de jours de marche pour y arriver ?

— Moins de dix ! Au-delà de la Grande Muraille, les autorités chinoises cesseront d'être à nos trousses, dit-il en la prenant par la main.

— Nous suivrons ces raccourcis dont tu as parlé au marchand de plantes médicinales. La description que tu lui en as fait a dû l'empêcher de dormir plusieurs nuits d'affilée ! lança, en éclatant de rire, Lune de Jade dont il était parvenu à apaiser les craintes.

Chaque jour qui passait apportait désormais aux

amants sa moisson de paysages extraordinaires que traversait, à mesure qu'on s'éloignait des campagnes peuplées de la Chine centrale, le grand chemin des caravaniers.

Presque imperceptiblement, le désert et la solitude prenaient forme, les arbres abandonnaient progressivement leurs feuillages touffus pour laisser place à des plantes de plus en plus épineuses et rases, comme si la lutte contre la sécheresse avait été pour la végétation un combat au corps à corps où tous les coups étaient permis et qui la rendait méchante ; les villages tendaient à s'espacer pour former d'abord des hameaux, puis des maisonnettes isolées, et enfin de simples tentes sous lesquelles vivaient des pasteurs nomades.

Plus ils allaient vers l'ouest et plus la lumière du couchant embrasait les montagnes flambant comme de grosses gemmes au milieu de firmaments qui se teintaient de splendides nuances vert et bleu qu'ils ne se lassaient pas de contempler.

Avec l'argent gagné à jouer au médecin taoïste, Pointe de Lumière et Lune de Jade avaient de quoi se payer les brochettes savoureuses de viande de mouton épicée que les gargotes ambulantes offraient, avec du thé noir, aux voyageurs affamés par leur marche dans le vent glacé.

Le soir, ils prenaient même une chambre dans une des innombrables auberges de la Route de la Soie où ils pouvaient dormir, pelotonnés l'un contre l'autre.

Parfois, luxe suprême, des nomades acceptaient de leur prêter une tente où ils étaient seuls, ce qui leur permettait de faire l'amour sous une couverture en poils de yak sans être dérangés par quiconque.

Les journées se succédaient et ils avançaient au rythme soutenu que leur autorisaient leur jeunesse et leur ardeur.

Un matin, ils quittèrent la Route de la Soie et s'enfoncèrent dans les montagnes sur de petits chemins empruntés seulement par les bergers et les troupeaux.

— Tu vois ces murailles au loin : c'est la Porte de Jade ! Nous l'avons dépassée sans problème ! C'est Cargaison de Quiétude qui m'a conseillé cet itinéraire à travers la montagne afin d'éviter le poste d'octroi et de surveillance ! s'écria enfin le jeune Koutchéen à la fin d'une journée de marche épuisante où ils n'avaient croisé âme qui vive.

— Comme elle est belle, cette porte, avec ces fortifications impressionnantes ! Elle ressemble à un palais ! murmura Lune de Jade, admirative.

— Nous avons bien fait de ne pas nous en approcher ! C'est le principal poste de douane entre l'Est et l'Ouest, c'est-à-dire entre la Chine et le reste du monde. Il y a dans cette ville bien plus d'espions et de policiers que d'habitants normaux !

La progression sur les sentiers cailouteux s'était avérée beaucoup plus difficile que lorsqu'ils étaient sur la Route de la Soie.

Lune de Jade, dont les chevilles étaient fatiguées, souffrait aussi d'ampoules. Elle avait hâte de s'arrêter.

— Ce lit de torrent à sec est rempli de sable fin. Au moins pourrons-nous dormir confortablement... Depuis que nous avons quitté le grand chemin des caravaniers, j'ai le dos en bouillie et mes jambes me portent à peine ! gémit-elle.

La présence d'un arbuste dont le bois desséché permettait d'allumer un feu acheva de décider Pointe de Lumière à faire halte à cet endroit propice. Il prit Lune de Jade par la taille, la souleva et la posa délicatement sur le sable moelleux.

— Ce sable est aussi doux au toucher que de la

farine… Tu y seras bien ! souffla-t-il à l'oreille de son amante.

Devant les flammes hautes et crépitantes du feu de camp qu'il venait d'allumer, il avait à peine allongé son amante sur le sable qu'il commença à la caresser.

Quelques instants plus tard, ils s'endormirent dans les bras l'un de l'autre, persuadés que personne, jamais, ne viendrait les déranger là où ils étaient. Comment auraient-ils pu se douter que leur nuit serait bien plus brève qu'ils ne l'avaient imaginé ?

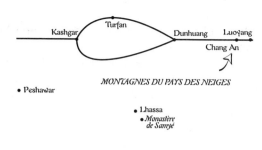

23

Palais impérial, Chang An, Chine, 7 avril 656

Dans ses appartements du palais impérial de Chang An, Wuzhao, allongée sur des draps de soie, achevait d'extraire le plus consciencieusement possible de la tige de jade de l'empereur Gaozong le restant de sa liqueur précieuse, ce qui ne manquait pas d'arracher à ce dernier des râles de plaisir qui faisaient rire sous cape les majordomes.

— Voulez-vous, Majesté, que je vous fasse à présent le loriot qui bat des ailes devant la branche sur laquelle il s'apprête à se poser ? demanda en roucoulant Wuzhao, pour la forme, à l'empereur de Chine qui ronflait déjà comme un animal repu.

Alors, satisfaite de ne pas avoir à accomplir cette figure amoureuse dont Gaozong raffolait, et qui consistait à se mettre à cheval sur lui après l'avoir fait allonger sur le dos, et à frotter longuement sa vallée des roses contre le sexe dressé de l'empereur en l'utilisant comme une sorte de pivot, autour duquel toutes sortes de combinaisons affriolantes devenaient possibles, elle se glissa subrepticement hors de son lit et appela sa femme de chambre pour se faire habiller.

Tandis qu'elle se laissait parer, la mine distraite, d'une extraordinaire tiare en or sur laquelle lorgnaient furieusement toutes les concubines, l'impératrice, que la migraine n'avait pas quittée depuis deux jours, avait l'air quelque peu préoccupée.

Que lui réserverait la journée qui s'annonçait?

Ce matin-là, en effet, elle avait convoqué le préfet Li pour faire le point sur ce que savaient du trafic de soie clandestine les services du Grand Censorat, dont elle se méfiait comme de la peste depuis qu'elle avait appris par le Muet que les rumeurs les plus folles couraient, en ville, sur la protection qu'elle accorderait à ceux qui s'adonnaient à ce fructueux commerce illicite.

Le géant turco-mongol, d'habitude impavide lorsqu'il relatait à sa maîtresse les conversations, le plus souvent médisantes, qu'il avait interceptées, en était tout retourné lorsque, deux jours plus tôt, il avait déboulé devant elle pour lui raconter par le menu ce qu'il avait entendu.

— On complote contre vous, ma reine! Le commerce de la soie clandestine est au centre de toutes les discussions. Pour le vieux général Zhang, vous en seriez même le cerveau principal… avait-il murmuré avec cette voix inimitable qui résultait de sa mutilation linguale, dans un flot de borborygmes qu'elle était la seule à pouvoir déchiffrer.

Wuzhao connaissait la haine que lui vouaient les anciennes familles nobles, desquelles Dame Wang, l'ancienne épouse de Gaozong, était issue.

Naïvement, elle avait pensé que, le temps aidant et sa propre emprise de Gaozong ne cessant de croître, cette hostilité se serait progressivement calmée.

N'avait-elle pas obtenu de l'empereur, quelques mois

plus tôt, qu'il dépossédât le prince Lizhong de son titre d'Héritier Officiel au profit de Lihong, l'enfant qu'elle avait eu avec lui et qui aurait bientôt trois ans ?

Mais cette mesure, loin de les intimider, semblait avoir déchaîné l'ire et la haine de ses opposants.

Elle saisissait mieux, à présent, ce que pouvait signifier l'expression de « classe nobiliaire », par laquelle certains intellectuels désignaient ceux qu'on appelait aussi les « Trois Cents Familles » et qui cherchaient par tous les moyens à préserver leurs privilèges.

Elle était certaine désormais que les Trois Cents Familles n'admettraient jamais en leur sein une roturière et qu'elles feraient tout ce qui était en leur pouvoir pour l'éliminer.

Qu'on l'accusât de fomenter le trafic de soie était un comble, alors qu'elle ne pouvait même pas honorer sa promesse au Supérieur du plus grand monastère bouddhique de Chine de lui fournir de la soie pour ses bannières cultuelles ; mais c'était bien le signe, également, que le clan de ses ennemis était passé à une vitesse supérieure dans son offensive, et même qu'il avait tout bonnement décidé de l'abattre !

Comprenant que la pénurie l'empêcherait de tenir sa promesse, superstitieuse et craignant le courroux du Supérieur Pureté du Vide, elle lui avait fait dire qu'elle avait un message urgent à lui transmettre.

Elle souhaitait lui annoncer, en fait, qu'elle mettait tout en œuvre pour trouver la soie des bannières, malgré l'extrême pénurie qui sévissait dans le pays, mais qu'en contrepartie il devait aider, par ses prières et un soutien officiellement affirmé, la bouddhiste fervente qui n'avait jamais abandonné la foi dans la Voie de la Délivrance, ainsi que le Bienheureux l'avait enseignée à ses disciples.

Pour elle, c'était une sorte de réassurance dont elle

ressentait la nécessité, par ces temps de rumeurs et de calomnies destinées à instiller le doute dans l'esprit de Gaozong.

Deux jours plus tôt, elle avait reçu la visite du coadjuteur du monastère de la Reconnaissance des Bienfaits Impériaux que, suite à son message, le Supérieur Pureté du Vide lui avait envoyé.

Et cette visite n'avait pas, à proprement parler, rassuré l'impératrice Wuzhao.

Premier des Quatre Soleils Illuminant le Monde, un moine presque aussi impressionnant que Pureté du Vide, était le second dans l'ordre hiérarchique du monastère de la Reconnaissance des Bienfaits Impériaux.

Avec son regard à la fois limpide et implacable, son port altier, à la limite du hiératisme, ainsi que son crâne parfaitement lisse, ressemblant du fait de sa proéminence occipitale à ces montagnes sacrées que les peintres bouddhistes étaient capables de dessiner d'un seul trait de pinceau sur leurs longs rouleaux de papier, il était très impressionnant.

— J'espère que maître Pureté du Vide ne m'en voudra pas et croira que la bouddhiste fervente que je suis fait tout son possible pour honorer sa promesse ! avait-elle conclu, après lui avoir expliqué le retard de la soie promise à son Supérieur.

— Majesté, maître Pureté du Vide en doute d'autant moins qu'il vous fait dire que le Grand Véhicule court actuellement le pire des dangers ! avait répondu à une impératrice des plus surprises Premier des Quatre Soleils Illuminant le Monde.

Elle avait cru d'abord qu'il faisait de l'humour, même s'il avait l'air de tout, sauf d'un plaisantin !

— Comment la religion dont les adeptes sont les

plus nombreux pourrait-elle être menacée de si grands dangers ? s'était-elle exclamée, interloquée.

— Pureté du Vide vous informe qu'une trêve a été rompue et que la guerre va certainement faire rage avec les autres Églises bouddhiques, Majesté ! Il compte sur votre appui et sur l'influence que vous pourrez exercer auprès de l'empereur Gaozong afin d'obtenir son illustre concours. Il faut que vous sachiez, Majesté, que mon Inestimable Supérieur vous témoigne une confiance qui ne souffrira jamais la moindre contradiction !

— Je n'en doute pas ! Mais de quelle trêve parle maître Pureté du Vide ? Je n'ai jamais entendu évoquer un tel pacte entre les courants du bouddhisme !

— Majesté, je ne suis pas censé vous en dire davantage. Pureté du Vide m'a fait jurer de vous transmettre mot pour mot ce message. Quant au reste, étant moi-même dans l'ignorance, je ne peux malheureusement rien vous apprendre de plus ! avait murmuré sur le ton de l'excuse Premier des Quatre Soleils Illuminant le Monde.

— Te paraît-il vraiment inquiet ?

— Très inquiet, Majesté. Je ne l'ai même jamais vu dans cet état ! C'est pourtant un homme qui, au prix d'une vie d'ascèse et de méditation, possède un grand contrôle de soi ! Depuis son dernier voyage au Pays des Neiges, il a changé… Il passe des journées entières enfermé dans son bureau, comme s'il attendait une visite dont le retard le minerait ! avait précisé le moine.

Wuzhao n'avait rien pu tirer de plus de l'envoyé de Pureté du Vide, mais plus elle y pensait et plus elle était persuadée que quelque chose d'important avait dû se produire.

Et pour que le Supérieur de Luoyang eût décidé de lui faire passer un tel message, il devait s'agir d'un événement lourd de conséquences pour les Églises bouddhiques, susceptible de remettre en cause la puissance du Mahâyâna dont elle avait tellement besoin pour accomplir son grand dessein.

Comme si une mauvaise nouvelle ne suffisait pas, le lendemain, pour faire bonne mesure, le Muet lui avait appris que le marchand Rouge Vif avait été retrouvé éventré dans son échoppe du quartier de la Soie.

À cette annonce, l'inquiétude de l'impératrice de Chine était encore montée d'un cran.

Qui avait pu perpétrer un tel crime ? Certains savaientils qu'elle avait reçu en secret ce trafiquant pour lui proposer un marché ? Ou alors n'était-ce là que pure coïncidence ? La rumeur ne finirait-elle pas par courir qu'elle avait commandité cet assassinat ?

Au point d'acharnement où ils en étaient, ses ennemis ne lui imputaient-ils pas, déjà, toutes les affaires un peu tordues et non élucidées ?

Chaque jour qui venait de passer lui ayant apporté son lot de mauvaises nouvelles, ce n'était donc pas sans une certaine appréhension qu'elle abordait cet entretien avec le préfet Li.

Paradoxalement, ce dernier, pour des raisons différentes, éprouvait autant de craintes que Wuzhao.

Et pendant que sa femme de chambre achevait la longue séance d'habillage de l'impératrice, qui permettrait à la souveraine d'apparaître dans la splendeur du subtil mélange de l'or et de la soie, le préfet Li se préparait, de son côté, à l'audience qu'elle allait lui accorder.

Devinant qu'elle voulait des informations sur l'enquête concernant la soie clandestine, le chef du Grand Censorat était venu, quelque peu anxieux, prendre conseil auprès de son mentor, le vieux général Zhang, ancien Premier ministre, oncle de l'empereur Gaozong.

Affichant une mine penaude qui en disait long sur les tracas dont il était assailli, il était assis devant le vieil ennemi juré de l'impératrice qui dégustait dans un bol couleur céladon à décor secret du thé vert qu'il faisait venir tout exprès du Yunnan.

— Mon général, que dois-je dire à l'impératrice ? demanda-t-il d'une voix nerveuse.

— Strictement rien ! lâcha Zhang.

Il reposa son bol de thé sur une petite table de forme cubique, dont le laquage luisait tellement qu'on n'arrivait pas à en distinguer la couleur, sans oublier, au passage, de fourrer dans sa poche un petit ustensile qu'il ne tenait pas à montrer au Grand Censeur.

— Mais elle m'a convoqué sous timbre officiel, en tant que mandataire de l'empereur en personne…

— Je te l'ai dit : rien ! répéta le vieux général.

— Mais si je ne dis rien, c'est que je ne sais rien. N'est-ce pas gênant, pour le Grand Censeur dont c'est précisément le métier de tout savoir, que de fournir à l'impératrice un tel biais à la critique ?

— Tu navigueras ! Si tu ne savais pas éviter les écueils, tu ne serais pas devenu Grand Censeur de l'empire ! D'ailleurs, n'es-tu pas le seul dignitaire à porter la marque du Xiezhai ?

Cet insigne, qui représentait le lion blanc à corne, ornait l'uniforme de cérémonie du Grand Censeur, car cet animal mythique était le seul capable de juger, d'un seul regard, ce qui était bien et ce qui était mal.

— Mais vous êtes d'accord qu'il est exclu de faire quoi que ce soit qui discréditerait le Grand Censorat…

— Tu connais le proverbe : l'arbre haut attire le vent comme le poste élevé attire les ennuis ! ricana le vieux général d'obédience confucéenne.

— Hélas, oui, j'ai déjà entendu cette expression et

je la crois assez juste ! murmura, plutôt mal à l'aise, son interlocuteur.

— Trêve de plaisanterie ! Compte tenu des soupçons que nous nourrissons, toi et moi, au sujet de son éventuelle implication dans ce trafic de soie clandestine, il faut, même si l'usurpatrice a été officiellement chargée de cette enquête par ce crétin de Gaozong, éviter de lui en dire quoi que ce soit ! tonna l'ancien Premier ministre de Taizong.

— Cela fait des semaines que l'enquête piétine. L'empereur va finir, à raison, par s'énerver. Il va penser que le Grand Censorat reste l'arme au pied ! fit, de plus en plus inquiet, le préfet Li que la perspective de comparaître devant l'impératrice ne réjouissait guère.

— Mais as-tu en ta possession des faits nouveaux de nature à faire progresser l'enquête ? s'écria, excédé, le vieux général.

— Il y en a un !

— Parle donc ! Qu'attends-tu ?

— Hier soir, un de mes hommes de la première brigade spéciale a reçu la visite d'un certain Aiguille Verte. Cet individu, ouïgour d'origine, semble-t-il, prétend monnayer fort cher l'indication de l'endroit où se cacherait, selon lui, le jeune homme que cette jeune Lune de Jade abritait chez elle, au-dessus de la boutique du marchand retrouvé éventré…

— Par Confucius, voilà enfin qui est intéressant !

— Selon lui, cet homme s'appelle Pointe de Lumière et il séquestrerait la jeune femme, qui s'était, d'ailleurs, mystérieusement évaporée de la filature impériale du Temple du Fil Infini lorsque j'y fis une descente, à la tête de mes hommes, pour tenter de la coincer.

— Et qu'attends-tu pour donner suite à la proposition dudit Aiguille Verte ? Tu ne risques rien à essayer. Simplement, il faut pratiquer en l'espèce comme avec le *hufu*, cette figurine de bronze représentant un tigre coupé en deux par le milieu, couramment utilisée à l'époque des Royaumes Combattants [1]. Une moitié du hufu revenait au général qui opérait sur le champ de bataille, tandis que l'autre était gardée par l'empereur : nul ordre n'était valable s'il ne s'accompagnait pas de la réunion des deux moitiés du hufu, lesquelles devaient se correspondre parfaitement. Pour le général, c'était l'assurance que la décision avait été prise par l'empereur en personne et, pour le souverain, la certitude que l'ordre avait bien été transmis à qui de droit ! expliqua le vieux général, passablement satisfait de pouvoir ainsi faire preuve de sa science.

— Mais comment appliquer le principe du hufu à Aiguille Verte ? demanda le préfet Li, la tête ailleurs, obnubilé, déjà, par l'entretien qu'il s'apprêtait à avoir avec Wuzhao.

— Pardi ! On dirait que tu le fais exprès ! Tu ne feras remettre à cet individu que la moitié de la somme d'argent convenue, et l'autre lui sera donnée après validation de l'information qu'il vous aura fournie ! C'est tout simple ! Et crois-moi, c'est efficace… répondit, de plus en plus excédé, le vieux général Zhang.

— Pour l'instant, je retiens prisonnier cet Aiguille Verte dont le témoignage est en cours de vérification et j'ai immédiatement fait renforcer les contrôles aux portes de la capitale, pour prévenir une éventuelle fuite des jeunes gens.

— C'est la moindre des choses ! dit l'ancien Premier ministre d'un ton aigre.

— Dois-je parler à Wuzhao de cet élément nouveau, mon général ?

---

1. La période des Royaumes Combattants s'étend du VIIe au IIIe siècle av. J.-C.

— Certainement pas. Réfléchis un peu ! Si le tuyau de cet Aiguille Verte était crevé, tu sombrerais dans le ridicule et le Grand Censorat avec toi ! s'exclama le général Zhang, auquel un serviteur venait d'apporter une coupelle remplie d'écorces d'orange confites dans le sirop sucré de gingembre, dont il raffolait.

Après en avoir pris une poignée, il ajouta, l'air gourmand :

— Et si le renseignement d'Aiguille Verte se révélait exact, alors, il ne faudrait surtout pas l'ébruiter… Car comme l'a écrit maître Confucius : *le plus petit caillou peut briser la plus grande jarre* !

— Si je résume, mon général, vous me sommez de me montrer déloyal ! conclut le préfet Li.

— La légitimité de Wuzhao ne dépasse pas la taille d'un grain de moutarde !

— Pas son intelligence ni sa capacité manœuvrière, mon général !

— Elle est rouée, c'est sûr ! Mais je suis persuadé que tu feras, devant elle, un bon acteur ! lâcha l'ancien Premier ministre de Taizong le Grand au moment où le Grand Censeur prenait congé de lui.

En remontant dans le palanquin qui devait le conduire au palais impérial, le préfet Li se sentait en proie au doute quant à la conduite qu'il convenait d'adopter face à l'impératrice de Chine.

L'intransigeance et la haine du général n'étaient-elles pas mauvaises conseillères ? Et surtout, en prétendant que Wuzhao ne s'apercevrait de rien s'il lui mentait, ne cherchait-il pas à instrumentaliser le Grand Censeur, pour, au besoin, mieux l'enfoncer le moment venu ?

Il en était presque à regretter d'être allé trouver le vieux confucéen aigri.

C'est donc mal dans sa peau, s'efforçant de dissimuler le tremblement de ses membres et sentant qu'il lui faudrait déployer des trésors de volonté pour ne pas perdre ses moyens, qu'il fut introduit auprès de Wuzhao par un garde en armes.

L'impératrice lui sembla encore plus belle que d'habitude, son front immaculé ceint de cette tiare en or pur que des oiseaux aux yeux sertis de turquoises paraissaient picorer.

Juste derrière elle, menaçant comme jamais, se tenait son inquiétant factotum géant à la langue coupée.

Cela faisait des semaines que les migraines auxquelles était en proie l'épouse de Gaozong rendaient son sommeil si léger qu'elle se réveillait au moindre bruit. Il suffisait qu'un chat traversât une cour ou qu'une feuille tombât sur le dallage de marbre de son jardin intérieur ou même, lorsqu'il partageait sa couche, que Gaozong bougeât, pour qu'elle sursautât, le cœur battant, en proie à de terribles angoisses que renforçait l'étau de douleur qui lui serrait le front.

Fallait-il que sa beauté fût grande pour qu'elle demeurât aussi belle, malgré ses traits tirés !

Machinalement et selon l'étiquette, comme tout haut fonctionnaire d'autorité devant l'incarnation suprême du pouvoir, le Grand Censeur se jeta à ses pieds.

Lorsqu'il releva la tête et qu'il put, à la dérobée, admirer ce corps dont on devinait sans peine les formes sous la robe ajustée et largement fendue, il était anéanti d'angoisse.

En présence de l'impératrice de Chine, cela ne faisait aucun doute : la ligne de conduite imposée par le général Zhang témoignait d'un aveuglement coupable, dicté par la haine immémoriale que le vieux dignitaire vouait à l'impératrice.

Et le préfet Li ne se sentait pas l'âme d'un rebelle au point de braver la propre femme de Gaozong en lui mentant délibérément.

Toujours aux pieds de Wuzhao, il mesurait à quel point, en bon haut fonctionnaire d'autorité, la loyauté envers le pouvoir suprême était chez lui un véritable réflexe viscéral.

Aussi était-il totalement désarmé lorsqu'elle lui demanda de se relever et de s'avancer devant le fauteuil où elle venait de s'asseoir.

— Je suppose que le préfet Li connaît l'objet de cet entretien ? dit-elle en guise d'entrée en matière.

Prudente et sur ses gardes, elle avait décidé de le laisser venir. Aussi fut-elle des plus surprises lorsque le Grand Censeur Impérial, dont le visage suait à grosses gouttes, s'écria tout à trac :

— Majesté, j'ai peut-être démasqué un réseau d'espionnage mis en place par les trafiquants pour protéger leurs activités criminelles…

L'impératrice, impassible, le regardait fixement.

La tresse postiche parfaitement huilée qui sortait de son bonnet constituait le seul attribut atténuant l'austérité du personnage qui se dandinait maladroitement devant elle, comme s'il peinait à garder sa contenance. Que cachait un tel cri du cœur, de la part de ce haut fonctionnaire aux habits chamarrés de préfet ?

« Sans nul doute, se dit-elle, une duplicité profonde. »

— Ainsi ton enquête avance… souffla-t-elle.

— Oui, Majesté ! Elle avance même à grands pas !

— Je n'en doute pas ! Mais encore…

Wuzhao avait décidé de cacher ses réactions, de telle sorte que ce préfet dont elle connaissait parfaitement l'hostilité à son égard ne pût jamais déterminer si ce qu'il lui racontait était de nature à la satisfaire ou à la contrarier.

— Bientôt, Votre Majesté, vous pourrez annoncer de bonnes nouvelles à l'empereur de Chine. J'ai obtenu en effet pas plus tard qu'hier soir une information capitale, propre à vous contenter, en tant qu'enquêtrice officiellement chargée par Gaozong d'élucider ce mystère.

— De quoi s'agit-il ? demanda-t-elle.

Le Grand Censeur prit son élan et se jeta à l'eau.

— Un Ouïgour nommé Aiguille Verte a contacté mes services pour leur indiquer qu'un individu appelé Pointe de Lumière séquestrait une jeune ouvrière de la filature du Temple du Fil Infini, du nom de Lune de Jade.

— Tiens donc !

— Double coïncidence, Votre Majesté : cette ouvrière, qui était logée juste au-dessus de la boutique d'un marchand de soie clandestine retrouvé éventré, n'est plus reparue à la filature depuis ! expliqua-t-il en tremblant.

— Est-on sûr que cet homme dit vrai ?

— Nous le retenons prisonnier, Votre Majesté. J'en saurai plus ce soir. À l'heure où je vous parle, nous procédons aux vérifications de ses allégations…

— Comment s'appelait le marchand assassiné ? demanda l'impératrice qui le savait parfaitement.

— Rouge Vif, Majesté !

Wuzhao retenait son souffle en s'efforçant de masquer le trouble qui s'était emparé d'elle.

Il y avait fort à parier que le Grand Censorat avait mis le doigt sur l'un des maillons essentiels du réseau de trafic clandestin de la soie dont le tarissement l'empêcherait de tenir sa promesse de fourniture de bannières cultuelles au couvent de la Reconnaissance des Bienfaits Impériaux de Luoyang.

— Tu ne m'en voudras pas si je convoque cet Aiguille Verte pour l'interroger moi-même ? Cela nous permettrait d'aller plus vite ! proposa-t-elle au préfet Li, du ton le plus ferme possible, afin de couper court par avance à toute objection.

— Vous êtes chargée de l'enquête sur la soie clandestine, Majesté, et, à ce titre, vous en avez le droit ! articula péniblement le Grand Censeur, consterné par son propre comportement face à Wuzhao.

Non sans amertume, il constatait qu'il avait fait exactement l'inverse de ce que lui avait enjoint le général Zhang.

L'irruption dans le boudoir de l'impératrice de l'empereur Gaozong en personne ne lui laissa toutefois pas le temps de continuer à s'accabler de reproches.

Le maître de la Chine avait dû sauter du lit, car il ne portait que ses braies de nuit et un tricot de corps de coton blanc.

— Ma douce amie, vous êtes partie bien vite, ce matin ! Je vous aurais volontiers gardée un peu plus… souffla-t-il en bâillant à son épouse principale.

— Majesté, je ne fais que travailler pour vous ! Et au lieu du « je », ce serait plutôt « nous » que j'aurais dû employer, n'est-ce pas, monsieur le Grand Censeur ? s'exclama Wuzhao, non sans emphase.

— Ah ! préfet Li ! Je ne t'avais même pas vu ! s'écria Gaozong au Grand Censeur qui le saluait, plié en deux.

Le souverain le plus puissant du monde, ne prêtant pas plus de considération à son Grand Censeur Impérial que s'il se fût agi d'un insecte, prit son épouse par la taille tout en passant et repassant sa main dans la tiare précieuse de celle-ci, comme s'il avait voulu flatter les petits oiseaux aux yeux turquoise.

Wuzhao fit un pas en arrière pour se dégager de ce début d'étreinte, avant de lancer à son époux, sur un air de défi :

— Majesté, je peux vous le dire à présent : l'enquête sur la soie clandestine sera des plus ardues. L'un des suspects que j'avais fait venir ici pour l'interroger moi-même, un certain Rouge Vif, marchand de soie de son état, a été découvert éventré dans sa boutique il y a quelques jours !

Le préfet Li, estomaqué et admiratif, ne pouvait que constater l'extrême habileté de cette femme qui, grâce à cette simple phrase, s'exonérait de toute suspicion de la part de Gaozong, en lui révélant qu'elle avait bien reçu au palais impérial le trafiquant de soie.

Son intelligence et son sens tactique étaient proprement redoutables !

— Vous recevez au palais des individus qu'on retrouve éventrés ? s'exclama le souverain, quelque peu inquiet et surpris.

— J'essaie de mener le mieux possible l'enquête que vous avez accepté de me confier…

— Il ne faut pas prendre de risques inutiles, ma douce amie. Vous avez mieux à faire ! Nous nous comprenons, n'est-ce pas, ma tendre ?

Le regard de l'empereur, rempli de concupiscence, rendait limpide ce sous-entendu.

Le préfet Li, extrêmement gêné d'être le témoin d'un dialogue aussi intime, ne put s'empêcher de penser que Gaozong était encore plus benêt et vulgaire que ce qu'on en disait.

— Il n'est pas question pour moi, Majesté, de reprendre la parole que je vous ai donnée de mener mon enquête à son terme, dit-elle fermement, consciente des points qu'elle venait de marquer.

— Eh bien, soit, ma douce amie ! Il est temps à présent que j'aille me faire habiller. Le moment des audiences ne va pas tarder ! soupira, presque penaud, le souverain avant de quitter son épouse, sans même jeter l'ombre d'un regard au Grand Censeur Impérial.

Elle fit signe au Muet de lui passer le minuscule pilulier posé sur l'encoignure de bois sculpté qui occupait élégamment un angle de la pièce.

— C'est pour le mal de tête ! Il y a deux jours qu'il ne me quitte pas ! Sans les remèdes, je serais peu de chose ! expliqua-t-elle au préfet Li après avoir ingurgité, en grimaçant, une petite pilule jaune.

— Vous êtes toujours l'impératrice de Chine, Majesté ! bredouilla-t-il.

— Puis-je compter sur toi ? demanda-t-elle brusquement.

— Pourquoi ne le pourriez-vous pas, Majesté ? ânonna-t-il.

— J'ai de nombreux ennemis... Les mauvais souffles rôdent autour de moi ! D'ailleurs, mes migraines en sont le meilleur signe !

— Un haut fonctionnaire de mon espèce, Votre Majesté, ne fonctionne pas ainsi, blanc devant et noir derrière. Il est loyal à son supérieur, par définition ! bredouilla le Grand Censeur.

— J'ignore, monsieur le Préfet, ce qu'est la loyauté par définition ! Pour moi, quand on est loyal, c'est par nature... murmura-t-elle sèchement, comme si elle se parlait à elle-même.

Décontenancé à l'extrême, le préfet Li baissa piteusement la tête.

— Merci pour ces informations, monsieur le Préfet ! dit alors Wuzhao en faisant signe au Muet de raccompagner le Grand Censeur Impérial.

Une fois le préfet Li sorti, elle fit venir son chambellan grassouillet, dont l'effarement et la hantise de ne pas répondre dans les délais souhaités aux ordres de l'impératrice ne faisaient en général qu'augmenter au fur et à mesure qu'il notait ses desiderata à la hâte sur un petit cahier.

Ensuite, ses trois musiciennes préférées lui jouèrent les quelques airs de flûte Chi, de cithare Se et d'orgue à bouche Shen qui avaient, en début de journée, le don de la détendre et de calmer son mal de crâne.

Le petit concert n'était pas encore achevé que le prisonnier qu'elle avait fait extraire des geôles des brigades spéciales, traîné par trois gardes en armes, se tenait déjà devant elle.

Le visage d'Aiguille Verte était tellement couvert d'ecchymoses qu'il ressemblait à un de ces petits coussins bleuâtres sur lesquels les dames nobles présentaient leurs mains aux esthéticiennes pour les faire manucurer.

— Dis-moi tout ce que tu sais, Aiguille Verte, et tu auras la vie sauve ! Ici, nous appelons ça la « dénonciation-absolution ». Tu seras placé sous ma protection directe. Si tu te tais, le Muet se fera un plaisir d'achever le travail de tes bourreaux, fit-elle d'une voix parfaitement posée.

Le Ouïgour avait été tellement battu par ses tortionnaires qu'il avait à peine la force de se tenir debout.

— Le Muet, va chercher des compresses d'eau tiède ainsi que de l'onguent, s'il te plaît. Nous allons alléger les souffrances de cet homme ! ordonna l'impératrice.

Puis elle s'occupa elle-même de son prisonnier, dont elle nettoya le visage avant de masser les paupières meurtries.

Peu à peu, le visage d'Aiguille Verte, débarrassé des traces de sang séché qui le recouvraient, retrouva une apparence plus normale.

— Pourquoi faites-vous ça ? Où suis-je donc ? finit par murmurer le Ouïgour d'une voix tremblante.

— Tu es devant l'impératrice de Chine ! lâcha-t-elle.

À présent, le prisonnier, qui n'en revenait pas, voyait distinctement cette femme dont les formes se devinaient sous la chemise échancrée et à travers la longue fente qui séparait sa jupe en deux pans égaux.

Si on la disait belle, à Chang An, Aiguille Verte, en l'observant d'aussi près, constatait qu'elle l'était bien plus encore qu'il ne l'avait imaginé.

Bien que son nez eût été sérieusement abîmé par les coups de ses geôliers, il pouvait respirer les effluves enivrants de son extraordinaire parfum où la fleur d'oranger se mêlait à la cannelle.

C'était autre chose que la fétide odeur de sueur et de sang séché du cachot dans lequel il avait été enfermé par les hommes du préfet Li, après ses multiples interrogatoires.

— Je veux que tu comprennes que, si tu le décides maintenant, nous serons des alliés ! Crois-moi, je suis une femme de parole ! lui souffla-t-elle dans le creux de l'oreille.

Aiguille Verte ne mit pas longtemps à se décider à répondre favorablement à la proposition de Wuzhao.

Contrairement à ce qu'il avait prévu, ce n'était pas à bras ouverts que les policiers du Grand Censorat l'avaient accueilli lorsque, à sa sortie de l'atelier de Pinceau Rapide, il était arrivé auprès d'eux, l'air mystérieux, pour leur vendre la mèche au sujet de Pointe de Lumière.

À peine avait-il fait sa déposition à un sergent soupçonneux qu'on l'avait conduit devant un capitaine pointilleux, pour la recommencer par le menu, puis jusqu'à un commandant quelque peu surpris, devant lequel il avait dû de nouveau décliner son identité et répéter ce qu'il savait.

Et pour tout remerciement, l'officier supérieur l'avait fait jeter en prison, où les mauvais traitements n'avaient pas cessé, le gardien de sa geôle, un Mongol aux mains larges comme des battoirs, paraissant prendre un malin plaisir à rouer de coups ses prisonniers.

À force de se morfondre dans son cachot obscur, le

Ouïgour en était venu à regretter ce geste impulsif qui l'avait conduit à aller dénoncer aux sbires du Grand Censorat Pointe de Lumière et Lune de Jade.

Entre l'espoir de la protection d'une femme aussi belle qu'impressionnante et le sort que lui réserveraient probablement les services spéciaux dès lors qu'il ne leur serait plus utile, le choix était vite fait.

Sans trop de peine, Wuzhao était arrivée à mettre Aiguille Verte en confiance.

— Majesté, voilà : je surveille le marché de la soie clandestine pour le compte d'un de ses organisateurs... murmura-t-il.

— De qui s'agit-il?

— De deux Églises occidentales, Votre Majesté : l'Église nestorienne et l'Église de Lumière...

— L'Église nestorienne a déjà fait parler d'elle, dit l'impératrice d'une voix songeuse. Il se raconte que ses adeptes sont de plus en plus actifs aux abords de la Chine centrale, dans les oasis de la Route de la Soie ; ils adorent un Dieu unique et leurs croyances sont fort éloignées de la Noble Vérité du Bienheureux Bouddha. En revanche, c'est bien la première fois qu'on prononce devant moi ce joli nom d'Église de Lumière !

— C'est pourtant pour le compte de celle-ci que je travaille, Majesté ! Si vous le souhaitez, je peux donc vous en toucher un mot !

— Et qu'enseigne-t-elle à ses adeptes, cette Église au doux patronyme ?

— Notre religion fut révélée aux hommes par le prophète Mani. Ce saint homme, mort sur la croix, nous enseigne qu'il y a la Lumière et qu'il y a la Nuit ; qu'il y a le Bien et qu'il y a le Mal... et que les hommes sont écartelés entre ces pôles ! Par nos rituels et nos jeûnes, nous implorons Mani de nous garder des forces maléfiques et nocturnes, pour nous faire entrer dans la

Lumière Divine, expliqua tant bien que mal Aiguille Verte, moins au fait des subtilités de la doctrine manichéenne que le Grand Parfait Cargaison de Quiétude.

— Entrer dans la Lumière divine : cette expression me plaît bien.

— Pour notre Église, Majesté, la Lumière est source de toute vie !

— Certains moines bouddhistes racontent qu'ils ont été sauvés de la mort dans le désert par un bodhisattva qui avait transformé ses mains en torches pour les guider à travers la tempête de sable, après que leur caravane avait quitté par mégarde la Route de la Soie !

— Il est vrai, Majesté, que dans les oasis certains caravaniers implorent chaque matin le bodhisattva aux « mains de feu » ! confirma Aiguille Verte, qui connaissait pour l'avoir entendue à maintes reprises cette histoire édifiante à l'usage des moines et des pèlerins qui suivaient les caravanes de la Route de la Soie.

— Mais en opposant la Lumière aux Ténèbres, et le Bien au Mal, ta religion n'évoque-t-elle pas plutôt ce que nous appelons ici le Yin et le Yang ? demanda alors Wuzhao.

Selon les taoïstes, le Yin et le Yang, ce principe des antagonistes complémentaires, gouvernaient l'univers, et il s'agissait de les unir, car seule l'association des contraires permettait d'atteindre l'Harmonie Suprême.

— Je ne connais rien, Votre Majesté, ni au Yin ni au Yang... avoua piteusement le Ouïgour.

— Tu n'y perds rien. L'enseignement du Bienheureux Bouddha apporte bien plus aux êtres humains que la voie du Tao ! Le Très Saint Gautama nous a prouvé que chacun peut prétendre au paradis du nirvana, sous réserve d'abandonner la voie de la douleur et du désir, celle qui conduit les pécheurs à renaître indéfiniment sans jamais réussir à atteindre la paix, dit-elle en essayant tant bien que mal de masquer un frisson.

Ce qu'elle venait d'expliquer à Aiguille Verte au sujet du désir, cause de la douleur du monde, ne manquait jamais de la plonger dans un abîme de perplexité.

En proie au doute, elle se demanda une fois de plus si sa vie d'impératrice, dans le luxe effréné de la cour, et cette domination qu'elle exerçait sur Gaozong par le désir sexuel qu'elle s'efforçait de susciter en lui, étaient compatibles avec les préceptes de Gautama le Bouddha.

— Majesté, je suis à vos ordres ! bafouilla Aiguille Verte qui s'interrogeait sur la signification du mutisme dans lequel l'impératrice de Chine s'était subitement enfermée.

— Parle-moi de ton réseau de surveillance ! Explique-moi comment les nestoriens et les manichéens se répartissent le travail… remarquable qui leur permet de vendre de la soie au nez et à la barbe de l'administration de ce pays. Je veux tout savoir ! lança-t-elle, consciente qu'il valait mieux lui poser toutes ces questions que de se laisser aller aux vertiges destructeurs du doute.

— Par où dois-je commencer, Majesté ? s'enquit naïvement le Ouïgour.

— Par le début, voyons !

Il lui raconta donc, avec tous les détails possibles, comment il avait été envoyé à Chang An par son maître spirituel de Turfan pour surveiller la bonne application des accords conclus entre les nestoriens et les manichéens.

Tout y passa, depuis la production du fil de soie à Turfan, jusqu'à la mise en place par Cargaison de Quiétude du réseau du Fil Rouge destiné à surveiller l'écoulement de la soie à Chang An par l'entremise des nestoriens, en passant par son tissage à Dunhuang grâce au savoir-faire de l'évêque Addai Aggai.

Emporté par son élan, il affranchit même Wuzhao sur les méandres de son organisation pyramidale que les autorités chinoises avaient sans le savoir décapitée en l'arrêtant.

Pendant qu'il dévoilait, désormais sans réticence, cette montagne de secrets, il put noter l'attention avec laquelle l'impératrice l'écoutait. Cette concentration témoignait de son désir de retenir par le menu, afin d'en tirer tout le profit possible, les révélations du Ouïgour.

L'idée que deux Églises étrangères, fort loin de leurs centres de gravité, se fussent ainsi donné la main pour contourner — et avec quel succès ! — le monopole de la soie mis en place par la plus puissante dynastie du monde n'était pas pour déplaire à Wuzhao la rebelle.

Que la soie, au-delà même de sa préciosité, fût un instrument de pouvoir et de conquête, y compris pour les religions, elle était la première à en convenir. Sinon, pourquoi eût-elle proposé à Pureté du Vide de lui fournir celle dont il avait tant besoin ? Le propos de l'évêque de Dunhuang et du Parfait de Turfan ne ressemblait-il pas étrangement au sien ?

Pour un peu, elle se fût presque trouvé une connivence avec eux, même si sa préférence penchait nettement vers l'Église de la Lumière dont elle se sentait intuitivement plus proche !

Comme elle avait eu raison, à présent qu'elle en connaissait les tenants et les aboutissants, d'essayer par tous les moyens de protéger ce commerce clandestin !

— Aiguille Verte, à compter de ce jour, tu es à mon service. Je te prends comme chambellan adjoint ! lui dit-elle quand il acheva son récit.

— Majesté, c'est là un immense honneur pour le simple Ouïgour que je suis !

— Le Muet se chargera de demander à la Chancellerie de préparer l'arrêté de nomination nécessaire ! En revanche, tu dois promettre de ne jamais raconter à personne ce que tu m'as révélé.

— Pas même au Grand Censeur Impérial ? s'enquit le Ouïgour naïvement.

— Surtout pas ! Sache que, pour ces gens-là, le jour où tu n'as plus de secrets ni de têtes à leur livrer, tu es un homme mort…

— Je m'en doutais, Majesté ! J'ai agi par impulsion, quand je suis allé les trouver… Si j'avais su, je me serais contenté de leur faire parvenir une dénonciation anonyme ! avoua, penaud, Aiguille Verte, parfaitement conscient de la chance qui était la sienne d'échapper au terrible piège dans lequel il s'était enfermé lui-même.

Il ne s'était pas rendu compte que sa réponse ôtait à l'impératrice toute illusion — si elle en avait encore — quant à la fiabilité et à la loyauté de son interlocuteur.

Quand on était un traître, on le restait ; et un jour, on finissait par recommencer à trahir.

Si Wuzhao avait décidé de s'attacher les services d'Aiguille Verte, c'était moins pour le sauver des griffes du préfet Li que parce qu'il lui était pour l'instant fort utile d'avoir à ses côtés une telle mine de renseignements.

— Le Muet te donnera de quoi t'habiller en digne collaborateur de l'impératrice de Chine ! En tant que chambellan adjoint, tu porteras l'insigne de l'Oiseau de Paradis ! lança Wuzhao.

— Majesté, je vous serai dévoué jusqu'à la mort ! Vous m'avez sauvé la vie, s'écria Aiguille Verte dans un élan de sincérité qui en disait long sur les affres qui le torturaient quand Wuzhao l'avait fait venir devant elle.

— Bienvenue à la confrérie des confidents de l'impératrice Wuzhao ! Une seule chose y est impardonnable : la trahison ! lâcha-t-elle tout en faisant signe au Muet que son entretien avec Aiguille Verte était terminé.

Demeurée seule, elle s'approcha de la cage de son grillon pour soulever le foulard qui la recouvrait.

L'insecte se mit à chanter.

Elle le transporta dans la cour intérieure arborée sur laquelle donnait son boudoir.

Au milieu de celle-ci, un jardin miniature dont les érables nains, les mousses duveteuses et les minuscules rochers s'étageaient autour d'un bassin rond où d'immenses carpes bariolées de rouge, de noir et de blanc attendaient avec impatience la main nourricière qui leur apporterait des grains de riz. Dès qu'ils la virent arriver, son petit bol à la main, les poissons s'assemblèrent, la tête à moitié hors de l'eau et leurs bouches rondes collées à sa surface, comme si elles l'aspiraient. Au premier grain de riz jeté, la bataille commença, à coups de nageoires et de battements de queue, jusqu'à faire déborder l'eau du bassin.

Elle contemplait pensivement ces joutes aquatiques lorsque son factotum réapparut inopinément.

— Le Muet, un moine taoïste m'a dit un jour que l'eau de la rivière Lë, qui coule à Luoyang, est excellente pour les maux de tête ! Dommage que Gaozong ne séjourne que quelques jours par an au palais d'été des Neuf Perfections !

Son garde du corps la regardait en souriant, opinant de la tête.

Il acquiesçait toujours aux réflexions de sa maîtresse, en bon serviteur zélé et dépourvu de tout état d'âme, dont le destin était désormais entre les mains de cette femme capable, il était l'un des mieux placés pour le savoir, du meilleur comme du pire.

Puis elle lui fit signe qu'il pouvait raccrocher la cage du grillon à la patère spécialement installée à cet effet, avant de la recouvrir du même foulard noir.

— Plus tard, ajouta-t-elle à voix basse, si je deviens empereur de Chine, j'établirai le siège de l'empire dans la ville de l'Ouest. Qu'y a-t-il de plus efficace, pour signifier de façon éclatante au peuple que le pouvoir a changé de mains, que de bouger la capitale de l'empire ? D'ailleurs, Luoyang est une ville bien plus agréable que Chang An ! N'est-ce pas, le Muet ?

Le Mongol géant à la langue coupée fit « oui » de la tête.

— Si tu savais comme j'ai mal au crâne ! murmurat-elle dans un souffle, avant de s'affaler sur les coussins de soie molletonnés d'un lourd fauteuil d'ébène en laissant échapper, sans même y prendre garde, un adorable sein de son corsage.

Avec le Muet, elle ne voyait pas, au demeurant, pourquoi elle aurait dû se gêner…

Peu à peu, ce géant mongol, qui était considéré à la cour impériale comme un paria sans langue dont un caprice de l'impératrice avait sauvé la tête, était devenu l'indéfectible compagnon des bons et des mauvais jours de Wuzhao.

Parfois, elle regardait même avec intérêt les énormes bras du géant, recouverts de tatouages rituels ; ils témoignaient d'une telle puissance qu'on devait, sans nul doute, se sentir protégée lorsqu'on s'y réfugiait…

L'idée de faire l'amour avec un tel monument de muscles, dont la tige de jade devait à coup sûr être gigantesque, ne lui déplaisait pas, bien au contraire.

Elle était d'ailleurs persuadée qu'il lui suffisait d'attendre le moment opportun, quand le degré de connivence avec le géant turco-mongol rendrait une telle issue inéluctable…

Exceptionnelle femme, tant du point de vue de ses qualités — le courage, l'opiniâtreté, la soif de justice et la générosité — que de ses défauts : la cruauté, la duplicité, la soif de pouvoir !

Exceptionnelle dévote, soutenue par une inébranlable foi bouddhique, qu'elle n'hésitait pas à accommoder à sa sauce pour ne pas avoir à la remettre en cause !

Exceptionnelle impératrice, qui savait jouer à merveille des ressorts du pouvoir temporel et avait tout compris, pour en avoir gravi les marches l'une après l'autre, des misérables turpitudes dont il était fait !

Telle était Wuzhao, la future Wu Zetian, dont le nom resterait à jamais gravé dans les annales de l'empire en raison de son itinéraire inouï qui en ferait, malgré son sexe, un empereur à part entière !

Penchée sur l'eau transparente de son bassin d'agrément où tournaient les poissons tricolores, elle ne pouvait imaginer à quel point le chemin qui la mènerait à l'exercice du pouvoir suprême serait escarpé et parsemé, tout à la fois, de cadavres et de trahisons, ainsi que d'actions brillantes et bienfaitrices, non seulement pour la communauté bouddhique, sa plus précieuse alliée, mais également pour les pauvres et les humbles, ceux qui subissaient la férule de l'État, qu'elle fût policière ou fiscale, ceux dont la vie si souvent ne valait guère la peine d'être vécue, tant elle était dure et courte, et auxquels elle donnerait, par l'édiction de mesures justes, un peu de dignité.

Car, pour accéder au rang ultime, jusque-là réservé aux mâles, tout cela, le pire comme le meilleur, il lui faudrait l'assumer.

Mais n'était-ce pas le prix à payer, quand on était une femme appelée à devenir un jour, pour la première fois, la parfaite égale de l'homme ?

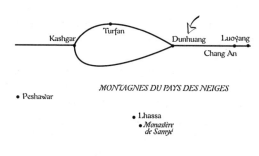

MONTAGNES DU PAYS DES NEIGES

• Peshawar

• Lhassa
• *Monastère
de Samyé*

24

Oasis de Dunhuang, Route de la Soie

Sur la Route de la Soie, le destin et la chance des uns, ou la stricte bienveillance divine des autres, étaient en passe de favoriser la rencontre d'êtres dont les chemins n'auraient jamais dû se croiser.

Tout avait commencé, pour Umara et Cinq Défenses, à Dunhuang où, comme ils se l'étaient promis, les deux jeunes gens s'étaient retrouvés le cœur battant devant le mur du verger de l'évêché nestorien.

Sous les branches aux formes torturées des pêchers et des abricotiers, leurs bouches, désormais assoiffées l'une de l'autre, s'étaient à nouveau unies, et leurs langues à nouveau mêlées.

Des lèvres d'Umara, Cinq Défenses avait gardé l'ineffable goût.

Des mains de Cinq Défenses, Umara éprouvait la même délicieuse impression de picotement, à peine les avait-il posées sur son cou pour l'attirer vers lui.

Ils se sentaient aussi irrémédiablement attachés l'un à l'autre qu'au premier jour.

Désormais, c'était devenu entre eux un rituel : à l'heure où, dans l'oasis de Dunhuang, chacun dormait, ils se rejoignaient.

Ce soir-là, une lune d'hiver éclairait leurs visages de ses rayons blafards.

— Il fait froid, Cinq Défenses ! Et si nous allions nous mettre à l'abri dans la cabane de notre jardinier ? proposa Umara après un premier long baiser.

Le mur franchi, ils se retrouvèrent blottis l'un contre l'autre dans l'abri de jardin où le moine chargé de l'entretien du verger entreposait les outils pour émonder les arbres, ainsi que les échelles qui servaient à cueillir les fruits, au moment de la récolte. Il y avait aussi de la paille, destinée à protéger certaines espèces du gel lorsque l'hiver était particulièrement rigoureux.

C'est sur cette paille, étalée sur le sol à la hâte par Cinq Défenses, qu'ils découvrirent mutuellement leurs corps pour la première fois.

Nul doute que Cinq Défenses se souviendrait, sa vie durant, du choc qu'il avait éprouvé lorsque, le cœur battant et son bâton de jade prêt à éclater, tellement le désir l'avait fait enfler, il sentit, dans sa main, la douce chaleur du sein d'Umara.

Et Umara garderait pour toujours le souvenir ému du contact quelque peu rugueux, mais si sensible, de la paume calleuse de Cinq Défenses sur sa poitrine, qu'elle lui avait offerte après avoir dégrafé son corsage, à peine l'avait-il étendue sur la paille de l'abri de jardin.

De part et d'autre, l'enchantement de cet éveil du désir provoqué par la rencontre de l'être aimé avait été mémorable et délectable.

Comme il faisait froid, ils gardèrent leurs vêtements et procédèrent à tâtons à l'exploration de leur intimité respective.

— Je veux aller vivre avec toi ! Je veux tout partager de toi ! Je ne veux plus te quitter ! murmura Umara en se blottissant contre l'épaule du jeune moine.

Au-delà de la tiédeur de ses seins, il sentait déjà leur palpitation, signe qu'en elle le désir était aussi en train de monter.

— Mais je ne suis qu'un pauvre religieux bouddhiste, qui habite, de surcroît, fort loin d'ici ! dit-il, comme si dans un ultime réflexe de défense il craignait de se laisser happer vers une issue qu'il ne maîtrisait plus.

— Tu ne m'aimes pas ? protesta-t-elle avec véhémence.

— Je ressens pour toi, Umara, ce que je n'ai jamais éprouvé pour personne. Ce doit être ce qu'on appelle l'amour fou !

— Dans ce cas, pourrais-tu vivre désormais sans moi ?

— Je crois bien que non, ma douce et tendre Umara !

— Eh bien, pour ce qui me concerne, je te suivrai jusqu'au bout du monde ! s'écria-t-elle avant de recoller sa bouche à la sienne.

— Mais j'ai la garde d'une paire de bébés qu'il faut que j'arrache à ce chef parsi qui nous retient prisonniers, parce qu'il prétend les vendre à son retour en Perse, où existe la funeste coutume consistant à marier un frère et une sœur !

— M'emmèneras-tu avec eux ?

— Et ton père ?

— Je veux vivre avec toi ! Peu m'importe le lieu ! déclara-t-elle avec fougue, sans la moindre hésitation.

Leurs baisers s'éternisèrent, donnant à chacun l'envie de goûter à l'autre, et d'aller bien plus loin encore, ensemble, sur le chemin des plaisirs partagés.

L'aurore commençait à poindre lorsqu'ils se quittèrent, émerveillés par l'entente qu'ils ressentaient entre eux, après s'être juré qu'ils se reverraient le soir suivant, au même endroit.

Lorsqu'il descendit du dortoir, encore tout imprégné de l'odeur d'Umara, pour prendre sa collation du matin comme si de rien n'était, Cinq Défenses tomba nez à nez avec Ulik, lequel affichait une mine radieuse.

— Qu'as-tu, mon cher Ulik, pour être de si bonne humeur ? lui demanda le jeune moine.

— Je ne reconnais plus mon chef Majib ! Il m'a gratifié d'une pièce d'argent et m'a félicité pour mon travail, ce qui n'était jamais arrivé depuis que je le côtoie ! J'en suis encore tout retourné !

Depuis qu'il était arrivé à Dunhuang, le chef parsi n'était plus l'homme au caractère méfiant et morose que la tempête de neige et le brouillard hivernal avaient égaré sur les chemins hostiles du Tibet.

À peine levé, ainsi qu'Ulik le relatait fort bien, le chef Majib, ordinairement taciturne, avait laissé exploser sa joie.

— Te rends-tu compte, Ulik, de notre chance d'être tombés sur cet évêque nestorien, au moment où nous arrivions ici ? Si tel n'avait pas été le cas, j'ignore le temps qu'il m'aurait fallu pour le débusquer… À supposer que ce fût possible ! S'il n'avait pas été confronté à son problème de source tarie, jamais cet homme ne m'aurait ouvert son cœur comme il l'a fait, nous permettant du coup de découvrir ce que nous cherchions !

— Il faut bien de temps à autre que la chance ne s'intéresse pas toujours aux mêmes. Cela fait des années que notre peuple lutte pour sa survie ! avait répondu Ulik, de façon convenue, peu convaincu par l'attitude de son chef, lequel généralement lui adressait à peine la parole.

— Déjà, avoir mis la main sur les jumeaux divins

était sûrement une manifestation de la bonté de Zoroastre à notre égard ! Mais là, avec cet évêque qui a besoin de mes services, c'est tout notre voyage qui se trouve justifié, et peut-être même récompensé... Sans le tarissement de cette source, nous n'aurions jamais su où était l'usine de l'évêque Addai Aggai ! À Shiraz, ce marchand syriaque qui m'avait assuré sur la tête de son fils qu'il existait à Dunhuang une filature clandestine de soie ne s'était donc pas trompé ! Quand je pense que notre prince Yazdagert a failli nous empêcher de partir, prétextant que cette expédition allait lui coûter trop cher ! Heureusement que j'ai tenu bon ! s'était-il exclamé en se rengorgeant.

— Vous avez vu juste, chef Majib ! C'est bien.

— Et les rapports que j'entretiens avec cet évêque permettent d'augurer, pour la suite, une collaboration efficace. L'argent coulera enfin à flots et nous pourrons lever les armées qui nous manquent pour chasser de Perse les adeptes du prophète Mohammad...

— Comment comptez-vous redonner vie à la source ? avait alors osé s'enquérir le jeune interprète, lequel ne partageait pas l'optimisme de son chef.

— Un peu de patience ! Tu verras... Zartust est avec nous, Ulik ! Tout va bien ! Dans quelques jours, tu toucheras une solde comme tu n'en as jamais eu...

Tel était le nouvel état d'esprit de Majib qui rendait l'interprète guilleret, ce matin-là, devant Cinq Défenses, Poignard de la Loi et le *ma-ni-pa*.

D'ailleurs, à peine les vit-il s'installer à leur table pour leur collation du matin que le chef parsi, hilare, leur fit signe de venir auprès de lui.

Ils s'exécutèrent de bonne grâce, vu l'excellente humeur dont l'intéressé faisait preuve.

— Le chef Majib dit que nous partons tous, dès demain, installer notre campement auprès de cette source. Il compte vous surprendre en vous montrant comment il lui donnera vie… leur annonça Ulik, après que Majib se fut lancé dans un long monologue où il mimait la façon qui était la sienne de faire jaillir l'eau de la terre.

— Mais ne pourrait-il pas nous laisser ici avec le *ma-ni-pa*, en attendant son retour, ce serait plus pratique pour s'occuper des bébés ! s'écria Cinq Défenses que cette perspective de s'éloigner de Dunhuang, et donc d'Umara, n'enchantait guère.

Il songeait également qu'il avait bien plus de chances de fausser compagnie aux parsis en restant dans la petite ville, plutôt qu'en les suivant dans un endroit désertique.

L'interprète traduisit la suggestion de Cinq Défenses.

La réponse du parsi ne se fit pas attendre :

— Le chef exige que tout le monde parte. Il dit qu'il n'a confiance ni en toi ni en lui ! expliqua Ulik, l'air sincèrement désolé, à l'adresse de Cinq Défenses et du *ma-ni-pa*.

— J'étais sûr qu'il nous gardait à l'œil… maugréa le moine errant.

— Pour ce qui vous concerne, le chef Majib dit que, bien entendu, vous n'êtes pas obligés de venir avec nous dans le désert ; du reste, les éléphants peinent à marcher dans le sable ! ajouta Ulik à l'intention de Poignard de la Loi et du cornac, lequel, posté comme d'habitude juste derrière son maître, mâchonnait un bâton de réglisse.

Majib regardait Cinq Défenses d'un air si hostile, que celui-ci comprit que c'était peine perdue d'insister.

Le soir même, pour être sûr que le jeune mahâyâniste ne lui fausserait pas compagnie, le chef parsi le fit installer juste à côté de lui, sur le châlit du dortoir de l'auberge, de sorte que Cinq Défenses, désespéré, ne put aller rejoindre, comme il le lui avait promis, Umara dans le verger de l'évêché.

Il passa une nuit épouvantable, sans fermer l'œil, en pensant à la terrible déception qu'avait dû éprouver la pauvre Umara en constatant qu'il n'avait pas tenu sa promesse.

Il lui fallait absolument prévenir la jeune femme.

Mais comment ?

Épié par un Majib de plus en plus méfiant, il ne voyait pas d'autre solution que de s'en ouvrir à Poignard de la Loi.

Lui seul, comme il ne faisait pas l'objet d'une surveillance, pourrait servir d'intermédiaire.

— Tu as l'air tracassé. Que se passe-t-il ? lui demanda Poignard de la Loi, le lendemain matin, devant sa triste mine.

— J'ai peu dormi…

— Je le constate à tes cernes sous les yeux. Qu'est-ce qui ne va pas ?

Le ton de son compagnon était si bienveillant que Cinq Défenses, balayant les scrupules qui lui restaient, se jeta à l'eau.

— Il m'arrive une chose inouïe : je suis tombé amoureux ! lança-t-il, mi-figue, mi-raisin.

— Ce n'est pas possible. Un moine consacré n'a pas le droit de tomber amoureux. Tu plaisantes ! s'exclama le moine de Peshawar.

— Pas le moins du monde. L'amour s'est abattu sur moi sans crier gare. Je n'y suis absolument pour rien. Je n'ai même pas ressenti de *kâma* [1] quelconque !

Estomaqué, Poignard de la Loi recula d'un pas pour observer si son interlocuteur disait vrai, ou s'il jouait la comédie.

1. *Kâma :* concupiscence, en sanskrit.

Aucun doute n'était permis.

Non seulement Cinq Défenses avait l'air sérieux, mais l'émotion intense de son visage témoignait du bouleversement que son nouvel état avait provoqué en lui.

— Il y a longtemps que ça s'est produit ?

— Une dizaine de jours ! souffla l'assistant de Pureté du Vide.

— Et que fais-tu des préceptes du Vinayapitaka[1] ? À Peshawar, un novice tombant amoureux d'une femme, ou d'un homme d'ailleurs, risquerait à coup sûr l'exclusion !

— Je ne l'ai pas cherché. Au sens de la maturation des actes, telle que le Bienheureux nous l'a enseignée, je ne crois pas être coupable de quoi que ce soit ! se défendit Cinq Défenses que l'objection de Poignard de la Loi ne surprenait pas, ayant déjà réfléchi lui-même à la question.

— La personne dont tu es épris serait donc responsable de ton état ?

— La fille de l'évêque nestorien, dont le regard a croisé le mien pour la première fois sur la Route de la Soie, juste avant notre arrivée ici, ne s'attendait pas plus que moi à ce coup de foudre…

— Umara ?

— Parfaitement. La fille de celui qui a une source à laquelle le chef Majib doit redonner vie.

— Un coup de foudre ! Tu ne vas pas me dire qu'en quelques jours vous êtes déjà tombés éperdument amoureux l'un de l'autre !

— Ce fut instantané, Poignard de la Loi. Aussi subit que l'Illumination ! Aussi radical, assurément, que le fut

1. *Vinayapitaka* : il s'agit d'un des trois textes du Tripitaka, relatif à la règle de vie dans la samgha ou communauté monastique.

pour le Bouddha son état de Bodhi [1] après la découverte des Quatre Nobles Vérités ! s'écria, bouleversé, l'assistant de Pureté du Vide.

— Tu exagères, ô Cinq Défenses ! L'amour t'aveugle ! murmura le moine du Petit Véhicule, troublé par la véhémence du ton de son ami.

— Après la Route de la Soie, nos pas ont été guidés vers la falaise en haut de laquelle je suis monté pendant que tu restais en bas, à jouer aux dés avec le *ma-ni-pa*… Elle était là-haut, alors qu'elle n'aurait jamais dû s'y trouver, Poignard de la Loi !

— Je comprends mieux pourquoi tu tardais tant à revenir ! J'avais remarqué, figure-toi, que tu n'avais pas le même visage lorsque tu es redescendu ! Mais, par discrétion, je n'ai rien osé te demander ! murmura ce dernier.

— Je ne saisissais pas ce que voulait dire le proverbe chinois : « Quand le destin l'a décidé, l'eau et la montagne finissent toujours par se rencontrer »… À présent, j'en perçois le sens ! Il me suffit de remplacer le mot « destin » par le nom du Bienheureux !

— Tu crois sincèrement que c'est le Bouddha Çakyamuni qui a présidé à votre rencontre ?

— Comment pourrais-je en douter ? N'ai-je pas toujours été un pieux dévot, soucieux de vivre dans le respect de son divin enseignement ?

— Tu vas peut-être un peu vite en besogne !

— Ce qui m'est arrivé est bouleversant, Poignard de la Loi. J'étais loin de me douter que l'amour transforme à ce point les êtres ! Avant et après, tu n'es plus le même ! C'est du moins ce que je ressens, au plus profond de moi…

— Elle est chrétienne et tu es bouddhiste !

1. *Bodhi* : illumination, en sanskrit.

— Aucune importance ! L'amour que nous éprouvons l'un pour l'autre dépasse nos croyances. Le respect dû aux autres, et donc à leurs opinions de toute nature, y compris religieuses, ne fait-il pas partie de la Compassion telle que le Bienheureux a souhaité que nous la pratiquions ? s'écria Cinq Défenses avec exaltation.

— Sur ce point, je ne suis pas loin de te suivre.

— Tu vois ! s'exclama, triomphant, le jeune moine.

— Dis-moi, n'avais-tu pas rendez-vous avec la petite Umara, hier soir ?

— Comment le sais-tu ?

— Comme la veille et la nuit précédente, n'est-ce pas ? Je t'ai vu filer en pleine nuit… Je pensais que tu allais soulager un besoin pressant !

Devant le désarroi perceptible de Cinq Défenses, la stupeur de Poignard de la Loi avait fait place, progressivement, à la compréhension.

— J'ai trouvé la raison de ton trouble, ce matin : elle a dû t'attendre en vain et cela te chiffonne ! ajouta-t-il doucement, presque en lui souriant.

— Comment fais-tu pour lire aussi facilement dans le cœur d'autrui ?

— J'ai quelques années de plus que toi, Cinq Défenses. Comme un grand frère, face à la situation qui est la tienne, j'essaie de me mettre à ta place !

— Ton attention me touche au cœur. J'avais tellement peur que tu me juges et me condamnes ! murmura Cinq Défenses dont la main serrait à présent le bras de Poignard de la Loi.

— Ta franchise t'honore. Sache que je suis là pour t'aider et en aucun cas pour t'enfoncer !

— Serais-tu prêt à transmettre de ma part un message à Umara ?

Poignard de la Loi marqua un temps d'hésitation,

comme si cette requête, en faisant de lui le complice de la grave faute du *kâmamithyâcâra*[1], gênait le moine parfaitement respectueux de toutes les règles de la samgha qu'il était toujours.

La sympathie qu'il éprouvait pour Cinq Défenses abrégea cependant ses états d'âme.

— Non seulement je lui transmettrai le message que tu souhaiteras, mais je compte bien t'accompagner jusqu'à cette source tarie. Qui sait, peut-être est-ce là que je pourrai t'aider à fausser compagnie à ces parsis ! Du moins, si c'est toujours ton objectif…

— Plus que jamais, Poignard de la Loi.

— Tu abandonnerais donc cette jeune fille à son sort, à peine tombé amoureux d'elle ?

— Elle me suivra ! Umara et moi, nous nous sommes juré que nous ne nous quitterions plus ! rétorqua l'assistant de Pureté du Vide au moine de Peshawar, complètement estomaqué.

Leur discussion fut interrompue par les ordres secs lancés à ses hommes par le chef Majib, qui visiblement s'impatientait.

Il fallait faire vite, préparer les bagages, seller les chevaux et régler la facture de l'aubergiste.

L'évêque nestorien avait convenu avec Majib qu'ils se retrouveraient le plus tôt possible sur la Route de la Soie, à l'embranchement signalé par un buisson d'épineux et que, de là, il les mènerait jusqu'à la source malade.

Voyant que Cinq Défenses avait l'air de plus en plus désemparé, Poignard de la Loi fit signe à Ulik d'approcher.

— Tu vas dire à ton chef que je pourrais, s'il le

---

1. *Kâmamithyâcâra* : pratique sexuelle illicite, en sanskrit.

désire, le conduire jusqu'à cette source. On ne sait jamais, l'éléphant Sing-sing pourrait lui être utile !

Ulik répercuta la proposition de Poignard de la Loi à son chef.

— Majib te remercie, mais il ne voit pas en quoi l'éléphant pourrait lui être d'une quelconque utilité, compte tenu de ce qu'il a prévu de faire.

— Il y a certains travaux de force que seul un éléphant peut exécuter ! Nous ne savons pas de quoi souffre cette source. Il ne faut jamais vendre la peau d'un ours avant de l'avoir tué...

Sing-sing, qui paraissait avoir saisi les propos de son maître, tout guilleret de le revoir, opinait de la tête.

— Le chef Majib ne voit pas d'inconvénient à ce que tu viennes avec nous à la source du désert ! dit enfin Ulik, après avoir traduit au chef parsi les propos de Poignard de la Loi.

Pendant le trajet, le moine du Petit Véhicule essaya de réconforter Cinq Défenses :

— Dès que nous serons de retour à Dunhuang, j'irai porter un message de réconfort à cette jeune fille pour lui expliquer ton absence ! Elle comprendra ; surtout si elle éprouve pour toi des sentiments identiques aux tiens !

— Et si les brigands décidaient de ne pas revenir à Dunhuang, Poignard de la Loi, comment ferons-nous ?

— C'est une raison de plus de mettre tout en œuvre pour fausser compagnie à cette bande de sauvages ! assura le coadjuteur de Bouddhabadra, tout en se gardant bien de faire part à son ami de la perplexité qu'il ressentait soudain, au moment où le convoi s'ébranlait à nouveau sur la Route de la Soie.

Serait-il possible de tromper la surveillance des parsis dans un lieu aussi désertique où il était inutile de compter se fondre dans la moindre foule, comme à Dun-huang les jours de marché ?

— J'espère que notre plan marchera ! se contenta de souffler Cinq Défenses, accablé par des idées noires qui disparurent totalement dès leur arrivée, lorsqu'il aper-çut, au côté de l'évêque, la fine silhouette d'Umara qui les attendait sur le seuil de la petite usine clandestine.

La joie intense du jeune moine du Grand Véhicule pouvait se lire dans ses yeux.

— Tu n'auras pas besoin de moi pour lui faire pas-ser ton message ! murmura Poignard de la Loi.

Cinq Défenses en était certain : le couple qu'il allait former avec Umara était béni par le Bienheureux Boud-dha en personne.

« Une rencontre est toujours le fruit d'un hasard céleste », disait d'ailleurs l'épigraphe du poète que tant d'amoureux, en Chine, aimaient rappeler à leur belle...

— Bienvenue à l'usine de soie, ô Majib ! s'écria Addai Aggai, avant de le conduire sans plus attendre jusqu'à la source tarie.

— Une source dans ces lieux, ça tient du miracle ! dit le chef parsi lorsque l'évêque lui montra l'endroit où l'eau, quelques semaines plus tôt, jaillissait encore.

Après avoir inspecté le lieu de fond en comble, allant jusqu'à mettre sa tête dans le trou béant de la source, Majib commença à donner des ordres à ses hommes avec emphase et en faisant de grands gestes, sous les yeux médusés des nestoriens, de Cinq Défenses, de Poi-gnard de la Loi et du *ma-ni-pa* qui assistèrent, quelque peu dubitatifs, aux préparatifs.

Majib, après avoir fait allumer un feu, revêtit une longue robe blanche et se coiffa d'un curieux chapeau pointu de satin noir brodé d'étoiles argentées.

Sous cet accoutrement extravagant, il avait vraiment l'air d'un mage.

Selon ses instructions, les bandits parsis se disposèrent autour de lui en un cercle parfait. Après avoir déposé de l'encens dans une cassolette remplie de braises rougeoyantes, il se mit à la balancer d'avant en arrière, en prononçant une mélopée dont personne, à l'exception de lui-même, ne comprenait le sens.

Poursuivant ses incantations, il grimpa sur les rochers qui entouraient la source, puis projeta l'encensoir dans le trou béant, provoquant des flots de fumée qui paraissaient, ainsi, avoir remplacé l'eau vive.

— Adorateurs de Mazda, priez et prosternez-vous ! C'est Mazda qui a créé l'univers, le ciel, la terre et l'eau ! C'est donc au Bienfaisant Immortel Mazda qu'il incombe de redonner vie à cette source, laquelle a été tarie par Ahriman, la créature des ténèbres d'en bas. Mazda, reçois sans arrière-pensée la complainte de ton dévoué serviteur ! tonna Majib sur un ton grandiloquent.

Ulik traduisait les paroles à voix haute, de sorte que toute l'assistance pouvait en comprendre le sens.

Malgré les nombreuses allés et venues de Majib, scandées par ses invocations au Dieu Bienfaiteur Mazda, pas une goutte d'eau n'apparut au fond du trou autour duquel chacun, désormais, était penché.

— Ô Sôsyans, troisième fils de Zartûst, toi qui intercèdes parfaitement pour les hommes auprès de ton divin père, chasse Ahriman d'ici et permets à l'eau de jaillir à nouveau ! Je t'en conjure, fais-le donc pour le bien de ces hommes ! continua à proclamer, d'une voix plus anxieuse, le chef parsi qui s'adressait, cette fois, à celui des fils de Zarathoustra qu'on disait le plus accessible aux prières humaines.

Mais cette seconde invocation, hélas, ne sembla pas rencontrer plus de succès que la première.

— Et si tu invoquais Zurvan, le Dieu Suprême,

qui est à l'origine de Mazda et d'Ahriman ? osa alors demander l'un de ses compagnons.

— Zurvan ne peut rien faire pour nous ! Pas plus que Mithra, le juge des âmes ! rétorqua une voix.

— Zurvan ! Certains prétendent même qu'il n'existe pas ! poursuivit une autre.

— Taisez-vous tous ! Arrêtez vos blasphèmes, ô créatures impies ! C'est Ahriman, à la tête des forces maléfiques, qui vous perturbe ! hurla Majib, hors de lui.

Après cette admonestation, un pesant silence, lourd de sous-entendus et de doutes, s'installa dans le cercle des parsis, au milieu duquel le chef Majib, de plus en plus hagard, roulait des yeux blancs en faisant tournoyer sa cassolette comme une fronde.

— Et si nous utilisions l'éléphant Sing-sing ? Il pourrait, en déplaçant cette pierre, pulvériser le petit tas de cailloux qui paraît obstruer le passage de l'eau, intervint soudain Poignard de la Loi.

Il désignait à l'assistance, qui ne put s'empêcher de pousser un soupir d'étonnement, une énorme boule rocheuse débordant de la falaise au pied de laquelle s'ouvrait le trou de la source tarie.

Sous les encouragements des parsis, et devant l'absence de réaction de Majib qui, le regard ailleurs, continuait à réciter mécaniquement ses formules incantatoires dans un nuage d'encens, Poignard de la Loi donna l'ordre au cornac de faire monter le pachyderme sur la falaise.

Il suffisait de la contourner, pour y accéder par le plateau qui surplombait la petite combe où Addai Aggai avait installé son usine.

D'un pas majestueux et lent, Sing-sing s'ébranla, le cornac juché sur son cou, coincé entre ses deux immenses oreilles battant l'air comme des éventails princiers.

Quelque temps plus tard, le pachyderme apparut en haut de la falaise.

À la grande satisfaction de Poignard de la Loi, Sing-sing, d'un simple mouvement de la patte, réussit à faire bouger ce gros rocher qui reposait, en fait, en équilibre instable sur le rebord de l'aplomb.

Puis, sur les ordres à peine murmurés du cornac, l'animal s'arc-bouta sur ses pattes et, posant son front contre l'énorme pierre, commença à la déplacer lentement en direction du vide, jusqu'à ce qu'elle déboulât dans un fracas épouvantable en plein milieu du tas de pierres d'où l'eau, avant, coulait encore.

Lorsque le nuage de poussière se fut dissipé, des cris de joie et des applaudissements fusèrent de toutes parts au sein de cette curieuse assistance composée de moines nestoriens et de bandits mazdéens, les uns et les autres aussi médusés par le spectacle.

C'est un miracle ! criaient-ils chacun dans leur langue.

Entre les débris de rochers éclatés, l'eau, par bonheur, était revenue !

Addai Aggai, tombé à genoux, était le premier à remercier son Dieu Unique d'avoir ainsi exaucé ses prières. Les moines-ouvriers de la filature, entourant leur évêque, souriaient béatement et rendaient, comme lui, leurs actions de grâces : Dieu l'avait voulu, puisque l'eau pure était présente, psalmodiaient-ils, extatiques.

Certes, ce n'était pas encore un flot impétueux mais déjà un mince filet, brillant comme l'argent, qui jaillissait de nouveau, en plein désert, des entrailles de la terre.

— Vive l'éléphant Sing-sing ! entendait-on crier en chinois, en syriaque et en persan.

Tandis que le chef Majib se vantait sans vergogne auprès d'Addai Aggai d'avoir réussi ses passes, allant même jusqu'à prétendre auprès de ses hommes qu'il avait au préalable obtenu de Mazda, et surtout de Sôsyans, qu'ils jetassent un sort favorable au pachyderme de Poignard de la Loi, Cinq Défenses, profitant du brouhaha et de l'agitation ambiante, se rapprocha discrètement d'Umara.

— Il faut me pardonner pour hier soir ! Ce parsi me surveillait, si bien qu'il m'a été impossible de m'éclipser. J'espère que tu ne t'es pas trop inquiétée, lui murmura-t-il dans le creux de l'oreille.

— J'ai eu très peur qu'il ne te soit arrivé quelque chose ! dit-elle en l'entraînant un peu à l'écart.

— À présent, tout va bien, nous sommes à nouveau l'un avec l'autre. N'est-ce pas la preuve que ton Dieu et le Bienheureux Bouddha l'ont voulu ! souffla-t-il en lui caressant imperceptiblement le bras.

— Il est vrai que nous nous rencontrons toujours là où c'est le plus improbable ! fit-elle en souriant.

— Rien n'est improbable, Umara ! Pas plus nos retrouvailles que la réapparition de l'eau, grâce au geste de l'éléphant !

— C'est incroyable ce que cet animal a l'air intelligent. Il a un œil humain !

— L'âme qui est réincarnée en lui peut fort bien, après la mort de cette enveloppe-là, se nicher dans celle d'un homme ou d'une femme !

— Qui que ce soit, l'éléphant a bien agi !

— Cet animal, par son geste, vient d'illustrer ce qu'un bouddhiste appelle « la maturation des actes » !

— C'est la première fois que j'entends cette expression.

— Lorsque cet éléphant a fait tomber la pierre, il a produit un acte dont la conséquence a été que l'eau a rejailli… La maturation d'un karman permet de déterminer si celui-ci est bon ou mauvais, car seule compte l'intention : si elle est bonne, le karman sera positif ; dans le cas contraire, c'est le karman qui sera mauvais, expliqua-t-il en lui caressant les cheveux.

— Selon toi, s'il n'y a pas intention de nuire, il ne saurait donc y avoir péché ?

— C'est ce que nous a appris le Bienheureux. Inversement, s'il y a intention néfaste, même si l'acte n'arrive pas à maturation, il y a faute !

— Cela me paraît juste !

Les deux jeunes gens furent interrompus dans leur discussion philosophique par l'évêque Addai Aggai, venu proposer à Cinq Défenses de participer aux agapes qu'il avait fait préparer pour saluer le retour de l'eau vive.

— Umara, tu diras à ce jeune moine qu'il peut se joindre aux autres ! lança-t-il à sa fille, avant d'annoncer à la cantonade : Il est temps à présent de vous sustenter et de boire autant que vous le voudrez ! C'est l'Église nestorienne qui régale.

Sur les braises du feu, des brochettes de mouton macérées dans de l'huile aromatisée eurent tôt fait d'être placées.

Leur fumet embaumait déjà l'atmosphère quand Addai Aggai fit ouvrir, en l'honneur de Majib, le tonnelet de vin de raisin pour la messe que Cargaison de Quiétude lui avait envoyé de Turfan, quelques semaines plus tôt, par l'intermédiaire de Diakonos.

C'est ainsi que, dans le désert de Gobi, la fête de « l'eau revenue » battit son plein jusqu'à fort tard dans la nuit, ponctuée par les hymnes où chacun rendait grâces à qui de droit, tout en esquissant des pas de danses païennes, accompagnées de chants de moins en moins religieux et de plus en plus barbares, encouragés par l'alcool manichéen.

Après des heures de beuverie, de chants et de danses,

au moment où le silence de la nuit enveloppa à nouveau la petite combe, les Jumeaux Célestes se mirent soudain à gazouiller dans leur couffin auprès duquel continuait à veiller la vigilante chienne Lapika.

Cinq Défenses, qui n'avait pas touché à la moindre goutte de vin, se précipita, suivi par Umara.

— Ils sont adorables ! Surtout la petite fille, malgré cet incroyable visage ! murmura-t-elle en soulevant celle-ci dans ses bras.

La bouche délicate de la fillette esquissa un sourire.

— Elle doit te prendre pour sa maman ! Depuis qu'elle a quitté Samyé, elle ne connaît que des hommes !

— Elle est orpheline ?

— Je ne le sais pas. C'est une supposition plausible. Si ces enfants avaient eu leurs parents, ils ne m'auraient pas été confiés par un lama du couvent tibétain de Samyé !

— À présent que je les vois, je comprends mieux en quoi ces petits êtres ont bouleversé tes projets !

— Moins, toutefois, que notre rencontre… dit-il en l'enlaçant.

Le spectacle qu'ils découvrirent, une fois revenus vers le foyer éteint, ne pouvait que les réjouir, compte tenu de leurs intentions.

Par terre, les parsis ivres morts, Majib à leur tête, dormaient à poings fermés, enroulés dans leurs couvertures de laine.

On entendait également, à l'intérieur de l'usine où ils s'empressèrent d'aller jeter un œil, les ronflements d'Addai Aggai et de ses moines, qui avaient eux aussi goûté au vin de messe et que les émotions de la journée avaient laissés complètement épuisés.

— N'est-ce pas le moment ou jamais ? souffla

Umara, haletante, à l'homme dont elle était tombée éperdument amoureuse.

— Vraiment, le crois-tu ? Serais-tu prête à me suivre dès maintenant ?

— Partons, mon Cinq Défenses ! Je pense de tout mon être que c'est le bon moment !

— Et ton père, mon amour, as-tu songé à son désespoir, quand il s'apercevra de la disparition de sa fille unique ?

— Comme tout père aimant sa fille, Addai Aggai ne peut souhaiter qu'une chose : mon bonheur ! J'espère simplement pouvoir un jour lui expliquer que c'était le seul moyen de partir avec l'homme de ma vie, que des bandits parsis retenaient prisonnier à cause de deux bébés dont il avait accepté de s'occuper !

— La jeune fille a raison. Il faut nous éclipser tout de suite, pendant qu'ils dorment tous, ajouta le *ma-ni-pa* qui les avait rejoints.

La chienne Lapika, comme si elle avait senti que quelque chose d'important était en train de se tramer, avait entrepris de lécher les mains de la fille d'Addai Aggai.

— Regardez-moi la chienne jaune ! Elle comprend tout ! s'écria drôlement celle-ci.

— Si cette chienne donne sa confiance à Umara, c'est le signe que le moment est effectivement venu de leur fausser compagnie !

C'était Poignard de la Loi qui venait à son tour de s'exprimer, après être descendu du haut de la falaise d'où il avait tout observé et entendu.

— Sans ton éléphant, Poignard de la Loi, l'eau ne serait pas revenue et nous serions tous sous étroite surveillance. Si nous pouvons partir d'ici, c'est grâce à toi ! Comment te remercier pour ce que tu as accompli ? s'exclama Cinq Défenses, éperdu de reconnaissance.

— J'ai fait pour le mieux, se borna à répondre le moine de Peshawar, dont le cœur se serrait à l'idée qu'il allait perdre cet ami auquel il s'était indéfectiblement attaché en quelques semaines à peine. Prends bien soin des enfants divins : tel est le seul conseil que je me permets de te donner, à présent que tu vas les emmener ! Je ne doute pas un instant, d'ailleurs, qu'ils seront dans de bonnes mains…

— Nous veillerons sur eux comme sur la prunelle de nos yeux ! assura Umara en s'emparant des mains du moine du Petit Véhicule.

Cinq Défenses en profita pour s'éloigner de quelques pas en compagnie du *ma-ni-pa*. Une discussion animée s'établit entre les deux hommes, le moine mahâyâniste paraissant demander avec insistance quelque chose au moine errant.

Lorsqu'ils revinrent, le *ma-ni-pa* s'adressa à Poignard de la Loi.

Cela faisait plusieurs jours que Cinq Défenses l'exhortait à le faire, mais une peur tenace le retenait : celle de réveiller de mauvais souvenirs qu'il avait presque réussi à chasser de son esprit.

Mais là, au moment où leurs chemins allaient se séparer de celui de Poignard de la Loi, Cinq Défenses jugeait qu'il était grand temps, pour le moine errant, de révéler à leur ami la vérité.

— *Om !* Il faut que je te fasse part d'un fait important, ô Poignard de la Loi : il y a quelque temps de ça, j'ai rencontré ton supérieur Bouddhabadra. *Om !* annonça le *ma-ni-pa* au moine de Peshawar.

À ces mots, le sang du premier acolyte de Bouddhabadra ne fit qu'un tour.

N'avait-il pas effectué un si long voyage pour essayer, en vain jusque-là, d'obtenir des nouvelles de son Supérieur ?

— Ce n'est pas possible ? Mais où et quand ? Et pourquoi m'en avertir si tard, *ma-ni-pa* ? rugit-il, furieux, tel un lion.

— C'était plusieurs semaines avant que tu arrives à cette auberge cavalière où nos itinéraires se sont croisés ! Il se trouvait dans une grotte de la montagne, avec un autre religieux. *Om !*

— Dans une grotte ?

— Parfaitement ! Elle s'ouvrait dans la pente, au bord du chemin qui permet de se rendre au monastère tibétain de Samyé ! *Om !*

— Quand donc as-tu vu l'homme que je recherche ?

— Il y a, en gros, une lune et demie de ça, pas plus, foi de *ma-ni-pa* ! *Om ! Mani padme hum !*

Poignard de la Loi, dont le cœur battait la chamade, avait l'air ahuri.

— Il y a longtemps que je le presse de te le dire… Cet événement lui a laissé un si mauvais souvenir qu'il a le plus grand mal à en faire état. Bouddhabadra n'était pas seul. L'homme qui l'accompagnait a terrifié le *ma-ni-pa*… lui expliqua Cinq Défenses.

Quant à Umara, manquant de tomber à la renverse en entendant le nom de Bouddhabadra prononcé par le moine errant, elle avait agrippé le bras de Cinq Défenses.

— Qu'as-tu, Umara ? Tu as l'air troublée ! Est-ce à cause de notre départ qui approche ? lui demanda le jeune homme avec douceur.

— Non ! C'est autre chose. Mais ce n'est pas le moment d'en dire davantage… murmura-t-elle, paniquée, en se serrant tout contre lui

— Mais tu es pâle comme la mort, Umara !

— Plus tard, lorsque nous serons tranquilles tous les deux, je te raconterai… Et tu comprendras, bafouilla-t-elle, décomposée.

Cinq Défenses était si absorbé par la bonne exécution de son plan qu'il renonça à attendre plus d'explications de la jeune fille.

Poignard de la Loi continuait à interroger le *ma-nipa* sur les circonstances dans lesquelles il avait rencontré son Supérieur.

Bouddhabadra était donc vivant !

Telle était la très bonne nouvelle qui mettait au cœur du premier acolyte une épaisse couche de baume.

Son Inestimable Supérieur ne s'était donc pas évaporé dans la montagne, au moment où il avait donné ordre à son cornac de partir en avant pour l'attendre à la prochaine auberge.

— Et lui as-tu parlé ? Était-il en bonne santé ? Que t'a-t-il dit, au juste ? Où se trouve-t-il ? Pourquoi ne m'as-tu pas prévenu plus tôt ? Me laisser dans une telle ignorance, alors que je le cherche comme un fou depuis des mois, c'est confondant !

Les questions de Poignard de la Loi fusaient ; et certaines sonnaient même comme un reproche.

— Si je ne t'ai rien dit plus tôt, c'est parce que j'avais peur de réveiller en moi de fort mauvais souvenirs ! confia piteusement le moine errant, soucieux de se justifier.

— Raconte-moi par le menu les circonstances de votre rencontre.

— Je marchais sur la route. Un inconnu m'aborda et me fit entrer dans une grotte où Bouddhabadra était étendu sur le sol, en proie à d'intenses douleurs qui l'empêchaient de se lever…

— Était-il malade ? s'écria, affolé, Poignard de la Loi.

— Il souffrait d'une jambe. Cela n'avait pas l'air bien grave, mais il devait se reposer. *Om !*

— Pourquoi cet inconnu t'avait-il amené auprès de mon Supérieur ?

— Au départ, je l'ignorais. Très vite, toutefois, les deux hommes me proposèrent une sorte de pacte. *Om !* Je devais aller chercher pour leur compte un manuscrit bouddhique au monastère de Samyé et le leur rapporter. Ils m'avaient promis, en échange, une forte somme d'argent.

— Tu es donc allé à Samyé ?

— *Om !* Je n'ai pas pu récupérer le manuscrit. Entre-temps, le supérieur de Samyé, le Révérend Ramahe sGampo, m'avait invité à me mettre au service de Cinq Défenses pour l'aider à convoyer les enfants divins jusqu'à Luoyang... Du coup, je n'ai pas pu honorer le contrat passé avec eux... S'ils me croisent, ils me tueront ! bafouilla le *ma-ni-pa*.

— Je ne comprends rien à ces manigances qui ressemblent fort peu, je puis te l'assurer, à mon Ineffable Supérieur ! Quant à te tuer, ce n'est pas le genre de Bouddhabadra. Cet homme hait la violence sous toutes ses formes ! lâcha, excédé, le moine de Peshawar.

— C'est la stricte vérité ! Sur la tête d'Avalokiteçvara ! *Om ! Mani padme hum !* Je me suis mal comporté à leur égard. J'ai donné aux pauvres tout l'argent qu'ils m'avaient avancé ; et j'ai rejoint Cinq Défenses pour me mettre à son service et à celui des Jumeaux Célestes, ainsi que le Révérend Ramahe sGampo l'avait souhaité, s'écria le moine errant.

— Et le regrettes-tu ? s'enquit Poignard de la Loi.

— Pas le moins du monde ! Si ce n'est qu'à juste titre ils doivent m'en vouloir. Cela étant, c'eût été me placer en état de grand péché que de désobéir à l'injonction du Supérieur du plus ancien monastère du pays de Bod ! conclut le moine errant.

— Si j'avais su tout ça plus tôt, je me serais moins

rongé les sangs ! Il ne me reste plus qu'à me rendre à Samyé… Si Bouddhabadra n'est pas là-bas, il ne doit pas en être loin ! murmura, rassuré, Poignard de la Loi.

— Le Révérend Ramahe sGampo pourra sûrement t'en dire plus… ajouta le *ma-ni-pa*.

— Il faut y aller ! Ils risquent à tout moment de se réveiller… intervint Cinq Défenses.

Le convoi s'ébranla dans la nuit. Le *ma-ni-pa* fermait la marche, au côté de Droit Devant dont il tenait le mors pour empêcher tout écart qui eût mis en péril son précieux chargement, sur lequel la chienne jaune continuait à veiller comme sur le plus précieux des trésors ; l'éléphant Sing-sing, de son pas majestueusement royal, sollicité par le cornac, transportait ce dernier ainsi que Poignard de la Loi ; Umara et Cinq Défenses, enfin, avançaient main dans la main.

En faussant compagnie aux parsis qui le retenaient prisonnier, Cinq Défenses sauvait les Jumeaux Célestes tout en emmenant avec lui celle dont il était tombé amoureux fou !

Quant à Umara, attentive, déjà, au sort des deux enfants comme s'ils étaient les siens, tenant la main de son compagnon, ses yeux bicolores brillaient de l'éclat de la joie.

Le bonheur s'ouvrait sous leurs pas, tel un immense territoire inconnu qu'ils avaient hâte de découvrir.

Aussi leur petite troupe ne mit-elle pas longtemps à atteindre le buisson épineux qui signalait l'embranchement du chemin menant à la filature du désert.

La Route de la Soie était là, tel un long ruban grisâtre, vide de tout convoi à cette heure tardive.

Chacun était prêt à partir dans sa direction : Cinq Défenses et Umara vers l'est et Poignard de la Loi, son pachyderme ainsi que le cornac vers l'ouest.

Le moment de la séparation était arrivé. Leurs adieux furent empreints de tristesse.

— J'ai une dette à ton égard. J'aimerais tant pouvoir l'honorer un jour ! J'espère que le Bienheureux fera à nouveau se croiser nos routes ! murmura Cinq Défenses dont les yeux étaient embués de larmes.

— Je prierai de tout mon cœur pour qu'il en soit ainsi... répondit Poignard de la Loi en serrant avec émotion son ami dans ses bras.

— N'oublie pas : si tu as besoin de moi, c'est à Luoyang que tu me trouveras le plus sûrement ! ajouta Cinq Défenses.

— Que le Bienheureux bénisse votre union et votre nouvelle vie commune ! lança d'une voix forte le premier acolyte de Bouddhabadra à ceux qui partaient ensemble, avec les Jumeaux Célestes, vers l'inconnu, unis l'un à l'autre et forts de leur seul amour.

Puis, dans l'épaisse obscurité d'une nuit privée d'étoiles, chacun s'engageant vers son nouveau destin, leurs chemins se séparèrent, tels ces ruisseaux, si proches au départ mais que l'invisible ligne de partage des eaux fait couler, les uns vers l'orient et les autres vers l'occident.

Umara et Cinq Défenses, marchant serrés l'un contre l'autre, se retournèrent quand Sing-sing ne fut plus qu'un point minuscule sur la Route de la Soie.

— Tu ne peux pas savoir ce que je suis heureuse ! s'écria Umara à cet instant précis.

— Ce que je vis depuis quelques jours ne fait que démentir le célèbre dicton chinois : « Paix et Tranquillité », voilà le bonheur... Quand j'ai quitté Luoyang, j'étais loin de me douter que j'y reviendrais pourvu d'une femme et de deux enfants ! plaisanta l'assistant de Pureté du Vide.

— Mon professeur de chinois ne m'a jamais enseigné un tel proverbe… Un jour, qui sait ? mon Cinq Défenses adoré, nous vivrons en paix et nous serons tranquilles ! lui rétorqua-t-elle en éclatant de rire.

Voyager ensemble, en compagnie du *ma-ni-pa* aux petits soins et des deux bébés adorables, sur la route encombrée du lever au coucher du soleil par les longues caravanes et les troupeaux qu'il fallait remonter pour les dépasser, fut un pur plaisir, tant pour Cinq Défenses que pour Umara, malgré tous les tracas occasionnés à certains endroits par d'inextricables embouteillages.

En l'espace de huit jours, alors que, d'ordinaire, il en fallait douze, ils franchirent la distance qui séparait Dunhuang de la Porte de Jade de la Grande Muraille de Chine.

— Cette ville forte que nous apercevons à l'horizon, c'est Jiayuguan [1] ! La rivière Taolai coule à ses pieds, expliqua Cinq Défenses à Umara.

En cette fin d'après-midi, au loin, au pied des montagnes Qilian, les tours aux toitures en queue d'hirondelle de la passe barrant fièrement la Route de la Soie se détachaient sur un ciel que les derniers feux d'un soleil hivernal avaient majestueusement empourpré.

— Je préconise que nous prenions des chemins de traverse pour éviter ce bastion où les douaniers et les policiers doivent pulluler… De plus, sur un tel point de passage obligé, l'octroi demandé aux voyageurs doit être très coûteux ! avertit l'assistant de Pureté du Vide.

— Il a raison, outre la ruine, nous risquons gros, surtout avec ces enfants ! À tous les coups, ils nous arrêteront pour nous interroger ! ajouta le *ma-ni-pa*.

— Eh bien, nous longerons ces sentiers de berger qui mènent vers les montagnes ! Ils nous changeront des encombrements de la Route de la Soie ! conclut Umara

1. *Jiayuguan* : nom chinois de la Porte de Jade.

qui faisait résolument confiance à la perspicacité de celui qu'elle avait décidé de suivre aveuglément.

Leur petit convoi quitta donc sans délai la route des caravaniers, pour s'engager dans un chemin étroit serpentant dans le vallonnement montagneux qui s'étendait au nord de celle-ci.

Les feux du crépuscule ourlaient de rouge les rochers et les pics aux formes étranges, qui semblaient leur faire une haie d'honneur, tandis qu'ils avançaient à la queue leu leu sur l'étroite langue de terre empruntée par des bergers et des contrebandiers.

Au fur et à mesure qu'ils prenaient de l'altitude, l'air se faisait plus vif.

Quelque temps plus tard, des vagissements provenant du couffin arrimé sur le dos du cheval Droit Devant indiquaient aux voyageurs que l'heure de la tétée des enfants célestes était venue.

— Il faut s'arrêter, les bébés ont faim. Pourquoi pas ici ? Le sol a l'air meuble, proposa Umara.

— Nous marchons dans le lit d'un torrent à sec… constata Cinq Défenses.

Cela faisait déjà un petit moment qu'ils avançaient sous la lueur blafarde d'une pleine lune dans le sable immaculé d'une rivière asséchée.

Ils déchargèrent le couffin et leurs bagages au pied d'un gros rocher.

— Les enfants seront à l'abri ! se réjouit le *ma-ni-pa*.

Et ce fut à ce moment que l'incroyable se produisit.

À peine Umara avait-elle placé les lèvres des jumeaux sur les mamelles de leur chienne nourricière qu'un couple de jeunes gens, tremblants de peur, les yeux embrumés de sommeil, apparut derrière le rocher.

Les réflexes de Cinq Défenses, acquis par la pratique des arts martiaux, lui revinrent instantanément.

Il se mit donc en garde d'attaque, les mains perpendiculaires, tranchant de la paume en direction des intrus, tandis que la main du *ma-ni-pa* s'agrippait au manche de son poignard rituel *phurbu*.

— Ne nous attaquez pas ! Nous ne faisons rien de mal ici ! Nous dormions tranquillement dans les bras l'un de l'autre, et votre arrivée nous a simplement réveillés en sursaut ! s'écria alors le jeune homme d'une voix angoissée, tandis que la jeune fille s'abritait peureusement derrière lui.

Cinq Défenses pouvait lire, sur leurs visages aux traits juvéniles, la stupéfaction et l'angoisse.

Les yeux bleus du jeune homme, qui n'étaient pas bridés, dénotaient une origine occidentale ; en revanche, les cheveux noirs de sa compagne, parfaitement lisses et luisants comme la soie, ne laissaient planer aucun doute sur le fait qu'il s'agissait bien d'une Chinoise : c'était donc un couple mixte, comme celui qu'il formait avec Umara, mais inversé puisque, contrairement à eux, c'était la femme qui était chinoise et l'homme qui était étranger.

Loin d'adopter une attitude agressive, ces inconnus étaient, tant l'un que l'autre, profondément sympathiques.

La jeune Chinoise comprit la première que Cinq Défenses n'était animé d'aucune intention belliqueuse et lui fit un bref salut de la tête.

— Qui êtes-vous ? lui demanda-t-elle en souriant.

Il abandonna aussitôt sa posture d'attaque, fit signe au *ma-ni-pa* de remiser son phurbu et décida de répondre à la question posée sans se faire davantage prier.

— Nous sommes des voyageurs, comme vous ! N'ayez crainte ! leur lança-t-il du ton le plus rassurant possible.

— Nous dormions dans le lit du torrent à sec. Ici, on dit qu'il y a des chiens sauvages... Vous nous avez fait une de ces peurs ! expliqua la jeune femme, venue se placer à côté du garçon derrière lequel, jusque-là, elle s'était abritée, en désignant la chienne jaune Lapika, prête à foncer sur eux au moindre signe de Cinq Défenses.

Quoique d'un genre de beauté différent de celui d'Umara, l'assistant de Pureté du Vide constata, non sans étonnement, lui qui n'avait jamais, avant la jeune nestorienne, regardé la moindre représentante du sexe féminin avec intérêt, que cette petite Chinoise au minois adorable et aux manières si vives possédait un charme indéniable.

Quant à son compagnon, malgré sa mine encore ensommeillée, il avait l'air gentil et le regard franc.

Apparemment, ces jeunes gens constituaient une paire aussi bien accordée que celle qu'il formait lui-même avec la fille d'Addai Aggai.

— Comment t'appelles-tu ? demanda-t-il au garçon aux yeux bleus. Moi, c'est Cinq Défenses.

— Mon nom est Pointe de Lumière et elle, c'est Lune de Jade !

— Et moi, Umara ! s'écria la jeune chrétienne.

— Et moi, je suis un moine errant tibétain. Chez nous, on appelle ça un *ma-ni-pa* !

En même temps qu'il se présentait, l'intéressé se livrait à l'un de ses exercices favoris, consistant à faire le grand écart, jambes raidies comme une planche, la pointe des pieds appuyée sur deux rochers.

— Ce moine errant a plus d'un tour dans son sac ! Il sait même avaler des sabres et cracher du feu ! plaisanta l'assistant de Pureté du Vide.

— Il tenait un drôle de poignard ! souffla Lune de Jade.

— *Om !* Ce poignard rituel sert à éliminer les démons qui rôdent ; il sert aussi d'aiguillon à l'esprit ! Loin de moi l'idée de lever le bras sur une aussi charmante créature que toi ! *Om !* s'exclama le Tibétain.

À ces mots, les jeunes gens, qu'ils avaient réveillés en faisant irruption dans ce lit de la rivière où ils avaient décidé, tout comme eux, de passer la nuit, éclatèrent franchement de rire.

La spontanéité de cet élan mutuel dénué de toute arrière-pensée brisa la glace et détendit l'atmosphère.

— D'où venez-vous ? Nous sommes partis de Dunhuang il y a huit jours ! Moi, je suis bouddhiste et elle chrétienne, leur indiqua Cinq Défenses.

— Et nous de Chang An, il y a un bon mois ! Je suis de religion manichéenne et Lune de Jade n'a pas été élevée dans une religion particulière, répondit sans sourciller Pointe de Lumière.

— J'étais ouvrière teinturière dans une des grandes filatures impériales de soie, le Temple du Fil Infini à Chang An, ajouta l'intéressée.

— C'est là même que nous comptons nous rendre ! Et voici ceux à cause de qui nous avons évité de passer par la Porte de Jade ! expliqua Cinq Défenses d'un air entendu.

Il désignait les deux corps minuscules, langés jusqu'au cou, qu'Umara avait extraits de leurs couvertures avant de les placer contre le poitrail haletant de la chienne au long poil fauve, où ils s'étaient aussitôt blottis comme des chiots.

— Nous transportons deux bébés. Des jumeaux, fit Umara, pas peu fière de les leur montrer.

— Les Jumeaux Célestes ! compléta le *ma-ni-pa*.

— C'est incroyable ! Je n'ai jamais vu ça ! La moitié du visage de cet enfant est aussi velue que celui d'un singe ! s'extasia la jeune Chinoise qui venait de se rapprocher de Lapika.

— C'est la petite fille. Et crois-moi, ça ne l'empêche pas de gazouiller et d'être adorable ! lui confia Umara en souriant.

Après la tétée, assis autour du brasier qu'ils avaient allumé pour faire chauffer le chaudron du thé dans lequel le *ma-ni-pa* avait jeté une grosse cuillerée de miel, les fugitifs que le destin avait fait se croiser découvrirent, étonnés, qu'ils partageaient le même sort, pour des raisons différentes.

Et ils eurent tôt fait de s'en dire suffisamment, alors qu'ils venaient à peine de se rencontrer, pour se raconter leur vie.

— En somme, nous avons tous les deux à nous faire pardonner par nos supérieurs respectifs le manquement à nos vœux religieux ; toi auprès de maître Pureté du Vide et moi vis-à-vis de Cargaison de Quiétude ! finit par lancer Pointe de Lumière à Cinq Défenses.

— J'ose espérer que mon Supérieur m'accordera son indulgence ! Mais, si ce ne devait pas être le cas, cela ne changerait rien à la décision que j'ai prise de faire ma vie avec Umara, conclut ce dernier, le plus calmement du monde.

— Quant à moi, je suis partie de chez moi sans même un au revoir à mon père ! Et je suis pourtant son unique enfant... Celui qui m'aurait annoncé, hier, qu'un tel événement se produirait, je l'aurais traité de menteur ! L'amour, quand on a la chance de le rencontrer, réserve bien des surprises... murmura Umara, toute pensive.

— Il n'y a que moi, finalement, à ne devoir rendre de comptes à personne : il y a belle lurette que mes parents m'ont abandonnée à mon sort ! Tout ce que je sais, en revanche, c'est que l'amour est plus fort que tout ! répliqua, plus enjouée, Lune de Jade, pelotonnée contre l'épaule de son amant.

Les flammes du feu éclairaient son beau visage, où le sourire témoignait de la profonde sincérité de la jeune ouvrière de la filature du Temple du Fil Infini, ainsi que du bonheur qu'elle ressentait.

— Où comptez-vous aller ? s'enquit alors celui qui restait un moine du Grand Véhicule tant que ses vœux n'avaient pas été effacés par son autorité hiérarchique.

— Nous comptons regagner Turfan, c'est de là que je viens ! répondit Pointe de Lumière.

— C'est une bien longue route ! Pourquoi êtes-vous partis de Chang An ? interrogea Cinq Défenses.

Pointe de Lumière avait rapidement jugé qu'il pouvait tout dire à ce jeune moine et à cette jeune fille dont les yeux bicolores rehaussaient l'incomparable éclat d'un regard dénué de toute arrière-pensée.

— Nous avons dû nous enfuir. La police de l'empire est à nos trousses ! chuchota le jeune Koutchéen.

— Un homme du nom d'Aiguille Verte nous a trahis, par pure jalousie ! Il ne l'emportera pas au paradis ! ajouta Lune de Jade.

— Si vous êtes à la peine et que vous souhaitiez faire halte à Dunhuang, qui est à mi-chemin, vous pourriez aller voir mon père ! Il est l'évêque de l'Église nestorienne de cette oasis… Toutefois, promettez-moi de ne pas lui raconter que vous avez croisé sa fille ici, sur le chemin des contrebandiers ! s'écria Umara à l'adresse de Lune de Jade et de Pointe de Lumière.

— Addai Aggai est donc ton père ? demanda, sidéré, le Koutchéen, ses yeux bleus écarquillés témoignant de son immense surprise.

— Comment connais-tu son nom ? s'enquit fébrilement Umara, aussi stupéfaite que lui.

— J'ai entendu parler de lui par Diakonos, son pre-

mier clerc, avec lequel j'ai eu l'occasion de bavarder...
Cet homme est venu plus d'une fois à Turfan rencontrer Cargaison de Quiétude, le chef de ma propre Église. Les manichéens filent la soie clandestine et les nestoriens la tissent tout en s'occupant de l'écouler en Chine centrale ! Les deux Églises se sont réparti le travail, expliqua Pointe de Lumière.

— Décidément, mon père est encore plus cachottier que je ne le pensais ! Il a donc monté une véritable filière... soupira, songeuse, la jeune chrétienne nestorienne qui mesurait un peu mieux la catastrophe constituée par l'arrêt de la petite filature du désert.

— Que je sache, c'est pourtant là une activité criminelle, tout au moins d'après les lois chinoises qui ont institué le monopole de la soie ! Pourquoi ces deux religions étrangères se livrent-elles ainsi à un trafic aussi dangereux dans mon propre pays ? ajouta Cinq Défenses, quelque peu choqué par les révélations de son interlocuteur.

— La soie clandestine rapporte énormément d'argent ! Les nestoriens et les manichéens rêvent d'étendre l'influence de leurs communautés religieuses en Chine centrale qu'ils considèrent comme leur principale terre de mission. Pour cela, de gros moyens sont nécessaires à leurs Églises qui ne possèdent pas les richesses ni les terres des grands couvents bouddhiques ! répondit le Koutchéen.

— Mais ne prennent-ils pas des risques insensés ? L'administration de la soie, dit-on, traque le moindre brin qui ne porterait pas sa fatidique estampille ! Et c'est la peine de mort qu'encourent ceux qui contreviennent au monopole de fabrication ! s'exclama l'assistant de Pureté du Vide.

— Toutes les grandes causes amènent ceux qui les défendent à utiliser mille subterfuges pour atteindre leurs fins. Quand on se bat pour faire triompher sa propre foi, tous les moyens sont bons ! Qu'on soit nestorien, manichéen ou — du moins je le suppose ! — bouddhiste… fit Pointe de Lumière.

— Je suis d'accord avec toi ! Il faut même beaucoup d'argent pour faire vivre les religions et les développer dans la société. Les monastères du Grand Véhicule possèdent d'immenses propriétés foncières ainsi que la moitié de la surface de la plupart des villes importantes de Chine centrale, sous la forme d'immeubles de rapport dont les loyers sont élevés. Les aumônes versées par les plus riches permettent d'entretenir des communautés monastiques qui, dans certains grands couvents, dépassent vingt mille moines ! Les monastères offrent également le gîte et le couvert aux plus pauvres. Ils prennent l'argent aux gens riches tout en améliorant les conditions de vie du peuple…

— Qu'as-tu dans la main ? demanda soudain Umara à Pointe de Lumière.

L'envoyé en Chine de Cargaison de Quiétude leur tendait sa main ouverte, sur la paume de laquelle était posée une petite masse blanche à la forme fuselée, ainsi que de minuscules billes noirâtres.

— Voilà ce que le chef de l'Église de Lumière de Turfan a souhaité que je rapporte : des cocons et des œufs de bombyx en période d'hibernation, ce qui rend possible leur transport sans qu'ils soient détériorés. Un accident a détruit l'élevage de nos vers à soie. On m'a chargé de me rendre à Chang An pour y récupérer de quoi relancer la production de fil de soie ! expliqua le Koutchéen, qui n'osait quand même pas révéler à Cinq Défenses qu'il avait lui-même détruit les insectes pour rejoindre Lune de Jade.

— Je suis au courant ! Les stocks de fil de soie de

mon père sont pratiquement épuisés et son usine tourne désormais au ralenti ! ajouta Umara.

La jeune chrétienne nestorienne avait pris le cocon entre les doigts d'une main et caressait de l'autre sa carapace soyeuse.

— C'est doux !

— C'est normal ; ce n'est que du fil de soie enroulé sur lui-même, dit Pointe de Lumière.

— Rapporter des cocons et des œufs, tel était donc le but de ton voyage à Chang An ! Ce sont là des denrées auxquelles il est strictement interdit de faire passer la Grande Muraille sous peine d'y laisser sa tête ! lança, encore étonné, Cinq Défenses.

— C'est pourquoi nous avons préféré éviter la Porte de Jade. Mais, à Chang An, j'avais un autre objectif : il s'agissait aussi pour moi de retrouver Lune de Jade et de la ramener à Turfan !

— Je comprends mieux pourquoi on vous a dénoncés ! Enlever à la fois une jolie fille et des cocons : tu n'as pas hésité à prendre de grands risques !

— Lorsque la cause est noble, les risques doivent être pris : c'est ce que la vie m'a appris, depuis que je suis né à Kucha !

Les deux jeunes femmes berçaient doucement les bébés repus dans leurs bras, devant les braises rougeoyantes du feu qui ne tarderait pas à s'éteindre.

— Tu as de très beaux yeux ! murmura Lune de Jade à Umara.

— Ils m'ont été donnés par mon père et par ma mère ! Les tiens t'ont bien réussi également… lui rétorqua celle-ci en éclatant de rire.

Elles se comportaient déjà comme de vieilles amies et presque comme deux sœurs !

Les deux couples restèrent encore un long moment ensemble, à faire plus ample connaissance, découvrant l'extraordinaire similitude de leurs destins que l'amour avait bouleversés au point de leur faire rompre toutes leurs amarres.

Ceux qui venaient de Chang An racontèrent ainsi comment ils avaient échappé aux brigades spéciales du Grand Censorat, tandis que les autres expliquèrent comment ils avaient réussi, en plein désert de Gobi, aux abords de Dunhuang, à fausser compagnie à des parsis avinés.

À mots couverts, les uns avaient fait comprendre aux autres qu'ils partageaient la conviction que l'amour pouvait tout transcender.

Et lorsque, le lendemain matin, chacun reprit sa route, les uns vers la grande Chine et les autres vers les déserts d'Asie centrale, c'est le plus naturellement du monde qu'ils se firent le serment mutuel de ne jamais se perdre de vue, en formant des vœux pour que la vie, un jour, fasse de nouveau se croiser leurs chemins.

— Si nous devions, à l'avenir, reprendre contact, quel serait l'endroit où je pourrais te trouver le plus sûrement ? demanda Cinq Défenses à Pointe de Lumière.

— À l'Église de Lumière de Turfan. Si je n'y suis pas, je ferai en sorte que, là-bas, on puisse te donner de mes nouvelles ! Et toi ?

— À coup sûr, à Luoyang. D'ici là, j'aurai sûrement pu convaincre maître Pureté du Vide de me rendre à l'état laïc. J'ai de bons arguments ! Non seulement je lui rapporte ce qu'il m'a envoyé chercher au Pays des Neiges, mais, en prime, le monastère de la Reconnaissance des Bienfaits Impériaux disposera de deux enfants divins que la foule se pressera de venir vénérer... Les Jumeaux Célestes sont désormais mon meilleur viatique pour obtenir la compassion de mon Supérieur.

Juste avant de se séparer, Pointe de Lumière tendit à Cinq Défenses des vêtements pliés.

— Ce sont l'uniforme de soldat chinois et la robe de prêtre taoïste dont je t'ai parlé hier soir, sans lesquels nous ne serions sûrement pas là ! Ces habits ne nous sont plus nécessaires. Prends-les. Ils pourront vous être utiles ! dit le Koutchéen.

— Tu ne veux tout de même pas que je me mette à mon tour à vendre sur les marchés de Chine des plantes médicinales ? plaisanta l'assistant de Pureté du Vide.

— Qui sait ! Avec le *ma-ni-pa* et les deux enfants, tu te taillerais, j'en suis certain, un joli petit succès !

Cinq Défenses éclata de rire.

— Un moine du Grand Véhicule ne pourra jamais être pris pour un prêtre taoïste ! Au noviciat, nos professeurs nous ont appris à nous méfier de la théorie des souffles Qi, ainsi que de tout ce qui relève de l'alchimie ! C'est tout juste s'ils n'accusaient pas les prêtres du Tao de n'être que des charlatans !

Autour d'eux, les cimes bleutées des montagnes, déjà léchées par les subtiles brumes matinales, annonçaient une belle journée d'hiver.

— Il va être temps de repartir ! Nos routes sont aussi longues l'une que l'autre ! avertit alors Cinq Défenses.

— C'est étrange, nous nous connaissons depuis hier soir et pourtant j'ai l'impression de quitter de très vieux amis, dit pensivement Pointe de Lumière.

Cette évidence, après qu'ils s'étaient révélé mutuellement, sans la moindre réticence, les raisons de leur présence dans ce désert de pierres, comment eût-il été possible de ne pas la partager ?

— Je sais pourquoi ! s'écria alors Umara, la voix empreinte d'émotion. Vous vous aimez autant que nous nous aimons. Voilà ce qui nous rapproche !

— Bonne route et que le Bienheureux Bouddha vous bénisse ! lança Cinq Défenses.

— Que le prophète Mani, intercesseur de la Lumière, vous accompagne tous ! Sachez que vous serez toujours les bienvenus chez nous, à Turfan ! ajouta Pointe de Lumière.

— Et que mon Dieu Unique et Indivisible, dans l'indéfectible bonté qui est la sienne, vous protège également ! À Luoyang, auprès de nous, vous serez toujours chez vous ! conclut la jeune chrétienne nestorienne.

— Tu ne dis rien ? demanda Pointe de Lumière à Lune de Jade qui était la seule à être restée muette.

— Entre le Bouddha et le Dieu Unique, je préfère ne pas choisir. Je crois, en revanche, à l'effet bénéfique des étoiles de la Chance et de l'Amour. Et singulièrement aux constellations du Bouvier et de la Tisserande qui se rejoignent chaque année, le jour de la fête des amoureux, sur un pont jeté exprès par l'Empereur Jaune au-dessus de la Voie lactée qui d'habitude les sépare ! Il me semble que ces étoiles nous ont déjà beaucoup aidés, puisque chacun de nous a rencontré son âme sœur ! murmura la jeune Chinoise, révélant ainsi pour la première fois à son amant le fond de sa pensée.

Un peu à l'écart du groupe, le *ma-ni-pa*, les yeux mi-clos et les bras étendus, marmonnait une prière.

— Que fais-tu là, *ma-ni-pa* ? lui demanda Pointe de Lumière qui l'observait depuis un moment.

— Je prie le Bienheureux Bouddha pour que, dans vos vies futures, vous soyez tous les quatre dotés de la « chose merveilleuse » ! Vous me paraissez tellement la mériter ! *Om !*

— Et qu'appelles-tu « chose merveilleuse », *ma-ni-pa* ? poursuivit le Koutchéen

— Ce sont les yeux du Bienheureux Bouddha, qu'il donna à un pauvre aveugle au cours d'une de ses myriades d'existences antérieures ! Un vieux lama m'assura un jour qu'avec de tels yeux on trouve obligatoirement son chemin et on accède alors comme par enchantement à la Voie de la Délivrance ! Je prie pour que les Yeux de Bouddha regardent le monde à votre place à tous les quatre ! murmura le moine errant en joignant ses mains avant de placer ses pouces réunis contre son front, puis de s'incliner à plusieurs reprises.

Forts de cette ultime confidence et de ce vœu, si sincèrement formulé par le moine errant, Pointe de Lumière et Lune de Jade reprirent leur route.

Quand leurs silhouettes eurent disparu, Cinq Défenses donna à son tour le signal du départ.

Soucieux de ne pas se tromper de chemin, il avait décidé d'ouvrir la marche du convoi des Jumeaux Célestes.

Le vent et la fine poussière venus du désert de sable, par rafales intempestives, lui balayaient le visage.

Il se sentait bien.

Cette rencontre lui avait réchauffé le cœur. Sa communauté de destin avec des êtres qui s'aimaient sans pour autant partager la même foi le rassérénait.

Il n'était donc pas le premier — ni le dernier — à qui cela arrivait.

Il profita de l'apaisement qu'il ressentait au plus profond de lui-même pour sortir de son sac la boîte oblongue qui lui avait fait traverser tant de plaines, de plateaux, de déserts, de rivières, de torrents et de montagnes.

Comme si c'était, là aussi, une bonne façon de s'assurer que personne ne le lui avait dérobé, il serra dans sa main, tel un sceptre, l'étui du *Sûtra de la Logique de la Vacuité Pure*.

Ce rouleau sacré n'était-il pas devenu, pour lui, une sorte de talisman ?

Que de dangers avait-il bravés pour rapporter à son auteur ce texte si complexe, si profond, mais également si hermétique qu'il n'y avait que les plus grands exégètes, pétris de lectures et de méditations, pour en saisir le sens caché !

Comme il avait hâte de remettre ce précieux document à Pureté du Vide, son mandant !

Comme il était pressé de lui parler de son voyage et de sa rencontre avec la jeune nestorienne !

Alors, par la même occasion, il implorerait son pardon pour l'abandon de la voie monastique.

Pouvait-il compter sur la compréhension du Vénérable Supérieur de Dhyâna, qui n'avait pas la réputation de plaisanter avec les règles religieuses ?

Au besoin, il s'arrangerait pour faire comprendre à Pureté du Vide que c'était un peu lui, en l'envoyant à Samyé, qui avait provoqué cette avalanche de péripéties sous lesquelles son assistant avait été complètement enseveli.

Et puis, surtout, il était persuadé que la présence à ses côtés des enfants divins lui serait d'un secours inestimable.

Les Jumeaux Célestes !

Ne témoignaient-ils pas, ces êtres minuscules pelotonnés l'un contre l'autre dans leur couffin, des circonstances extraordinaires qui avaient présidé à l'expédition de Cinq Défenses tout au long de son déroulement ?

Sans eux, assurément, il ne se fût pas retrouvé là, aux portes de la Chine, au bras de la femme aimée…

Il était si perdu dans ses réflexions qu'il ne s'aperçut que tardivement de la petite mine morose qu'affichait la fille d'Addai Aggai.

— Pourquoi as-tu l'air triste, mon Umara ? Quelque chose ne va pas ? lui demanda-t-il.

La jeune chrétienne parut hésiter avant de répondre, comme si elle brûlait de lui révéler un secret qu'elle n'avait pas osé, jusqu'à présent, lui confier.

— À Dunhuang, je n'ai pas dit au revoir au seul camarade que je m'étais fait ! Tu sais, le garçon qui chassait les sauterelles quand nous nous sommes rencontrés, sur la falaise rocheuse : c'était lui... Brume de Poussière ! Je lui avais promis, pourtant, de revenir me promener avec lui dans le désert ! Comme il doit être déçu... finit-elle par lâcher à regret, en lui prenant la main.

— Je suis sûr que l'occasion te sera donnée de le rencontrer de nouveau ! Alors, tu lui expliqueras pourquoi il te fut impossible de le saluer avant ton départ ; et je suis persuadé qu'il comprendra ! s'écria gentiment Cinq Défenses.

— Tu crois ?

— J'en suis certain, mon amour !

Détestant déceler dans les yeux d'Umara la moindre tristesse, tout ce que Cinq Défenses souhaitait, en lui parlant ainsi, c'était la consoler.

Il ne se doutait pas qu'il était dans le vrai en lui prédisant qu'elle reverrait Brume de Poussière, et dans des circonstances plus mouvementées encore...

Lorsqu'ils foulèrent enfin le sol chinois, après avoir escaladé le simple tas de pierres que constituait à cet endroit le Grand Mur érigé près de mille ans plus tôt par les cent mille prisonniers de guerre réquisitionnés par le premier empereur Qin Shi Huangdi, le visage de la jeune chrétienne s'éclaira de nouveau.

— La Grande Muraille n'est donc pas plus haute que ça ? murmura-t-elle, étonnée, avant de sourire.

— C'est incroyable ! ajouta le moine errant tibétain. Nous entrons là dans la Grande Chine comme la pointe d'un couteau dans le beurre de yak !

DÉSERT DE GOBI

Kashgar   Turfan   Dunhuang   Luoyang
Chang An

MONTAGNES DU PAYS DES NEIGES

• Peshawar

• Lhassa
• Monastère
de Samyé

25

Désert de Gobi

« Aller où ne vont pas les autres ! »

Cela faisait des heures que ses pas avaient guidé Nuage Fou vers cet unique point minuscule situé sur la ligne d'horizon par laquelle s'achevait la désolante platitude du désert de pierres.

Peu à peu, à force d'avancer, il s'était rendu compte que ce point était en fait un bâtiment et, plus précisément, une tour.

« Aller où ne vont pas les autres ! » se répéta Nuage Fou, une fois de plus, en grimaçant.

Voilà bien ce qui arrivait à qui avait pour principe d'aller toujours là où les autres ne mettaient jamais les pieds : à force de marcher le nez au vent, depuis des mois, sans se poser la moindre question, on finissait par se perdre bêtement dans un désert de pierres sèches !

L'imposante construction qui se dressait devant lui ne laissait aucun doute sur l'identité des habitants de la masure auprès de laquelle elle avait été construite.

C'était, en effet, un édifice rond et haut, parfaitement

aveugle et ceint d'un escalier qui s'enroulait autour telle une torsade rustique.

Nuage Fou, lorsqu'il s'engagea avec mille précautions sur les marches, en évitant le moindre bruit qui eût suscité l'attention des éventuels occupants de la masure, constata, comme il le supposait, qu'il permettait d'accéder à une plate-forme.

« Aller où ne vont pas les autres… »

Décidément, même dans cet escalier qui lui donnait le vertige, il ne réussissait pas à chasser cette maudite phrase de son cerveau.

Arrivé en haut, il ne put s'empêcher de pousser un cri d'effroi à la vue du spectacle auquel, pourtant, il s'attendait.

Dans un lourd battement de leurs ailes immenses, un couple de vautours dérangés dans leur macabre festin s'apprêtait à prendre son envol dans un ciel d'azur.

Au milieu de la surface plane du sommet de la tour gisait un cadavre éviscéré dont les os d'une blancheur immaculée apparaissaient déjà sous les lambeaux de chair qui y étaient encore accrochés, tandis que des orbites vides de sa tête, reconnaissable à l'amas de cheveux et de sang séché qui la coiffait, avaient été sortis les yeux, probablement gobés par les oiseaux.

Quant au reste de l'espace à présent déserté par les charognards, il était jonché d'un inextricable fouillis de déchets, de cheveux et d'ossements.

Nuage Fou ne s'était donc pas trompé en jugeant, à la vue de l'édifice rond, qu'il venait de tomber sur un de ces sanctuaires mazdéens qu'on appelait « tour de la mort ».

Il connaissait la religion mazdéenne.

Lors de sa formation religieuse à l'université bouddhique de Vanârâsi, du temps où, encore tout jeune bonze du Hînayâna, il n'avait pas découvert le tantrisme, un professeur lui avait enseigné les grandes religions dont il fallait convertir les adeptes.

Le bouddhisme se considérait comme une religion universelle, destinée à montrer à tous, quelles que fussent leurs croyances, la Voie du Salut et de la Délivrance : qu'il s'agisse des religions indiennes anciennes, issues du védisme, avec leurs dieux violents, destructeurs et néfastes comme Çiva et Yama, ou encore pacifiques et bienfaiteurs comme Indra, Kama, le dieu de l'Amour, et Vishnu, celui dont les innombrables *avâtara* illustraient la puissance et l'efficacité ; ou qu'il s'agisse des hérésies chrétiennes, depuis les hardis nestoriens jusqu'aux discrets nazaréens, jacobites et autres arméniens.

Mais bien d'autres religions empruntaient les chemins d'Asie centrale.

Il y avait des religions d'essence moins typiquement monothéiste, venues de la Mésopotamie, de la Syrie et même de l'ancienne Égypte, avec leurs cortèges divins où l'on retrouvait les noms de Mithra, de Baal et Astarté, d'Isis, d'Esculape et même celui d'Apollon, lesquelles, trop loin de leurs bases, se perdaient peu à peu dans les sables des déserts orientaux.

D'autres croyances, en revanche, y découvraient un terreau propice à leur expansion.

C'était le cas du mazdéisme, imposé par les Sassanides persans comme religion d'État, que caractérisait son culte à Zoroastre, l'intercesseur entre les hommes, et aux grandes divinités duales, Mazda le Soleil, et Ahriman les Ténèbres. Son ésotérisme lui valait nombre de nouvelles recrues, attirées par ses pratiques magiques au rang desquelles figurait précisément l'exposition des cadavres au sommet des tours de la mort, en lieu et place des funérailles.

Cette idée qu'il se retrouvait seul, en plein désert, au

sommet d'une de ces tours de la mort, ne disait rien qui vaille à Nuage Fou.

Ces diables de mazdéens, s'ils le voyaient, ne seraient-ils pas tentés de s'emparer de lui et de lui planter un poignard en plein cœur, avant d'offrir son cadavre à leurs dieux pour le faire devenir, selon leur jargon, un «corps futur» lavé de tout péché?

Aucun bruit ne paraissait pourtant sortir de la masure.

Il n'entendait que le grincement de la porte, qui devait être mal fermée.

Pour en avoir le cœur net, il n'y avait qu'une chose à faire, c'était d'aller voir de quoi il retournait.

Le cœur battant, prêt à plonger son propre glaive dans le ventre d'un assaillant éventuel, il descendit de la tour et se dirigea à pas de loup vers la porte branlante.

Elle battait dans le vide.

À l'intérieur, l'unique pièce était vide. Il y régnait une odeur de brûlé et de ranci. Au-dessus d'un feu éteint, une théière était encore posée sur un trépied de bronze. Lorsqu'il la toucha, il constata qu'elle était froide.

Le sanctuaire mazdéen semblait avoir été déserté.

Tout d'un coup, une froideur s'empara de ses jambes puis de son ventre et remonta lentement vers son cœur où elle se transforma en étau.

Comme d'habitude, cette douleur était si atroce qu'il était inutile de lutter contre elle.

Il savait pertinemment qu'elle ne cesserait que lorsqu'il aurait avalé une de ses pilules noires.

Depuis qu'il les avait expérimentées pour la première fois, des années auparavant, il en avait amélioré la composition grâce à un marchand chinois d'opium. Celui-ci lui avait expliqué la bonne façon d'obtenir la pâte *yangao* à partir du suc blanchâtre et gluant que produisait la capsule incisée du pavot, cette plante que les Grecs appelaient « opion » et les Persans « apyun », du nom de la région de Turquie d'où elle était originaire, tandis que les médecins latins, qui en connaissaient mieux les propriétés, n'avaient pas tardé à la qualifier de « papaver somniferum ».

Laissé à l'air libre, ce lait du pavot se transformait progressivement en pâte brune que les Chinois surnommaient joliment *fushougao*, « substance pâteuse de félicité et de longévité ».

Il suffisait de faire rancir celle-ci en l'enveloppant dans des feuilles de pavot pour obtenir des pains noirâtres capables de se conserver pendant une décennie, et dont le transport s'effectuait tout le long de la Route de la Soie dans des coffres en bois de manguier.

La pâte de félicité et de longévité générait rapidement une accoutumance dont on devenait prisonnier. C'était le cas de Nuage Fou.

Les crises le prenaient sans crier gare, à n'importe quel moment de la journée ; plus le temps passait, et plus elles étaient rapprochées, l'obligeant à se droguer davantage et l'entraînant dans un cycle infernal d'où il lui était devenu impossible d'espérer sortir un jour.

Alors, la bouche crispée par la douleur causée par sa crampe d'estomac, il ne put que revenir, titubant, au pied de la tour de pierre pour extraire du sac qu'il y avait laissé une pochette de cuir. D'une main tremblante il y puisa une pilule salvatrice qu'il s'empressa d'avaler, tout en fermant les yeux et en frissonnant.

« Aller où ne vont pas les autres… »

L'obsession revenait, suscitant dans sa tête prête à éclater le même refrain lancinant.

Dès qu'il l'eut sous la langue, le miracle, comme toujours, s'accomplit et le mal de ventre ne tarda pas à se dissiper, tandis que la délicieuse odeur de miel, de cannelle et de thym de l'opium inondait ses narines, en même temps que sa bouche éprouvait une fraîcheur exquise.

Assis sur la première marche de pierre de la tour de la mort, Nuage Fou, accablé et hagard mais soulagé, essaya tant bien que mal de faire le vide dans son esprit.

Mais en vain : impressionné par le spectacle de la tour de la mort, il ne cessait de penser au chemin qui l'avait amené, depuis sa naissance, jusqu'à ce lieu lugubre dans lequel il se sentait désespérément seul.

Devant lui, à perte de vue, s'étendait un désert de pierres grises où seuls des rapaces tournoyaient lentement au-dessus de sa tête.

Au milieu de cet environnement hostile et minéral qu'il ne faisait pas bon traverser aux heures chaudes de la journée, il fallait être un serpent, un scorpion, un insecte venimeux ou encore une plante rabougrie et épineuse comme un hérisson, pour avoir la moindre chance de survivre…

Car la survie reposait sur l'élimination de l'autre… Eh oui ! La vie, dans les déserts, était à ce prix, considérable !

Comme il lui paraissait loin, le temps de sa petite enfance, lorsque ses parents, si pauvres qu'ils ne pouvaient espérer le nourrir convenablement, avaient placé leur bambin joufflu aux cheveux bouclés au noviciat du couvent hînayâniste de l'Éveil, dans la banlieue de la ville indienne de Vanârâsi, à l'endroit précis où le Bouddha Gautama, assis à l'ombre du figuier sacré, avait reçu l'Illumination et était devenu l'Éveillé !

Outre qu'il dispensait ses parents de pourvoir à son entretien, le placement de leur aîné, qui ne s'appelait pas encore Nuage Fou mais Rahula, du nom du fils du Bouddha, était surtout l'assurance de bénéficier d'un allié de poids dans l'espoir d'une réincarnation meilleure, puisqu'il consacrerait sa vie à la prière, à la méditation et aux bonnes actions.

D'ailleurs, seuls les moines consacrés étaient susceptibles d'atteindre le nirvana.

Car, sur ce point, l'Enseignement du Bouddha était exempt de toute ambiguïté : pour échapper définitivement à la douleur du monde, et au risque de renaître sous une forme moins reluisante que celle qu'on avait quittée, il fallait accepter de se vouer entièrement à la recherche de la Voie du Salut.

C'est ainsi que, pendant vingt ans, le jeune Rahula avait été un novice accompli, puis un moine exemplaire au service de la samgha de l'Éveil, l'une des communautés monastiques indiennes les plus prestigieuses.

Au couvent de l'Éveil, il était devenu un modèle pour ses congénères.

Toujours le premier levé et le dernier couché, contrairement à la plupart des autres novices il ne répugnait à aucune tâche domestique, fût-elle la moins valorisante, et ce malgré des journées harassantes de quinze heures passées à recopier des centaines de pages de sûtras qu'il fallait également apprendre par cœur et que les maîtres de prières faisaient réciter inlassablement, chaque soir, à leurs jeunes élèves.

Aussi, dès dix-sept ans, le novice Rahula avait-il été l'une des plus jeunes recrues du monastère, expressément autorisée à prononcer ses vœux de moine plein.

Dix-sept ans était du reste l'âge minimum requis pour leur profession.

Le souvenir du jour de son ordination majeure, l'*upasambâda*, lui revenait en mémoire comme si elle s'était passée la veille.

Avec émotion, malgré un état de conscience en permanence altéré, il se rappelait la joie enfantine qui avait été la sienne lorsqu'il avait prononcé la phrase par laquelle l'impétrant « suppliait la communauté de l'accueillir en son sein afin de parler vrai et de parler juste ».

Il avait pleuré quand son maître précepteur lui avait remis son bol à aumônes et les trois robes de couleur safran qui étaient censées lui servir jusqu'à sa mort.

À compter du jour de son upasambâda, Rahula savait qu'il n'avait plus qu'à attendre dix ans pour devenir un « thera » ou un « ancien », c'est-à-dire un moine capable, à son tour, d'enseigner aux autres la Divine Parole du Bienheureux.

Mais Rahula, malgré ses qualités intrinsèques, sa foi inébranlable et son acharnement au travail, n'était jamais devenu ce qu'on appelait un « thera ».

Entre-temps s'était produit un événement extraordinaire qui l'avait fait dévier de la route qu'il s'était fixée.

Sa découverte du tantrisme l'avait fait basculer dans le camp des pécheurs, en même temps qu'elle lui avait fait mesurer à quel point la répulsion affichée par le Petit Véhicule envers les pratiques sexuelles était absurde et même hypocrite.

Pour la première fois, en effet, Rahula s'était retrouvé dans les bras d'une femme qui ne l'avait privé de rien.

C'était peu de dire qu'au noviciat du monastère de l'Éveil, tout était fait pour empêcher un quelconque éveil des sens chez les jeunes novices.

Et en même temps qu'il avait connu la réalité de l'amour physique, Rahula avait fait l'incomparable expérience de ce que les tantriques appelaient l'« extase des sens » : ce plaisir partagé, issu de l'union de deux corps en feu, qui rapprochait l'amour physique de l'expérience mystique de la communion avec le sacré.

Pour Rahula, la révélation que mysticisme et érotisme pouvaient parfaitement se rejoindre avait été un grand choc, qui l'avait conduit à reconsidérer et même à remettre en cause les croyances, les pratiques et les règles que ses supérieurs lui avaient inculquées jusque-là, et qu'il avait toujours admises comme si elles allaient de soi.

Il était désormais persuadé que l'amour et le divin ne faisaient qu'un, mais que la plupart des autorités religieuses s'efforçaient de cacher cette évidence à leurs adeptes.

Ne disait-on pas qu'un saint, ou *arhant*, pouvait tomber en extase au cours de sa méditation, à l'instar de l'homme et de la femme quand ils atteignaient ensemble l'orgasme ?

Or, les règles qui régissaient la vie des religieux du Petit Véhicule étaient des plus claires : le moine, ou la nonne, qui succombait à l'une des treize s*anghâdisesa*, ou « fautes graves », parmi lesquelles on trouvait, bien sûr, les pratiques sexuelles, n'avait plus sa place dans la communauté.

Rahula n'avait eu aucun mal à parjurer le serment de chasteté qu'il avait prononcé.

Il n'avait, d'ailleurs, jamais ressenti la moindre honte ni le moindre remords d'avoir choisi ce courant religieux qu'on appelait « tantrisme ».

« Tantra » était un mot sanskrit particulièrement complexe, qui désignait à la fois la « trame » et la « doctrine ».

Selon ce que Nuage Fou avait pu en éprouver, le tantrisme était bien plus qu'une simple pratique singulière du bouddhisme ou des autres religions de l'Inde.

À dire vrai, les inventeurs du tantrisme avaient fait en sorte que celui-ci fût érigé en véritable « posture religieuse », et en véritable « religion des religions ».

Créé en Inde environ un siècle plus tôt, ce qui en faisait un courant religieux très récent et en plein essor, le tantrisme se caractérisait essentiellement par l'affranchissement qu'il prônait, de la part de ses adeptes, vis-à-vis de toute morale sexuelle.

Mêlant théories et pratiques ésotériques, il les amenait, après leur initiation secrète, à découvrir les rituels et les croyances qui faisaient de l'extase sexuelle une philosophie et leur procuraient un sentiment indépassable de liberté et de force.

Le tantrisme prétendait hisser l'homme au niveau des dieux et des êtres supérieurs, comme les bodhisattvas et les bouddhas.

Grâce à sa pratique, les adeptes pouvaient enfin prétendre à l'égalité avec tous les dieux.

Mais ce que Nuage Fou, comme tous les autres initiés, ne disait jamais, parce que c'était inavouable, c'était que le tantrisme consistait essentiellement en une pratique du plaisir sexuel ritualisé à l'extrême, en un jeu amoureux où toutes les expériences étaient encouragées et tous les excès permis, voire recommandés.

C'était le plaisir du sexe, et uniquement lui, qui avait fait de Rahula un Nuage Fou, un autre homme, méconnaissable, si loin du moine chaste et pur qu'il avait été.

Son premier contact avec le tantrisme avait commencé de façon olfactive.

Comme il était loin de se douter de ce qui allait lui arriver, lorsqu'il était entré, afin de mendier sa nourriture, dans cette bâtisse obscure située tout au fond d'une cour du quartier des tanneurs de Vanârâsi !

Au milieu de la suffocante odeur d'excréments qui prenait à la gorge, manquant parfois de faire vomir, quand on déambulait dans ces ruelles, parmi les charrettes et des brouettes sur lesquelles s'entassaient des peaux de bêtes dégoulinantes, le pieux moine Rahula avait été frappé, d'emblée, par la délicieuse senteur d'encens et de myrrhe qui s'échappait du fond du hall du bâtiment où il venait de s'engager.

Après la puanteur qui remplissait l'atmosphère, il avait eu l'impression étrange qu'une sorte de refuge idyllique lui tendait soudain les bras, comme si, quittant la pauvreté et la souillure de l'immense ville, il avait été invité à pénétrer dans un monde divin.

Cela lui avait paru à la fois étrange et irréel.

Jamais il n'avait perçu d'odeur aussi merveilleuse.

Derrière les parfums d'encens et de myrrhe, ses narines avaient décelé de subtiles senteurs de clou de girofle, de citronnelle et de benjoin, telles les notes cristallines d'une partition musicale à laquelle elles auraient servi d'ornements.

Rahula s'était senti déjà ailleurs, et presque comme s'il flottait sur un petit nuage, lorsque ses pas l'avaient guidé par un long et sinueux couloir vers cet endroit où on ne voyait goutte, tellement il était enfumé.

Il avait cru distinguer les flammes d'un brasier, au-dessus desquelles était suspendue une cassolette qui devait contenir les substances aromatiques.

Du reste, plus il avait avancé vers les flammes, et plus la fumée qui s'échappait de la cassolette lui était montée à la tête.

C'était de là que provenaient ces senteurs divines.

Et c'était là, aussi, que tout son être était irrémédiablement attiré.

Mais derrière ces sensations olfactives si enivrantes, il avait découvert autre chose, de plus subtil encore : c'était une simple voix de femme, douce et flûtée.

Elle s'était adressée à lui à l'instant précis où il s'était engagé dans le nuage odorant, si épais que, tel un mur de ouate bleutée, il paraissait infranchissable.

— Entre. N'aie pas peur ! Il te suffit d'avancer ! Tu ne le regretteras pas.

Tels étaient les mots prononcés par la femme, qui l'avaient fait s'enfoncer droit dans le mur de ouate, si bleu que son intensité chromatique était devenue insoutenable.

— Je n'ai pas peur ! Je me sens si bien ! Je suis déjà au paradis ! Je suis dans les bras du Bouddha ! avait-il rétorqué, l'esprit déjà très perturbé par la fumée d'opium.

Et tout le reste avait été à l'avenant.

Le pauvre Rahula avait fini par s'entendre éclater de rire, comme s'il s'agissait de quelqu'un d'autre que lui, se rendant parfaitement compte du caractère blasphématoire des propos qu'il venait de tenir, mais sans en avoir cure.

Le jeune moine ne connaissait rien des effets euphorisants des substances hallucinogènes, qu'il inhalait à présent à plein nez et dont l'effet d'accoutumance se ferait irrémédiablement sentir sur son organisme, au point de le rendre, depuis ce fameux jour, dépendant de sa prise quotidienne d'opium, de réalgar et de thériaque contenus dans les petites pilules noires.

— Avance un peu plus ! avait dit la voix féminine.

Tel un ivrogne, riant à gorge déployée, il avait fait quelques pas dans la direction de la voix, avec l'impression de marcher sur le nuage bleuté qui remplissait la salle, lorsqu'il avait heurté quelque chose de doux.

En étendant les bras, il avait constaté qu'il s'agissait d'un corps de femme.

C'était ainsi qu'il s'était retrouvé projeté tout contre celle qui l'avait appelé et avait senti le jasmin et la cannelle dont elle parfumait sa peau mordorée.

Un gros diamant pendu à un anneau lui perçait le nez.

Et surtout, cette femme lui souriait.

Il pouvait voir ses dents brillantes comme des perles dans l'écrin charnu de leurs lèvres brunes.

Il l'avait dévisagée, puis jaugée de haut en bas, et il avait fini par s'apercevoir qu'elle était entièrement nue.

Alors, malgré son euphorie grandissante, Rahula avait éprouvé un choc si fort qu'il avait failli tomber à la renverse devant cette première vision d'un corps de femme parée de ses seuls bijoux.

Sous le regard ahuri du jeune garçon, qui peinait à se maintenir debout, la superbe créature lui avait tendu les mains.

Vue de près, la peau sombre de la femme était mise en valeur par le collier de boules dorées qu'elle portait au cou, ainsi que les lourds bracelets d'argent qui lui ceignaient les poignets et les chevilles.

Malgré le nuage de vapeur parfumée qui la nimbait, il distinguait nettement ses formes fuselées et ses cuisses largement ouvertes.

Elle devait être glabre des pieds à la tête, car les lèvres roses de son sexe entrouvert en disaient long, même si Rahula l'ignorait à ce moment-là, sur l'état d'excitation dans lequel elle se trouvait.

Le jeune moine du Petit Véhicule avait été fasciné par cette bouche bizarre, aux lèvres fines et ourlées, s'ouvrant au bas du ventre de la belle inconnue.

Cet orifice était fort différent de l'appendice dont lui-même était pourvu.

Mais ce qui était proprement incroyable, c'était que ladite bouche palpitante de cette femme s'était mise à chanter !

Les fumées d'opium avaient produit leur effet. Mais cela, le jeune moine l'ignorait.

Eh oui, à la stupéfaction de Rahula, cette bouche d'en bas était en train de lui parler !

Elle lui murmurait des mots tendres…

En même temps, il n'avait pas tardé à sentir, sous sa robe safran, son propre sexe se durcir, jusqu'à former une pointe disgracieuse et gênante qu'il n'avait pas éprouvé le besoin de cacher, tant les vapeurs qu'il avait inhalées l'avaient désinhibé.

La femme, voyant cela, lui avait pris la main et l'avait portée sur la pointe de l'un de ses seins, dure comme une gemme, tandis que la peau de son ventre, qu'elle lui avait fait ensuite caresser, était douce et chaude.

Pour Rahula, extatique, c'était nouveau et, surtout, c'était extraordinairement bon !

Puis elle s'était collée à lui, fourrant sa langue dans la bouche du jeune moine qui n'en était pas revenu.

Jamais il n'avait imaginé qu'une langue étrangère à la sienne pouvait, ainsi, être agréable à sucer comme une friandise.

Ensuite, il avait senti une main de la femme lisser le bout de son sexe durci, tandis que l'autre commençait à le dépouiller de sa robe monastique.

Enfin, elle s'était agenouillée devant lui, comme s'il eût été une effigie du Bouddha devant laquelle elle se préparait à faire une offrande.

Celle-ci avait été surprenante, et — ô combien ! — délectable !

La langue de la sublime inconnue s'était mise à lécher et à sucer son sexe dressé comme un lingam, cette borne phallique sacrificielle à laquelle les prêtres rendaient le culte de la *puja*, en versant dessus le lait et l'eau sacrée du Gange qui allaient se répandre dans le yoni, ce récipient de pierre représentant le sexe de la femme, avant d'oindre la borne sacrée de beurre et de pâte de santal mélangée à des pétales de fleurs, en signe de reconnaissance.

Comme il avait paru délectable à Rahula, ce contact humide et chaud sur la peau fine et brûlante de l'extré-mité de ce qu'il découvrait être son instrument de plaisir !

Comme il eût souhaité qu'elle restât ainsi à ses pieds

pendant des heures, jusqu'à cette sorte de délivrance finale dont il pressentait l'issue, à mesure que des vibrations plus fortes, calquées sur la cadence des battements de son cœur, avaient parcouru son sexe, tandis que la femme l'aspirait bruyamment !

Elle avait gémi autant que lui, lorsqu'elle lui avait pris la main, pour lui faire introduire deux doigts dans la bouche de son bas-ventre…

L'intérieur de cette bouche dépourvue de langue était encore plus chaud et ruisselant que celle qui venait de l'embrasser et qui, à nouveau, suçait son lingam.

Alors, il s'était proprement senti aspiré par ces deux bouches.

Elles étaient aussi entreprenantes l'une que l'autre, et il se fût volontiers perdu dans les deux.

Instinctivement, il avait fait tourner ses doigts dans le yoni de la belle inconnue, ce qui avait provoqué, de sa part, de tels gémissements qu'il s'était demandé, encore néophyte des pratiques amoureuses, s'il ne lui avait pas fait mal !

La femme, chez laquelle la progression de la jouissance se transformait en râle, avait entrepris de se caresser, de sa main libre, les tétons.

En bonne experte, elle avait magistralement orchestré la montée de leurs plaisirs respectifs.

Juste au moment où il pressentait que tout son corps, de la tête au ventre, allait exploser, comme le bouchon de lave avant l'éruption du magma incandescent, et que toutes les forces souterraines enfouies en lui depuis sa naissance allaient se libérer, la vision d'un homme à ses côtés l'avait brutalement interrompu dans son élan.

L'individu paraissait observer avec intérêt le manège auquel la femme se livrait et qui avait fait de Rahula cette bulle de désir toute prête à exploser.

La présence de l'intrus avait eu un effet immédiat sur

son ardeur, comme un baquet d'eau froide jeté sur un brasier.

Mort de honte, Rahula avait tant bien que mal extrait ses doigts et son sexe des bouches de la femme, avant de rajuster sa tunique à la hâte.

Quelque peu dégrisé, et en proie à un intense mal de crâne, il avait constaté que les vapeurs odorantes s'étaient dispersées dans la pièce et qu'aucune fumée ne s'échappait plus de la cassolette.

L'homme qui venait de lui couper tous ses effets ne portait qu'une culotte bouffante de coton blanc.

Sa peau était presque aussi cuivrée que celle de la femme.

Son torse nu d'ascète, plat et noueux comme une planche de sycomore, montrait de larges cicatrices sombres, tandis qu'un gros anneau de bronze transperçait l'un de ses tétons, aussi noir et grumeleux qu'une mûre.

Il avait le visage émacié et le regard de braise des yogis — dont le Hinâyâna se méfiait tant — portés au mysticisme, tels qu'on pouvait en voir, s'adonnant à de funestes mortifications, aux angles de certaines rues de Vanârâsi.

Ses longs cheveux blancs, noués par un chignon sur le sommet de son crâne, contrastaient avec l'aspect juvénile de sa face émaciée, aux traits fins, sur laquelle n'apparaissait aucune ride.

— Bienvenue à toi ! s'était écrié l'homme, qui s'était rendu compte de la gêne subite éprouvée par Rahula.

— Où suis-je donc ? lui avait demandé celui-ci, cachant mal son trouble.

Entre les jambes du jeune moine, son sexe, qu'il essayait de cacher tant bien que mal derrière ses paumes ouvertes, alors qu'il était resté coincé hors de sa toge, demeurait dressé comme la hampe d'un étendard déployé au vent.

Tout cela n'avait pas eu l'air d'embarrasser le moins du monde l'inconnu, qui n'avait pas tardé à lui sourire.

— Tu es arrivé au milieu d'un rituel tantrique ! Tu as l'air doué pour le sexe ! Comment t'appelles-tu ? s'était enquis l'ascète à la poitrine percée.

— Rahula. Comme le propre fils du Bienheureux ! Je suis un moine bouddhiste.

— Tu aimes ce que je t'ai fait ? Moi, j'ai adoré le goût exquis de ton lingam, mon petit Rahula ! avait minaudé la femme, qui venait de se lever, avant de l'enlacer.

La bienveillance qu'ils lui témoignaient avait contribué à dissiper la gêne de Rahula, dont la réponse avait fusé, directe comme un trait de flèche.

— Moi aussi, j'ai adoré cette sensation que tes bouches m'ont procurée !

— Mais je n'ai qu'une bouche ! Ce que tu crois être une bouche, au bas de mon ventre, c'est mon yoni ! s'était écriée, amusée, la belle inconnue, tandis que l'homme avait éclaté de rire.

— J'avais l'impression d'être sur le chemin de la Délivrance… Vous savez, la Grande Délivrance telle que Gautama nous l'a enseignée, avant d'accéder au Parinirvâna ! Avant cela, je n'arrivais pas à imaginer en quoi elle consistait. À présent, je commence à mieux le comprendre ! avait murmuré Rahula, totalement envoûté.

— Il fallait te laisser faire jusqu'au bout ! Tu n'aurais pas été déçu ! s'était écrié l'homme.

— C'est que… vous m'avez fait peur ! J'avais aussi un peu honte ! avait ajouté naïvement le jeune moine.

— La prochaine fois, tu découvriras la jouissance totale ! Tu verras comme c'est bon ! Tellement délectable et bénéfique à la fois pour le corps et l'esprit, que tu ne pourras plus t'en passer ! avait conclu l'homme au sein percé par l'anneau de bronze.

— Je ne m'attendais pas à tout ça, quand je suis entré ici !

— Au cours de nos rituels, nous ne devons avoir aucune gêne les uns envers les autres... Tout doit être partagé sans la moindre retenue, le plaisir sexuel doit aller jusqu'au bout de lui-même ! Laisse-toi faire, tu ne regretteras pas ! lui avait soufflé l'homme dans le creux de l'oreille, avant de faire un signe à la femme, qui s'était à nouveau agenouillée devant lui et, cette fois, l'avait fait jouir.

Et, ultime dénouement d'une tension extrême, il avait ressenti, pour la première fois, cette incroyable explosion de plaisir qui lui avait arraché un irrépressible grognement, aussi fort que le rugissement d'un fauve, en même temps que cette exquise impression de délivrance, comme si toutes les fibres de son corps, depuis toujours, n'attendaient que cet instant.

Puis, au néophyte exténué par le délicieux traitement que lui avait fait subir cette femme à la peau sombre et brillante, l'ascète avait expliqué plus précisément ce qu'ils faisaient là, au moment où celui-ci les avait rejoints...

— Nous venons d'accomplir notre rituel hebdomadaire, destiné à nous rapprocher de la Délivrance. Il est la meilleure façon de comprendre réellement la Sûnyatâ.

— Tu veux parler de cette « vacuité universelle », si difficile à appréhender pour les pauvres humains que nous sommes ? s'était enquis le jeune moine, tout étonné.

— Oui ! Contrairement à ce qu'on croit, la Délivrance s'obtient par la liberté sexuelle. Nos ennemis, qui ne sont que des jaloux, nous accusent d'accomplir des rituels scandaleux et atroces, alors que nous nous bornons à y associer la multitude des divinités dont les noms ont été révélés par les siddhas [1]…

— Mes maîtres m'ont appris, en effet, que la Sûnyatâ s'atteint par la méditation et la prière…

— Crois-moi, notre méthode est autrement plus efficace que celle qu'on vous inculque ! Comme si, d'ailleurs, la méditation était une science qui pouvait s'apprendre !

— De quelles divinités veux-tu parler ? avait interrogé Rahula dont le mal de tête, comme par miracle, s'était évanoui, et qui commençait à sentir une douce torpeur l'envahir de la tête aux pieds.

— D'Indra, Yama, Mâra, Sakti, Mahâkala et même Ganapati, le dieu éléphant ! avait répondu l'homme au chignon.

— Mais ce sont les dieux des religions anciennes, dont le Bienheureux nous a demandé de nous défaire ! s'était écrié, médusé, Rahula.

— Eh bien, tu auras tout compris, jeune moine, lorsque je t'aurai expliqué que le tantrisme embrasse tous les cultes. Il ne mécontente ni Gautama ni les autres dieux ! avait solennellement décrété l'homme au chignon d'une voix de stentor.

Puis, sous les yeux effarés de Rahula, il avait ôté sa culotte bouffante blanche, permettant à ce dernier de découvrir un énorme sexe turgescent, bizarrement orné d'un collier de perles qui en faisait ressortir les veines violacées.

— En quoi consiste un siddha ? avait réussi à articuler ce pauvre Rahula.

Il avait rassemblé les dernières forces qui lui restaient

1. L'adepte des siddhis, ou accomplissements, est un siddha, c'est-à-dire un yogi. Le tantrisme indien est un dérivé des pouvoirs yogiques.

pour ne pas sombrer dans l'inconscience, vers laquelle était en train de l'amener la torpeur dans laquelle tombait.

— Cet homme-là est un siddha, c'est-à-dire un « parfait », un « saint » ! Il s'appelle Lûyipa ! C'est même le premier d'entre eux ! s'était exclamé la femme en désignant l'homme au chignon dont l'énorme sexe, à présent dressé comme un glaive, jaillissait de son collier de perles.

Cet incroyable instrument ressemblait à une de ces divinités monstrueuses, totalement dépourvues d'yeux, de bouche et de nez, dont prenaient la forme certaines statues-colonnes de temples primitifs que le moine du Petit Véhicule avait eu quelquefois l'occasion de visiter.

— Tu es donc « saint arhant », comme celui dont parle le Bouddha ? avait demandé Rahula, au bord de la syncope.

— Oui ! Un être qui n'est plus tout à fait un homme, ni tout à fait un dieu, d'ailleurs ! avait péremptoirement répondu la femme.

— Mais pourquoi, dans ce cas, interdit-on, aux moines de mon espèce de toucher, fût-ce à un cheveu d'une moniale ?

— Tout ça, c'est bon pour les besogneux ! Pour ceux qui mettront dix mille vies avant d'atteindre le stade où la Délivrance est possible ! Nous autres, adeptes du Tantra, préférons prendre le raccourci plutôt que d'emprunter les chemins de traverse ! s'était exclamée la femme, dont la bouche du haut, décidément, avait réponse à tout.

— Plus tu oseras enfreindre les Cinq Défenses, soit le vol, le meurtre, l'ivrognerie, la débauche et le mensonge, et plus te sera apportée la preuve de son divin enseignement ! Un comportement aussi peu conforme n'est pas donné à tout le monde, mais crois-en mon expérience, c'est une façon bien plus radicale de trouver la voie de la Délivrance ! avait ajouté Lûyipa de sa voix caverneuse.

— Mais n'est-ce pas paradoxal de prendre ainsi à rebours toutes les interdictions du Vinayapitaka ? avait hasardé Rahula.

— Quand tu es en face d'une roue, tu peux décider de la faire tourner vers la droite ou vers la gauche : dans les deux cas, le point haut devient le point bas et inversement. Celui qui ose aller là où ne vont pas les autres, celui-là est obligatoirement le plus fort de tous ! avait lâché l'homme au téton percé.

Aller là où ne vont pas les autres !

Telle était la phrase que, depuis ce moment-là, Rahula n'avait cessé de se réciter à lui-même, et qui hantait ses jours et ses nuits.

— Regarde un peu ce que je vais faire à présent, et prends-en de la graine ! avait soudain hurlé Lûyipa en s'emparant par les oreilles d'un lapin blanc qu'il avait extrait d'un sac de jute posé à terre.

Sous le regard effaré de Rahula, Lûyipa, d'un coup sec, avait détaché la tête du corps de l'animal, avant de porter à sa bouche, telle une gourde, le trou béant et dégoulinant de sang qui s'ouvrait, désormais, à la base du cou du petit mammifère.

Lorsqu'il avait retiré le cadavre de ses lèvres, c'était un masque vermillon qui recouvrait tout le bas du visage de l'ascète.

Rahula, sous le choc, n'avait pu s'empêcher de hurler de terreur.

— Il ne faut pas avoir peur ! Jure-moi que la prochaine fois tu ne crieras pas !

— Allez, mon petit Rahula, jure-le ! avait ajouté la femme.

— Je le jure ! Je le jure ! avait-il réussi à murmurer, au moment où le macabre rituel s'était achevé, dans le sang et l'horreur.

Et de cet état second, en fait, il n'avait jamais plus émergé.

Malgré la répulsion que lui avait inspirée le sacrifice abject du petit lapin, Rahula n'avait éprouvé qu'une hâte, c'était de revenir pour savourer à nouveau cette impression qu'il était une bulle de désir dont l'éclatement provoquait une délicieuse jouissance.

Le jeune moine était loin de se douter que les drogues avaient décuplé son plaisir, et que de cette intensité dans la jouissance, il ne pourrait jamais plus se passer.

Dès cette première rencontre, Rahula avait eu la sensation, quelque peu étrange, d'avoir été adopté par ces deux inconnus abonnés à un rituel érotique et secret.

À force d'inhaler des substances opiacées, il ne se rappelait que vaguement l'union sexuelle par laquelle le premier rituel s'était achevé, où Lûyipa et la femme entièrement glabre lui avaient commenté leurs postures et leurs techniques, comme s'ils avaient voulu initier ce jeune élève que le hasard avait conduit au milieu d'eux.

Il se souvenait, en revanche, parfaitement des propos qu'ils lui avaient tenus.

— Nous copulons ensemble pour susciter le Maithuna, c'est-à-dire l'union de jouissance entre l'identité du Samatâ et le grand bonheur du Mahâsukha ! avait expliqué Lûyipa entre deux râles, tandis que les lèvres pulpeuses de la bouche de la femme engloutissaient son énorme sexe jusqu'à la première rangée de son collier de perles.

— Veux-tu finir avec nous le rituel ? Dans ce cas, nous nous unirions à trois ! avait proposé Lûyipa.

— Oh ! oui, mon petit Rahula, accepte ! J'en ai tellement envie.

Abandonnant le sexe de l'ascète, la femme s'était agenouillée à nouveau, telle une orante, dans une sorte de brouillard, devant la ceinture du jeune moine.

À partir de ce moment, tout s'était mélangé dans la tête de Nuage Fou.

Les substances hallucinogènes qu'il avait inhalées ayant atteint leur plein effet, du souvenir de son premier rituel de Maithuna pratiqué, alternativement, puis à trois, avec l'homme et la femme, il ne lui restait plus, par bouffées, qu'un mélange d'extase, de bien-être mais aussi de délicieuses tensions suivies de délivrances fulgurantes et de douleurs subtiles qui, paradoxalement, aboutissaient toujours à procurer du plaisir...

Tel avait, d'ailleurs, été le cas lorsqu'il avait senti le sexe de l'ascète s'introduire dans son postérieur, avant d'y aller et venir, jusqu'à ce qu'une onde bizarre vienne de son ventre pour aboutir à la pointe de son sexe, lequel lui avait paru ne jamais finir de se vider, au point qu'au terme du rituel plus une goutte de sa liqueur n'avait pu s'écouler dans la bouche insatiable de la femme dont les gémissements s'étaient transformés en hurlements ponctués de cette phrase qui l'avait fait rire comme un enfant :

— J'aime ça, Rahula ! Comme tu es bon, Rahula ! Comme tu es bon ! Comme j'aime le goût de ton lingam, mon petit Rahula !

À la fin d'un tel Maithuna, porté aux extrêmes, celui qui allait prendre le nom de Nuage Fou n'avait plus eu conscience de grand-chose.

Il avait eu l'impression de flotter sur un nuage bleu, avant, tout bonnement, de s'endormir d'épuisement.

C'était la voix de l'ascète qui l'avait réveillé.

Son visage avait soudain surgi, penché au-dessus de celui du jeune moine, allongé sur le dos, à même le sol.

Il ne se souvenait plus de l'endroit où il était.

Les charbons du brasier rituel, totalement éteint, juste à côté de lui, l'avaient rappelé à la réalité.

L'intérieur de son crâne le faisait tellement souffrir qu'il avait du mal à garder les yeux ouverts, et quand il les entrouvrait, ce qu'il voyait était bleu.

— À présent que tu es devenu un initié, tu dois te convertir, Rahula, sinon tu ne sortiras pas vivant d'ici. Les cultes tantriques doivent demeurer secrets !

La voix de Lûyipa, aux accents rauques, ne laissait aucun doute sur sa détermination.

Son regard était dur. Aussi dur, au demeurant, que la pointe effilée de la lame du poignard qu'il appuyait contre la gorge de Rahula.

Dans le nuage de brouillard azuré où il était plongé, Rahula n'avait même pas eu peur, devant cette lame dont la pression sur sa peau, pourtant, commençait à lui faire mal.

— Vous n'avez plus de ces parfums à brûler ? Ma tête est comme une boule de feu ! Ils sentaient si bon ! avait-il gémi.

Il se souciait comme d'une guigne de l'arme de l'ascète sous la pointe de laquelle perlait déjà une goutte de sang.

Et puis le brouillard bleu avait subitement viré au rouge.

Rahula, et pour cause, ne savait pas qu'il était en train de faire sa première véritable crise de manque.

— Tu vois bien que ce garçon souffre, Lûyipa. C'est inutile de l'intimider. Pourquoi veux-tu qu'il nous trahisse ? Il gardera le silence. Il a tellement envie de recommencer ! Je l'ai deviné tout au long du rituel ! N'est-ce pas, mon petit Rahula, que tu as envie de sentir à nouveau la montée en toi de la kundalinî ? avait murmuré la femme, à son tour penchée au-dessus de lui.

Dans le nuage rougeoyant, il avait regardé ses lèvres

qui bougeaient. Sa bouche d'en haut était aussi pulpeuse que celle d'en bas.

— Pour sûr. Je serais même prêt à recommencer tout de suite ! s'était-il entendu bafouiller. Mais qu'appelez-vous « kundalinî » ?

— Le rituel tantrique, répondit Lûyipa, a pour fonction de canaliser l'énergie cosmique contenue dans l'être humain. Elle prend la forme de la kundalinî. Ce serpent femelle, lové à la base de ta colonne vertébrale, se déploie alors jusqu'à ta tête.

— C'est donc ça que j'ai perçu en moi, cette douce vibration partie de mon entrejambe pour monter ensuite jusqu'à mon front ?

— Oui ! Avant d'arriver à ton cerveau, le divin reptile kundalinî a percé en toi, en les traversant, les *çakra* [1] et les *padma* [2] de ton corps subtil, lequel est constitué de ses soixante-douze mille canaux et centres.

C'était là, en effet, au beau milieu du crâne du yogi tantrique, que l'énergie féminine de la kundalinî s'unissait au principe divin masculin.

Alors, le niveau de conscience de l'adepte qui parvenait à « prier sans le savoir », capable de réciter des mantras qu'il n'avait jamais appris, devenait aussi élevé que celui d'un dieu.

Et ces formules phonétiques, qui accompagnaient l'inexorable montée de l'énergie cosmique, représentaient un ineffable langage sacré que seule la force de la kundalinî pouvait apporter aux êtres.

— Veux-tu donc devenir un adepte du Tantra Secret, mon cher Rahula ? avait alors demandé l'ascète au sein percé en retirant son poignard du cou de l'intéressé.

Lûyipa l'avait fait asseoir contre un mur de la pièce

1. *Çakra* : roue.
2. *Padma* : lotus.

avant de lui fourrer sous la langue une petite pilule sombre.

Quelques instants plus tard, le nuage rouge qui barrait sa vue s'était dissipé, en même temps que la boule de feu qui, jusque-là, encombrait l'intérieur de son crâne.

Il était un fruit mûr, prêt à tomber de l'arbre…

— Grâce à toi, j'ai enfin compris ce qu'est la Délivrance ! Je ne doute pas que ta méthode est la bonne ! avait-il soufflé.

— Tu vois, mon cher Lûyipa, toi qui cherches depuis si longtemps un vrai disciple, je crois bien que tu viens de le trouver ! avait murmuré la femme. Voilà ton disciple ! À lui tu pourras transmettre tout ce que tu n'as jamais osé faire partager aux autres ! avait-elle ajouté d'une voix douce.

Alors, le regard de Rahula avait croisé le sien et quand elle lui avait souri, elle lui avait semblé encore plus belle que lorsqu'il l'avait découverte, pour la première fois, au milieu du nuage bleuté qui la nimbait, enveloppée par cette odeur de miel, de thym et de cannelle dont le jeune moine restait marqué, comme s'il continuait à la respirer.

— Tu prendras le nom de Nuage Fou et tu viendras désormais ici chaque semaine pratiquer avec nous l'union du Maithuna, lui avait ordonné le siddha Lûyipa en l'empoignant par le cou pour lui faire relever la tête.

C'était ainsi, dès la fin du premier rituel tantrique dans lequel l'homme et la femme l'avaient entraîné, que Rahula s'était converti à cette religion de l'extrême et à cette doctrine de l'extase.

— Nuage Fou est à présent mon seul nom. Nuage Fou reviendra. Nuage Fou aime pratiquer le Maithuna. Nuage Fou est convaincu par Lûyipa ! s'était-il écrié avec un tel élan de sincérité que le siddha, comprenant qu'il venait de trouver son fils spirituel, l'avait pris dans ses bras comme un père son enfant.

— Viendrais-tu habiter là où je vis ? avait proposé l'ascète.

— Elle habite aussi avec toi ? avait demandé celui qui s'appelait désormais Nuage Fou en désignant la femme qui rajustait sur son corps sculptural une robe noire brodée de motifs argentés, qui lui seyait à merveille.

— Le monastère où je vis n'est pas mixte. Elle, c'est Sakti !

C'était la première fois qu'il entendait prononcer le nom de cette extraordinaire femme aux deux bouches.

— C'est mon nom tantrique, je vis à Vanârâsi où mon époux est un riche marchand qui ignore que sa femme est l'une des meilleures adeptes de Lûyipa… avait-elle poursuivit en souriant.

Dès le lendemain de cette séance initiatique mémorable, Nuage Fou avait déserté le couvent de l'Éveil pour rejoindre la communauté tantrique que dirigeait Lûyipa.

Celle-ci était située à une bonne demi-journée de marche du centre-ville et occupait une forteresse bâtie en haut d'un éperon rocheux auquel on accédait par un vertigineux escalier, taillé à même la roche. La communauté tantrique du siddha Lûyipa comptait à peine une dizaine d'adeptes. Mais ces hommes supportaient avec peine la pilule noire quotidienne que Lûyipa leur administrait, si bien qu'ils sortaient difficilement de la torpeur dans laquelle ils sombraient, dès le petit matin, à peine étaient-ils réveillés.

Aussi l'ascète tantrique à la poitrine percée avait-il le plus grand mal à former des disciples capables de le suivre sur la voie étroite de la Délivrance, telle qu'il avait décidé de la tracer.

L'arrivée de Nuage Fou ne pouvait mieux tomber, son organisme tolérant bien mieux que les autres ce complément indispensable qui procurait aux intéressés le bien-être en parant à leurs terribles crises de manque, qu'il ne faisait, au demeurant, que renforcer...

Car, de ce cercle infernal nul ne pouvait s'échapper, dès lors qu'il y était entré.

Dans ce nid d'aigle imprenable que Lûyipa et lui quittaient une fois par semaine pour pratiquer le Maithuna en compagnie de la belle Sakti, Nuage Fou avait eu la chance de recevoir de la part de son nouveau mentor le trésor de ses pratiques, de ses connaissances, ainsi que de ses fulgurantes intuitions.

Enfreindre, tout, toujours et partout ; braver, en permanence, tous les interdits ; n'avoir peur de rien, jamais ; aller plus loin, toujours et encore ; oser prétendre faire mieux que le Bouddha lui-même, dont les exigences et la méthode étaient si difficiles à mettre en œuvre qu'il était illusoire, à moins d'être un arhant, d'espérer suivre ses pas sur la Voie de la Délivrance : voilà à quels défis la Voie du Tantra invitait ses adeptes.

Elle était d'autant plus séduisante qu'elle ne les obligeait pas à rejeter les dieux traditionnels, mais, au contraire, réconciliait la religion ancienne avec la doctrine du Bienheureux.

Telles étaient les convictions bizarres et hors normes de Lûyipa, que son nouveau disciple trouvait justes, normales et, surtout, légitimes.

Plus Nuage Fou avançait sur la voie du Tantra, et plus il croyait en sa pertinence.

Après tout, Siddârtha Gautama n'avait-il pas dit que chacun, sous réserve qu'il fût un moine pieux, pouvait devenir à son tour un Bouddha, cet ultime stade où il n'était plus besoin de renaître, parce qu'on était déjà dans l'antichambre du paradis ?

Nourrie par cet espoir d'accéder plus vite que les autres à l'ineffable sainteté, la transmission de la flamme tantrique entre Lûyipa et Nuage Fou s'était déroulée avec une facilité déconcertante.

Très vite, en effet, l'élève avait dépassé le maître, non seulement au niveau des prouesses sexuelles, mais aussi de celui des exercices yogiques de contrôle de la respiration et de la douleur, tels que Lûyipa les pratiquait et qui lui permettaient de contraindre son corps, souple comme une liane, à adopter d'incroyables postures, ou encore de s'infliger de terribles mortifications, sans pousser le moindre cri ni provoquer le moindre épanchement de sang, au moment où, impavide, il se tailladait et se transperçait les chairs.

Et c'était bien ainsi, puisque Lûyipa, dont l'estomac était rongé par l'ingestion de sa mixture d'opium, d'orpiment, de réalgar et de thériaque, était mort un an, jour pour jour, après la conversion de Nuage Fou au tantrisme.

Alors, Nuage Fou avait repris le flambeau.

À son tour, il avait décidé de partir sur les chemins, à la recherche d'adeptes qui le suivraient dans l'ineffable Voie du Tantra.

Et là, sa passion et sa fougue, décuplées par sa force de conviction et par son charisme, avaient fait merveille.

L'appel qu'il faisait sans la moindre vergogne aux pratiques sexuelles de l'extase, qui permettaient à de jeunes moines et moniales, dans une absence totale de contrainte et de culpabilité, de découvrir les plaisirs de la chair, ne faisait qu'accroître le nombre des adeptes prêts à le suivre secrètement.

Le bouche à oreille avait fonctionné à plein régime.

Les candidatures à l'initiation au Tantra n'avaient pas tardé à affluer ; qui pour les unions sexuelles, à deux, à trois ou plus ; qui pour l'absorption de ces pilules miraculeuses qui vous rendaient heureux, comme par enchantement ; qui, enfin, attiré par le caractère secret et sulfureux de cette Église dont l'aura ne cessait de croître.

Ne possédait-elle pas, en effet, le double avantage d'entretenir de bons rapports avec les dieux anciens et de vous autoriser, sans risque de rétorsion divine, à vous livrer à toutes sortes de dépravations puisqu'elles n'étaient plus des karmans condamnables ?

Tout à son entreprise de conversion et de recrutement, Nuage Fou avait mis quelque temps à comprendre qu'il était devenu dépendant de la pilule noire que Lûyipa lui avait fait ingurgiter dès le premier rituel du Maithuna.

Depuis qu'il en prenait sa dose quotidienne, il ne souffrait plus de manque et, surtout, il se sentait bien plus fort, bien plus concentré et bien plus efficace dans l'harassante tâche apostolique qui l'occupait, désormais, du matin au soir à Vanârâsi.

Et la Voie du Tantra, peu à peu, avait gagné de nombreux adeptes, malgré le secret absolu auquel ceux-ci se voyaient soumis et qui leur interdisait de se livrer facilement au recrutement de nouvelles ouailles, car il fallait, au préalable, s'entourer de toutes sortes de précautions pour s'assurer de leur entière discrétion.

C'était une véritable Église qui avançait ainsi masquée ; une Église de l'ombre et du secret mais dont l'obscurité même, utilisée comme un appât, commençait à faire des ravages dans les communautés bouddhiques qui en constituaient le principal vivier.

Grâce aux efforts déployés par Lûyipa puis par Nuage Fou, la Voie du Tantra était considérée par les communautés traditionnelles comme une force religieuse à part entière, dont il était impossible de connaître le nombre des adeptes mais avec laquelle il fallait compter, un de ces courants souterrains qui progressaient sans jamais dire leur nom.

Nuage Fou, dans la mégalomanie paranoïaque où son accoutumance aux substances hallucinogènes l'avait fait sombrer, n'avait jamais osé le dire à quiconque, mais il se voyait tout bonnement en nouveau Bouddha, beaucoup plus fort que Siddharta Gautama, sa compassion quelque peu ridicule envers les autres, sans oublier sa non-violence illusoire et tous les carcans de ses règles monastiques désuètes et pointilleuses.

Nuage Fou, lui, revendiquait une attitude bien plus adaptée.

Il prônait rien de moins qu'un bouddhisme libéré de tout scrupule artificiel et de toute essence morale régressive.

Dans son rêve, il voulait un bouddhisme tantrique qui eût fini par avaler les trois courants principaux de cette religion : le Mahâyâna, le Hînayâna et le lamaïsme tibétain.

Son argumentation consistait à avancer que l'important était la Voie du Salut, et rien que cela.

Peu importaient les moyens d'y parvenir, pourvu qu'ils fussent efficaces.

Ce pragmatisme et cette totale absence de scrupules moraux avaient fait merveille, puisque très rapidement, à force de recruter de nouveaux adeptes et d'organiser des rituels secrets, Nuage Fou avait pu commencer à rêver de légitimité pour la Voie du Tantra.

L'ancien petit moine obscur et pieux du courant hînayâniste ambitionnait de devenir un haut dignitaire, capable de discuter d'égal à égal avec les chefs des trois grands courants officiels, alors même que son aura n'allait guère au-delà des murs d'enceinte de la ville sacrée de Vanârâsi.

Cependant, la réputation de la Voie du Tantra avait fini par atteindre la Chine, où certains maîtres du Chan, issus de l'école dite «subitiste», n'étaient pas loin de considérer le tantrisme comme un futur et dangereux rival, en raison de la similitude qu'ils percevaient entre ses méthodes pour atteindre directement l'Éveil, grâce aux unions sexuelles, et la leur, grâce à la méditation assise.

Ce parallélisme des voies «subitiste» et «tantrique» avait même convaincu Nuage Fou qu'une diffusion du tantrisme en Chine centrale était tout à fait possible et qu'il y avait là une piste fort sérieuse à laquelle il convenait de réfléchir.

C'est alors qu'un accident stupide l'avait contraint à s'exiler au Tibet.

Au cours d'une cérémonie tantrique dont les participants avaient abusé des pilules de Nuage Fou, un jeune homme était allé au bord du Gange, où il s'était construit une cahute de branchages séchés, puis y avait mis le feu, avant d'entrer en chantant dans ce bûcher dont les flammes lui avaient infligé des brûlures si atroces qu'il avait fini par aller se jeter dans le fleuve sacré, où il avait coulé à pic.

Des témoins malintentionnés s'étaient empressés d'aller dénoncer Nuage Fou aux autorités.

Il n'avait plus eu d'autre choix que de partir le plus loin possible de Vanârâsi.

Nuage Fou, la mort dans l'âme, avait décidé de gagner le Tibet, le pays du Toit du monde, cette région extraordinaire située à mi-chemin entre le territoire des hommes et celui des dieux, parce que ses hautes montagnes, à l'instar du pivot du monde, le mont Sumeru, touchaient l'azur céleste dont elles étaient les portes.

Il avait mis plusieurs mois, en remontant les vallées des affluents du Gange, et après avoir bravé mille dangers, à rejoindre Lhassa, sa «capitale la plus proche du ciel», profitant de ses pérégrinations pour recruter de nouveaux adeptes, stupéfiés par les démonstrations de contrôle de la douleur et d'exercices yogiques auxquelles il s'adonnait sur le bord des routes.

Lhassa était déjà une incroyable ville.

Dans la capitale du Pays des Neiges, à la fois centre religieux et commercial, qui n'était pas encore dominée par l'immense monastère du Potala, fort peu de visiteurs étrangers s'aventuraient, si ce n'étaient les délégations officielles chinoises que Taizong le Grand puis Gaozong envoyaient périodiquement afin de réchauffer les liens complexes, subtil mélange de rivalité et de subordination, que les Tang entretenaient avec le successeur du grand roi du Tibet, Songtsen Gampo, mort en 650.

Nuage Fou y survécut avec difficulté, grâce aux oboles que lui versaient les badauds, dans une ambiance où régnait une telle méfiance qu'il avait eu, à son arrivée, l'étrange impression de remonter le temps.

Pour un jeune Indien venu, comme lui, d'une grande ville, on continuait à vivre au Pays des Neiges comme dans les temps primitifs.

Il ne se voyait pas y rester et projetait déjà de gagner la Chine qu'il subodorait bien plus accueillante, lorsqu'un jour trois hommes, dont un aveugle, l'avaient abordé.

— Nous cherchons une main innocente, susceptible d'effectuer un tirage au sort pour notre compte. Accepterais-tu d'y procéder ? lui avait demandé celui qui était, comme lui, d'origine indienne.

— Je ne connais rien aux jeux de hasard ! avait-il répondu en souriant.

— Aucune importance. Tu n'auras qu'à prendre

145

trois objets, les yeux bandés, et à les déposer dans trois corbeilles, lui avait expliqué l'Indien.

Celui qui était aveugle devait être tibétain, tandis que l'autre, le plus âgé des trois, avait le teint plus clair et les yeux bridés d'un Chinois.

Ils portaient tous des vêtements religieux, et leurs bols à aumônes finement ciselés témoignaient d'un rang élevé dans la hiérarchie religieuse à laquelle ils appartenaient.

C'est donc sans la moindre réticence, et même quelque peu amusé, qu'il avait consenti à les suivre.

Ce simple tirage au sort allait pourtant se révéler la chance inouïe qui l'avait renvoyé au cœur même de son combat pour faire triompher le tantrisme, en le faisant pénétrer dans l'intimité d'un véritable « saint des saints ».

Car, contre toute attente, il avait réussi à gagner la confiance de ces trois hommes venus lui demander par hasard de les départager dans une affaire ultra-secrète.

Comment auraient-ils pu, au demeurant, se douter qu'en priant ce jeune yogi indien de choisir entre trois boules numérotées ils commençaient à nourrir en leur sein la vipère qui finirait par les mordre ?

Après l'épisode du tirage au sort, auquel il s'était prêté de bonne grâce, comme un élève appliqué, les événements s'étaient enchaînés, mais Nuage Fou, à ce moment précis où il y repensait, assis sur les marches de cette tour de la mort, eût été bien incapable de les relater de façon fiable.

Dans son esprit dérangé, tout se mélangeait : l'hier et l'aujourd'hui, la réalité et les rêves, les images virtuelles et réelles.

Lhassa, le tirage au sort, son entrée dans l'intimité des trois chefs d'Église, les réunions suivantes, Samyé, sa rencontre avec Bouddhabadra, la mission confiée au *ma-ni-pa,* le meurtre du Supérieur de Peshawar, et ce désert de pierres où il avait erré sans but, et puis, enfin, cette masure abandonnée et ces cadavres exposés par les mazdéens aux rapaces pour qu'ils finissent déchiquetés par leurs serres et leurs terribles becs crochus…

Ce dont il était sûr, en revanche, c'était qu'il les avait tous fréquentés à maintes reprises, ces chefs d'Église, et pratiquement d'égal à égal, s'il vous plaît ! C'était maître Pureté du Vide, le Supérieur du monastère de Luoyang, le plus grand monastère chinois, ainsi que le Révérend Ramahe sGampo, directeur du plus ancien monastère du Tibet, celui de Samyé, mais également Bouddhabadra, le Supérieur du couvent de Peshawar qui abritait, avec les Yeux de Bouddha, l'une des reliques majeures du bouddhisme indien.

En devenant l'involontaire témoin du « concile de Lhassa », cette réunion ultra-secrète dont le nom et la tenue n'étaient connus que des trois chefs d'Église, il avait retrouvé l'espoir de mener à bien la tâche surhumaine qui l'emmènerait tout droit au nirvana et peut-être plus haut encore, au stade de Dieu lui-même, et qui consistait à permettre à la religion tantrique de devenir la seule et unique branche du bouddhisme, après avoir digéré les trois autres.

Le propos de Nuage Fou n'était pas non plus exempt d'ambitions philosophiques et métaphysiques.

Depuis ses origines, le bouddhisme, en rupture avec les religions de l'Inde, professait que ni les hommes, ni les animaux ni les choses n'avaient d'atman c'est-à-dire d'« âme », de « soi », ou d'essence, et que le principe d'« impermanence » gouvernait ce qu'on croyait être la réalité tangible et immuable.

Pour le Bouddha, tout n'était, par conséquent, qu'anatman.

Les croyances indiennes originelles de l'hindouisme

insistaient toutes, au contraire, sur l'existence de l'atman, qui témoignait, selon elles, de l'existence de dieux, tels Çiva, Vishnu, Mâra et bien d'autres, qui insufflaient leur esprit et leur atman aux êtres et aux choses.

Parce qu'on pouvait les appliquer indifféremment au bouddhisme et à l'hindouisme, les rituels tantriques, fondés sur des pratiques magiques et chamaniques venues du fond des âges, constituaient le seul trait d'union possible entre ces deux conceptions profondément antagonistes de l'Univers et de la place des dieux et des hommes dans celui-ci.

C'est ainsi que Nuage Fou en était venu à caresser le projet de hisser le tantrisme au rang de religion unique et réconciliatrice de ces deux univers religieux.

Tout cela avait peu à peu mûri dans sa tête, depuis qu'il était devenu le témoin d'un deuxième concile de Lhassa, cinq ans après le premier, ce qui était en passe de faire de lui le préposé attitré au fameux tirage au sort qui représentait l'acte essentiel de la réunion ultra-secrète.

Dans sa folie mégalomaniaque et meurtrière, Nuage Fou s'était mis dans la tête que seul un rituel très spécial, dont il avait défini au geste et au mot près le déroulement, lui permettrait d'imposer définitivement le tantrisme.

C'était un rituel où devaient figurer ce que les trois chefs religieux appelaient leurs «saints gages» et qu'il n'avait eu de cesse de récupérer par tous les moyens.

Et dire qu'il avait failli y parvenir, puisqu'il était arrivé à en détenir deux sur trois, rangés dans le cœur de santal de Bouddhabadra !

Ce souvenir lui arracha un soupir amer.

Comment avait-il pu laisser échapper une occasion pareille !

La perte du petit coffret de Bouddhabadra, disparu de la malle où il pensait pourtant l'avoir enfermé, anéantissait des années d'efforts et de patience.

Car tout était à recommencer, si tant est que ce fût possible, puisqu'il était probable qu'il n'y aurait plus de concile à Lhassa, la zizanie paraissant s'être installée, pour de mystérieuses raisons, entre Ramahe sGampo, Pureté du Vide et ce curieux Bouddha-badra !

Bouddhabadra, dont les derniers propos remontaient lentement, par bribes, à la surface de la conscience altérée de Nuage Fou !

Pour essayer de mieux ordonner ce qui se tramait sous son crâne, il avala une autre pilule.

Aussitôt l'odeur de miel, de cannelle et de thym emplit ses narines.

Il voyait à présent Bouddhabadra étendu à terre, les intestins sanguinolents s'échappant de son abdomen. Il se souvenait parfaitement qu'il s'était approché du corps et avait constaté qu'il ne rêvait pas.

Qui donc avait pu assassiner sauvagement le Supérieur du monastère de l'Unique Dharma de Peshawar ? s'interrogeait-il, assis sur sa marche en pierre de la tour de la mort.

Un assassin avait dû se glisser au milieu d'eux… qui avait, au passage, fait main basse sur le petit cœur de santal contenant deux saints gages !

Il avait des images d'un vague combat rituel avec le Supérieur de Peshawar, dans un curieux endroit en ruine, et d'une jeune fille, au beau visage d'apsara, qui s'était envolée dans le ciel…

Puis il y avait un trou noir, d'où il avait fini par émerger en remarquant que Bouddhabadra gisait, mort, à ses pieds, le ventre ouvert.

Quelle n'avait pas été sa rage en constatant la disparition de ce petit cœur, qu'il avait cherché partout !

En proie au doute, Nuage Fou se demandait si ce qui lui était arrivé ne s'apparentait pas à une véritable malédiction.

D'ailleurs, par quel concours de circonstances se retrouvait-il là, assis sur ces marches, en plein désert ?

Il n'en avait plus le moindre souvenir.

Ce dont il était sûr, en revanche, c'était que Bouddhabadra était mort et que son coffret de santal en forme de cœur avait disparu.

Depuis combien de semaines, voire de mois, errait-il ainsi ?

Il n'en avait aucune idée.

Cette lugubre tour de la mort ne lui plaisait pas plus que cet énorme scorpion noir surgi de derrière une pierre, qui venait de dresser son dard contre lui et qu'il avait précipitamment écrasé.

Il se sentait terriblement seul, abandonné des dieux et du Bouddha.

Sans le coffret de santal, plus rien de ce qu'il avait rêvé d'accomplir n'était possible.

Et la conclusion rituelle de cette tâche si exaltante, de cette mission incomparable et salvatrice, d'essence divine, à laquelle il s'était consacré corps et âme, au point de tout lui sacrifier, tombait misérablement à l'eau.

Revenir à Dunhuang pour s'emparer de l'exemplaire original du *Sûtra de la Logique de la Vacuité Pure* que Pureté du Vide avait laissé au monastère du Salut et de la Compassion n'avait plus aucun sens, dès lors que les deux autres saints gages n'étaient plus en sa possession.

Car il avait absolument besoin de tenir dans ses mains les trois ensemble pour accomplir son fameux rituel.

Que faire à présent ?

La mine défaite, si effondré qu'il n'avait même pas

150

la force de gémir, il se contentait de contempler l'immensité apaisante du désert de sable.

Que pouvait-il y avoir derrière cet horizon désolé ?

Peut-être y trouvait-on le territoire du Vide, cet espace de la Pureté Infinie dans laquelle il était si doux de se dissoudre... parce que le Vide vous donnait la puissance, la clarté et la force qui faisaient de vous l'égal des dieux, des prophètes et des bouddhas.

Accéder au panthéon de tous les cultes, n'était-ce pas, finalement, ce dont il rêvait le plus ardemment ?

Mais ce Vide, il pouvait tout aussi bien vous happer et vous entraîner dans la spirale du Néant...

Nuage Fou s'anéantissant dans le Vide comme l'écho de la voix dans l'espace ; Nuage Fou devenu à son tour poussière du désert ; Nuage Fou absorbé par sa propre évanescence... Telle était sa peur panique, qui le rendait chaque jour un peu plus fou et un peu moins contrôlable, à l'image de ces chiens sauvages rôdant dans les montagnes qui pouvaient tout aussi bien lécher affectueusement un enfant que le dévorer à belles dents...

« Aller où ne vont pas les autres... »

La phrase, lancinante, lui revenait aux oreilles, tandis qu'il lui semblait apercevoir, derrière l'espace minéral qui finissait par se confondre avec le ciel, son propre visage s'inscrire dans l'azur.

C'était un visage bizarre et lugubre, une face inquiétante dont les yeux injectés de sang le terrorisaient.

Il se pinça le bras.

Il ne rêvait pas.

C'était bien lui, qui se faisait peur à lui-même, dont le visage apparaissait à l'horizon du Néant.

— Aller où ne vont pas les autres...

Cette ritournelle devenait, à proprement parler, insupportable.

Pour ne pas rester ainsi, face à soi-même, il fallait se remettre en route, continuer à errer, suivre son instinct.

Bouger ! Toujours et encore.

Il fallait s'acharner, car les choses impossibles finissaient un jour par arriver...

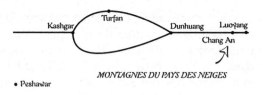

26

Palais impérial, Chang An, Chine, 15 septembre 656

L'impératrice Wuzhao venait d'expédier à la hâte l'hommage qu'exigeaient d'elle, au moins une fois par mois, l'empereur de Chine et sa tige de jade.

À côté de celui de Gaozong, l'organe du Muet, auquel elle avait fini par goûter deux semaines plus tôt, était un véritable pieu.

À force d'avoir envie de lui sans se l'avouer, elle avait décidé de l'entraîner dans son lit, un soir qu'elle était seule dans sa chambre, Gaozong étant parti en tournée d'inspection sur la Grande Muraille.

Le géant turco-mongol, quelque peu surpris, s'était laissé faire lorsqu'elle l'avait entièrement dévêtu, de ses mains expertes.

— Je te choque, n'est-ce pas ? lui avait-elle soufflé.

— Moi pas choqué, ma reine ! avait-il murmuré, impassible, comme s'il s'attendait à ce qui lui arrivait, après tous ces moments d'intimité partagés avec elle.

Elle n'avait jamais eu l'occasion de voir le corps d'un homme aussi musclé.

Les énormes biceps du Muet, couverts de tatouages rituels, luisants comme de la laque, s'étaient gonflés comme des outres au moment où il l'avait soulevée dans ses bras pour la poser délicatement sur son immense lit, où elle avait souhaité, en adoptant la pose adéquate, qu'il la prît par-derrière.

N'était-ce pas délicieux, de se faire porter ainsi par un être aussi fort et aussi sauvage, capable, par ailleurs, de vous traiter avec autant de douceur ?

Mais surtout, elle s'était sentie immédiatement inondée par le plaisir, à peine avait-il introduit dans sa fente intime l'énorme gland par lequel s'achevait son appendice.

Cela faisait des années, depuis qu'il était prisonnier de guerre, que le Muet avait été privé de femmes.

Il n'avait donc pas mis très longtemps à s'épancher en elle, en un jet si puissant et brûlant que Wuzhao, aux anges, avait eu l'impression que son corps était traversé par une lame de feu et de plaisir.

— Encore ! Encore ! avait crié sans vergogne l'impératrice de Chine, que cette délicieuse sensation rendait déjà à moitié folle.

Le Muet s'était exécuté, tel un bon élève, et y était revenu avec la même vigueur extrême, selon les souhaits de plus en plus précis et crus de Wuzhao, dont la jouissance, chaque fois, avait été plus forte, au point qu'elle avait dû mordre à pleines dents dans un foulard de soie pour s'empêcher de hurler.

Quand elle avait fini, au petit matin, par se ruer sur l'imposant instrument de son plaisir afin de lui rendre un ultime hommage, car l'heure de l'habillage arrivait à grands pas, elle avait à peine pu le prendre dans sa bouche, tellement il était gros.

Le sexe du Muet ressemblait à ces poignées particulièrement ouvragées des sabres de bronze réservés aux généraux de l'armée chinoise, qui se terminaient par un gros bouton en forme de lotus fermé.

Comparée à celle de son factotum, la tige de jade de l'empereur lui avait donc paru, ce matin-là, singulièrement rabougrie.

— Ce fut bon mais bien bref, ma douce et tendre amie ! Je préfère encore lorsque c'est aussi bon, mais un peu plus long ! plaisanta ce dernier en rajustant ses braies.

— N'ajoutez pas le givre à la neige, Majesté ! Si vous saviez ce que j'ai mal au crâne ! gémit-elle, quelque peu énervée.

À dessein, elle avait usé d'un dicton de lettré afin de signifier à Gaozong qu'il valait mieux ne pas envenimer la situation.

Un long retard de règles lui laissait, en effet, présager qu'elle était enceinte, mais il était encore bien trop tôt pour en faire part à l'empereur.

Depuis plusieurs mois, elle avait appris, toujours grâce au Muet, que l'empereur était fort volage, et elle craignait que cette annonce n'incitât un peu plus celui-ci à aller courir les jeunes vierges dont il se disait, à la cour, qu'il était devenu friand.

— Vous ne voulez pas que je demande à un médecin de venir vous voir ?

— Il n'y en a aucun de valable, surtout depuis que les guérisseurs taoïstes n'ont plus droit de cité au palais impérial ! Le dernier rebouteux qui m'examina se contenta d'appuyer ses doigts contre mes tempes, en me garantissant que mon mal de tête s'évanouirait ! Il n'en a rien été. Sans remèdes adéquats, je ne pourrai jamais guérir ! lâcha-t-elle.

— On ne réconciliera jamais un mandarin confucéen avec un *fangshi* taoïste ! Tout, irrémédiablement, les oppose ! maugréa l'empereur Gaozong.

Il faisait allusion aux luttes de pouvoir incessantes qui dressaient, depuis des lustres, les confucéens contre les taoïstes.

Les premiers, quand ils n'étaient pas issus de la noblesse, fournissaient les bataillons de hauts fonctionnaires que la dynastie des Tang recrutait au moyen de concours où la sélection s'effectuait impitoyablement.

Serviteurs de l'État, ils en deviendraient aussi les technocrates éclairés, censés traquer les grains de sable grippant la complexe machinerie administrative impériale, même si le plus souvent, hélas, ils se montraient plus soucieux de protéger leurs privilèges institutionnels que de servir l'intérêt général.

Et le taoïsme, avec son irrationalité, son goût pour les pratiques magiques et alchimiques, et, surtout, ce souci de soi qui en faisait une philosophie d'essence individualiste, était considéré par les tenants de la morale sociale collectiviste que constituait toujours le confucianisme comme le principal ferment de la discorde et de la désintégration sociales.

Aussi ce courant religieux et philosophique, dont les prêtres étaient qualifiés d'excentriques et de « moines aux longs cheveux », n'était-il pas vraiment en odeur de sainteté au sein de la caste des hauts fonctionnaires et des politiciens, laquelle avait même réussi à faire publier un arrêté interdisant à ces religieux de pénétrer dans le palais impérial sans autorisation préalable.

Quelques mois plus tôt, déjà, l'impératrice Wu avait provoqué un petit scandale lorsqu'elle avait fait appel aux services d'un de ces moines aux longs cheveux avec lequel elle avait pris l'habitude de jouer, de temps à autre, aux échecs.

Elle appréciait le côté fantasque de ce personnage, truffant sa conversation d'expressions amusantes, qui la changeait des relations convenues et sans grand intérêt qu'elle était obligée d'entretenir avec les dames de la cour, lesquelles dans leur immense majorité la détestaient cordialement.

Mais les mauvaises langues de la cour de Chang An avaient tôt fait d'accuser Wuzhao de se livrer en compagnie de ce religieux d'aspect douteux à des rituels magiques que la morale confucéenne ne pouvait que réprouver.

La cabale était allée si loin que l'épouse de Gaozong avait été contrainte de s'expliquer devant celui-ci, auprès duquel le doute, sournoisement, avait été instillé par les instigateurs de ces médisances.

La séance s'était achevée dans le lit de l'impératrice qui avait su trouver en un rien de temps les arguments les plus frappants et les plus efficaces pour faire oublier à son impérial époux ces petites incartades qu'il n'avait, au demeurant, plus jamais évoquées.

— Si j'entends parler d'un bon médecin taoïste, je vous le jure, ma mie, je vous l'enverrai céans ! ajouta l'empereur, après avoir baisé le front de sa femme.

L'heure des audiences approchait et il était obligé de repartir vers ses appartements, où ses majordomes procéderaient à son harnachement.

Car il n'était pas question que l'empereur apparût en public sans les attributs de sa fonction : le long manteau jaune, doublé de soie en été et de vison en hiver, ainsi que les diverses parures d'or, de jade et d'émeraudes qui le constellaient, au milieu desquelles devait pendre à son cou le « cadenas de longue vie » *changmingsuo*, en or pur, sur lequel un orfèvre avait gravé la formule « longue vie » sans interruption.

Demeurée seule, Wuzhao constata à quel point elle ne se sentait pas bien.

Mais ce n'était pas dû à cet intense mal de crâne, auquel elle était habituée, ni à son insupportable bandeau de douleur qui lui comprimait bien plus le front que les tiares qu'on l'obligeait à porter lors des cérémonies officielles.

Il y avait autre chose qui l'inquiétait davantage.

Elle craignait par-dessus tout de décevoir Pureté du Vide, le chef de l'Église chinoise du Grand Véhicule, laquelle, avec ses millions de moines, était l'organisation la plus forte de la société chinoise, si l'on excluait les armées impériales.

Pour arriver à ses fins, devenir empereur à part entière et régner, en lieu et place de ce Gaozong qu'elle méprisait chaque jour davantage, plus le temps passait et plus elle avait conscience qu'un indéfectible soutien des bouddhistes lui serait absolument nécessaire.

La pénurie de production de soie en Chine centrale, jointe à l'arrêt subit du trafic clandestin du tissu venu de Dunhuang que les autorités avaient constaté depuis quelques mois, avait achevé de tarir toutes les sources d'approvisionnement sur lesquelles elle comptait pour honorer la promesse faite au Supérieur du monastère de la Reconnaissance des Bienfaits Impériaux de Luoyang de lui fournir les coupons nécessaires à la confection de ses bannières votives.

Pour asseoir sa réputation et se ménager les faveurs du peuple, sur lequel elle pressentait avoir besoin un jour de s'appuyer, elle avait par ailleurs réussi à convaincre l'empereur de promulguer une série de décrets quasiment révolutionnaires.

Les uns concernaient les activités agricoles.

Cela allait de l'encouragement de la culture du ver à soie, afin d'enrayer un manque de plus en plus pénalisant pour l'économie impériale, à la permission donnée aux paysans pauvres, qui avait fait enrager plus d'une famille noble et latifundiaire, de cultiver librement les terres situées au pied des murailles des villes.

Depuis la promulgation de ce texte, on pouvait voir des champs de millet et d'orge s'étendre le long des murs d'enceinte de la moindre bourgade, là où, hier, il était encore rigoureusement impossible à tout citoyen de poser un pied, ces emplacements étant considérés comme des terrains militaires.

Un autre décret, toujours suscité par Wuzhao et qui n'avait pas manqué de faire grincer des dents les états-majors, au point que le vieux général Zhang avait essayé de s'y opposer de toutes ses forces, visait à réduire les effectifs des armées impériales.

Outre que c'était là, de la part de son instigatrice, un signe d'hostilité avérée, destiné à servir d'avertissement à la classe nobiliaire d'extraction militaire qui constituait le noyau du pouvoir sur lequel Gaozong s'était appuyé jusque-là, il visait surtout à faire baisser la pression fiscale, dont chacun se plaignait, au moment où les conquêtes militaires n'étaient plus de mise, les peuples de la périphérie ayant tous plus ou moins fait allégeance à l'empire du Milieu, lequel ne s'était jamais étendu aussi loin, bien au-delà de cette frontière sacrée et symbolique que représentait la Grande Muraille.

« Rendre au peuple le surplus que l'État lui prend indûment » : tel était le slogan que Wuzhao, en politicienne rouée, utilisait volontiers et dont elle souhaitait qu'il fût répété à l'extérieur, si possible hors de l'enceinte du palais impérial.

Pour les mêmes raisons, l'impératrice avait obtenu que les dépenses affectées aux constructions publiques fussent drastiquement diminuées.

Les deux capitales, Chang An, la principale, et Luoyang, celle de l'Est, étaient déjà les deux plus belles villes du monde.

Quatorze avenues nord-sud et onze avenues est-ouest découpaient Chang An, traversée par des canaux qui permettaient d'y accéder en barque, en cent dix quartiers murés et deux immenses marchés.

Ses plus grandes avenues étaient bordées de somptueux bâtiments censés incarner la puissance et la prospérité de leurs propriétaires, qu'il s'agisse de riches familles nobles ou commerçantes, ou surtout d'institutions publiques, financées par l'impôt.

La plupart de ces services administratifs étaient regroupés dans ce qu'on appelait alors la « ville impériale ».

Celle-ci était située au sud du palais de l'empereur, où s'élevaient les édifices des Affaires de l'État, de la Chancellerie, du Grand Secrétariat, ainsi que du Conseil d'État.

À l'instar de la capitale principale de la Chine, et tel un modèle légèrement réduit de sa grande sœur, à laquelle elle était reliée par un canal pratiquement navigable de bout en bout d'une longueur de près de quatre cents kilomètres, Luoyang, où la cour ne dédaignait pas de séjourner l'été parce qu'il y faisait plus frais qu'à Chang An, avait été bâtie selon le même plan en damier.

Le réseau de routes et de canaux initié par Qing Shihuangdi, le premier empereur de Chine, huit siècles et demi plus tôt, maillait déjà l'ensemble du territoire du pays le plus peuplé et le plus puissant du monde. Les Tang l'avaient entièrement réhabilité pour en faire des voies de passage idéales, destinées au transport des hommes et des marchandises de toutes sortes qui affluaient dans les grandes villes chinoises.

En l'an 608 avait été prolongée l'immense voie d'eau de ce qui deviendrait le Grand Canal Impérial, reliant Luoyang à la région de Pékin, sur une distance de plus de mille cinq cents kilomètres.

C'est dire si la mesure d'allégement fiscal concoctée

par Wuzhao à l'intention des contribuables tombait à pic.

Soucieuse de peaufiner son image de souveraine protectrice des intérêts des petites gens, elle avait aussi favorisé la promulgation de décrets de nature plus sociale, mais les décrets les plus essentiels étaient de nature religieuse.

C'est ainsi qu'elle avait réussi, grâce à la palette étendue de ses talents de séductrice, à faire édicter par l'empereur des mesures d'encouragement à l'étude des sûtras bouddhiques, mais aussi des textes taoïstes, de même que l'instauration d'une taxe sur les pagodes nouvellement construites sur tout le territoire.

Ce dernier mécanisme n'allait pas tarder à devenir un extraordinaire levier de pouvoir, lui permettant de doser savamment, et selon son bon vouloir, les énormes flux financiers reliant l'Église du Grand Véhicule au reste de l'économie.

En baissant cette taxe, Wuzhao favorisait les bouddhistes ; en la relevant, elle les pénalisait.

Pureté du Vide, qui n'était pas dupe, lui avait fait part des réticences que la création de cet impôt nouveau suscitaient au sein du haut clergé bouddhique.

— Vous pouvez compter sur moi ! Plus Wuzhao sera puissante et mieux le Grand Véhicule se portera dans ce pays ! lui avait-elle répondu lorsqu'il était allé la trouver pour lui exposer ses inquiétudes.

— L'État finira par avoir droit de vie et de mort sur les institutions spirituelles que nous sommes… Est-ce bien pertinent ? avait-il rétorqué, soucieux de défendre les intérêts de son Église.

Aussi, après de telles remontrances, même si elles avaient été susurrées du bout des lèvres par le Supérieur de Luoyang, l'impératrice avait-elle encore plus à cœur d'honorer la promesse qu'elle avait faite de procurer à son monastère la soie nécessaire aux milliers de bannières votives qu'il faisait fabriquer chaque année pour les suspendre aux murs de ses immenses salles de prière.

La pénurie de soie, tant officielle que clandestine, tombait donc fort mal pour Wuzhao.

Et ce matin-là, ses migraines était si aiguës qu'elle se sentait épuisée, si bien qu'un sentiment de découragement l'avait peu à peu gagnée.

C'était toujours ainsi, quand la souffrance était trop grande dans sa tête.

Les mêmes questions fusaient dans son esprit, tout en y instillant la petite musique funèbre du doute.

Ce combat qu'elle livrait, pied à pied, contre l'hostilité tenace des pouvoirs établis, n'était-il pas au-dessus de ses forces ?

S'en prendre au fondement même de l'empire du Milieu, à travers la si puissante et rouée noblesse militaire et civile des « Trois Cents Familles », était-ce bien raisonnable pour une simple femme qui ne possédait, pour toute arme, que ses propres atouts physiques et intellectuels ?

Elle serrait de toutes ses forces le minuscule médaillon d'argent qui ne la quittait jamais et dans lequel était enchâssé le portrait du bodhisattva Maitreya, le Bouddha de Demain, peint de couleurs vives, au cil d'éléphant, par un célèbre miniaturiste de l'Inde du Nord.

Il n'y avait guère que sa foi ardente dans le Bienheureux, dont elle prétendait par son action instaurer enfin l'empire temporel, et, surtout, le nouvel enfant qu'elle attendait qui étaient propres à l'encourager à continuer sa guerre solitaire.

De tout son cœur, elle espérait que ce fût un garçon.

Alors, comme le disait le proverbe, « l'arbre serait

devenu un bateau », et l'avantage qu'elle tirerait de disposer d'un remplaçant mâle, au cas où il arriverait malheur au petit Lihong, deviendrait irréversible.

Elle comptait énormément sur cette naissance prévue dans sept mois environ, et dont elle n'avait encore pas parlé, pour asseoir définitivement son emprise sur un époux que la maladie n'empêchait pas d'être de plus en plus volage.

C'était peu de dire en effet que, depuis quelques mois, la santé de l'empereur de Chine, dont les crises de tremblement et de paralysie faciale étaient de plus en plus nombreuses et régulières, chancelait.

Mais ces crises ne retenaient pas l'intéressé de courir la prétentaine en compagnie des jeunes femmes que les services du gynécée impérial sélectionnaient à son intention.

Depuis quelques semaines, l'empereur avait jeté son dévolu sur une belle prisonnière sassanide, à la longue chevelure bouclée de laquelle il n'avait pas résisté et qu'il avait fait extraire, pour les besoins de la cause, de sa cellule. Cette nouvelle tocade n'en finissait pas de faire jaser, au point qu'elle était en passe de provoquer à la cour impériale un mini-scandale, auquel Wuzhao ne pouvait qu'assister en serrant les dents.

Désireuse d'entendre le chant de son grillon, et pensant que cela l'apaiserait, elle fit revenir le Muet, qui s'empressa d'aller chercher, dans le jardin intérieur où elle était accrochée à la branche d'un érable nain, la petite cage ronde avant de la suspendre à sa patère habituelle, dans la chambre de l'impératrice.

Mais, contre toute attente, la lancinante musique de l'insecte, loin de calmer ses douleurs faciales, parut au contraire produire l'effet inverse sur Wuzhao dont la névralgie devint à proprement parler insupportable.

Si insupportable, même, qu'elle n'eut aucun scrupule

163

à demander à son factotum d'accomplir un acte qui contrevenait aux dispositions réglementaires en vigueur, lesquelles proscrivaient toute présence d'un médecin taoïste dans l'enceinte du palais impérial, sans autorisation expresse préalablement signée par la Grande Chancellerie.

— Le Muet, on me dit que, depuis quelques jours, sur le grand marché aux simples, il y a un prêtre taoïste qui vend des remèdes extraordinaires. Ce sorcier aurait deux bébés dont l'un serait un singe et l'autre un petit homme. La foule accourrait de toute part pour contempler ce phénomène exceptionnel. Es-tu au courant ?

— Pas au courant ! grogna, penaud, l'immense Turco-Mongol.

— Dans ce cas, tu iras aux nouvelles. Et si ce qu'on raconte est vrai, tu me l'amèneras toutes affaires cessantes ! ordonna-t-elle.

Quand le Muet arriva sur le grand marché aux plantes médicinales, une foule compacte était déjà agglutinée devant un étal dont il était impossible d'observer de quoi il était fait, tant les badauds étaient nombreux à s'y presser.

— Approchez, mesdames et messieurs, approchez ! Je vends tous les remèdes possibles ! criait la voix claire d'un homme, venue de derrière le mur humain qui cachait l'intéressé.

Nul doute que ce devait être là.

Le géant mongol fendit la populace, qui s'écarta volontiers sur son passage : ceux qui le connaissaient de réputation le craignaient déjà comme la peste, et quant aux autres, qui ignoraient tout de lui, sa taille et sa corpulence faisaient le reste.

Le marchand de plantes médicinales était bien ce prêtre taoïste que Wuzhao lui avait demandé de retrouver et dont tout Chang An bruissait de la présence depuis plusieurs semaines. Son étalage était recouvert de petits paniers d'osier remplis, les uns de poudres de toutes les couleurs, et les autres de feuilles ou de racines séchées, que manipulait un homme hirsute qui lui servait d'assistant.

Juste derrière eux, une jeune femme pleine de charme était assise, à côté d'un chien jaune à poil long qui tirait une énorme langue. Elle tenait sur ses genoux les deux fameux bébés dont l'un avait effectivement la face velue d'un petit singe.

Tous les badauds et toutes les commères s'extasiaient devant ce qu'ils appelaient joliment « le couple des enfants divins ».

— Regarde-moi cet amour de bébé, avec sa face toute poilue, n'est-ce pas mignon ! s'exclamait-on.

— Quelle jolie petite guenon ! lança une commère.

— Je n'ai jamais vu un tel phénomène ! À coup sûr, leur père est un dieu, à moins que ce ne soit leur mère ! s'écriait une autre.

Le commerce marchait bien et Cinq Défenses paraissait à son affaire, à en juger par le nombre des clients qui repartaient munis des quelques grammes de poudre qu'ils avaient âprement marchandés, non sans avoir demandé la faveur de toucher l'étoffe des vêtements des enfants, et particulièrement de celui dont le minois était recouvert de poils.

Après s'être planté juste devant le pseudo-marchand taoïste, le Muet lui tendit une feuille de papier soigneusement pliée en quatre et fermée par un sceau de cire qui portait la marque de l'oiseau phénix.

Cinq Défenses, lorsqu'il commença à lire la lettre après l'avoir décachetée, eut du mal à cacher son étonnement.

Écrite en caractères de chancellerie, ceux-là mêmes utilisés par les scribes officiels de l'administration, la

missive n'offrait aucune difficulté quant à son déchiffrage.

« Je vous saurais gré de bien vouloir suivre le porteur
de la présente. Il vous conduira jusqu'à moi, au palais
impérial, où il ne vous sera fait aucun mal. Il vous suf-
fira de changer de tenue et nul garde ne vous inquié-
tera. J'ai un besoin des plus urgents de faire appel à
votre science médicinale. Venez tout de suite ! (Signé :)
Impératrice Wu. »

Il s'empressa de montrer la feuille à Umara.

— Si elle est vraiment la signataire de cette lettre, il
me semble difficile de refuser son invitation ! lâcha
celle-ci, quelque peu perplexe, après en avoir pris
connaissance.

— Je n'ai pas de doute sur l'identité de son auteur !
murmura Cinq Défenses en désignant le palanquin aux
couleurs impériales qui venait de piler devant eux, après
que des gardiens en armes eurent écarté à grands coups
de fouet les badauds et les acheteurs qui encombraient
la place du marché.

— Je vais m'y rendre seul. Reste ici, Umara. Je vien-
drai te retrouver aussitôt l'entretien achevé, proposa-t-
il à sa compagne.

— Ne m'abandonne pas, Cinq Défenses ! Toi et moi
ne sommes pas faits pour être séparés ! Je veux y aller
avec toi !

— Et les enfants ? souffla-t-il. Qu'allons-nous faire
d'eux ? Ils sont si petits ! Nous n'allons pas les laisser
nous attendre sur ce marché, avec cet étalage de plantes
et le *ma-ni-pa* pour tout gardien !

— Il n'en est pas question, nous les emmenons
aussi ! trancha-t-elle.

— Et moi ? demanda alors le *ma-ni-pa*, inquiet.

— Tu viens avec nous, comme tout le monde !

166

ajouta-t-elle en vrai petit dragon, sous le regard quelque peu étonné du Muet.

Mis à part l'impératrice, le géant mongol n'avait jamais rencontré une jeune femme aussi charmante et volontaire que celle-là, pensait-il en l'aidant à monter avec les Jumeaux Célestes dans le palanquin de Wuzhao, tandis que Cinq Défenses entassait à la hâte dans un gros baluchon toute la marchandise précieuse de son étal.

Le convoi s'ébranla, suivi docilement par l'imposant molosse jaune qui ne paraissait nullement avoir l'intention lui non plus d'abandonner ses maîtres.

Pas plus Cinq Défenses, auquel le Muet avait remis des habits de fonctionnaire de neuvième et dernière classe, qu'Umara, toujours aussi éclatante de beauté et de charme, n'avaient imaginé l'ineffable splendeur du palais impérial de la plus puissante dynastie qui régnait en ce temps-là sur le monde.

Lorsque le Muet fit arrêter le convoi dans une immense cour pavée, au milieu de laquelle des jardiniers, ciseaux de barbier à la main, s'affairaient autour de centaines d'arbres miniatures plantés dans des jarres de bronze disposées dans des alignements impeccables, les jeunes gens ne purent s'empêcher de pousser un soupir d'émerveillement.

Le géant mongol fit signe à Cinq Défenses qu'il devait l'accompagner, seul.

Après avoir franchi d'innombrables porches et portiques, longé d'immenses murs aveugles et emprunté de longs couloirs qui lui semblèrent interminables, il arriva enfin devant celle qui lui avait enjoint de venir.

Tranquillement assise devant sa coiffeuse, Wuzhao achevait de faire placer des épingles en or dans la torsade de son chignon.

À présent que le jeune mahâyâniste avait l'occasion

de l'approcher, il lui était possible de constater sur pièce que la réputation de Wuzhao dans l'empire du Milieu était loin d'être usurpée.

Dès qu'elle vit Cinq Défenses, l'impératrice ordonna du regard à sa gouvernante de les laisser tranquilles.

— L'oiseau de la migraine me picore le crâne ! Que peux-tu faire pour moi ? lança-t-elle à Cinq Défenses, à peine s'était-il relevé de la prosternation qu'il venait d'accomplir devant elle, ainsi que le Muet le lui avait indiqué en la mimant.

— Majesté, je dispose de toutes sortes de simples ! Des poudres d'herbes et des poudres de pierres… répondit, toujours cassé en deux, l'assistant de Pureté du Vide.

— Où sont-ils ? Il m'en faut d'efficaces, et vite !

— Majesté, tous mes remèdes sont dans le palanquin qui stationne dans la cour, murmura-t-il.

— Eh bien, qu'attendons-nous pour y aller ! lança l'impératrice, quelque peu agacée, avant de se hâter de descendre dans la cour, où elle trouva Umara en train de consoler les bébés qui pleuraient.

« Voilà donc les deux enfants extraordinaires ! C'est surtout de celui-là que j'ai tant entendu parler déjà ! Il porte une espèce de *dûrnâ*[1] ! s'écria, émerveillée, l'impératrice en se penchant attentivement sur le visage velu de la petite fille, tandis que Lapika, craignant que l'intruse ne voulût s'en prendre à sa minuscule protégée, commençait à émettre le grognement des chiens d'attaque prêts à bondir.

Le *ma-ni-pa* fit promptement taire le molosse.

— Fais entrer tout ce petit monde dans mon bou-

---

1. *Dûrnâ :* cette touffe de poils que le Bouddha porte sur le front est l'un des signes distinctifs de l'appartenance de celui-ci à la catégorie des « grands hommes » ou « mahâpurusa ».

doir, nous serons mieux à l'intérieur ! ordonna la reine à son factotum géant, pendant que Cinq Défenses choisissait, parmi ses plantes et ses poudres, celles ordinairement utilisées quand on avait mal à la tête.

— C'est leur chienne nourricière, Majesté. Nous autorisez-vous à l'amener avec nous ? demanda Umara, nullement intimidée, à Wuzhao qui acquiesça en souriant.

Arrivée dans les appartements de Wuzhao, la jeune chrétienne, toujours aussi à l'aise, installa les Jumeaux Célestes contre les mamelles gonflées du ventre de Lapika.

Cinq Défenses versa dans un gobelet d'eau une mixture à base de poudre de menthe et de rhubarbe, dont le dosage lui avait été recommandé au cours de son noviciat par un vieux moine qui prétendait que c'était là un moyen infaillible pour réduire le mal de tête.

— Ton remède n'a pas l'air mauvais ! Le bec de l'oiseau de la migraine me paraît déjà moins pointu ! dit l'impératrice, au bout d'un moment, après avoir avalé la potion.

Elle paraissait plus détendue, et presque amusée par le spectacle qu'elle avait sous les yeux, il est vrai indescriptible, de son boudoir envahi par ces visiteurs peu banals.

Les deux enfants venaient de s'endormir contre le ventre de la chienne jaune, après l'avoir tétée. Quant au *ma-ni-pa*, il tranchait tellement dans ses habits en loques et sans couleurs avec le luxe des tentures et des tapis qui l'entouraient qu'il ressemblait à un spectre, ou à une de ces âmes errantes hantant les zones infernales réservées à ceux qui vivaient dans le péché.

— Majesté, c'est un remède de bonne femme ! Ou plutôt, de vieux moine ! Son effet est rarement immédiat. Il faut en prendre trois fois par jour, trois jours durant ! murmura, bien plus intimidé que sa compagne, le jeune moine du Mahâyâna.

— Dans ce cas, tu reviendras autant de fois qu'il faudra ! Et tu seras payé en conséquence. Il faudra toujours cacher ton apparence. Il est interdit aux prêtres taoïstes de pénétrer dans le palais impérial sans autorisation de la chancellerie ! expliqua-t-elle.

— Je suis à votre disposition, Majesté !

— Tu t'y connais, en matière de simples. Dans quel temple consacré au Tao as-tu été formé ? demanda-t-elle, le regard particulièrement bienveillant.

Cinq Défenses hésitait sur la réponse qu'il devait donner à l'impératrice de Chine.

Tout bien réfléchi, il ne se voyait pas mentir à une telle femme.

Tromper la protectrice principale du Grand Véhicule, celle dont le nom était invoqué tous les jours, dès la cérémonie du matin, par des milliers de novices, avec des actions de grâces pour tous les bienfaits dont elle comblait les monastères sur tout le territoire chinois, lui semblait indigne.

C'était même à coup sûr un péché mortel, bien plus grave que celui de tomber amoureux d'une jeune fille alors qu'on avait déjà prononcé ses vœux monastiques, tout simplement parce que ce serait une faute intentionnelle de sa part, et que seul comptait, dans tout acte perpétré par les hommes, le présupposé de ce karman.

Il la fixait en se répétant mentalement à lui-même la phrase qu'il s'apprêtait à lui répondre.

— Majesté, je ne suis pas plus marchand de plantes médicinales que prêtre taoïste ! annonça-t-il d'une voix forte, après avoir pris son courage à deux mains.

— Que veux-tu dire ? s'enquit-elle, l'air surpris, avant de venir se placer devant lui, comme si elle voulait être sûre de bien comprendre ce qui allait suivre.

Il n'avait donc pas mis longtemps à décider qu'il dirait à Wuzhao l'exacte et entière vérité au sujet de ses origines.

Dans le boudoir de Wuzhao, où régnait à présent un profond silence, à peine troublé par le bruit de la succion des lèvres des bébés, qui s'étaient remis à téter avidement leur chienne nourricière, chacun retenait son souffle et guettait la réaction de l'impératrice.

— Je suis l'ancien assistant de maître Pureté du Vide, le Supérieur du monastère de la Reconnaissance des Bienfaits Impériaux de Luoyang, Majesté ! Je m'appelle Cinq Défenses et je suis un moine de l'Église bouddhiste du Grand Véhicule, lâcha brutalement l'intéressé, comme s'il était pressé de mettre un terme à toute ambiguïté.

— C'est incroyable, ce que tu racontes là ! J'avais encore devant moi, à ta place exacte, il y a quelques semaines, Premier des Quatre Soleils Illuminant le Monde, son premier acolyte ! Et que fais-tu donc sur le marché aux simples, Cinq Défenses ? Ce n'est pas là la place d'un moine du Grand Véhicule, que je sache !

— J'essaie d'amasser l'argent nécessaire pour payer le bateau qui nous permettra de regagner Luoyang au plus vite ! Mais vous ne saisirez la bizarrerie de notre situation que lorsque je vous aurai raconté mon histoire par le menu, Majesté ! dit-il en faisant signe à Umara de se rapprocher de lui.

— Nous avons tout notre temps, je t'écoute ! conclut Wuzhao, dont la curiosité était aiguisée par les propos du jeune moine.

— Il m'est tombé sur le dos un tas d'événements que je n'avais pas prévus… expliqua Cinq Défenses, avant de livrer à Wuzhao, de plus en plus médusée, tout ce qui s'était passé dans sa vie depuis qu'il avait été envoyé au Tibet par son Supérieur.

— Tu es très courageux, Cinq Défenses ! C'est bien !
Ce que tu as fait me plaît ! s'écria-t-elle en souriant au
moment où il acheva son récit, qu'elle avait écouté sans
broncher ni en perdre la moindre miette.

L'impératrice Wu, qui avait un faible pour les
rebelles, ceux qui étaient capables de braver les interdits sociaux, allant jusqu'au bout de leurs rêves, quel
qu'en fût le prix, paraissait séduite par la loyauté et le
courage dont venait de faire preuve ce jeune homme.

N'avait-il pas accepté de braver mille dangers, sau-
vant ces deux incroyables bébés, promis à un sort peu
enviable, qui lui avaient été confiés par ce lama de
Samyé ?

N'avait-il pas eu cette audace de tomber amoureux
d'une jeune étrangère, alors qu'il avait professé des
vœux monastiques qui, en théorie, le lui interdisaient ?

Enfreindre les tabous n'avait jamais fait peur à Wuzhao, qui se sentait déjà proche de ce jeune moine au
visage sympathique dont la franchise et la droiture, à
l'évidence, ne pouvaient être mises en cause.

— Majesté, j'aime Cinq Défenses autant qu'il
m'aime ! Je tenais à vous le dire ! s'exclama alors
Umara, dont les yeux bicolores, aux reflets dorés, semblaient défier l'impératrice de Chine.

— Ça se voit ! fit celle-ci malicieusement.

— Nous comptons nous marier et avoir des enfants.
Mais pour cela, il me reste à convaincre maître Pureté
du Vide de me délier de mes vœux. J'espère qu'il comprendra la situation… ajouta, pensif, Cinq Défenses.

— Il est vrai que certains chefs d'Église sont souvent fort intransigeants vis-à-vis de ceux dans lesquels
ils placent tous leurs espoirs. Pureté du Vide n'a pas
vraiment la réputation d'un Supérieur commode, murmura l'impératrice.

— Pour tout vous dire, c'est bien ce que je crains,

Majesté ! Je tenterai de lui expliquer que sur le plan de l'intention, je suis toujours resté pur dans ce que j'ai accompli. Cette jeune femme, je ne l'ai pas cherchée ! C'est la main du Bouddha qui m'a guidé vers elle !

— Et mon Dieu Unique a fait de même ! s'écria Umara.

— Ainsi, tu appartiens à une religion monothéiste ? s'enquit Wuzhao, de plus en plus intéressée par ces visiteurs aux parcours au moins aussi étranges que le sien.

— Mon père, Votre Majesté, est le fondateur de la communauté nestorienne de l'oasis de Dunhuang. Nous n'adorons qu'un seul Dieu, le créateur de toutes choses, sur terre et dans le ciel.

Umara ne s'aperçut pas de la méfiance qui venait de traverser, l'espace d'un instant, le regard de l'impératrice.

Certains nobles, à la cour impériale, accusaient les nestoriens, dont pas un seul, jusque-là, n'avait réussi à pénétrer en Chine centrale, de complots et d'intrigues dans les principales oasis de la Route de la Soie. Et les révélations récentes d'Aiguille Verte l'incitaient à la prudence.

Aux yeux de l'impératrice, toutefois, la jolie Umara, avec sa fraîcheur et sa spontanéité, n'avait pas l'air d'une espionne, pas plus, d'ailleurs, que d'une intrigante.

— Nos destinées se sont croisées ! conclut Cinq Défenses.

— Comment espères-tu obtenir de Pureté du Vide ton retour à l'état laïc ? lui demanda alors Wuzhao.

— Je mise sur la présence des Jumeaux Célestes pour le faire fléchir. Ce sont eux qui ont fait basculer ma vie dans ce qu'elle est aujourd'hui. S'ils n'avaient pas été là, les parsis nous auraient massacrés, avec le *ma-ni-pa* ! Et, dans ce cas, comment pouvais-je rencontrer l'amour de ma vie ? expliqua le jeune mahâyâniste, contre lequel Umara s'était blottie d'une façon touchante.

Ce puissant amour et cette tranquille innocence dont témoignaient les deux jeunes gens n'avaient pas mis longtemps à émouvoir l'impératrice, qui se sentait fondre.

— Qui sait, peut-être pourrais-je t'aider à convaincre ton Supérieur ! souffla-t-elle.

— Majesté, ce serait merveilleux ! s'écria la jeune chrétienne nestorienne.

Applaudissant comme une petite fille, elle était allée jusqu'à baiser la main de Wuzhao, qui s'était volontiers laissé faire, bien que ce geste fût contraire à tous les usages protocolaires.

— Si maître Pureté du Vide m'autorise à épouser Umara, nous pourrons nous occuper convenablement des Jumeaux Célestes. Sans compter que leur présence au monastère de la Reconnaissance des Bienfaits Impériaux attirera, à coup sûr, une masse de fidèles…

— Sur les marchés, les enfants divins attirent toujours une immense foule de badauds ! ajouta Umara.

Wuzhao avait tourné les yeux vers les deux bébés.

Ils étaient pelotonnés dans le poil du molosse, tels deux joyaux sur le coussinet de soie de leur écrin.

C'est vrai qu'elle était extraordinaire, cette paire de créatures, ce garçon et surtout cette fille, dont la joliesse n'était en rien altérée par sa moitié de visage rouge et velue, qui la faisait ressembler à un étrange masque, du genre de ceux portés par les comédiens de théâtre chanté !

Elle s'était mise à réfléchir.

Il était certain, maintenant qu'elle les contemplait, qu'il y avait un parti à tirer de ces Jumeaux Célestes, comme Cinq Défenses les appelait avec tant d'à-propos...

Leur présence dans un monastère serait un gage de rayonnement exceptionnel pour ce dernier, et pour Pureté du Vide, s'il acceptait le marché de son assistant, l'arrivée des bambins aurait un impact autrement plus important que le renouvellement de ses bannières votives...

— Tout bien pesé, je crois posséder les bons arguments pour persuader Pureté du Vide, le moment venu, de consentir à dénouer tes vœux de moine, lança-t-elle.

— Que dois-je faire pour cela, Majesté ? s'enquit, soudain plein d'espoir, Cinq Défenses.

— Le mieux est encore de vous établir ici, auprès de moi. À rester dans les rues de la capitale, vous courez les pires dangers ! Je vous prendrai à mon service et personne ne pourra trouver à y redire.

— Vraiment, Majesté, vous feriez cela pour nous ? Héberger des intrus ne vous fait-il pas prendre des risques ? s'écria Umara d'une voix tremblante et déjà éperdue de reconnaissance.

— Les risques ne m'ont jamais fait peur ! Et puis vous me serez très utiles ! Bien plus que vous ne le pensez ! ajouta-t-elle mystérieusement.

— Majesté, au nom de tous les cinq, je vous remercie du fond du cœur ! s'exclama alors Cinq Défenses dont le visage était illuminé par un éclatant sourire.

— Le Muet, tu installeras mes invités au Pavillon des Loisirs, dans le troisième jardin d'agrément. Là-bas, vous serez à l'aise. L'endroit est calme et les arbres qui y poussent sont remplis d'oiseaux. Je suis sûre que vos petits Jumeaux Célestes y trouveront leur compte !

C'est ainsi que, ce jour-là, la terrible impératrice Wuzhao, celle dont il se disait, à juste titre, qu'elle régnait en coulisse à la place de Gaozong, tirant une à une les ficelles du pouvoir, capable de savoir ce qui se tramait dans la moindre antichambre de ministère, au point que les faces des hauts fonctionnaires se refermaient craintivement dès qu'ils la voyaient arriver, hautaine et dédaigneuse pour mieux les intimider, s'était muée, devant ce couple de jeunes gens qu'elle avait pris en sympathie, en parfaite et délicieuse hôtesse.

Le Pavillon des Loisirs était un élégant édicule octogonal, construit par Taizong le Grand pour y écouter de la musique et s'y adonner à la calligraphie.

Le vieil empereur, avant sa mort, aimait y passer les après-midi, sur un lit immense, en compagnie de jolies musiciennes qui charmaient ses oreilles — mais aussi, disait-on, le reste —, au son des cithares, des tambourins et des flûtes.

Gaozong étant lui-même incapable de distinguer le son d'un orgue à bouche de celui d'une paire de cymbales, le bâtiment était resté sans usage précis, à ceci près que Wuzhao avait fini par l'annexer et pouvait, par conséquent, en disposer à sa guise.

Il comptait quatre pièces spacieuses, aux meubles élégants, si bien que ses nouveaux locataires, lorsque le Muet les y conduisit, ne purent que tomber en extase devant le raffinement de son décor.

C'est là, dès le soir de leur installation, que Cinq Défenses et Umara, enfin tranquilles et à l'abri de tout regard, purent s'adonner complètement, pour la première fois, à l'amour.

La découverte de leurs corps entièrement nus dans le duvet rempli de plumes de cygne de la couverture impériale sous laquelle ils s'étaient glissés en pouffant de rire avait été une expérience délectable, dont ils se souviendraient à tout jamais.

Jusque-là, toujours sur les routes et jamais seuls, perpétuellement dérangés par les bébés dont il fallait s'occuper, les circonstances de leur fuite les avaient obligés à se contenter d'embrassades et de caresses bien trop furtives à leur goût.

Le matelas du grand lit sur lequel s'était déroulée cette véritable cérémonie était si moelleux qu'il incitait aux caresses les plus délectables, tandis que ses coussins de soie, légers comme des nuages, avaient favorisé le rapprochement de leurs mains, ôtant à l'un comme à l'autre tout scrupule d'abuser ainsi, en quelque sorte, d'une couche aussi impériale dont la solennité avait de quoi intimider.

C'était Umara, une fois de plus, qui avait pris l'initiative.

— J'ai très envie de toi, mon amour ! Jusqu'à présent, il ne nous a pas été donné de goûter l'un à l'autre ! Le moment n'est-il pas venu ? avait-elle déclaré sans ambages à celui qui allait, ce soir-là, devenir son amant véritable.

En guise de réponse, Cinq Défenses l'avait délicatement posée sur le lit de Taizong.

Puis il l'avait dénudée de pied en cap, avec des gestes d'une infinie douceur.

Comme il était ému de contempler ainsi pour la première fois dans leur entier et sans plus aucun obstacle les formes d'Umara, son ventre d'une blancheur immaculée, orné d'un adorable nombril, la toison à peine visible de son sexe dont les lèvres étaient aussi roses que les pointes, dressées vers le ciel, de ses petits seins tout gonflés, déjà, par le désir !

— Ta peau est au moins aussi douce que celle des bébés ! Ton nombril ressemble à une bouche qui prononce des poèmes… avait-il murmuré, passant et repassant ses lèvres sur le ventre de celle qui allait devenir son amante, dont la peau tendue comme celle d'un tambour vibrait déjà.

177

Elle lui avait répondu en mêlant sa langue à la sienne, après avoir collé son visage contre le sien.

Le désir mutuel qu'ils éprouvaient l'un pour l'autre donnait à leurs gestes une fébrilité qui était allée croissant, jusqu'à l'apothéose finale.

Tel avait été le point d'orgue de leur premier rituel intime, dont tous les deux paraissaient connaître par cœur — et sur le bout des doigts —, les principales étapes, comme s'ils n'avaient cessé de le pratiquer ensemble depuis la nuit des temps…

Quand il avait forcé le doux barrage de l'hymen de son amante, c'est tout juste si elle avait poussé un petit cri, non de douleur, encore moins de surprise, mais bien de jouissance, tant le plaisir qu'elle ressentait à ce moment-là était intense.

Après cette première étreinte, tous les obstacles étant désormais levés, ils avaient recommencé à s'enlacer sans aucune gêne, à plusieurs reprises tout au long de la nuit, jusqu'à ce que l'aube les retrouvât épuisés et en sueur dans les bras l'un de l'autre où ils s'étaient endormis béatement, comme de jeunes fauves repus de viande fraîche, après leur ébouriffante chasse nocturne.

Lorsqu'ils se réveillèrent, imbriqués l'un dans l'autre, ils constatèrent, avec stupéfaction, qu'ils avaient fait le même rêve : des étoiles brillaient au-dessus de leurs têtes en dessinant dans le ciel la forme d'un immense cœur.

Umara vint mordiller l'oreille de son amant pour lui murmurer :

— Et dire que chez nous autres, nestoriens, le péché de chair hors du sacrement du mariage est puni de l'enfer ! Qu'y a-t-il de mal, pourtant, à s'unir à l'être aimé ! Et n'est-ce pas le Dieu Unique, créateur de toutes choses, qui a fait en sorte que l'homme et la femme éprouvent tout ce plaisir, lorsque leurs corps se mélangent ? L'amour est bien ce que Dieu a donné de plus beau à ses enfants !

En guise de réponse, Cinq Défenses caressa la longue chevelure, soyeuse et bouclée, de son amante, qui s'était répandue autour de ses épaules, telle une cape frémissante.

— Comme tu as raison ! Je partage entièrement ton point de vue sur l'amour, mon Umara. Quant à ton Dieu Unique, pour nous autres bouddhistes, cette notion n'a pas le moindre sens ! L'idée que, d'un seul Dieu, tout dépendrait m'effraie quelque peu ! soupira-t-il en se blottissant contre sa douce poitrine.

— Tu n'as pas vraiment l'air effrayé, lança-t-elle en lui taquinant l'oreille.

— Si tu savais comme je t'aime ! soupira-t-il.

— Le Bouddha ne fait-il pas, lui aussi, l'objet d'un culte s'apparentant à l'adoration que nous autres nestoriens témoignons à notre Dieu au cours de ce que nous appelons la messe ? ajouta-t-elle, revenant à la charge.

— Le Bouddha est un homme dont la vertu et la connaissance lui ont permis de se hisser jusqu'à l'extinction finale ! Un tel parcours, mon amour, est accessible à chacun d'entre nous, dès lors qu'il s'en donne les moyens ! Il suffit d'être compatissant et bon envers autrui.

— J'espère que ton Supérieur fera preuve à ton égard de la même compassion !

— Pourquoi en douterais-tu ?

— Les chefs d'Église n'ont-il pas tendance à justifier tous les moyens pour atteindre leurs fins ? Mon père, par exemple, n'a pas hésité à enfreindre la loi de la Soie des Tang !

— Un Supérieur de couvent mahâyâniste est censé pratiquer le bien !

— J'ai, hélas, en mémoire un exemple précis du contraire ! lâcha-t-elle, soudain triste et inquiète.

— De qui veux-tu parler, Umara ? s'enquit Cinq Défenses.

Muette, elle regardait le plafond d'un air songeur.

— Dis-moi tout, Umara ! supplia son amant.

Au moment où elle était sur le point de lui répondre, la jeune chrétienne nestorienne se ravisa, après un intense effort, car il lui en coûtait de devoir garder pour elle le secret qu'elle était sur le point de révéler.

— J'ai peur de te faire du mal, Cinq Défenses… murmura-t-elle.

— Le Bienheureux nous protège, mon amour, il ne faut rien craindre. Chasse ces idées noires de ton esprit ! souffla-t-il en l'embrassant tendrement.

— Ce qui compte, aujourd'hui, c'est toi et moi, et rien d'autre, sous la lumière de Dieu ou du Bouddha, peu importe. Promets-moi, ô mon Cinq Défenses, que nous nous marierons un jour et que nous aurons des enfants ! lança-t-elle fougueusement.

— Que ton Dieu t'entende, Umara. Pour ce qui concerne le Bouddha, je suis sûr qu'il nous comprend déjà !

À son tour, elle lui avait pris les mains, et ses yeux bicolores brillant de mille flammes, d'où l'angoisse n'était pas absente, plongèrent dans ceux de l'homme aimé, comme si c'était là, et nulle part ailleurs, qu'elle trouverait l'assurance qu'ils vivraient heureux, ensemble, et qu'il ne lui arriverait jamais rien de mal.

Umara continuait, bien sûr, à croire en son Dieu Unique.

Mais elle constatait aussi que cette foi toujours vive ne l'empêchait nullement, au contraire, d'aimer Cinq Défenses de toutes ses forces, au point qu'elle se voyait définitivement unie à lui, même sans recours au sacrement du mariage tel que les nestoriens le pratiquaient.

Du côté de Cinq Défenses, un chemin identique avait été parcouru.

Toujours convaincu que la Sainte Voie aux Huit Membres du Bienheureux était la seule issue pour le salut des hommes, son amour pour la jeune nestorienne, même s'il n'avait pas ébranlé sa foi, avait profondément transformé sa vision de la vie et du monde.

Chacun d'eux, tout en gardant sa croyance propre, dans le respect de l'autre, avait découvert que, contrairement à ce que prétendaient leurs Églises respectives, le bonheur était accessible aux hommes sur terre, et pas uniquement au paradis ou au nirvâna…

Oui, être heureux, c'était aujourd'hui, dans l'instant, et pas demain, ou plus tard !

Cette vérité, tellement humaine et si peu divine ! tant Umara que Cinq Défenses étaient en train de la vérifier.

— Lorsque je t'ai vu pour la première fois, je n'ai cessé de prier Dieu pour que nos chemins se recroisent. J'ai été exaucée ! souffla-t-elle, à califourchon sur le ventre de son amant.

— Tu as ma parole, ô Umara ! Si je ne t'avais pas connue, ma vie serait aujourd'hui totalement vide de sens, comme elle l'était hier, même si j'étais le dernier à le savoir ! s'écria celui-ci en prenant ses seins dans ses mains.

À nouveau ivres de désir, l'un comme l'autre avaient l'impression de se connaître depuis des millénaires, alors qu'il n'y avait guère que trois petits mois, à peine, qu'ils s'étaient échappés de Dunhuang.

— Que mon Dieu et ton Bouddha nous éclairent et nous protègent ! Voilà tout ce que je souhaite… réussit à ajouter Umara, entre deux soupirs, au moment précis où elle recommença à jouir, tandis que la tige de jade de Cinq Défenses, sans même avoir eu besoin de forcer sa porte, était déjà en elle.

— Les choses auraient pu se passer plus mal !

Depuis qu'ils avaient rencontré Pointe de Lumière et Lune de Jade près de la Grande Muraille, leur voyage jusqu'à la capitale des Tang s'était déroulé, il est vrai, sans le moindre encombre.

Très vite, Cinq Défenses avait compris le parti qu'il pouvait tirer de l'usage d'une identité taoïste, grâce au vêtement dont le jeune Koutchéen avait eu la bonne idée de lui faire cadeau.

Car Pointe de Lumière lui avait ainsi rendu le plus fier des services.

Signe évident de la nervosité des autorités, qui avaient décidé d'éradiquer le trafic de soie de contrebande, tous les vingt li, puis tous les dix, sur la Route de la Soie, au fur et à mesure qu'on se rapprochait de la capitale, des policiers patrouillaient, vérifiant les marchandises des convois et relevant minutieusement les identités des étrangers, qui étaient ensuite consignées sur des planchettes de bambou en vue de leur versement au fichier central de la police de la Soie.

Sous les traits d'un médecin ambulant taoïste, Cinq Défenses, imitant en cela Pointe de Lumière, avait réussi à déjouer tous les pièges dans lesquels, avec Umara, le *ma-ni-pa* et les Jumeaux Célestes, ils fussent inévitablement tombés, sans ce providentiel changement d'apparence.

Déguisé en médecin du Yin et du Yang, le jeune moine du Mahâyâna avait acheté les plantes et les poudres nécessaires à la constitution d'un étal digne de ce nom.

Puis, à la tête de sa petite troupe, il avait fait un premier marché, avec un succès indéniable, dû notamment à la présence des deux bébés. Il suffisait de montrer leurs frimousses et c'était l'afflux des badauds, dévalisant la marchandise vendue par ce médecin dont les pouvoirs, à en juger par la présence de ce couple inouï, formé par deux petites créatures extraordinaires, dont il devait être le géniteur, ne pouvaient être que surnaturels.

Et le bouche à oreille, la Route de la Soie étant aussi le vecteur idéal pour ce genre de colportage, avait fait le reste : plus ils s'étaient rapprochés de Chang An et plus grand avait été, chaque fois, le retentissement de leur arrivée sur les marchés.

Les clients venaient de toute part, et l'argent avec, surtout qu'en matière de boniments, le *ma-ni-pa,* qui savait désormais baragouiner quelques mots de chinois, et dont l'apparence à elle seule, par sa bizarrerie et ses postures délirantes, constituait un argument commercial, n'était pas en reste.

Très vite, grâce aux profits générés par son activité, Cinq Défenses avait pu compléter son stock de plantes et de poudres, pour faire de son étal l'un des plus complets du genre, à l'égal de celui de Petit Nœud à Défaire Facilement.

Leur entrée à Chang An avait été triomphale.

Lorsqu'ils avaient passé la Porte de l'Ouest, la rumeur courait déjà depuis plusieurs semaines dans la capitale qu'un marchand taoïste de plantes médicinales avait enfanté un couple d'enfants exceptionnel et que ses remèdes étaient à la hauteur du phénomène qu'il avait créé.

Une fois arrivé là, au bout de quelques jours, la foule était telle, autour de leur étalage, sur le plus grand marché aux herbes, que Cinq Défenses, dépassé par le succès, ne sachant plus où donner de la tête, redoutait ce moment où son stock de plantes et de poudres serait épuisé, jusqu'à cette convocation qu'il avait reçue, inopinément, en plein marché, de la part de l'impératrice en personne...

— Ton déguisement ne te servira plus ! À présent, tu pourras de nouveau être toi-même, mon tendre amour, dit Umara.

— N'avons-nous pas été quelque peu imprudents d'accepter ainsi la proposition de Wuzhao ? À présent, elle peut faire de nous ce qu'elle veut !

— Cette femme m'inspire confiance. S'il n'en avait pas été de même pour toi, tu ne lui aurais pas révélé toute ton histoire !

— Elle ne me connaissait pas depuis une heure que je lui avais déjà tout raconté ! Comme c'est étrange, quand j'y pense ! murmura-t-il en passant doucement la main sur sa poitrine.

— Je suis d'accord, c'est étrange ! constata-t-elle en frissonnant.

Il sentait, avec le désir qui montait à nouveau du tréfonds de lui-même, tous les poils de son ventre et de ses bras se hérisser un à un, tandis que son sexe, visiblement ragaillardi, se dressait, prêt à agir.

— Et pourquoi l'as-tu fait, Cinq Défenses ? Rien ne t'y obligeait ! insista-t-elle.

Malgré le ton pressant de l'interrogation de son amante, le jeune moine, tout à ses nouveaux émois, ne paraissait pas pressé de lui répondre.

Il est vrai qu'il était bien trop occupé à explorer les profondeurs humides et chaudes de la divine porte de son amante, qui répondit instantanément à ces sollicitations efficaces.

— C'est bizarre, Umara, mais je n'arrive pas à croire que l'impératrice de Chine n'est pas une femme de bien ! finit-il par lâcher, après qu'il lui eut arraché un ultime râle.

À présent, c'était à son tour à elle de demeurer silencieuse.

— Et puis, souffla-t-il, avant de la prendre dans ses bras, comme une enfant, et de la couvrir de ses plus tendres baisers, ne crois-tu pas que nous aurons bien besoin d'elle pour que mon maître de Dhyâna me pardonne et accepte de me relever de mes vœux de moine ?

— Même si cela ne devait pas être le cas, je t'épouserais quand même ! Moine ou pas ! Même si mon père me l'interdisait, je ferais ma vie avec toi !

Elle avait dit cela en souriant.

Et il y avait dans le sourire d'Umara tout ce qui faisait le charme extraordinaire du caractère si bien trempé de la jeune chrétienne, où la force tranquille de la certitude d'aller vers son bonheur balayait toutes les préventions et les peurs.

Umara était une vraie combattante.

Et de cette force de caractère, de cette fougue et de cet optimisme inébranlables, elle ne savait pas encore, la petite nestorienne arrivée sans crier gare au milieu de cette Chine que son père rêvait tellement de conquérir, à quel point elle aurait besoin.

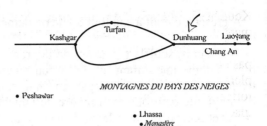

MONTAGNES DU PAYS DES NEIGES

• Peshawar

• Lhassa
• *Monastère*
de Samyé

27

Oasis de Dunhuang, Route de la Soie

— Pointe de Lumière, mais que fais-tu donc ici, à une heure si tardive ? demanda Diakonos, à la fois ahuri et soulagé.

La tête encore ébouriffée et les yeux embrumés de sommeil, le vicaire d'Addai Aggai, qui avait été tiré de son lit par des coups redoublés frappés en pleine nuit à la porte de l'église, n'était pas des plus rassurés lorsqu'il avait entrouvert la lucarne grillagée qui permettait de dévisager les visiteurs sans déverrouiller la porte d'entrée.

Il était beaucoup plus inquiet encore quand il était descendu quatre à quatre de sa chambre, après s'être muni à tout hasard d'un gourdin, en se demandant qui pouvait venir déranger son évêque, aussi tard dans la nuit.

Était-ce une descente de police ? Un subterfuge de la part de cambrioleurs, avant leur coup de main ? Ou tout simplement l'œuvre de farceurs ?

Aussi, lorsqu'il était tombé nez à nez avec le jeune

Koutchéen de Turfan, son angoisse s'était-elle rapidement dissipée pour faire place à la surprise.

— Le Dieu Unique soit avec toi ! Nous ne savons pas où aller. Tous les hôtels bon marché de l'oasis sont pleins et il fait froid dehors. J'ai pensé que l'église nestorienne ne nous laisserait pas porte close dans le vent glacial...

Derrière Pointe de Lumière se profilait le joli visage d'une petite Chinoise.

— Entrez vite ! Essayez de ne pas faire de bruit. Tout le monde dort ici ! chuchota Diakonos après avoir ouvert la porte.

Lorsque Pointe de Lumière et Lune de Jade pénétrèrent dans la cour de l'évêché, ils paraissaient épuisés sous les vêtements hors d'usage et poussiéreux qu'ils avaient entassés les uns sur les autres pour lutter contre la bise glaciale soufflant sans discontinuer dans le désert depuis plusieurs jours.

— Je savais bien que je pourrais compter sur l'hospitalité de l'Église sœur ! dit le Koutchéen en s'effondrant sur un banc du hall réservé aux visiteurs de passage.

— Que fais-tu donc à Dunhuang ? Et moi qui te croyais dans ta serre à mûriers, à Turfan ! s'exclama le nestorien.

— Cargaison de Quiétude m'a envoyé à Chang An chercher des vers et des cocons, pour relancer la production de fil. Je suis sur le chemin du retour.

— Qui est donc cette jeune femme ? demanda Diakonos, l'air soupçonneux, en désignant Lune de Jade.

Il trouvait curieux que le jeune Auditeur ne voyageât pas seul.

— Une amie. Je m'en expliquerai auprès d'Addai Aggai !

— Ce sera demain. L'évêque dort. Depuis qu'il a

perdu sa fille, il n'a plus la même santé. Ce n'est plus le même homme ! Pour une fois qu'il se repose, il n'est pas question que nous allions le réveiller !

— Je sais ! Il doit être triste… laissa échapper Pointe de Lumière.

— Tu sais ? Mais que dis-tu là, Pointe de Lumière ? Que sais-tu au juste sur Umara ? s'écria le nestorien, piqué au vif.

— Rien de plus ! Je dis simplement qu'Addai Aggai doit être infiniment triste d'avoir perdu sa fille. Voilà tout ! Moi aussi, je suis fatigué… À force de dormir à la belle étoile, on finit par perdre l'entendement ! bredouilla le Koutchéen.

— Je vois ! Je vois ! En tout cas, la disparition de la fille de l'évêque n'a pas l'air de te surprendre… marmonna Diakonos.

— Sur la Route de la Soie, tout se sait : les bruits vont très vite ! soupira Lune de Jade qui s'exprimait pour la première fois, ce qui lui valut un coup d'œil encore plus soupçonneux de la part de Diakonos.

— N'aurais-tu pas une petite galette de blé ? supplia alors Pointe de Lumière dont l'estomac était en proie aux crampes depuis belle lurette…

Cela faisait deux jours que, leurs réserves étant épuisées, les voyageurs n'avaient rien eu à se mettre sous la dent.

Après leur avoir fourni des gâteaux secs au miel ainsi qu'une théière brûlante, sur lesquels ils se ruèrent sans se faire prier, Diakonos les conduisit dans le vaste dortoir où les nestoriens hébergeaient les visiteurs de passage.

Il n'y avait personne, ce soir-là, dans cette pièce dont le fond était occupé par une rangée de couchettes étroites.

— Tu ne vas tout de même pas révéler à l'évêque

que nous avons croisé sa fille, il y a à peine quelques jours ! murmura Lune de Jade à Pointe de Lumière lorsqu'ils se retrouvèrent seuls.

Dans cette pièce glaciale dont la cheminée n'avait pas dû servir depuis des semaines, elle se blottissait contre lui sous l'épaisse couverture de laine de chèvre que Diakonos leur avait donnée.

— Tu n'y penses pas ! Ce serait mal me connaître que de croire que je pourrais trahir la promesse que nous avons faite à la douce Umara de ne parler à personne de sa fuite avec Cinq Défenses ! Ma langue a fourché, certes, mais c'était à cause de la fatigue… Et puis tu m'as bien aidée à sortir de ce faux pas !

— J'ai essayé d'empêcher ce Diakonos de continuer à te bombarder de questions.

— Tu as fait preuve d'à-propos, ma chérie. C'est bien !

— Je t'aime ! murmura à son tour Lune de Jade, avant de s'endormir dans ses bras.

Le lendemain, après une nuit réparatrice, lorsque Diakonos l'introduisit auprès d'Addai Aggai, Pointe de Lumière ne manqua pas d'être surpris par la mine sombre et l'air méfiant avec lesquels l'évêque nestorien le regardait.

— Je me présente, monseigneur : mon nom est Pointe de Lumière. Je suis le collaborateur de Cargaison de Quiétude, chargé de la production du fil de soie.

— Et que fais-tu à Dunhuang, au lieu de nourrir tes vers en les plaçant sur un lit de feuilles de mûrier, avant d'ébouillanter les cocons pour en dérouler le fil ténu ?

Le ton désabusé d'Addai Aggai exprimait autant la lassitude que la défiance.

— Je rentre de Chine centrale, où je suis allé récupérer des cocons et des œufs de vers à soie, afin de remettre sur pied notre élevage. C'est pourquoi je me suis permis de venir solliciter votre hospitalité pendant quelques jours, le temps de reprendre des forces avant de retourner chez moi ! expliqua-t-il, de but en blanc, en lui montrant le contenu de sa pochette.

Il pensait que c'était encore le meilleur moyen de mettre en confiance ce religieux au visage sévère, que de ne rien lui cacher des raisons de son périple.

— Il a été envoyé à Chang An par le Parfait de l'Église de Lumière de Turfan. Il s'en est bien sorti ! Ce ne sont pas les contrôles de police qui manquent... Grâce à lui, dans quelques semaines, nous pourrons enfin remettre l'usine en marche, à présent que la source coule à nouveau, s'écria, l'air plutôt ravi, Diakonos.

— Voire ! murmura tristement l'évêque.

C'était peu de dire qu'Addai Aggai, depuis le départ de sa fille adorée, survivait plutôt qu'il ne vivait.

Inconsolable, l'évêque nestorien passait au bas mot deux ou trois heures par jour à ressasser, en compagnie de la grosse Goléa, qui ressemblait désormais à une vieille femme usée par la vie, les circonstances de la disparition de sa fille bien-aimée.

Qu'avait-il pu arriver à une enfant si sage, si attachée à son père et tellement soucieuse de ne pas l'inquiéter ?

Quand il était ressorti de l'usine, au petit matin, après le festin bien arrosé consécutif au retour de l'eau vive de la petite source, il s'était rendu au pied de l'arbre rabougri sous lequel il croyait qu'Umara avait passé la nuit.

À sa grande stupéfaction, elle ne s'y trouvait pas.

Il l'avait appelée, angoissé, et cherchée partout, en vain, dans le désert.

Avec les moines-ouvriers, ils avaient fouillé la petite combe de fond en comble, avec la hantise de découvrir son corps désarticulé au bas de la falaise d'où elle aurait pu chuter.

Hélas ! D'Umara, il n'y avait nulle trace ! Elle s'était évaporée.

L'évêque nestorien ne pouvait pas croire une seconde qu'Umara se fût enfuie.

Ses soupçons s'étaient évidemment portés sur Majib et ses hommes.

Malgré les dénégations du parsi, qui n'avait cessé de protester de sa bonne foi, lui-même furieux de constater la disparition de Cinq Défenses et du *ma-ni-pa,* et surtout des enfants divins qu'il comptait monnayer fort cher, Addai Aggai, en proie au désespoir et à la colère, n'en avait pas démordu : ce ne pouvait être que le chef parsi Majib qui avait tout manigancé.

Le ton avait tellement monté qu'ils avaient fini par en venir aux mains, accompagnés par leurs équipes respectives.

La bagarre s'était généralisée entre les hommes de Majib et les moines d'Addai Aggai, plus nombreux que les parsis et surtout plus dégrisés, car ils avaient moins bu, ce qui leur avait permis de s'emparer dans la petite usine de leurs bâtons au bout ferré, dont ils avaient fait usage sur les crânes de leurs adversaires qui n'avaient pas tardé à crier grâce.

— Tu me le paieras très cher ! Que le cadavre de ta fille soit déchiqueté par les vautours, avait hurlé Majib, ivre de rage, en même temps qu'il ordonnait à ses hommes de faire retraite.

— Va au diable ! lui avait répondu Addai Aggai.

Il était si affecté par la disparition de sa fille, qu'il en avait même oublié cette alliance en bonne et due forme, plutôt alléchante, que le parsi lui avait proposée la veille au soir, au début des festivités : les nestoriens fourniraient de la soie aux parsis, en échange de quoi la royauté parsie en exil, dès qu'elle aurait reconquis la Perse, après avoir bouté les musulmans hors du pays,

191

prêterait main-forte aux nestoriens dans leur avancée vers la Grande Chine.

Plus que cet accord stratégique, échafaudé par un chef parsi ayant quelque peu abusé du vin de raisin, c'était la révélation qu'Addai Aggai avait faite du partage des rôles avec les manichéens de Turfan qui pouvait être lourde de conséquences.

— Ce sont donc les manichéens de Turfan qui produisent la soie, tandis que vous la tissez ! Moi qui pensais avoir découvert avec Dunhuang l'oasis dont nous cherchons le nom en Perse depuis des années, j'étais loin de penser que Turfan était également dans ce coup-là ! avait murmuré, estomaqué, le mazdéen auquel la confidence ouvrait des horizons nouveaux.

— C'est un secret ! Promets-moi de ne le révéler à personne ! Qu'il soit bien entendu que je ne t'ai rien dit à ce sujet ! s'était écrié l'évêque, regrettant déjà d'en avoir trop dit.

Mais de cette confidence lâchée par inadvertance à un homme qui désormais lui en voulait à mort, il n'avait plus cure, tellement son esprit était hanté par la disparition de sa fille.

Depuis ce terrible matin, en effet, les jours s'écoulaient comme le sable dans une horloge : de façon mécanique et presque lugubre.

Pour Addai Aggai, sans Umara la vie avait perdu tout son sel.

Et le plus dur avait été de constater, non sans effarement, que sa foi et sa piété ne lui permettaient en aucune façon de surmonter l'immense tristesse qui submergeait son cœur, comme les tempêtes recouvraient de sable les stèles votives plantées au pied des dunes du désert de Gobi. Dès qu'il posait un pied par terre, au moment où il se réveillait d'un bref sommeil volé après de longues heures de veille, il était poursuivi par l'image resplen-

dissante de son unique fille, perdue — du moins, le crai-
gnait-il — à jamais…

Ce Dieu Unique et Indivisible, qu'on disait tout-puis-
sant, auquel il avait sacrifié sa vie entière, serait-il à
même de lui rendre sa fille ?

Il ne le savait même pas et, pour tout dire, il finissait
par en douter.

Ce Dieu si lointain et si grand, quasiment inaccessible, comment fallait-il lui parler ? Pourquoi n'arri-
vait-il pas à trouver les mots adéquats pour obtenir son
secours ?

Certains jours, l'évêque essayait de se persuader que
c'était là une épreuve que Dieu lui infligeait pour
l'éprouver.

Mais pourquoi tant de souffrances étaient-elles
nécessaires pour témoigner de sa foi ? À quoi servait-il
de se battre pour son Église, comme il n'avait cessé de
le faire, si votre Dieu vous en était si peu reconnais-
sant ?

D'autres fois, Addai Aggai, prenant son courage à
deux mains, recensait les péchés qui eussent expliqué
une telle punition divine.

Mais il n'arrivait pas à en trouver.

Il en était à se dire que Dieu, en séparant ainsi un
père de sa fille unique, était injuste et qu'il avait pris
son humble serviteur, Addai Aggai, comme bouc émissaire.

Toutes ces conjectures, dans lesquelles se perdait
irrémédiablement l'esprit du nestorien, avaient fini par
le miner, tant sur un plan physique que moral.

— Dès que nous serons prêts à reprendre nos appro-
visionnements, nous vous le ferons savoir… Ce n'est
plus qu'une question de semaines. Pourquoi avez-vous
l'air aussi préoccupé, monseigneur ? Que craignez-

vous, au juste ? s'enquit le Koutchéen, encouragé du regard par Diakonos, soucieux d'apaiser son évêque.

Les propos de l'Auditeur avaient réveillé les souvenirs d'Addai Aggai, dont la mine s'était encore assombrie lorsqu'il reprit péniblement la parole, l'air épuisé et abattu.

— Dunhuang court désormais les plus grands dangers. J'ai été obligé de chasser d'ici des parsis qui prétendaient mettre la main sur la soie tissée dans mes ateliers. Ces hommes sont repartis furieux. Depuis ce moment, la rumeur court, au sujet de la vengeance qu'ils fourbiraient contre nous en faisant miroiter aux Turcs orientaux que cette oasis est une véritable mine d'or ! Si ce qui se colporte est vrai, l'une des plus belles perles du collier de la Route de la Soie ne sera plus, demain, qu'un immense champ de ruines ! gémit Addai Aggai qui s'était mis à marcher nerveusement, de long en large dans son bureau en serrant les poings.

Il paraissait désespéré.

— Qui sont donc ces Turcs orientaux pour vous affoler de la sorte ? demanda Pointe de Lumière, quelque peu inquiet à son tour.

— Ils sont gouvernés par un roi appelé le Kagan et ont annexé depuis des lustres les richesses de la Sogdiane, le pays des meilleurs commerçants du monde, qu'ils utilisent comme base pour leurs conquêtes. Comme ce sont des nomades, là où ils vont, ils pillent et trucident sans aucun ménagement. Un adage dit que les piliers de leur empire sont le sable et le vent ! C'est pourquoi, malgré tous leurs efforts, les armées chinoises n'ont jamais pu les réduire. Quand on les croit à un endroit, les Turcs sont déjà ailleurs… répondit d'un ton lugubre le père d'Umara.

— Mais il faut se battre, lever une armée, organiser

194

votre défense ! Dunhuang le mérite ! lança le jeune Koutchéen.

— À Dunhuang, il n'y a guère que des religieux et des marchands. La garnison chinoise ne compte même pas trente hommes ! Contre des guerriers sanguinaires qui savent à peine marcher, tellement ils ont l'habitude de rester sur leur selle du matin au soir, et peuvent nous attaquer demain comme dans trois semaines, voire dans un an, crois-moi, jeune homme, ce sera vraiment difficile…

— Les bouddhistes sont-ils prévenus de ce danger ? On les dit nombreux. Ils ont peut-être les moyens de se payer des mercenaires, ajouta Pointe de Lumière, faisant allusion aux quelque trente mille moines du Mahâyâna qui peuplaient la trentaine de monastères, petits et grands, installés dans l'oasis.

— J'ai assez à faire avec mes problèmes et les soucis de ma propre Église ! Les autorités chinoises nous tolèrent ici à grand-peine ; si je vais prévenir les bouddhistes, qui doivent être au courant de cette menace autant que moi, je risque d'être accusé d'avoir partie liée avec les Turcs… ou bien d'en faire les frais, tout simplement, comme les porteurs de mauvaises nouvelles que certains princes font décapiter pour ne pas avoir à les entendre, soupira, désabusé, le pauvre évêque.

— Mais pourquoi ces Turcs peuvent-ils se comporter comme des pillards sans foi ni loi, en toute impunité, dans une zone où la Chine centrale a implanté ses protectorats ? s'écria le Koutchéen, révolté par ce que l'évêque venait de lui expliquer.

— Les Chinois font ce qu'ils peuvent, mais plus ces territoires sont loin de la Grande Muraille, et plus les moyens qu'ils consacrent à y maintenir une paix précaire sont minces.

— Ne feraient-ils pas mieux, dans ce cas, de s'en retirer ? Après tout, les Sogdiens, les Koutchéens et les Turfanais me paraissent assez grands pour régler eux-mêmes leurs problèmes et mener leur barque ! s'exclama Pointe de Lumière.

— Les peuples industrieux, qui produisent des richesses et en font commerce, ont tout à perdre face à des envahisseurs dont le seul savoir-faire se borne à piller et à incendier. Ces Turcs orientaux sont des nomades capables de tirer à l'arc au grand galop, et de faire mouche en même temps. Il y a quelques années de cela, leur emprise s'étendait depuis la Sogdiane jusqu'à la Sibérie méridionale. Ils n'ont pas leur pareil pour annexer d'immenses territoires presque vides de populations, en mettant à sac les villes commerçantes qui sont autant de prises faciles et tentantes. Leurs glaives ont forcément raison des balances et des livres de comptes… souffla l'évêque.

— Mais faut-il pour autant demeurer l'arme au pied, comme des proies idéales ?

— Je n'ai pas d'armes ! Ni de soldats, et encore moins de chevaux ! Les murs de mon église sont mon unique rempart, et tu pourras constater qu'ils ne sont ni très hauts ni très épais…

— Pourquoi, dans ce cas, l'évêché nestorien ne se replierait-il pas à Turfan ? Je suis sûr que mon Parfait ne rechignerait pas à vous accorder l'hospitalité… lâcha soudain Pointe de Lumière, après quelques instants de réflexion.

— Ce serait reculer. Nous avons mis des années à nous établir ici, dans la dernière oasis de la Route de la Soie avant le Grand Mur. Si je devais aller ailleurs, ce serait plutôt vers la Chine centrale, pour toucher enfin au but ; mais ce n'est pas possible… soupira l'évêque, avant de les quitter pour aller dire sa messe du matin.

Deux jours plus tard, au moment où il venait, avec Lune de Jade, prendre congé d'Addai Aggai, celui-ci, encore plus accablé que lors de leur entretien précédent, attira le jeune Koutchéen à l'écart et, les yeux dans les yeux, lui fit part de son drame.

— J'ai la conviction que tu es un homme droit et courageux, ô Pointe de Lumière. Tu as sûrement entendu dire que ma fille bien-aimée a mystérieusement disparu, sans laisser de traces.

— C'est exact, monseigneur, la Route de la Soie bruit effectivement de cette rumeur !

— Umara était mon unique trésor dans ce bas monde. Si, un jour, tu devais la croiser, ou bien entendre parler d'elle, aurais-tu la gentillesse de le faire savoir au père éploré que je suis ? murmura-t-il, au bord des larmes.

— Je vous le promets et m'y engage, monseigneur. Mais j'ai la conviction que votre fille est vivante et qu'un jour vous la reverrez, bredouilla Pointe de Lumière, ému par la détresse dont les propos d'Addai Aggai étaient empreints.

Écartelé, le jeune Koutchéen cherchait la bonne façon d'atténuer le terrible désespoir de ce père sans renier sa promesse à Umara.

— Qu'est-ce qui te fait dire ça ? Parles-tu sérieuse-ment ? demanda le nestorien d'une voix tremblante.

— Je vous le dis comme je le pense ! Pour étrange qu'elle puisse vous paraître, une telle certitude, dont je n'ai au demeurant aucune preuve, m'habite depuis que je suis ici ! s'écria Pointe de Lumière qui avait cru déce-ler dans les yeux tristes d'Addai Aggai une infime lueur d'espoir.

— Que Dieu t'entende, mon fils ! murmura l'évêque en posant sa main droite sur le beau front lisse de ce Koutchéen qui lui voulait du bien.

Puis Addai Aggai s'approcha de la fenêtre, d'où on pouvait entrevoir le sanctuaire qui lui avait coûté tant d'efforts à bâtir, dans cette oasis de la Route de la Soie, ultime étape après laquelle, du moins le pensait-il hier, son Église toucherait enfin au but. Il reprit d'une voix blanche, comme si ce qu'il s'apprêtait à dire à ce sémillant jeune homme lui coûtait infiniment :

— Veux-tu bien faire passer à Cargaison de Quiétude un message de ma part ?

— C'est très volontiers que je le ferai, monseigneur !

— Tu lui diras que, s'il m'aide à retrouver ma fille, je suis prêt à passer mon tour... Il comprendra parfaitement !

— *Passer votre tour*, mais qu'est-ce à dire exactement, monseigneur ?

— Cela consiste, pour l'Église nestorienne de Dunhuang, à laisser s'installer en Chine l'Église manichéenne de Turfan avant elle, malgré son avance. Crois-moi, c'est un lourd sacrifice que je n'aurais jamais imaginé devoir faire...

— Je transmettrai votre proposition à mon Parfait dès que je serai arrivé là-bas. Je suppose qu'il y sera très sensible, dit le manichéen qui venait de s'incliner, en signe de respect pour la grandeur d'âme de l'évêque.

Addai Aggai ouvrit alors une petite armoire et en sortit une jolie fiole de verre remplie d'un liquide mordoré, qu'il tendit au Koutchéen.

— Tu donneras ça à la jeune femme qui t'accompagne. Elle me paraît gentille. Un marchand manichéen m'a vendu ça un prix fou. Je le destinais à Umara. Je suis sûr qu'il plaira à cette petite Chinoise. C'est du « parfum de Mani » !

C'était ainsi qu'on appelait, dans les oasis de la Route de la Soie, le mélange subtil, élaboré en Perse, des extraits de bois d'aloès, d'ambre, de nénuphar et de musc dont les riches princesses et les plus belles courtisanes étaient folles.

— Votre geste me touche. Lune de Jade l'appréciera aussi à sa juste valeur, compte tenu de l'identité de celle pour laquelle vous vous l'étiez procuré ! s'écria Pointe de Lumière, ému par cette dernière attention de l'évêque nestorien.

— Que Dieu vous bénisse, toi et les tiens ! Et comme tu as l'air particulièrement épris de cette jeune femme, que Dieu la protège aussi ! ajouta l'évêque, tandis que son visiteur sortait de son bureau.

L'heure était venue de repartir et de laisser le père d'Umara sombrer à nouveau dans la mélancolie qui ne le quittait plus.

— Quand je me rends à Turfan, il me faut compter trois semaines de marche soutenue ! dit Diakonos.

— Nous comptons avancer à un bon rythme, en nous arrêtant juste pour dormir. expliqua le Koutchéen en souriant.

— Vous êtes jeunes ! Vous irez sûrement plus vite que moi ! Bonne chance ! lança Diakonos à Lune de Jade et Pointe de Lumière, après leur avoir donné une provision de fruits secs et de riz gluant.

— Au revoir ! À bientôt et merci pour tout ! lancèrent-ils quand Diakonos referma derrière eux la porte du petit évêché.

— Crois-tu que je trouverai autant de compréhension auprès de Cargaison de Quiétude que chez cet Addai Aggai ? J'en doute un peu ! déclara le jeune Koutchéen à son amante alors qu'ils cheminaient à nouveau sur la Route de la Soie.

— Il est vrai que le chagrin et la détresse rendent les hommes plus compréhensifs ! S'il n'avait pas perdu sa fille, cet évêque se serait-il montré aussi bienveillant ? Rien n'est moins sûr, hélas ! répondit-elle finement.

Devant eux, les convois de caravanes étaient à présent bien plus espacés.

C'était toujours ainsi, après qu'on avait passé l'oasis de Dunhuang, où de nombreux marchands chinois s'arrêtaient et n'allaient pas plus loin : on avançait beaucoup plus vite.

D'ailleurs, pas plus d'une dizaine de jours plus tard, les jeunes gens constatèrent que les collines désertiques, uniquement ponctuées de ruines d'anciens fortins, témoins des guérillas incessantes auxquelles s'étaient livrés jadis les peuples qui voulaient, pour d'obscures raisons, annexer le désert, avaient laissé place à des champs soigneusement cultivés et à des vergers immenses, irrigués par l'eau des Monts Célestes dont les cimes neigeuses se découpaient dans le ciel.

Il ne leur fallut pas longtemps pour arriver à Hami, qu'on appelait aussi Yiwu, une riante oasis dont l'empereur Taizong le Grand avait fait un énième protectorat chinois en 640.

La seule trace visible de celui-ci, dans cette ville cosmopolite où se tenait le plus grand marché aux fourrures de la Route de la Soie, était la bannière de son gouverneur han, qui flottait sur la bâtisse un peu plus grande que les autres et n'ayant de palais que le nom, dont il se servait comme quartier général.

Ils traversèrent avec amusement la place principale de cette agglomération d'une vingtaine de milliers d'âmes, où les marchands de peaux, venus parfois de Sibérie, exposaient leurs montagnes de poils de yak, de chèvre et de chameau, dont les Ouïgours faisaient de la laine et les Tibétains du feutre, mais aussi des dépouilles de vison, de zibeline, de renard, de lapin, de ragondin et de rat musqué, de marmotte, de léopard des neiges et même de tigre, qui valaient parfois leur poids en or.

Les riches vêtements de soie doublés de fourrures précieuses destinés aux grands rois et à leurs princesses étaient ce qu'il y avait de plus coûteux au monde et, à maints égards, la Route de la Soie aurait pu, tout aussi bien, être appelée « Voie de la Fourrure ».

— Aurai-je le droit un jour de porter un manteau de moire de soie doublé de zibeline ? plaisanta Lune de Jade après avoir demandé à un marchand le nom de l'animal dont la peau aux reflets mordorés, douce et luisante, était si rare qu'on la réservait généralement à l'usage personnel de l'empereur de Chine.

— Tu n'as pas besoin de ça pour être belle, mon amour ! Je te préfère nue que vêtue, même d'un manteau de fourrure précieuse !

— Si demain, tu deviens riche, nous reviendrons ici et tu m'en achèteras un ! susurra-t-elle à son amant en lui passant tendrement la main dans les cheveux.

— Si Mani le veut bien, il en sera ainsi !

La nuit qu'ils passèrent à faire l'amour dans le lit profond d'une minuscule chambre d'auberge, située juste à la sortie de la ville, fut des plus délectables après l'abstinence due au voyage, et ce malgré l'inquiétude de Pointe de Lumière à l'approche de Turfan, et de la grande explication qu'il lui faudrait avoir avec son Parfait.

Pour accéder à la « Très Brillante Perle de la Route de la Soie » depuis Hami, située à mi-chemin entre Dunhuang et Turfan, on devait parcourir des immensités rocheuses où seul un œil particulièrement averti pouvait distinguer les simples pitons rocheux des ruines immenses et chaotiques des villes abandonnées de l'ancien royaume de Gaochang.

— À présent, nous longeons les Monts Flamboyants dont la pierre devient rouge vif lorsqu'elle est éclairée par les rayons du soleil couchant. Cela veut dire que nous serons arrivés avant la nuit ! dit un soir Pointe de Lumière à la jeune Chinoise.

Il désignait des masses rocheuses impressionnantes, aux formes tourmentées de monstres polymorphes, dont la surface était aussi ridée que la peau d'un éléphant.

— Certains marchands racontent que ces montagnes, au moment où elles rougeoient, commencent à bouger et deviennent même menaçantes pour ceux qui osent les regarder ! Ils sont nombreux ici, je te prie de le croire, à passer leur chemin sans faire le moindre bruit, comme les souris devant le chat ! ajouta-t-il en prenant la main de Lune de Jade.

— Je ne me sens pas réellement une souris ! Elles ne me font pas plus peur que ça ! s'écria celle-ci en éclatant de rire.

Lune de Jade, à dire vrai, n'avait pas peur de grand-chose, si ce n'était de perdre cet homme qu'elle aimait tant et pour lequel elle était partie de Chine un mois et demi plus tôt... Les premières maisons, aux murs de briques sèches et aux toits ornés de colombes de terre cuite, apparurent soudain au détour d'un virage, annonçant l'entrée de l'oasis de Turfan.

Dès leur arrivée, ils se hâtèrent d'aller frapper au portail de l'imposant complexe architectural au milieu duquel se dressait l'édifice octogonal de calcaire rouge de l'Église de Lumière.

— Ce bâtiment a été construit avec de la pierre arrachée aux montagnes près desquelles nous sommes passés, constata Lune de Jade, éblouie par la splendeur des lieux.

— Rien n'est trop beau pour l'Église de Lumière selon le Parfait Cargaison de Quiétude ! murmura le jeune Koutchéen, avant de demander à l'Auditeur qui lui avait ouvert la porte de le conduire sans délai auprès de Cargaison de Quiétude.

Lorsque Pointe de Lumière entra en compagnie de Lune de Jade dans la chambre du Maître Parfait, ce dernier méditait sur le Livre de Mani dont un exemplaire richement enluminé était ouvert sur ses genoux.

Dès qu'il vit Pointe de Lumière, son visage émacié par les jeûnes, à force de « dompter le lion », s'illumina, avant de s'assombrir aussitôt.

La partie s'annonçait rude, et le jeune Auditeur comprit qu'il n'avait pas d'autre choix que de se jeter à l'eau, pour essayer d'amadouer le mieux possible son maître intransigeant dont les yeux de braise le regardaient à présent avec hostilité.

Après avoir posé sur le bureau du Parfait la pochette contenant les cocons et les œufs de vers, Pointe de Lumière se plaça juste devant lui et commença à parler :

— Mon Vénéré Maître Parfait, j'ai rempli la mission dont vous m'avez chargé, mais je suis venu également vous demander infiniment pardon ! J'ai péché selon les « Trois Sceaux » ! Je suis indigne d'être un Auditeur ! Je ne serai jamais qu'un Faible, un vulgaire mécréant qui ne mérite pas la Lumière de son Église et encore moins la plus petite once de respect de la part de Mani, son Grand et Bon Prophète ! Ayez pitié de moi ! s'écriat-il en se jetant à genoux devant Cargaison de Quiétude.

Selon le rituel manichéen, l'acte de confession de ses fautes, qui était inséparable du rituel du jeûne, devait se dérouler genoux en terre.

Pécher selon les Trois Sceaux était gravissime, puisque les fautes visées concernaient à la fois la bouche (le mensonge), les mains (les actes) et le sein (la luxure).

— À l'Église de Lumière, pour être pardonné d'avoir rompu les Trois Sceaux, il convient au Faible de dire toute la vérité à son Maître Parfait ! lança, fort soupçonneux, Cargaison de Quiétude.

— Je suis prêt à vous la dire, Maître Parfait, et elle n'est pas reluisante ! C'est moi qui ai décimé l'élevage de vers à soie… Parce que je savais que vous m'enverriez chercher des cocons en Chine centrale et que là-bas, à Chang An, j'avais laissé une jeune ouvrière dont j'étais tombé amoureux fou ! Oui, j'ai menti ; oui, j'ai mal agi ; hélas pour moi, j'ai touché au corps d'une femme que j'aimais ! J'ai compris que je ne pourrais vivre sans elle ! À présent que je l'ai retrouvée, je suis prêt à tout mettre en œuvre pour servir le mieux possible les intérêts de l'Église de Lumière… Il s'agit de la femme qui est aujourd'hui devant vous, mon Maître Parfait, à mes côtés. Elle s'appelle Lune de Jade. Elle n'est pour rien dans mes fautes. Elle ne m'a pas obligé à revenir à Chang An. Lors de mon premier séjour, je l'ai quittée sans même la prévenir ! Lune de Jade a accepté de braver mille dangers pour me suivre jusqu'ici !

En quelques phrases, prononcées d'une voix claire et à peine tremblante d'émotion, tout avait été dit, même si le propos pouvait paraître désordonné.

— J'étais au courant, pour ce qui concerne ton idylle avec Lune de Jade ! Est-elle au moins manichéenne ? maugréa Cargaison de Quiétude.

— Comment une jeune Chinoise pourrait-elle être une adepte de l'Église de Lumière, alors même que celle-ci n'a pas droit de cité dans l'empire du Milieu ? ne put s'empêcher de protester Pointe de Lumière.

— Soit ! Quant au reste, avec cette destruction de notre élevage de vers à soie, tu m'en apprends de belles ! Pourquoi as-tu fait tout ce mal à ton Église ? Pourquoi t'es-tu comporté comme un vulgaire saboteur ? hurla le Parfait, piqué au vif, qui avait perdu la maîtrise de lui-même dont il était coutumier et qui convenait à un chef d'Église soucieux de l'image qu'il souhaitait donner de lui.

— J'aurais dû partir là-bas sans détruire vos installations. Je pouvais fort bien le faire !

— Et au passage, tu m'aurais plongé dans un embarras encore plus grand ! Sais-tu que personne, ici, n'a ton savoir-faire ? tonna le Parfait.

Pointe de Lumière entrevit une lueur d'espoir : le propos de Cargaison de Quiétude témoignait qu'un pardon à son jeune Auditeur rebelle n'était pas impossible.

— Je ne me suis pas rendu compte de la gravité de mon acte de sabotage ! L'amour m'aveuglait. J'étais porté par une force intérieure que je ne maîtrisais plus. Si vous saviez comme je le regrette ! Ce que je souhaite, désormais, mon Haut Parfait, c'est racheter ma conduite en mettant le meilleur de moi-même dans la relance de la production de fil de soie par l'Église de Lumière ! gémit Pointe de Lumière, toujours à genoux, le visage inondé de larmes.

— Tout est ma faute ! J'ai tout fait pour que Pointe de Lumière tombe amoureux de moi ! lança alors Lune de Jade en chinois.

Touchée par la sincérité de l'attitude de son amant, elle volait à son secours.

Debout devant le Grand Parfait, dressée sur ses petits pieds, dans une adorable posture de douce combattante, elle faisait écran entre Pointe de Lumière et lui, comme si elle avait voulu le protéger de son ire.

Le jeune Koutchéen se garda bien de jouer les interprètes et ne traduisit pas à Cargaison de Quiétude les propos que Lune de Jade venait de tenir, car ils eussent remis en cause ce qu'il venait d'expliquer au Parfait.

— Pour parvenir jusqu'ici, nous avons affronté les plus graves dangers ! Et malgré cela, Pointe de Lumière a tenu parole. Il vous a rapporté de quoi relancer la production de fil de soie, alors qu'il aurait fort bien pu ne jamais revenir à Turfan. N'est-ce pas la preuve de son attachement viscéral à l'Église de Lumière ? Je vous en supplie, au moins, tenez-en compte ! ajouta-t-elle, ce que Pointe de Lumière traduisit, cette fois.

Étonné par la fougue de la jeune femme, Cargaison de Quiétude la regardait à présent de façon moins hostile, et presque avec amusement.

Pour un peu, il se fût surpris à lui décocher un sourire.

Cette ravissante Chinoise possédait, pensa-t-il, une force de persuasion hors du commun, comme il en eût souhaité à tous les adeptes de l'Église de Lumière !

Quant à cet écervelé de Pointe de Lumière, tout, ou presque, pouvait lui être reproché, excepté sa franchise.

Après tout, lui-même n'avait-il pas joué autant double jeu que ce jeune Auditeur, qui de surcroît se repentait et lui demandait pardon ?

Avait-il été transparent avec Pointe de Lumière ?

Lorsqu'il lui avait demandé de partir pour la Chine, il s'était bien gardé de lui parler de la mission du Ouïgour Torlak, qu'il avait expédié à Chang An pour en faire un espion, tâche dont l'intéressé s'acquittait là-bas sous le curieux nom d'Aiguille Verte.

Et de ce dernier, comment pouvait-il à présent être sûr ?

Plus de trois mois s'étaient écoulés sans aucune nouvelle de l'intéressé, qui devait pourtant lui faire parvenir d'urgence un rapport, vu la gravité de la situation !

Le Grand Parfait éprouvait l'impression quelque peu désagréable d'être lâché par tous les collaborateurs sur lesquels il comptait.

Et à cet égard, le jeune Koutchéen, malgré la folie de son geste qui faisait de lui un grand pécheur, n'était peut-être pas le pire, puisqu'il était revenu faire amende honorable…

— As-tu au moins continué à respecter le jeûne d'un Auditeur ? bougonna-t-il à l'adresse de Pointe de Lumière.

— Je n'ai jamais cessé de manger du riz et des légumes, mon Parfait ! s'empressa de répondre celui-ci.

Le jeune Koutchéen, qui ne supportait pas la viande à force de ne jamais en manger, avait toujours, pendant ses pérégrinations, continué à se nourrir de céréales, de légumes et de laitages, selon les préceptes de la règle du clergé manichéen.

Cargaison de Quiétude lui fit signe d'approcher.

— Ta Lune de Jade a l'air charmante ! Pour autant, es-tu conscient que tu as trahi ta foi, en enfreignant la règle de chasteté à laquelle tout Auditeur qui se respecte est astreint ? lui chuchota-t-il dans le creux de l'oreille.

— Je vous l'ai dit, mon Parfait, ça s'appelle l'Amour ! Avant, je ne savais pas ce que c'était ! Il vous prend par le collet et vous mène là où il veut par le bout du nez, comme le chameau quand le caravanier tire sur la chaîne qui perce ses narines !

— Mais que fais-tu de ta Foi en Mani ?

— Contre l'Amour, on ne peut rien faire. Comme la Foi, mon Grand Parfait, telle une sorte de cadeau divin, l'Amour vous tombe dessus, sans crier gare. Je suis même persuadé que Mani, qui continue à guider mes petits pas, a voulu qu'il en soit ainsi ! s'écria le jeune Koutchéen.

Le chef de l'Église manichéenne de Turfan était troublé par les propos de ce disciple qui ne considérait visiblement pas sa conduite comme répréhensible, en toute bonne foi.

Pointe de Lumière, c'était évident, n'avait pas la même notion du péché que lui.

Pour un manichéen de stricte obédience, à l'instar de Cargaison de Quiétude, la rupture des Trois Sceaux signifiait le bannissement de l'Église de Lumière et le rejet de son auteur dans les ténèbres du Mal.

Mais le Grand Parfait, soucieux du devenir de son Église, se rendait bien compte que, sans l'aide de ce jeune et fougueux Pointe de Lumière, la communauté manichéenne de Turfan pouvait tirer un trait sur ses velléités de conquête de la Chine.

Était-il raisonnable de s'arc-bouter sur la certitude que les adeptes de l'Église de Lumière étaient à l'abri de toutes les tentations humaines, et capables d'agir en toutes circonstances comme de purs esprits, se soumettant aux règles les plus strictes ?

Les Églises, quelles qu'elles fussent, étaient toujours un inextricable mélange de spirituel et de temporel, où les contingences matérielles entraient en permanence en résonance, c'est-à-dire en osmose ou au contraire en contradiction, avec les aspirations divines. Leurs ambitions religieuses supposaient des moyens matériels qui les éloignaient peu à peu de la pureté originelle de l'intention de leurs fondateurs…

Et quant aux membres de leurs clergés, ils n'en étaient pas moins hommes, faits de chair et de sang.

C'est ainsi que le Grand Véhicule, malgré le vœu de pauvreté de ses moines, censés vivre uniquement d'aumônes à l'instar du Bienheureux, était devenu la puissance économique organisée la plus importante de son temps.

D'ailleurs, qu'avait à voir avec Mani et son enseignement l'entreprise industrielle clandestine dans laquelle Cargaison de Quiétude avait été obligé de se lancer pour faire face aux besoins de l'Église de Lumière ?

— C'est que je me désespérais de recevoir de tes

nouvelles ! L'inquiétude, à force, me rongeait, si tu veux tout savoir ! marmonna-t-il en guise de réponse au véritable cri du cœur de son jeune Auditeur.

— Il était impossible de revenir plus vite à Turfan ! Nous avons d'ailleurs de la chance d'être là !

— Que veux-tu dire ?

— Nous avons manqué d'être emprisonnés par les autorités chinoises et avons dû quitter Chang An précipitamment ! Un certain Aiguille Verte nous a dénoncés, après nous avoir expliqué qu'il était chargé de nous mettre à l'abri, suite à l'assassinat du marchand de soie qui nous hébergeait ! expliqua Pointe de Lumière.

À ces mots, le Parfait Cargaison de Quiétude faillit s'étrangler.

— Vous dénoncer ? Aiguille Verte ? Mais qu'est-ce que tu racontes là ? bredouilla-t-il, estomaqué.

— Dis-lui que cet homme nous a trahis auprès de l'administration de la Soie, alors qu'il avait promis de nous protéger ! Et qu'avant cela le salaud avait essayé d'abuser de moi ! s'écria Lune de Jade, qui avait l'air d'une tigresse prête à bondir.

Le jeune Auditeur traduisit à son maître spirituel les propos de sa jeune amante, puis ajouta :

— Le fil rouge que je portais au poignet a failli nous coûter fort cher... Aiguille Verte s'en est prévalu pour nous entraîner dans ce piège !

— Je suis vraiment désolé ! On ne peut plus compter sur personne !

— Cet homme est donc votre agent... murmura Pointe de Lumière.

— Hélas oui ! Je l'ai envoyé là-bas pour protéger nos entreprises.

— Tu diras à ton Parfait que son agent est un être abominable ! Un traître patenté, qui ne mérite rien d'autre que le mépris ! lança Lune de Jade dont les beaux yeux en amande s'étaient emplis de larmes.

Il était facile de constater, à la détresse affichée sur son visage, qu'elle ne mentait pas.

Pointe de Lumière s'empressa de traduire.

— Explique à Lune de Jade que je comprends sa colère, assura le Maître Parfait avant de demander à son secrétaire Ormul, lequel avait assisté, effaré et sans mot dire, à toute la scène, de leur apporter du thé chaud.

— Pourquoi ne pas m'avoir prévenu de l'existence d'Aiguille Verte avant mon départ ? reprit Pointe de Lumière.

— Sa présence à Chang An devait demeurer secrète. Je t'aurais fait courir des risques inutiles.

— Vous me connaissez mal. Même si j'avais été arrêté, je n'aurais jamais rien avoué !

— Sans doute as-tu raison ! lâcha tristement Cargaison de Quiétude qui regrettait sa conduite.

— Je ne vous en veux pas. À votre place, j'aurais fait de même ! s'écria gentiment Pointe de Lumière.

— Il n'empêche que la conduite de Torlak est inqualifiable, tonna Cargaison de Quiétude dont le courroux vis-à-vis de son jeune disciple, vu les circonstances, avait fait place à de la sympathie non feinte. Et surtout très dangereuse, je dirai même suicidaire, pour nos intérêts ! Il a dû dévoiler tout ce qu'il ne fallait pas aux autorités.

À cet instant, Ormul revint, tenant un grand plateau sur lequel étaient posés une théière et des gobelets, et mit le tout sur le bureau du Grand Parfait.

— Assieds-toi à mes côtés, Pointe de Lumière, je veux à présent savoir par le menu ce qui s'est passé là-bas, jusqu'à ton départ précipité, ordonna le Grand Parfait.

Entre deux gorgées de thé, le jeune Koutchéen,

auquel la mémoire ne faisait nullement défaut, commença le récit du voyage mouvementé qui l'avait mené de Turfan à Chang An et retour.

Et tout y passa : son arrivée sans encombre à Chang An, où il avait repris contact avec Lune de Jade, l'assassinat du marchand de soie clandestine qui hébergeait la jeune fille, leur mise au vert chez le peintre Pinceau Rapide par Aiguille Verte qui avait réussi à gagner leur confiance, cet étrange séjour dans ce boudoir où ils étaient vus sans le savoir, le lamentable épisode à l'issue duquel le responsable du réseau du Fil Rouge, furieux, les avait dénoncés aux autorités chinoises, leur fuite éperdue de la capitale, malgré la police secrète, lui déguisé en taoïste et elle en soldat chinois…

Au fur et à mesure que le Koutchéen détaillait son récit, Cargaison de Quiétude, bouche bée, allait de consternation en étonnement.

Lune de Jade n'avait pas menti en affirmant qu'ils avaient dû affronter mille dangers avant de pouvoir se présenter devant lui !

Le chef de l'Église manichéenne mesurait surtout à quel point, suite à l'infâme trahison d'Aiguille Verte, il lui serait difficile de continuer à écouler en Chine la soie clandestine destinée à faire face aux dépenses de l'expansion de l'Église de Lumière.

Le pire était que cet agent avait probablement révélé le pot aux roses aux autorités chinoises, au risque d'en faire pâtir, également, les partenaires nestoriens !

Que dirait-il à Addai Aggai, qu'il fallait avertir au plus vite ?

La confiance du nestorien ne serait-elle pas durablement altérée, quand il découvrirait que Cargaison de Quiétude se méfiait de lui au point de disposer de son propre réseau de surveillance à Chang An ?

Mais l'accablement du Parfait atteignit vraiment le

summum quand Pointe de Lumière acheva de lui décrire les sombres perspectives que son compère nestorien avait évoquées devant lui, quelques jours plus tôt, lors de son passage à Dunhuang.

— Mon confrère Addai Aggai t'a donc paru particulièrement inquiet ? demanda Cargaison de Quiétude d'une voix blanche, à la fin de son récit.

— Et même des plus angoissés, mon Maître Parfait. Je l'ai trouvé abattu. Il a l'air de craindre cette attaque turque, dont il m'a assuré qu'elle mettrait son oasis à feu et à sang…

— Ce serait là un comble ! Il ne nous manquait plus que ça ! gémit Cargaison de Quiétude.

— Il ne plaisantait pas le moins du monde ! Il prétend que cela constituerait la vengeance de parsis trop curieux qu'il aurait été obligé d'éconduire sans ménagement.

— Est-il prêt, selon toi, à recommencer à faire tisser le fil de soie, lorsque nous pourrons reprendre nos fournitures ?

— Compte tenu de ce que j'ai entendu de sa bouche même, le plus prudent serait de nous passer des nestoriens à l'avenir… D'autant que l'évêque n'a pas manqué de me préciser que les parsis en question semblent convoiter la filature clandestine, et que ce serait pour s'emparer d'elle qu'ils auraient proposé à ces Turcs de mener un raid éclair sur l'oasis de Dunhuang ! expliqua Pointe de Lumière.

— Dans ce cas, il est probable qu'il faudra revoir nos plans… souffla Cargaison de Quiétude, sa mine sombre ne laissant aucun doute quant à sa consternation.

Les dangers qui planaient ainsi sur l'intégrité de la dernière grande oasis de la Route de la Soie avant la Grande Muraille remettaient en cause tout le subtil schéma de partage des rôles entre les deux communautés religieuses qui leur avait si bien réussi jusque-là et leur avait permis d'inonder le marché chinois avec leur production clandestine.

— Je partage votre point de vue. Le mieux dorénavant, mon Maître Parfait, serait de ne compter que sur nos propres forces… À continuer de travailler avec les nestoriens, si les prédictions d'Addai Aggai, hélas, se réalisent, nous risquons gros !

— D'autant que l'administration chinoise doit être sur le qui-vive, surtout depuis qu'Aiguille Verte est allé, selon toute vraisemblance, leur vendre la mèche. Qu'il soit maudit et relégué dans la région du Sud ! gronda Cargaison de Quiétude dont la fureur contre l'intéressé montait.

Pour le manichéen fervent qu'était le Grand Parfait, la région du Sud était le territoire du Mal Absolu, celui des ténèbres infernales, là où étaient jetées les âmes des plus grands pécheurs, à l'opposé de la région du Nord qu'on disait dédiée au Bien.

— Dans quelques semaines, mon Maître Parfait, j'aurai relancé la production de fil de soie. Nous découvrirons sûrement un moyen pour le faire tisser et l'écouler sur le marché chinois, conclut le jeune Koutchéen qui se voulait rassurant.

— Que Mani t'entende ! Ce ne sera pas une mince affaire ! Le tissage, passe encore. On croise sur la Route de la Soie des tisseurs de laine… En revanche, pour la vente de la marchandise en Chine centrale, je crains bien qu'elle ne nous oblige à aller nous y installer nous-mêmes ! murmura Cargaison de Quiétude.

— Ce sera l'occasion pour l'Église de Lumière de s'établir enfin de l'autre côté de la Grande Muraille !

— Tu es un irréductible optimiste, Pointe de Lumière ; c'est bien. Peut-être est-ce toi qui as raison !

Sur le visage osseux de Cargaison de Quiétude, un

timide sourire venait enfin d'apparaître, laissant entendre au Koutchéen que sa cote avait sûrement fait un bond, depuis qu'il était entré dans le bureau du Grand Parfait.

— À ce propos, mon Maître Parfait, j'ai une autre information à vous livrer.

— De quoi s'agit-il, mon fils ? demanda ce dernier, qui appelait volontiers « fils » ses Auditeurs quand il était satisfait d'eux.

— Umara, la fille de l'évêque Addai Aggai, a disparu sans laisser aucune trace. Par mon entremise, ce père inconsolable vous fait dire qu'il acceptera de « passer son tour », si nous l'aidons à retrouver sa fille !

— C'est bien la première fois qu'il me fait une telle proposition ! Elle témoigne qu'Umara compte à ses yeux plus que tout… Il a dû dire cela sous le coup de la lassitude. Il finira, un jour ou l'autre, par se raviser. Je ne vois pas un chef d'Église abandonner ainsi son avance sur son principal rival ! Autant pour ce qui concerne la soie, nous sommes des alliés de circonstance, autant pour ce qui est de la bonne marche de nos Églises, nous serons toujours d'irréductibles concurrents ! marmonna Cargaison de Quiétude.

— Sa fille unique a vraiment l'air de lui manquer. Il semblait souffrir le martyre de ne pas avoir de nouvelles…

— Mais pour autant, et à moins que tu ne me dises où se trouve cette jeune fille évanouie, je ne vois pas trop comment nous pourrions satisfaire ce pauvre Addai Aggai !

— Qui sait, un jour peut-être réussirai-je à le savoir ! lança, mystérieusement, le jeune Koutchéen.

— Ce jour-là, crois-en mon expérience, Pointe de Lumière, Addai Aggai aura changé d'avis !

Le Parfait de Turfan n'était pas homme, pour ce qui

le concernait, à placer quoi que ce soit devant les ambitions qu'il nourrissait pour l'Église de Lumière.

Comme tout membre du clergé manichéen ayant atteint le stade suprême de la hiérarchie de son Église, rien, dans la vie personnelle de Cargaison de Quiétude, n'était jamais venu faire obstacle à la préoccupation qui l'animait, dès son lever très tôt le matin et jusqu'à son coucher, fort tard dans la nuit : le triomphe de la divine parole du prophète Mani, l'intercesseur, celui grâce auquel les hommes pouvaient prétendre tomber du côté du Bien, tiraillés qu'ils étaient entre les forces contraires, bénéfiques et maléfiques, car c'était, hélas ! plutôt vers le Mal que ces hommes, en raison de leurs innombrables faiblesses, étaient attirés.

Les jeûnes incessants auxquels s'adonnait le chef de l'Église manichéenne de Turfan, dont témoignait son effrayante maigreur, et les cilices qu'il n'hésitait pas à placer sur sa peau à vif quand le calendrier liturgique coïncidait avec la Passion de Mani, faisaient de son existence une épreuve pénible, menée de façon solitaire — et que d'aucuns n'auraient jamais pu endurer —, où la prière et le culte étaient les seuls points forts.

Ormul vint chuchoter à l'oreille du Parfait que l'heure de la prière du soir était arrivée, ce qui signifiait la fin de leur réunion.

Pour l'Auditeur, l'heure de vérité avait sonné.

C'était le moment de solliciter un pardon en bonne et due forme de la part de Cargaison de Quiétude.

— Mon Parfait, j'implore infiniment votre pardon et vous demande, du fond du cœur, de bien vouloir me délier de mon serment d'Auditeur. Ainsi cette jeune femme et moi-même, nous pourrons nous unir et avoir des enfants ! osa-t-il donc, après s'être placé bien en face du visage de son Grand Parfait.

Celui-ci commença par hausser un sourcil, puis l'autre.

Mais ses lèvres, pâles et minces comme un trait, demeuraient obstinément closes.

— Ayez pitié de nous ! Quand il y a repentir, il doit y avoir pardon ! Pointe de Lumière vous a ouvert son cœur ! Ne m'obligez pas à convertir l'homme que j'aime à la Vérité du Bienheureux Bouddha ! lança alors Lune de Jade d'une voix vibrante, se rendant compte que le Parfait n'était pas prêt à tout lâcher si vite.

Pointe de Lumière ne put faire autrement que de traduire les propos de son amante, qui sonnaient comme un défi.

— Le pardon d'un péché mortel n'est pas une simple formalité ! rétorqua le Parfait, drapé dans une dignité offensée.

— Pour nous autres, bouddhistes, les intentions qui président aux actes comptent plus que ces derniers, lesquels n'en sont que la conséquence. Si Pointe de Lumière a mal agi, c'est parce qu'il était épris de moi et qu'il voulait me retrouver ! C'est donc à moi qu'il faut vous en prendre et non à lui ! affirma à nouveau Lune de Jade avec fougue.

Les fines lèvres de Cargaison de Quiétude esquissèrent un pâle sourire.

— Voilà une vraie combattante ! Une de ces âmes dont notre Église aurait bien besoin pour l'aider à porter au loin sa bonne parole ! dit-il en la regardant droit dans les yeux.

Puis, se tournant vers le jeune Koutchéen, il ajouta :

— Resteras-tu fidèle à l'Église de Lumière ? Soutiendras-tu sa grande marche vers la Chine ?

— Oui, maître Cargaison de Quiétude ! Vous pourrez compter sur moi. Dès demain, c'est avec entrain que je placerai les vers et les cocons sur les feuilles de mûrier de notre serre, murmura le jeune Koutchéen en tombant à genoux.

— Nous reparlerons de tout cela le moment venu ! Tu es déjà sur la bonne voie ! Ta compagne y est pour beaucoup ! conclut le Parfait en souriant.

— Puis-je au moins vous demander votre bénédiction afin que mes actes dorénavant soient conformes à vos souhaits ?

Cargaison de Quiétude ayant acquiescé, Pointe de Lumière baissa la tête pour présenter sa nuque à son maître spirituel.

Et les mains du Parfait sur la base de son crâne lui semblèrent douces et apaisantes, lorsque celui-ci, yeux mi-clos, récitant quelques strophes de la Pâtimokkha — le Grand Pardon de la Lumière Purificatrice —, les lui imposa.

Quand il quitta Cargaison de Quiétude, Pointe de Lumière, heureux et apaisé, savait qu'il avait pratiquement obtenu l'absolution qu'il recherchait.

La compréhension du Parfait lui permettait de rester fidèle à Mani et au manichéisme.

Car, en cas d'anathème persistant, nul doute que l'Église de Lumière n'eût perdu en la personne de Pointe de Lumière l'un de ses adeptes les plus dévoués, que son destin devait amener à jouer un grand rôle dans l'expansion du manichéisme.

Et tout cela, sans conteste, l'intuitif Cargaison de Quiétude l'avait bien perçu, et avait singulièrement tempéré la rigueur initiale de son attitude...

— Lune de Jade, je ne te remercierai jamais assez pour ton courage ! Tu as sidéré Cargaison de Quiétude par la loyauté dont tu as fait preuve et la pureté de tes propos, exempts de toute arrière-pensée ! Si j'obtiens son pardon, ce qui paraît probable, ce sera grâce à toi !

— Je n'ai pas eu besoin de me forcer. Si je l'ai fait, c'est tout simplement parce que je t'aime, ô mon Pointe de Lumière !

N'était-ce pas, au plus beau des compliments, la plus belle des réponses ?

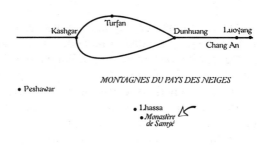

Kashgar — Turfan — Dunhuang — Luoyang
Chang An

MONTAGNES DU PAYS DES NEIGES

• Peshawar

• Lhassa
• *Monastère de Samyé*

28

Monastère de Samyé, Tibet

Poignard de la Loi faisait face à lama sTod Gling, par l'étroit entrebâillement de la lourde porte aux masques de démons.

— Je voudrais être reçu d'urgence par le révérend Ramahe sGampo !

— Qui êtes-vous donc pour demander une telle faveur, sans même avoir pris rendez-vous avec lui ? On ne dérange pas impunément notre Vénérable Supérieur, dont les journées sont occupées à mille choses pieuses et essentielles !

— Je suis Poignard de la Loi, moine du Petit Véhicule et premier acolyte de maître Bouddhabadra. Je suis à la recherche de mon supérieur vénéré. Depuis son départ de Peshawar, il n'est jamais revenu au couvent de l'Unique Dharma ! Toute la communauté est plongée dans l'angoisse et se sent orpheline. Or, je sais qu'il est venu ici. Quelqu'un l'a même aperçu, dans les parages de votre monastère, bien après le moment où son cornac a prétendu qu'il avait dû se perdre dans une tempête de neige, avec notre éléphant blanc.

Tel un enquêteur pugnace, le moine indien savait précisément où il allait et paraissait sûr de son fait.

Des révélations du *ma-ni-pa,* Poignard de la Loi avait conclu que Bouddhabadra ne pouvait en aucun cas s'être évanoui dans une tempête de neige, puisque c'était obligatoirement après cet épisode que le moine errant l'avait rencontré, avec Nuage Fou et sans l'éléphant blanc, dans cette grotte de montagne située dans les parages de Samyé.

Contrairement à ce qu'il avait toujours subodoré, son Inestimable Supérieur était donc revenu sur ses pas, vers le plus ancien monastère du pays de Bod.

Si l'hypothèse de la disparition dans une tempête de neige du pachyderme sacré du monastère de l'Unique Dharma continuait à être plausible, celle de Bouddhabadra, en revanche, ne tenait plus la route.

Qu'était-il donc revenu faire à Samyé ?

Telle était l'énigme à laquelle Poignard de la Loi espérait de toutes ses forces répondre.

Car il ne doutait pas, s'il découvrait la clé de ce mystère, que ses pas le mèneraient directement à l'endroit où devait se trouver son Inestimable Supérieur.

— Maître Bouddhabadra a effectivement passé quelques jours ici. Que voulez-vous savoir de plus, au juste ? demanda, méfiant, le lama.

Poignard de la Loi ne s'était donc pas trompé. Bouddhabadra s'était bien rendu à Samyé et y avait même séjourné.

— Je dois parler avec le Supérieur du monastère ! L'affaire est importante. Je suis sans nouvelles de Bouddhabadra et je commence à craindre qu'il ne lui soit arrivé de gros ennuis ! répéta le hînayâniste d'une voix pressante.

— Dans ce cas, il convient d'attacher votre éléphant à un arbre. La porte du monastère est trop étroite pour lui permettre de rentrer. Bouddhabadra avait fait de même avec l'éléphant blanc sacré.

Poignard de la Loi donna à son cornac les ordres nécessaires et celui-ci attacha Sing-sing au tronc d'un des gros mélèzes qui flanquaient, tels deux gardiens aux mille bras, la façade principale du bâtiment conventuel dont l'ample et tortueuse cascade des pinacles biscornus croulait sous les bannières et les guirlandes votives.

Surgie de la pierre de son encadrement sculpté de monstres aux corps d'animaux emmêlés, la lourde porte s'ouvrit enfin toute grande, vers l'extérieur.

Lama sTod Gling fit entrer Poignard de la Loi dans l'immense cour du couvent de Samyé.

À cette heure, elle grouillait déjà de moines et de novices.

Le vaste monastère, dans la journée, était une véritable ruche où chacun s'affairait, qui aux corvées domestiques, qui aux réparations des pavillons et des pagodes, ainsi qu'à la peinture des effigies en stuc ou en bois qui ornaient les murs, car il fallait que leur polychromie, parfois criarde, fût toujours vive et impeccable, et surtout, pour l'immense majorité d'entre eux, à la prière et aux cultes.

C'était la première fois que le moine indien du Petit Véhicule, issu du couvent de l'Unique Dharma, pénétrait dans un monastère bouddhiste tibétain.

Il éprouva un choc immense, tant ce qu'il voyait et entendait lui paraissait extraordinaire.

Le brouhaha, une fois le seuil franchi, était à proprement parler assourdissant.

Partout, d'immenses moulins à prières, activés par des moines et des novices, tournaient sans discontinuer, les uns en vrombissant, les autres en émettant un curieux sifflement proche d'une mélopée humaine. Depuis les halls de prière montaient, en même temps que les nuages d'encens qui s'effilochaient lentement, des chants pieux et d'interminables récitations de mantras. Les voix des moines, tantôt gutturales, tantôt nasillardes, semblaient venir d'outre-tombe, allant depuis le suraigu jusqu'aux basses les plus graves, sans jamais cesser de remplir l'atmosphère de leurs étranges sonorités.

À l'instar du vent de la tempête, quand il s'engouffrait, venant des déserts chauds, dans les froides vallées himalayennes, les chants sacrés produisaient un mugissement que Poignard de la Loi jugea effrayant.

Celui-ci, d'ailleurs, peinait à suivre le lama, tellement l'affluence était grande dans les cours et les couloirs innombrables que ce dernier lui faisait emprunter.

Surtout, le moine de Peshawar avait l'impression d'être plongé dans un autre monde.

Sur les murs et sur les plafonds, ce n'étaient que masques de démons hilares, tous crocs dehors, effigies de déesses *dâkinîs* vengeresses, portant à leurs lèvres la coupe crânienne *kâpala* remplie du sang de leurs victimes, et scènes d'horribles charniers de corps humains disséqués en morceaux, suspendus à des guirlandes morbides, dont certaines étaient même constituées de crânes reliés entre eux par des intestins, comme autant de symboles de la souffrance, de l'impermanence, de la maladie et de la mort, destinés à servir de support aux méditations des « ascètes renonçants ».

Qu'était donc venu chercher Bouddhabadra dans l'extravagance d'un tel lieu ?

À Peshawar, ses professeurs avaient appris à Poignard de la Loi tout ce que le lamaïsme tibétain présentait de différent par rapport au Petit Véhicule.

Au Pays des Neiges, contrairement à leurs frères de l'Inde du Nord dont la religiosité était aussi subtile et sage que leurs représentations du Bienheureux, les adeptes de ce dernier ne dédaignaient ni les masques terrifiants ni les divinités sanguinaires aux dents de fauve dont leurs sanctuaires, tels des antres, étaient peuplés.

Certains esprits malintentionnés n'allaient-ils pas jusqu'à affirmer qu'on pratiquait toujours, dans certains temples reculés du Tibet, des sacrifices humains ?

Toutes ces figures terrifiantes qui remplissaient les murs de ces couloirs interminables et de ces salles de prière immenses laissaient à Poignard de la Loi une terrible impression de malaise.

Qu'y avait-il donc de commun entre l'ambiance paisible du couvent de l'Unique Dharma, dont les murs nus reflétaient à merveille le calme et la sérénité, et cette ruche bourdonnante, multicolore et, somme toute, inquiétante, dans laquelle il venait de plonger ?

Le bouddhisme était-il suffisamment universel pour concilier entre eux de tels extrêmes ?

— Attendez là un instant. Je vais lui demander s'il peut vous recevoir ! dit le lama devant une porte fermée.

Quelques instants plus tard, le religieux introduisait Poignard de la Loi auprès de Ramahe sGampo.

Le sentiment de malaise éprouvé par l'acolyte de Bouddhabadra se dissipa dès son entrée dans cette pièce obscure, au fond de laquelle une haute silhouette se découpait en contre-jour devant la seule fenêtre qui l'éclairait.

Poignard de la Loi avait enfin devant lui le supérieur mythique du plus important monastère du Pays des Neiges.

Et la cécité de Ramahe sGampo, qu'il découvrit quand le vieux Supérieur tourna son visage du côté de la lumière, rendait encore plus impressionnante cette rencontre avec le chef spirituel du lamaïsme tibétain.

— Que la Divine Lumière du Bienheureux nous illumine tous ! Maître, mon nom est Poignard de la Loi et je suis venu vous trouver pour vous supplier de me donner des nouvelles de mon Inestimable Supérieur, maître Bouddhabadra, de Peshawar ! s'écria-t-il, après s'être prosterné devant le vieux lama aveugle.

— La Roue de la Loi soit également avec toi, Poignard de la Loi ! Des nouvelles de Bouddhabadra ? Comme j'aimerais, moi aussi, que quelqu'un puisse m'en donner !

La voix gutturale de Ramahe sGampo, qui s'accordait avec la sévérité tranquille de son visage aux yeux blancs, lui faisait curieusement détacher une à une les syllabes de la langue sanskrite.

— Mon Révérend Maître, je baigne dans l'inconnu le plus total ! Bien plus encore que les pécheurs véniels dont les âmes errent entre les divers étages de l'Enfer et du Paradis, la bouche cousue par la ficelle, de telle sorte qu'elles peuvent à peine boire et manger…

— Tu me parais d'humeur bien sombre, Poignard de la Loi ! Une âme n'a rien à craindre du Bardo [1], dès lors qu'elle a fait le bien !

— J'ignore ce que mon Supérieur est venu faire ici, dans votre monastère, mais la raison devait être d'importance… Sinon, pourquoi se serait-il embarrassé de l'éléphant blanc sacré du monastère ? Les pachydermes, j'en sais à présent quelque chose, ne sont pas faits pour avancer sur des chemins de haute montagne bordés par des ravins dont on ne voit même pas le fond !

— Là, tu m'étonnes ! Bouddhabadra ne t'a donc jamais révélé les motifs de son séjour ici ? Ce n'est pas

_____

1. *Bardo :* période intermédiaire entre la mort et la renaissance, selon les Tibétains.

ce que d'aucuns m'ont m'affirmé ! s'écria, quelque peu surpris, le Supérieur aveugle de Samyé.

— J'ignore, mon Révérend, qui a pu vous induire en erreur de la sorte. C'est par le plus grand des hasards que j'ai appris la venue à Samyé de maître Bouddhabadra ! Avant cela, j'ai dû partir à sa recherche, sans but précis ! C'était pure folie de ma part, mais je n'avais pas le choix. Toute ma communauté est plongée dans l'affliction par l'absence de celui qu'elle considère comme son véritable père. Je vous en supplie, Vénérable Maître, aidez-moi !

Ramahe sGampo s'était à présent assis sur la banquette étroite où il passait une grande partie de ses journées et de ses nuits à méditer, son lourd chapelet *mala* à la main.

Il paraissait plongé dans un abîme de perplexité, comme si les propos de Poignard de la Loi ne cadraient pas avec ce qu'il avait, jusque-là, en tête.

Au bout d'un long moment de réflexion, le Supérieur aveugle reprit la parole.

— Poignard de la Loi, je ne vois pas ce que je pourrai faire pour toi ! J'ignore ce qu'est devenu Bouddhabadra.

Le ton coupant de Ramahe sGampo témoignait, à n'en pas douter, de sa volonté d'en rester là et de ne rien dire à son interlocuteur, ce qui ne manqua pas de faire réagir celui-ci.

— Tout religieux bouddhiste doit au moins la compassion à son prochain. Vous n'avez pas le droit de me laisser dans l'ignorance totale ! J'ai marché pendant des mois, franchi des dizaines de cols, bravé le froid et le léopard des neiges, pour arriver auprès de vous ! Tout cela pour savoir ce qui s'est passé ici ! protesta-t-il, bien décidé à faire fléchir l'attitude intransigeante du Supérieur de Samyé.

— Il est des serments auxquels on ne doit pas se soustraire, Poignard de la Loi, fût-ce en face d'un homme pour lequel on éprouve de la sympathie… C'est en tout cas mon point de vue. Et même s'il n'est pas partagé par tous, je dois, pour d'impérieuses raisons, respecter la promesse de ne pas divulguer le secret qui me lie à Bouddhabadra ! conclut fermement le vieux bouddhiste, comme s'il avait, par l'intermédiaire du jeune moine, un reproche à faire à Bouddhabadra.

Poignard de la Loi ne comprit pas — et pour cause ! — le message que Ramahe sGampo venait de lui transmettre.

Il poursuivit donc sur sa lancée :

— Peu importent ces raisons. Pour moi, ce qui est impérieux, c'est de retrouver mon Inestimable Supérieur. Aujourd'hui, je suis dans un brouillard total, tant sur ce qui concerne le séjour de Bouddhabadra ici, que sur ce qu'il est devenu après ! Acceptez au moins de m'en dire assez pour que je puisse continuer mes recherches dans la bonne direction. Je n'en demande pas plus ! finit-il par supplier en se jetant aux pieds du Supérieur.

— J'ai juré de me taire !

— Tous mes frères du couvent de l'Unique Dharma attendent des nouvelles de leur père spirituel. Je ne voudrais pas avoir à leur révéler que Ramahe sGampo, faisant fi de toute compassion confraternelle, a refusé de m'en donner !

— Je ne veux rien te dire de plus.

— Je serai moins cachottier que vous. Maître Bouddhabadra a été vu dans les parages de votre monastère, dans une grotte de montagne, en compagnie d'un certain Nuage Fou.

— Comment sais-tu cela ? demanda, quelque peu interloqué, le Supérieur aux yeux blancs.

— Je le tiens d'un *ma-ni-pa* qui tomba un jour nez à nez avec eux !

Les traits ascétiques du vieux Tibétain exprimaient la plus grande surprise.

La fougue et l'indéniable sincérité du moine de Peshawar, jointes à la révélation qu'il venait de faire, l'avaient imperceptiblement ébranlé. Après avoir de nouveau réfléchi un long moment, il poussa un soupir et murmura :

— Malgré le sérieux de ta démarche, une décision aussi grave, revenant à me parjurer, ne peut se prendre sur un coup de tête, Poignard de la Loi… Laisse-moi méditer un peu et, surtout, peser le pour et le contre. Reviens demain matin. La nuit, sans nul doute, m'aura porté conseil.

Le lendemain, le cœur de Poignard de la Loi battait à tout rompre lorsque lama sTod Gling l'introduisit auprès du Supérieur aveugle.

— Es-tu homme à garder pour toi un secret jusque-là totalement préservé ? lâcha tout à trac celui-ci.

— Vous avez ma parole, maître Ramahe sGampo. Tout ce que vous seriez amené à me révéler, je le tairai !

— J'ai longuement réfléchi et récité des mantras toute la nuit. Ta détresse m'a touché. Tu as fait une longue route et je ne veux pas te laisser repartir sans te donner la moindre explication. Si Bouddhabadra est venu à Samyé, c'était pour assister à une réunion très importante.

— Une réunion très importante ? Vous m'en dites trop ou pas assez, mon Révérend ! Comment pourrait-on, au demeurant, imaginer que Bouddhabadra a traversé tout le massif du Pays des Neiges pour une cause futile !

Le vieil aveugle parut convaincu par le bon sens des propos de son interlocuteur.

— Ce sont… heuh !… des réunions… euh !… voilà ! qui ont lieu tous les cinq ans. Elles réunissent les trois représentants des grandes Églises bouddhiques : le Grand et le Petit Véhicule, ainsi que le lamaïsme du pays de Bod, que j'ai l'honneur de représenter.

— Mais quel est l'objet de ces réunions entre des Églises qui d'ordinaire agissent en rivales ?

— Justement ! Nous faisons en sorte d'assurer une coexistence pacifique ! Mais je t'en ai déjà trop dit. Les participants ont juré de ne jamais en parler à quiconque, lâcha le vieux lama.

— Pas même à leurs acolytes !

— Dès qu'un secret sort du cercle de ses initiés, ce n'en est plus un ! marmonna le vieux Supérieur aveugle.

— Et c'est donc une de ces réunions qui a eu lieu à Samyé.

— Oui ! Ou plutôt, qui aurait dû avoir lieu ! Car nous fûmes obligés de l'ajourner…

— Vos propos sèment en moi la consternation, maître Ramahe sGampo. Je ne comprends plus rien à rien ! Pourquoi donc Bouddhabadra a-t-il pris la peine de venir ici, en compagnie de l'éléphant blanc sacré de mon monastère, dont on réserve les sorties au transport de reliques précieuses, dans le but d'assister à un événement qui n'a pas eu lieu ?

— Je conçois que, vu de l'extérieur, tout cela peut paraître quelque peu étonnant…

— C'est le moins qu'on puisse dire ! En tout cas, en agissant de la sorte, maître Bouddhabadra a plongé ma communauté dans l'affliction, et surtout dans un inextricable pétrin. En l'absence de l'éléphant blanc sacré, elle ne pourra pas organiser le Grand Pèlerinage du Reliquaire de Kaniçka, au cours duquel une foule innombrable d'adeptes vient assister à la procession des Yeux de Bouddha ! Ces informations que vous avez accepté de me livrer, Très Saint Révérend, loin de me rassurer, me plongent dans un abîme de perplexité, s'écria Poignard de la Loi.

— Les Yeux de Bouddha ? Vous avez bien dit les Yeux du Bienheureux ?

C'était lama sTod Gling, jusqu'alors muet comme une carpe, qui venait de poser la question, sur un ton qui trahissait une certaine angoisse.

— Parfaitement. Vous n'êtes pas sans savoir que le reliquaire de Kaniçka, dont mon couvent assure l'entretien et la garde, contient la relique, infiniment précieuse et vénérable, des yeux dont le Bienheureux Bouddha fit l'offrande à un pauvre aveugle au cours d'une de ses innombrables existences antérieures ! expliqua Poignard de la Loi.

— Oh ! oui ! Si tu savais comme je le sais ! murmura Ramahe sGampo.

— Et vous l'avez tenue entre vos mains, cette relique si renommée dans tout le monde bouddhique ? s'enquit lama sTod Gling.

— Les Yeux Saints sont enfermés dans un coffret d'or pur, de forme pyramidale, qui est lui-même emmuré au sommet du reliquaire. Lors du Grand Pèlerinage, des maçons le démurent pour qu'il puisse être exposé à la foule, sur le palanquin de l'éléphant sacré. Personne n'a jamais ouvert cette boîte dont la clé a disparu, dit-on, depuis des siècles…

— Es-tu sûr que personne ne détient cette clé ? demanda à son tour le Supérieur aveugle.

— Pourquoi me posez-vous cette question, Révérend Ramahe sGampo ? s'enquit, franchement mal à l'aise, Poignard de la Loi.

Les propos de ses interlocuteurs avaient fini, sinon

par lui mettre la puce à l'oreille, du moins à instiller un certain doute dans son esprit.

— Le seul susceptible de connaître la réponse à cette question est Bouddhabadra, poursuivit-il. C'est à lui qu'il faudrait en parler. Si seulement on savait où il se trouve !

— Hélas ! Pas plus que vous, je n'en ai la moindre idée. J'ignorais qu'il avait été vu en compagnie de ce Nuage Fou… À la vérité, me voici désormais aussi inquiet que vous, répondit Ramahe sGampo, non sans une certaine lassitude.

— Confiez-moi au moins, alors, en quoi consistent ces réunions dont l'échec récent, si j'en crois vos sous-entendus, a été source de nombreux tracas ! s'écria, une dernière fois, le hînayâniste dont la détresse était perceptible.

— Je ne vous en dirai pas plus. Il m'est rigoureusement interdit de vous révéler quoi que ce soit au sujet de ces colloques.

— Maître Ramahe, si j'ai bien compris, vous avez un rôle particulier dans ce processus destiné à assurer la coexistence pacifique entre les trois courants du bouddhisme, sans quoi Samyé ne serait pas l'un des lieux où se tiennent ces fameuses réunions ! lâcha Poignard de la Loi qui cherchait à amener Ramahe sGampo à lui en dévoiler un peu plus.

— Le nier serait mentir ! murmura d'ailleurs ce dernier.

— N'en seriez-vous pas en quelque sorte l'arbitre, compte tenu de votre immense sagesse ?

Ce qui pouvait passer pour une vulgaire flatterie correspondait à la réalité, puisque le Supérieur aveugle répondit :

— Votre intuition est grande, Poignard de la Loi. Je me bornerai à vous dire que je participe aux réunions quinquennales tout en étant, d'une certaine façon, le garant de leur efficacité. Des trois participants, je suis le plus âgé. C'est donc à Samyé, sur mes terres, que, tous les cinq ans, il me revient de vérifier que « la concorde tiendra cinq ans de plus » !

— « *La concorde tiendra cinq ans de plus* » ! Mais que cache donc cette expression mystérieuse, maître Ramahe ? interrogea le moine de Peshawar.

— Derrière cette expression, comme vous dites, sachez qu'il y a des gestes ! Ou plutôt des actes importants et sacrés ! D'ailleurs, mon cher et jeune collègue, pouvez-vous me dire à quoi servent les paroles lorsqu'elles ne sont pas accordées à des actes ? dit sévèrement le vieux lama, comme s'il avait décidé de faire la leçon à ce hînayâniste trop curieux.

— Parlez-moi de ces actes, mon Révérend, c'est tout ce que je désire connaître ! Je vous le promets, si vous accédez à ma requête, je ne vous demanderai rien de plus… Il me sera alors bien plus facile de retrouver mon Supérieur.

La fébrilité du moine de Peshawar, persuadé qu'il n'était pas loin de toucher au but, avait atteint son comble.

Et sa déception fut à la hauteur de ses espoirs lorsque la réponse de Ramahe sGampo fusa :

— Vous n'en saurez pas plus. Je vous en ai beaucoup trop dit. À présent, il est l'heure de me rendre à la salle de prière pour frapper le Grand Tambour.

Et le Supérieur aveugle, le plantant là, sortit de la pièce, guidé par lama sTod Gling sur l'épaule duquel il venait de poser la main.

Demeuré seul, et quelque peu désappointé par les propos sibyllins qu'il avait réussi à arracher au vieux moine tibétain aveugle, Poignard de la Loi se laissa tomber sur le banc de méditation de Ramahe sGampo.

À quelle procédure, cérémonie ésotérique ou rituel, pouvait bien faire allusion l'expression « *la concorde tiendra cinq ans de plus* » ?

La seule chose certaine, c'était qu'un pacte secret entre les trois Églises du bouddhisme donnait lieu à une réunion quinquennale, dont Ramahe sGampo était le doyen.

À toute vitesse, le premier acolyte de Bouddhabadra se repassa les milliers de versets de sûtras que ses maîtres lui avaient inculqués lorsqu'il n'était encore qu'un jeune novice, avant son *upasambâda*, ce moment solennel entre tous au cours duquel, le crâne rasé, portant au bras ses robes de rechange et son bol à aumônes, le moine jurait de pratiquer les quatre règles d'austérité de la *nisgara* ainsi que les quatre prohibitions (fornication, vol, meurtre et abus intentionnel de faux pouvoirs spirituels) de l'*akaraniya*, serment qui faisait de lui un membre de la communauté à part entière.

Dans aucun de ces textes sacrés, pas même les plus obscurs et les plus ésotériques, ceux qu'on apprenait à la fin du noviciat, il ne se souvenait d'avoir vu écrite la formule bizarre : « *La concorde tiendra cinq ans de plus* » prononcée par le vieil aveugle.

Qui pourrait l'aider à résoudre cette énigme ?

Il regardait, autour de lui, les murs de pierre de la pièce où il se trouvait.

Assurément, le bureau-cellule de Ramahe sGampo, aux murs nus, était propice à la méditation.

Contrairement au reste du monastère, aucune statue terrifiante ni peinture aux couleurs criardes ne venait y troubler le regard.

Après avoir fermé les yeux pour mieux se concentrer, il se repassa mentalement tout ce qu'il venait d'apprendre de la bouche même du Supérieur de Samyé.

Bouddhabadra, tous les cinq ans, s'en allait donc au

Pays des Neiges pour conclure une sorte de pacte de non-agression avec les Églises sœurs et néanmoins rivales.

La dernière réunion, s'il avait bien compris les propos du vieux lama, s'était mal terminée.

Ce devait être la raison pour laquelle Bouddhabadra était revenu sur ses pas, seul, après avoir ordonné au cornac de partir en avant.

Mais Poignard de la Loi était bien en peine d'en déduire davantage.

Pourquoi avait-il tenu à être seul ?

Qu'avait-il fait de l'éléphant blanc ?

Pour quelle raison l'Inestimable Supérieur avait-il retrouvé ce curieux Nuage Fou qui avait semblé inquiéter Ramahe sGampo dans les parages de Samyé ?

Au point où il en était, le mystère, même s'il en cernait les contours, ne faisait que s'épaissir.

Poignard de la Loi ne pouvait s'empêcher d'être angoissé, car le comportement de Bouddhabadra lui paraissait inexplicable.

Risquer ainsi la vie d'un animal sacré, essentiel à l'organisation des grandes cérémonies cultuelles du monastère de l'Unique Dharma, pour se rendre à une réunion à Samyé était absurde.

À moins que la présence du pachyderme blanc n'eût été motivée par un élément qui lui aurait échappé…

C'est au moment où il déroulait ce raisonnement, le plus posément possible, pour essayer d'en percer l'énigme, que le doute effleura l'esprit du moine de Peshawar, avant de s'y insinuer, pour finir par s'y engouffrer.

Comment n'y avait-il pas pensé plus tôt ?

L'hypothèse, à bien y réfléchir, était plausible. Elle avait, en tout cas, le mérite de donner un début d'éclaircissement à toute cette histoire abracadabrante.

Elle pouvait, à elle seule, expliquer toutes les cachotteries de son Inestimable Supérieur…

Mais pour valider cette intuition, il lui faudrait revenir à Peshawar.

Cela tombait bien. Depuis qu'il avait quitté Cinq Défenses, Poignard de la Loi se sentait seul et l'immensité des montagnes himalayennes n'avait fait qu'accroître ce mal du pays qui n'avait jamais cessé de le tarauder.

Il était temps de revenir à l'Unique Dharma, au milieu des siens.

Ils devaient être morts d'inquiétude, depuis qu'il les avait laissés se dépatouiller tout seuls, quelques jours avant le Petit Pèlerinage…

Continuer ses recherches dans les méandres de ces hautes montagnes du Pays des Neiges où la trace de Bouddhabadra s'était perdue n'avait plus de sens.

En retournant à Peshawar, afin de procéder à la vérification nécessaire, il se donnait plus de chances de découvrir le mince fil sur lequel il pourrait tirer pour remonter jusqu'aux véritables raisons de la mystérieuse disparition de Bouddhabadra.

Sans perdre une seconde de plus, il alla trouver le cornac pour lui ordonner de préparer l'éléphant Sing-sing et revint saluer lama sTod Gling qui l'observait en silence depuis le porche d'entrée du monastère.

— Si un jour vous avez l'occasion de croiser ledit Nuage Fou, surtout passez votre chemin ; ou alors, ne faites pas de quartier. Cet homme est néfaste ; je dirai même maléfique ! murmura ce dernier en lui effleurant l'épaule.

— Pourquoi dites-vous ça, lama sTod Gling ?

— J'ai mes raisons !

Perdu dans ses pensées, Poignard de la Loi ne se retourna même pas au passage du col pour admirer les clochetons et les toits dorés de ce monastère où avait eu lieu ce fameux conclave auquel Bouddhabadra s'était rendu en prenant tous les risques, y compris, même si le premier acolyte l'ignorait encore, celui de ne pas en revenir vivant.

Refaire le chemin en sens inverse jusqu'à Peshawar lui parut proprement interminable.

C'était toujours comme ça, au Pays des Neiges. Plus vous étiez pressé, et plus les cimes des montagnes semblaient reculer en même temps que vous avanciez.

Marchant devant Sing-sing et le cornac, Poignard de la Loi avait beau forcer l'allure, le paysage restait immobile et les jours à la fois sans fin et identiques.

La fonte des neiges qui, à cette saison, commençait à transformer la moindre rigole en torrent impétueux et les cascades en gigantesques trombes d'eau, facilitait heureusement la tâche de l'éléphant Sing-sing.

Là même où, sur le chemin de l'aller, la glace et le givre avaient rendu les ascensions périlleuses, la boue et le gravier permettaient au pachyderme de descendre sans trop de difficulté.

Déjà, les rutilantes corolles des renoncules des glaciers fleurissaient sur les névés qui, peu à peu, étaient absorbés par la terre, tandis que les hirondelles zigzaguaient dans l'azur au-dessus de la tête de Poignard de la Loi, sans pour autant arriver à l'égayer.

À force de pousser le pachyderme, d'asticoter le cornac et de ne dormir que quelques heures par nuit, celui-ci finit par arriver, exténué, au monastère de l'Unique Dharma, en deux fois moins de temps qu'à l'aller !

Là, il fut accueilli sous les vivats par toute la communauté. Dès que les guetteurs virent le premier acolyte redescendre de la montagne, tous les moines se rassemblèrent dans la cour principale pour lui faire une haie d'honneur.

Même l'éléphant Sing-sing eut droit à sa guirlande de papier en signe de bienvenue.

Quand il entra dans l'enceinte de l'Unique Dharma, Poignard de la Loi entendit la même phrase, murmurée avec tristesse par toutes les lèvres, des plus vieux moines aux plus jeunes novices :

— Bouddhabadra n'est pas revenu ! L'Inestimable Bouddhabadra n'est toujours pas revenu !

Et cette mélopée lancinante, prononcée presque sur le ton de la déploration, en disait long sur l'immense désarroi dans lequel ses disciples, orphelins inconsolables de leur maître spirituel, étaient plongés depuis qu'il les avait quittés.

Malgré son extrême fatigue, Poignard de la Loi rassembla ses ultimes forces et monta au balcon qui donnait sur la cour d'honneur du monastère, avant de délivrer, de sa voix la plus forte, à l'ensemble de la communauté massée à ses pieds les informations qu'elle était en droit d'attendre.

Et les mots, en l'occurrence, n'étaient pas faciles à trouver.

— Mes chers frères, il ne faut surtout pas perdre espoir…

À peine avait-il prononcé ce début de phrase que les pleurs et les gémissements fusèrent de toute part.

Face à cette sensiblerie quelque peu agaçante, que lui fallait-il donc dire à ses frères ?

Ils n'attendaient tous, en fait, qu'une chose, c'était que Poignard de la Loi leur donnât de bonnes nouvelles de Bouddhabadra.

Il craignait, s'il leur racontait les détails de son voyage, et singulièrement sa rencontre avec Cinq

Défenses, le *ma-ni-pa* et les Jumeaux Célestes, qu'ils ne finissent par s'y perdre.

Alors qu'il était parti à la recherche de leur Inestimable Supérieur, ses frères en religion ne pourraient pas comprendre pourquoi Poignard de la Loi s'était mis en tête d'aider un moine du Grand Véhicule à s'extirper des griffes d'une escouade de brigands parsis, au point d'accepter, alors qu'il avait mieux à faire, de se rendre avec lui jusqu'à Dunhuang, dans une oasis où Bouddhabadra n'avait que fort peu de chance de se trouver...

L'étrangeté de son périple était telle qu'il lui était même difficile d'en faire état, sous peine de passer aux yeux de sa communauté tout entière pour le plus fieffé des menteurs.

En outre, il avait promis de ne jamais divulguer les informations sibyllines délivrées par Ramahe sGampo, relatives à cette réunion secrète à laquelle son Supérieur s'était rendu.

Aussi le plus pertinent était-il encore de leur en dire le moins possible, tout en les rassurant.

— Je ne suis pas allé pour rien, bien chers frères, au Pays des Neiges !

— Ne m'avais-tu pas dit que tu allais chercher de l'encens pour le Petit Pèlerinage et que tu serais de retour avant son ouverture ? s'écria la voix aigrelette du moine Corbeille à Offrandes.

— Je ne te devais pas la vérité ! L'Unique Dharma était suffisamment plongé dans l'affliction pour que je n'aille pas en rajouter en annonçant que je partais à la recherche de notre Inestimable Supérieur. Seul Joyau de la Doctrine était au courant ! lui rétorqua Poignard de la Loi.

— Le Bienheureux Bouddha n'a pas voulu que notre Inestimable Supérieur revienne au monastère. J'en étais sûr ! À sa place, n'aurions-nous pas agi de même ? Moi, je le comprends ! Il était si près du stade ultime de l'arhant, celui qui permet d'échapper au cycle interminable des naissances et des morts, qu'il a, à juste titre, souhaité en profiter pour s'évaporer... Il va terriblement nous manquer pour le Grand Pèlerinage, surtout après le désastre du Petit ! gémit une voix, bientôt imitée par les lamentations des autres.

— Qui vient de parler ainsi ? demanda Poignard de la Loi à la foule.

— C'est moi, bien sûr, Joyau de la Doctrine ! Tu m'as certes averti, sous le sceau du secret, que tu partais, mais cela ne m'a pas empêché de devoir improviser, en présentant moi-même le cœur de santal à la foule des pèlerins, alors qu'un bon nombre d'entre eux, déçus de ne pas voir l'éléphant sacré le porter sur sa nacelle argentée, protestaient vigoureusement ! J'ai dû tout prendre sur mes épaules ! Heureusement, elles sont encore larges, Poignard de la Loi ! tonna l'intéressé, défiant du regard ce concurrent qu'il haïssait.

— Tu n'as pas l'air d'en avoir trop souffert ! lui assena celui-ci, agacé.

Entretenant depuis toujours d'exécrables rapports avec Poignard de la Loi, le moine Joyau de la Doctrine avait très mal pris que Bouddhabadra, quelques années auparavant, le lui préfère et le nomme premier acolyte.

Sa dévotion n'avait jamais été prise en défaut, mais il passait son temps à dénigrer celui qu'il considérait comme un usurpateur.

Ses propos, uniquement destinés à mettre en difficulté Poignard de la Loi, avaient l'air de porter car la petite foule des religieux commença à maugréer, puis à gronder.

Des protestations fusèrent, encouragées par le véritable défi lancé par Joyau de la Doctrine à celui d'entre eux qui revenait bredouille du Pays des Neiges.

— À bas, Poignard de la Loi ! À bas, le premier acolyte !

Ces invectives eurent tôt fait d'avoir raison de la patience de celui-ci.

— Si vous voulez tout savoir, quand je suis parti à la recherche de Bouddhabadra, la relique du Cil du Bouddha n'était plus dans l'armoire forte de sa cellule. Votre Inestimable Supérieur était parti avec ! hurla-t-il à l'assistance, décidé à lui dire toute la vérité.

— Pourquoi, dans ce cas, ne nous as-tu pas avertis ? lui lança, du tac au tac, un autre moine du nom de Sainte Voie aux Huit Membres.

Non sans surprise, Poignard de la Loi se rendait compte que ce n'était plus le moine jovial, toujours bon camarade, qu'il avait en face de lui, mais bel et bien un individu hostile, probablement remonté par Joyau de la Loi.

Pendant qu'il n'était pas là, son rival avait comploté contre lui !

— À quoi cela aurait-il servi ? J'ai préféré en faire exécuter une copie par un ébéniste de Peshawar ! Au moins, cela vous a permis d'organiser le Petit Pèlerinage. Qu'auriez-vous fait si j'étais parti au Pays des Neiges comme si de rien n'était ? tonna, excédé, Poignard de la Loi.

— Et le cil qui est à l'intérieur de ton reliquaire en santal, d'où provient-il ? gloussa alors drôlement le moine Corbeille à Offrandes dont le triple menton tremblotait d'excitation.

— D'ici même ! C'est le mien ! s'écria le premier acolyte en posant un index sur son œil droit.

— C'est choquant et scandaleux ! lâcha Joyau de la Doctrine.

Poignard de la Loi n'était pas vraiment étonné par ces reproches jetés ainsi à sa figure, devant le monastère au grand complet. Ils participaient d'une offensive en bonne et due forme, sans doute élaborée de longue date.

— Ce qui aurait été choquant et scandaleux, de ma part, c'eût été de vous abandonner dans l'embarras, alors que je savais que le coffret de santal n'était plus dans l'armoire forte de Bouddhabadra. Tu noteras au moins ma franchise, Joyau de la Doctrine. Rien ne m'obligeait à faire tout cela pour notre samgha, si ce n'est l'immense respect que j'éprouve à son égard et ma profonde affection pour chacun d'entre vous ! conclut, un rien théâtral, Poignard de la Loi dont les propos soulevèrent quelques maigres applaudissements.

— Tu as fait ton devoir et moi j'ai fait le mien : à tous les dévots qui regrettaient l'absence de l'éléphant blanc sacré, j'ai expliqué qu'ils auraient droit, lors du prochain Grand Pèlerinage, à la présentation simultanée des deux reliques du Très Saint Bienheureux : celle de son Cil et celle de ses Yeux Lumineux ! précisa Sainte Voie aux Huit Membres, tandis qu'un très vieux moine, au dos cassé, venait s'incliner devant le premier acolyte en signe de respect.

— J'espère bien que nous ne les décevrons pas ! murmura pensivement ce dernier, comme s'il se fût parlé à lui-même, sans se rendre compte que Sainte Voix aux Huit Membres entendait ses propos.

— Si nous ne pouvions pas tenir cette promesse, ce serait dangereux ! L'immense foule des dévots ne nous le pardonnerait pas. Il fallait voir, déjà, la déception de ces milliers d'hommes et de femmes, présents ici même, dans cette cour, quand il leur fut expliqué que l'éléphant sacré était parti au Pays des Neiges ! Derrière leurs gémissements perçait une sourde violence, prête à exploser… s'exclama le moine, l'air mauvais.

— Heureusement qu'il te vint l'idée d'une opportune distribution de galettes au miel, destinée à apaiser leur déception... ajouta d'un air entendu Joyau de la Doctrine.

— Il me reste à vous saluer et à vous souhaiter bonne nuit ! finit par lancer, mi-figue, mi-raisin, le premier acolyte à cette assemblée qui venait de lui réserver un accueil plutôt frais.

La foule des moines se dispersa et l'éléphant Sing-sing fut conduit auprès de ses congénères, dans le bâtiment destiné aux pachydermes du couvent de l'Unique Dharma.

Poignard de la Loi, épuisé, n'avait qu'une hâte, c'était de prendre un peu de repos dans sa cellule, le temps de recouvrer les forces nécessaires pour procéder à l'ultime vérification.

Sa nuit ne fut pas longue. Le lendemain, à l'aube, le cœur battant, muni d'un petit maillet de bronze et d'un ciseau de sculpteur, il se dirigea à la hâte vers la haute tour du stûpa-reliquaire de Kaniçka.

L'imposant monument se dressait fièrement, illuminé de rose par les rayons de l'aurore, au bout de l'allée bordée de cyprès centenaires qui partait du portail principal de l'Unique Dharma et menait jusqu'à son soubassement.

C'était là, sur cette petite route au dallage soigneusement désherbé, qu'avait lieu la procession quinquennale au cours de laquelle l'éléphant blanc sacré, marchant sur les tapis précieux étendus par les dévots, transportait le trésor inestimable des Yeux de Bouddha, enfermé, le reste du temps, dans la niche supérieure du reliquaire géant.

Pour atteindre la cache où était murée la petite boîte en or pur, de forme pyramidale, il fallait monter par un escalier intérieur jusqu'à la dernière des huit plates-formes du reliquaire géant, puis, faisant fi du vertige, grimper à une échelle de bambou fixée le long de la paroi de briques recouverte de fleurs de lotus en stuc.

Arrivé tout en haut de l'édifice, le premier acolyte, presque asphyxié par l'essoufflement, regarda en contrebas l'énorme socle qui en formait le pied, festonné comme une large jupe.

Vue d'en haut, la base du reliquaire se confondait avec le dallage du sol de l'aire sacrée sur laquelle il avait été construit.

Au loin, les remparts du monastère de l'Unique Dharma, minuscules, se confondaient avec l'horizon que le soleil faisait poudroyer.

Craignant d'être pris de vertige, Poignard de la Loi se concentra et se mit au travail.

Fébrilement, à l'aide de son petit marteau de bronze et de son ciseau, il fit tomber la mince cloison de torchis qui murait le tabernacle.

À sa grande surprise, ce torchis était humide et friable, ce qui prouvait qu'il avait dû être gâché peu auparavant.

Il comprit pourquoi lorsque, après avoir déblayé un petit tas de poussière grisâtre, il put enfin accéder à l'intérieur de la niche sacrée.

Son intuition avait été la bonne.

La petite pyramide en or massif, aux poignées d'ivoire représentant des bouquetins affrontés, chef-d'œuvre de l'orfèvrerie de la dynastie des Kuçana, était renversée et ouverte.

Sa serrure n'avait même pas été forcée.

Quelqu'un, ainsi que Ramahe sGampo l'avait laissé entendre, et contrairement à la légende, en possédait donc la clé.

Et le petit coffre en or était vide.

Il n'y avait nulle trace des reliques saintes.

Quant à Poignard de la Loi, il eût été bien incapable,

à ce moment-là, de dire si les Yeux de Bouddha étaient une légende ou s'ils avaient réellement disparu du sommet de l'une des toursreliquaires les plus sacrées de l'Inde.

Le mystère, décidément, continuait à s'épaissir.

Tel un automate, Poignard de la Loi redescendit avec précaution du haut du Grand Reliquaire.

Que faire ?

Annoncer la nouvelle à ses frères revenait à les anéantir !

Faire porter le chapeau à Bouddhabadra, dont il était sûr qu'il avait emmené les Yeux de Bouddha au Pays des Neiges ?

C'était dangereux et peut-être injuste… et tout aussi dévastateur pour la communauté de l'Unique Dharma que l'annonce de la disparition des reliques saintes.

La seule solution était donc de les retrouver.

Mais où ?

Sans doute là où se cachait Bouddhabadra…

Revenir à Samyé ! Tout raconter à Ramahe sGampo… là-bas, reprendre les fils de l'enquête…

Voilà ce qui lui restait à faire.

Le pauvre Poignard de la Loi, tout à ses scrupules et à son souci de bien faire, ne se doutait pas que, quelques instants plus tard, une autre surprise réduirait à néant les superbes plans qu'il était en train de tirer sur la comète…

MONTAGNES DU PAYS DES NEIGES

● Peshawar

● Lhassa
● *Monastère*
de Samyé

29

Luoyang, capitale d'été des Tang, Chine, 12 avril 657

Au monastère de la Reconnaissance des Bienfaits Impériaux de Luoyang, c'était le branle-bas de combat.

Partout, l'odeur de cire embaumait l'atmosphère.

Les novices, balai de paille de riz et chiffon de laine à la main, avaient astiqué de fond en comble les bâtiments du couvent : les planchers de cèdre luisaient comme s'ils eussent été laqués et les stalles des salles de prière avaient été pourvues de petits coussins de soie flambant neufs.

Pour la première fois, l'impératrice en personne s'était fait annoncer auprès du Supérieur, maître Pureté du Vide.

Elle lui avait adressé un court message, huit jours plus tôt, par lequel elle l'informait de sa décision de lui rendre la visite qu'il lui avait faite, l'année précédente.

Aussitôt, le Supérieur avait donné des instructions pour que tout le couvent fût resplendissant et que les plus belles bannières peintes fussent exhumées des lourdes armoires en bois de rose de la bibliothèque pour être accrochées aux murs.

Le monastère de Pureté du Vide s'était alors transformé en musée idéal de la peinture bouddhique.

En l'honneur de l'impératrice, les plus admirables effigies du Bienheureux et de sa divine suite avaient été exposées : Guanyin-Avalokiteçvara, le Bodhisattva compatissant, Maitreya, le Bouddha de Demain, et Amida, celui qui régnait sur le Paradis de l'Ouest.

Avec ces superbes peintures religieuses à la polychromie délicate, où pas un attribut ne manquait aux divins modèles, tout le panthéon bouddhique s'offrait au regard averti de l'auguste visiteuse.

Devant ces chefs-d'œuvre d'élégance et de précision brûlaient des myriades de cierges et de bâtonnets d'encens, fichés dans de grandes jarres en bronze remplies de cendres à ras bord. Au-dessus des édifices baroques que constituaient leurs socles, des sculptures en rondebosse représentaient le même panthéon.

Certaines étaient taillées dans du bois de cèdre, tandis que d'autres, de dimensions plus modestes, étaient l'œuvre d'artisans bronziers spécialisés dans la dorure, qui donnaient à ces figurines votives, éclairées par des milliers de cierges, l'aspect scintillant de véritables bijoux précieux.

Cet important voyage de l'impératrice de Chine répondait à une double préoccupation de sa part.

Il s'agissait d'abord de calmer l'éventuelle impatience de Pureté du Vide vis-à-vis de la promesse qu'elle lui avait faite, un an plus tôt, de lui fournir la soie nécessaire pour ses bannières peintes.

La seconde, plus importante à ses yeux, n'avait d'autre but que de la rassurer elle-même.

C'était en effet pour la bouddhiste fervente qu'était Wuzhao l'unique façon de vérifier que le drame qu'elle venait de subir ne témoignait pas de l'abandon par le Bienheureux Bouddha de la protection qu'il n'avait jamais cessé de lui prodiguer, depuis que Taizong le Grand l'avait extraite de sa condition de courtisane à moitié esclave.

Or, elle ne voyait pas à qui d'autre que Pureté du Vide elle aurait pu confier ses angoisses. Il n'y avait guère que le grand maître de Dhyâna qui fût capable, le cas échéant, d'intercéder en sa faveur auprès de l'Éveillé.

— Je ne vous ai pas oublié. La pénurie de soie m'a simplement obligée à remettre à plus tard ce que j'ai promis de vous envoyer, dit-elle en guise d'entrée en matière.

— Je sais. Ici non plus, à Luoyang, on ne trouve pas le moindre coupon de soie disponible…

— Je mène une enquête pour le compte de l'empereur sur un trafic de soie clandestine. La pénurie donne des idées à des personnages sans scrupules. C'est un réseau tentaculaire, qui, peu à peu, s'est mis en place…

— Je suis au courant, Majesté ! répéta, l'air absent, le Supérieur du plus grand monastère mahâyâniste de Chine.

Les propos de Wuzhao lui rappelaient étrangement les termes de ce marché qu'il avait passé fort naïvement avec Bouddhabadra, un an et demi plus tôt, croyant que cela leur permettrait de remédier au fiasco de cette ultime réunion conciliaire dû à l'absence de Nuage Fou : des cocons et des vers, c'est-à-dire l'assurance, pour l'Unique Dharma, de gagner beaucoup d'argent en produisant de la soie en Inde, contre la petite boîte de bois de santal en forme de cœur… un pacte dont il savait désormais, n'ayant plus aucune nouvelle de l'intéressé, qu'il était devenu caduc.

— Votre envoyé Premier des Quatre Soleils Illuminant le Monde m'a fait part de vos inquiétudes au sujet de la bonne marche de l'Église du Grand Véhicule…

J'espère qu'elles se sont apaisées et que vous n'avez plus lieu de vous inquiéter ! lança-t-elle pour essayer de le faire réagir.

Le résultat de ce coup de sonde ne se fit pas attendre.

— Majesté, hélas, ce n'est pas le cas ! J'ai envoyé un de mes moines les plus brillants s'acquitter d'une mission destinée à calmer mes craintes. Or, ce garçon, le plus fidèle et le plus astucieux d'entre tous, de surcroît adepte hors pair des arts martiaux, n'est pas revenu du monastère tibétain où il devait se rendre. Je ne peux pas croire à un accident... s'écria-t-il, sortant soudainement de son quant-à-soi.

— Peut-être a-t-il changé de voie en cours de route ? Après tout, les tentations sont grandes dans le vaste monde qui s'étend de la Chine au pays de Bod !

— C'est impossible, Majesté Wu. Ce jeune moine a toute ma confiance ! C'est un fervent bouddhiste.

— Et s'il avait rencontré une jolie femme dont il serait tombé amoureux ? déclara Wuzhao en regardant Pureté du Vide d'un air entendu.

Jusque-là, elle avait parfaitement réussi à l'amener là où elle le souhaitait.

— Dans ce cas, il mériterait rien de moins que l'Enfer Froid. Cinq Défenses a professé les vœux de chasteté et a juré à la communauté de la Reconnaissance des Bienfaits Impériaux de lui consacrer toute sa vie ! Ce garçon possède des qualités exceptionnelles, tant physiques qu'intellectuelles. Je suis allé jusqu'à en faire l'un de mes assistants personnels. Au grand monastère de Luoyang, Cinq Défenses est promis aux plus hautes fonctions religieuses ! Je ne peux imaginer une telle trahison de sa part ! s'emporta-t-il.

— Seriez-vous capable de la lui pardonner ?

— Jamais ! s'exclama d'un ton coupant comme une

lame de sabre maître Pureté du Vide dont les yeux fulminaient de colère à cette seule idée.

— Un Supérieur du Grand Véhicule ne peut-il délier de ses vœux un moine qui aurait, pour des raisons valables, changé de chemin ?

— Je ne l'ai jamais fait et compte bien m'en tenir là. On a le destin qu'on se donne ! Si on est moine bouddhiste, on a une voie toute tracée, et pas n'importe laquelle ! La Sainte Voie aux Huit Membres est la seule susceptible d'amener au statut de l'arhant, c'est-à-dire à la sainteté suprême, toute proche du statut de bodhisattva ! N'est-ce pas là un grand et beau dessein ?

— Mais la vie peut aussi faire dévier les trajectoires les plus sûres ! J'en suis un exemple vivant. Normalement, j'aurais dû être une esclave au service d'un marchand de meubles, ou bien d'un notaire… et me voilà impératrice !

— Pas pour ceux qui sont animés par la Foi dans la Vérité, dont je précise, Majesté, que vous faites partie ! susurra le Supérieur de Luoyang avec une suprême habileté. Quant à Cinq Défenses, si c'est de lui qu'il s'agit, j'aurais encore moins de raisons de lui concéder le moindre passe-droit ! De sa part, un tel comportement serait une trahison gravissime, compte tenu de la confiance que je lui ai accordée en le chargeant de cette mission ultrasensible ! tonna Pureté du Vide, oubliant le calme dont d'ordinaire il ne se départait pas.

L'impératrice de Chine comprit qu'il était inutile d'aller plus loin et que ce pauvre Cinq Défenses aurait le plus grand mal, même si elle intervenait plus directement encore en sa faveur, à obtenir ce qu'il cherchait.

Elle voyait dans les yeux du Supérieur tout ce qu'il pouvait y avoir d'implacable — et presque de terrifiant — chez les religieux qui étaient aussi de grands mystiques.

Leurs certitudes et leur soif d'absolu étaient telles qu'ils admettaient difficilement, surtout chez leurs proches disciples, les réflexes banals des êtres faits de chair et de sang qu'ils étaient !

Wuzhao, qui était venue là pour trouver du réconfort, se sentit déstabilisée par tant de véhémence et totalement désemparée par la profondeur des abysses qui la séparaient de Pureté du Vide.

Était-elle vraiment du même monde que lui ?

Entre ce mysticisme quelque peu inhumain et sa propre religiosité, tempérée de pragmatisme, qu'y avait-il de commun ?

Ne faisait-elle pas tout simplement fausse route en espérant obtenir du réconfort de la part d'un homme aussi austère ?

Car la vraie dureté était plutôt du côté du grand théoricien de la Vacuité Pure que de celui de cette femme capable du pire comme du meilleur !

— Maître Pureté du Vide, je viens de perdre une petite fille ! s'exclama-t-elle soudain, avant de fondre littéralement en larmes.

Stupéfait, le maître de Dhyâna regardait le beau visage de l'impératrice de Chine noyé de pleurs.

Il y a ainsi des êtres dont on imagine que la force intérieure est telle que de les voir pleurer, comme un enfançon meurtri, paraît irréel.

Et Wuzhao, aux yeux de Pureté du Vide, était de ceux-là.

Pour les mêmes raisons, quelques jours plus tôt, la sage-femme du palais impérial, une matrone aussi grosse que revêche, qui avait accouché l'impératrice de Chine, avait dit la vérité à celle-ci sans prendre de gants.

— Majesté, le bébé est mort ! Ce n'était qu'une fille ! avait donc soufflé, sans la moindre précaution ni entrée en matière, celle dont les mains expertes avaient recueilli l'enfant au petit corps déjà bleui et fripé.

— J'ai bien senti qu'il ne bougeait plus ! avait murmuré l'impératrice dont la face, d'une pâleur extrême, était constellée de minuscules gouttes de sueur dues à l'effort intense d'un accouchement difficile.

Un cortège de médecins avait alors fait son entrée dans la chambre de la souveraine pour lui administrer les pilules et les onguents qu'on donnait aux parturientes.

Personne ne l'avait plainte, ne lui avait même jeté l'ombre d'un regard de compassion.

Forcément.

C'était une petite fille qui était mort-née.

Cela n'avait donc aucune importance, du point de vue de la lignée impériale.

Il eût été inconvenant de s'apitoyer sur l'impératrice, et encore plus quand elle s'appelait Wuzhao et que sa réputation de combattante aguerrie, prête à tout pour arriver à ses fins, n'était plus à faire…

D'ailleurs, Gaozong, tout occupé à courir les jeunes concubines à peine pubères, lorsqu'on lui avait appris de quel sexe était le bébé qui n'avait pas survécu n'avait pas eu le moindre mot de réconfort en arrivant au chevet de son épouse.

L'impératrice en avait souffert en silence.

Arrivée là où elle était par sa seule volonté, elle n'avait ni mère, ni sœur, ni cousine, ni duègne, et encore moins de confident, si ce n'était le Muet, à qui elle pût confier un tel chagrin, qui l'avait amenée dans l'antichambre du désespoir.

— Dix étoiles ne sauraient masquer la lune, Votre Majesté ! s'était contentée de soupirer Wuzhao devant son époux, à la première occasion, quelques jours après l'accouchement.

En employant ce proverbe qui faisait allusion à la primauté accordée au fils de l'épouse légitime par rapport aux enfants issus des concubines, elle espérait toucher le cœur de Gaozong.

En prévision de cette discussion, elle s'était parée de ses plus beaux atours, laissant largement entrevoir par l'échancrure de son corsage ses formes à peine déformées par la grossesse.

Mais cela avait été peine perdue.

L'empereur continuait à regarder désormais vers de plus jeunes qu'elle et il avait fait comme s'il n'avait rien entendu.

Depuis ce drame, elle se sentait seule dans son propre monde, à affronter les malheurs et les bonheurs que son destin hors normes lui réservait.

Son unique réconfort était la certitude que la lumière du Bienheureux Bouddha, pareille à un soleil, éclairait ce monde, même si, certains jours, cet astre lui paraissait pâle et absent, tellement il était voilé par les nuages.

Et elle constatait à présent que Pureté du Vide n'était pas celui qui l'aiderait à surmonter la mauvaise passe qu'elle traversait, et qui la laissait un peu dépressive.

Se faisant une terrible violence, elle essuya donc ses larmes pour redevenir celle dont elle montrait ordinairement le visage : l'implacable et omnipotente souveraine de l'empire des Tang.

— L'impératrice de Chine s'excuse de s'être mise dans cet état. Son voyage en bateau depuis Chang An, en raison des remous de l'eau du Grand Canal dus au vent, l'a tout simplement quelque peu fatiguée ! lâcha-t-elle.

— Nous vous avons réservé la chambre impériale du couvent de la Reconnaissance des Bienfaits Impériaux. Seul l'empereur Taizong le Grand y a dormi, à deux reprises, Majesté, lui répondit Pureté du Vide sur le même ton protocolaire.

La chambre impériale en question était à peine plus grande qu'une cellule de moine.

Elle était située au premier étage de la pagode principale du monastère, si bien qu'il était possible d'assister aux cérémonies sans quitter son lit.

Deux jours durant, Wuzhao se ressourça ainsi en regardant les moines et les moniales venir en procession assister aux sermons des prédicateurs, avant de se réunir pour prier, à plat ventre sur le sol, dans un nuage d'encens, devant les statues sacrées.

Avec délectation, telle la plus pieuse des dévotes, elle jeûna et revêtit une simple robe de bure, joignant ses supplications à celles des officiants qui imploraient le Bienheureux et ses intercesseurs de les accueillir dans le Parinirvana.

Hors du monde, elle se sentait protégée.

Loin de la cour, elle était bien.

Elle en venait presque à regretter le temps où elle était nonne, après la mort de Taizong.

Et puis, malheureusement, il lui fallut prendre congé de Pureté du Vide et de son havre de paix.

À Chang An, Gaozong n'eût pas admis que son épouse s'absentât davantage.

Dans le bateau du retour, sur ce canal navigable bordé par les amandiers en fleur qui avait vu mourir des dizaines de milliers de prisonniers de guerre lors de son creusement, elle repensait à ce que le grand maître de Dhyâna lui avait dit, lorsqu'elle était allée prendre congé de lui.

Elle hésitait quant aux conclusions qu'il fallait en tirer.

Était-ce une sorte d'appel au secours ? Ou une sourde menace ?

— Majesté, le Mahâyâna a besoin de votre appui. Peut-il compter dessus ? avait demandé avec insistance le Supérieur.

— Ma foi est intacte. Sans elle, je ne serais rien ! avait-elle assuré avec véhémence.

— L'Église du Grand Véhicule ferait un bon pilier d'un empire dont le chef professerait sa foi autant que vous le faites, Majesté.

— Je m'engage à vous fournir la soie nécessaire à vos bannières avant la fin de l'année lunaire ! Sans cette terrible pénurie, je vous l'aurais déjà fait livrer ! s'était-elle écriée, agacée, croyant que le Supérieur lui signifiait par une telle entrée en matière qu'elle ne devait pas oublier sa promesse…

— Majesté, je ne parle pas de ça, mais d'une chose bien plus importante ! lui avait répondu, d'un ton fébrile, Pureté du Vide.

— Qu'est-ce à dire ?

— Il s'agit de vous et de personne d'autre. Ce pays, impératrice Wuzhao, aurait besoin d'un empereur de votre trempe, dont le premier acte serait de faire du bouddhisme la religion officielle de l'empire du Milieu.

Sur le moment, Wuzhao avait été tellement surprise qu'elle n'avait même pas eu la présence d'esprit de réagir favorablement.

Confuse et quelque peu estomaquée, elle s'était contentée de bafouiller une réponse de circonstance.

Mais à présent qu'elle voguait sur cette immense barque impériale, puissamment actionnée par cent rameurs dont le rythme était donné par la cadence du tambour, l'impératrice comprenait mieux la portée et le sens de ce message inavouable qu'elle venait de recevoir de la part du chef de l'Église du Grand Véhicule.

Et si tout cela n'avait été qu'un pragmatique donnant, donnant ?

L'appui des bouddhistes à l'impératrice, moyennant la consécration du Grand Véhicule en tant que religion officielle de l'empire du Milieu : voilà ce que le chef suprême de l'Église bouddhiste chinoise venait de lui suggérer.

Un accord au sommet !

Un pacte secret qui scellerait l'alliance définitive, dans le plus grand pays du monde, entre le pouvoir spirituel et le pouvoir temporel !

Et cette perche tendue par Pureté du Vide lui permettait d'envisager la mise en œuvre de la stratégie de l'union du Trône et de l'Autel, à laquelle elle pensait depuis longtemps.

Car cette alliance qui avait toujours paru à Wuzhao nécessaire à l'accomplissement de son grand dessein, voilà qu'elle se trouvait à portée de main !

N'était-ce pas la preuve que le Divin Bienheureux continuait à la protéger et à l'éclairer de sa Lumière ?

Et n'avait-elle pas eu tort d'en douter ?

Une fois de plus, elle constatait que son pire ennemi était ce terrible doute qui, parfois, s'emparait d'elle, au point de la tarauder, de lui faire souffrir mille maux et même de l'anéantir, en l'obligeant à dix mille efforts pour se persuader à nouveau qu'elle était dans le droit chemin et qu'elle ne devait en aucun cas dévier de sa route.

L'ouverture de maître Pureté du Vide constituait le meilleur encouragement à persévérer.

Et ce n'était pas la mort de cette petite fille qui devait l'en empêcher.

Yeux mi-clos, passablement requinquée, assise sur le fauteuil sculpté fixé à l'arrière du pont de la barque, éventée par des serviteurs s'inclinant respectueusement chaque fois qu'ils passaient devant elle, Wuzhao s'imaginait en empereur de Chine, tandis que le paysage de rizières gorgées d'eau et de champs impeccablement labourés défilait à toute allure.

Une femme, empereur de Chine !

Ce qu'elle retenait, avant tout, de sa visite auprès du Supérieur de Luoyang, c'était que ce rêve fou, cette idée inouïe, que d'aucuns eussent pris pour un monstrueux caprice alors qu'il s'agissait d'un projet mûrement réfléchi, devenait tout bonnement possible.

Aussi, quand elle revint à Chang An, Wuzhao avait-elle retrouvé toute son énergie et toutes ses certitudes.

Elle était méconnaissable, bien moins déprimée et inquiète que lors de son départ.

Et beaucoup moins anxieuse, en tout cas, que Cinq Défenses et Umara qui l'attendaient devant la porte du Pavillon des Loisirs où elle s'était empressée d'aller leur rendre compte de ses entretiens avec Pureté du Vide.

L'impératrice ne mâcha pas ses mots.

— Ton ancien Supérieur n'est pas homme à passer l'éponge… Je ne lui ai pas dit que tu étais à mon service. C'est lui qui m'a parlé de la mission qu'il t'avait confiée. Il ne conçoit pas un instant que tu aies pu tomber amoureux. Quand j'ai évoqué cette hypothèse, il l'a tout simplement fustigée !

— J'en étais sûre ! gémit Umara. Les chefs d'Église sont peu enclins au pardon envers leurs proches collaborateurs ! Il me suffit d'imaginer mon père avec Diakonos…

— Les bouddhistes sont animés par la compassion et professent la non-violence. Pourquoi donc Pureté du Vide me le refuserait-il, alors que je n'ai rien fait de mal, pas plus que je n'ai renié ma foi ? s'écria, révolté, le malheureux Cinq Défenses.

— Il ne faut pas te décourager, nous trouverons bien un moyen d'amener ton ancien Supérieur à de meilleures intentions, murmura Wuzhao, soucieuse de réconforter son protégé.

— Je ne vois guère lequel ! Il est si inflexible... À Luoyang, les novices n'osent même pas le regarder en face, tellement ils en ont peur, marmonna-t-il, découragé.

— Il pourrait m'être assez redevable pour ne pas me refuser une telle faveur, si d'aventure je la lui demandais ! lâcha l'impératrice de Chine mystérieusement.

— J'en doute ! soupira l'amant d'Umara.

— Sa Majesté sait ce qu'elle dit ! protesta Umara à l'adresse de Cinq Défenses en lui faisant les gros yeux.

La jeune nestorienne craignait qu'il n'eût vexé Wuzhao, en paraissant ainsi remettre en cause ses propos.

— Je lui ai promis de lui livrer de la soie pour servir de support à des bannières rituelles peintes. Il est d'usage de remplacer tous les ans ces peintures votives par des neuves ; mais la pénurie de soie empêche actuellement Pureté du Vide de le faire.

— Pourquoi la soie manque-t-elle à ce point ? interrogea Umara.

— Sa demande ne cesse de croître dans les pays de l'Ouest. Et le ver est un petit animal fragile. Avant de procéder à la sécrétion du fil à cocon, il arrive souvent à la chenille de se dessécher et de mourir !

— Cette maladie du bombyx n'est-elle pas guérissable ? s'enquit Umara.

— Certains bouddhistes affirment que c'est la façon dont le papillon fait savoir aux hommes qu'il n'est pas d'accord avec le sacrifice de sa larve, au moment où le cocon est ébouillanté ! répondit l'impératrice.

— Je n'y avais pas pensé ! C'est vrai que le sort des âmes réincarnées dans le ver à soie n'est pas des plus enviables... murmura Cinq Défenses, pensif.

C'était la première fois qu'il entendait parler de l'hypothèse dont l'impératrice de Chine venait de faire état.

— Cela fait des mois que l'administration de la Soie essaie de remédier à ces détestables épidémies, sans le moindre succès. Les quelques coupons de soie qui sortent du Temple du Fil Infini sont réservés au magasin central, là où sont entreposées les réserves stratégiques de l'État, celles qui sont utilisées en dernier recours, lorsque, par exemple, l'argent ne suffit pas pour payer la solde des officiers en temps de guerre. Toutes les autres manufactures impériales sont en chômage technique ! ajouta Wuzhao avec un peu d'agacement.

— Et n'y a-t-il pas moyen d'aller en chercher dans les réserves du magasin central ? demanda ingénument la jeune nestorienne.

— La clé de cet entrepôt, qui est gardé jour et nuit par trois cents hommes, reste entre les mains de l'empereur. Gaozong l'a toujours sur lui, dans une poche intérieure de sa ceinture… Et je ne suis que l'impératrice de Chine, pas son empereur, soupira-t-elle.

— Vous pourriez peut-être un jour le devenir, Votre Majesté ! s'écria alors Umara.

— Qu'est-ce qui te fait dire cela ? lança, amusée, l'intéressée, tandis que Cinq Défenses faisait à son tour les gros yeux à son amante.

— À Dunhuang, chacun prétendait que vous étiez la dirigeante de fait de l'empire du Milieu, Votre Majesté…

— Il faut toujours se méfier des on-dit !

— En tant que femme, ça me plairait, poursuivit en souriant la jeune chrétienne nestorienne.

— Avec un soutien tel que le tien, qui sait ! souffla l'impératrice, qui ne plaisantait qu'à moitié.

Wuzhao finissait par être attendrie devant la spontanéité de cette jeune fille qui s'exprimait avec son cœur.

— En attendant, si la situation n'évolue pas, je serai dans l'incapacité d'honorer la promesse que j'ai faite à maître Pureté du Vide de lui fournir la soie pour ses bannières votives ! Il risque de m'en vouloir pour longtemps ! ajouta Wuzhao.

— Et moi de ne jamais obtenir son pardon ! commenta Cinq Défenses qu'une telle éventualité n'avait pas l'air de troubler outre mesure, avant d'ajouter : On ne trouve donc même plus de soie clandestine à Chang An ?

— Plus un seul pouce, hélas !

— Tout trafic aurait donc cessé ? s'enquit la jeune chrétienne nestorienne.

— Le mois dernier, j'ai fait stopper l'enquête sur le réseau utilisé par les trafiquants de soie, pour la simple raison que toute contrebande a disparu, faute de marchandise ! Il n'y a pas plus de soie sur le marché noir que sur le marché officiel ! lâcha Wuzhao, quelque peu énervée.

Umara et Cinq Défenses assistaient à l'un de ces brusques changements d'humeur de l'impératrice Wuzhao, dont le comportement, à cet égard, perturbait toujours ses interlocuteurs, lesquels ne savaient jamais à l'avance comment elle réagirait à telle ou telle de leurs remarques.

Elle avait l'air, à présent, follement inquiète et semblait avoir perdu toute sa sérénité, comme si les effets de son séjour à Luoyang avaient brusquement cessé.

Ils l'observaient qui allait et venait en se tordant les mains devant eux comme la plus malheureuse des femmes, tandis que la chienne Lapika avait entrepris de se frotter contre ses jambes, tout en léchant le bas de sa somptueuse robe de soie, brodée d'or et d'argent.

— Il faut que nous aidions cette femme ! Regarde un

peu sa détresse ! Elle me fait pitié… chuchota Umara, émue aux larmes, à l'oreille de son amant.

Celui-ci hésitait sur la conduite à tenir.

Devait-il vendre la mèche à l'impératrice, en guise de réconfort, en lui parlant de Pointe de Lumière et de la soie manichéenne ?

Il observa Umara et vit dans ses yeux une invitation à révéler ce qu'il savait à Wuzhao.

— J'ai peut-être une piste susceptible de vous tirer d'embarras, Votre Majesté… finit par avancer l'assistant de Pureté du Vide, après quelques instants de réflexion.

— Je t'écoute, dit sur un ton morne et las l'impératrice de Chine qui n'était plus que l'ombre d'elle-même.

— Avant notre arrivée ici, aux abords de la Grande Muraille de Chine, nous avons croisé un jeune couple fort sympathique. Elle était chinoise et s'appelait Lune de Jade ; il était koutchéen et s'appelait Pointe de Lumière.

— Lune de Jade, voilà un joli nom, au demeurant fort peu courant ! lâcha-t-elle.

— C'était un jeune couple charmant. Ce Pointe de Lumière nous expliqua être un spécialiste de la sériciculture ; de religion manichéenne, il revenait chez lui, à Turfan, avec la ferme intention de relancer la production de fil de soie de l'Église de Lumière ! Quant à Lune de Jade, elle avait travaillé à la filature impériale du Fil Infini, expliqua Cinq Défenses.

— Je ne vois pas ce qu'il pourrait faire pour moi ! Turfan, c'est déjà l'autre bout du monde ! Et si, d'aventure, on apprenait que l'impératrice de Chine fait appel à des étrangers pour devenir le pivot actif du trafic de soie proscrit par l'État lui-même, cela ferait un peu désordre, ne crois-tu pas ? maugréa-t-elle, grinçante.

Elle pouvait néanmoins constater que cette jolie paire

formée par Umara et Cinq Défenses était parfaitement sincère à son égard, puisqu'ils lui révélaient, alors que rien ne les y obligeait, ce qu'Aiguille Verte lui avait déjà appris.

— Majesté, nous pourrions, si vous le souhaitez, jouer les intermédiaires, ce qui vous permettrait de vous tenir en dehors de toute cette affaire ! proposa Umara, nullement démontée.

L'impératrice les regardait d'un drôle d'air, comme si elle découvrait sous un autre jour ce jeune moine et cette jeune nestorienne qui avaient accepté de braver, par amour, tous les interdits de leur condition, en refusant les voies toutes tracées, sans se soucier le moins du monde des risques que leur faisaient encourir leurs brusques changements de cap.

N'avait-elle pas agi de même ?

L'impératrice de Chine, dont les nobles de la cour prétendaient qu'elle n'était bonne qu'à faire régner la terreur et qu'elle n'aimait personne en dehors d'elle-même, se sentait étrangement proche de ce jeune couple d'amoureux qu'elle avait recueilli sous son toit.

Observant ce charmant Cinq Défenses, au corps athlétique et au sourire charmeur, elle en était même à se dire que, s'il n'avait pas été dans les mains d'Umara, elle n'eût pas hésité à le séduire…

— Je suis d'accord avec Umara, Votre Majesté. Si vous le décidiez, nous pourrions faire en sorte de vous procurer des coupons de soie manichéenne. Il suffirait d'aller à Turfan et de se mettre d'accord avec le jeune Koutchéen qui s'en occupe. Moyennant la promesse de votre protection, fût-elle occulte, je suis persuadé qu'il saurait convaincre le Parfait de l'Église de Lumière. Selon ses dires, Cargaison de Quiétude cherche par tous les moyens à implanter son Église dans la capitale de l'empire du Milieu ! En échange d'un appui de votre part, nul doute qu'il consentirait à un tel marché, ajouta avec allant le jeune moine du Mahâyâna.

— Cela fait des années que la Grande Chancellerie des Affaires intérieures et religieuses prépare une mesure d'assouplissement de l'exercice du culte manichéen en Chine centrale… dont les confucéens ont toujours réussi à bloquer la sortie, murmura pensivement Wuzhao.

— Si vous pouviez assurer le Grand Parfait de Turfan que vous allez déployer tous vos efforts pour que ce texte soit promulgué, il sauterait sur l'occasion ! s'exclama le jeune mahâyâniste.

— Mais comment ce Cargaison de Quiétude pourrait-il accepter tout cela, alors qu'il ne me connaît même pas ! Au nom de quoi un chef d'Église manichéenne aurait-il confiance en l'impératrice de Chine ?

— Votre renommée, contrairement à ce que vous semblez dire, dépasse largement les frontières de la Grande Muraille, Majesté, s'exclama Cinq Défenses.

— Ce type de négociation ne peut pas se mener à distance ! Je ne suis qu'une recluse dans mon palais. Qui ira négocier les termes de ce marché avec ton Pointe de Lumière et son Cargaison de Quiétude ? Qui organisera les choses ? Comment la marchandise, une fois produite, arrivera-t-elle à Chang An ? demanda l'impératrice, quelque peu incrédule.

— Je pense que notre ami le moine tibétain serait prêt à partir pour Turfan sur-le-champ afin de mener à bien une telle entreprise ! s'écria Cinq Défenses, avant de se tourner vers le *ma-ni-pa* et de lui expliquer de quoi il s'agissait.

— J'ai fait le serment de t'accompagner avec les Jumeaux Célestes jusqu'à Luoyang… Je ne voudrais pas que le Bienheureux interprète mon départ pour Turfan comme une défection de ma part… murmura celui-ci, quelque peu ennuyé.

— Tu nous rendrais un très fier service en assumant cette mission de confiance. Notre retour à Luoyang en sera quelque peu différé car j'attendrai que tu reviennes pour m'y rendre ! dit Cinq Défenses qui ne se voyait pas, en tout état de cause, compte tenu des dispositions d'esprit de Pureté du Vide, revenir actuellement devant celui-ci.

Un large sourire illumina aussitôt le visage du moine errant.

— Quand dois-je y aller ? *Om !* s'écria-t-il, l'air tout guilleret, en même temps qu'il effectuait un salto arrière.

— Si j'ai bien compris, le *ma-ni-pa* se chargerait de transmettre ma proposition à l'Église de Lumière de Turfan ? constata Wuzhao, médusée par cette acrobatie.

— Il accepte, Votre Majesté ! conclut l'amant d'Umara

— Majesté, je n'ai qu'une parole ! *Om ! Mani padme hum !*

— Le *ma-ni-pa* partira dès demain pour Turfan et dans moins de six mois, Majesté, je vous promets que vous pourrez offrir à maître Pureté du Vide un premier coupon de soie pour ses bannières peintes ! déclara alors Cinq Défenses.

— J'ai toute confiance en Pointe de Lumière. Il saura, j'en suis sûre, convaincre le Parfait Cargaison de Quiétude de l'intérêt de ce que vous lui proposez, Majesté, ajouta la jeune chrétienne enthousiaste.

Son visage rayonnait de joie lorsque l'impératrice déposa sur son front un baiser affectueux, au moment où elle les quitta pour aller rejoindre ses appartements.

Dans leur lit, ce soir-là, poussée par une bouffée de franchise et, surtout, par le remords qui la taraudait depuis des semaines, Umara jugea qu'il était grand temps de parler à son amant du terrible secret qu'elle continuait à garder pour elle.

Elle repoussa donc gentiment ses avances et le fit asseoir sagement en face d'elle.

— Il faut que je te raconte le spectacle atroce dont j'ai été le témoin. Il faut, mon amour, que je t'explique pourquoi tu m'as trouvée sur cette falaise qui surplombe le désert, après notre première rencontre sur la Route de la Soie, murmura-t-elle en frissonnant.

L'angoisse et la terreur parfaitement lisibles dans les yeux de la jeune femme en disaient long sur les traces indélébiles que cet épisode avait laissées dans son esprit.

Elle n'avait qu'à fermer les yeux pour se revoir dans cette pagode en ruine où Nuage Fou assassinait sauvagement Bouddhabadra. Les images du corps du supplicié, horriblement vidé de ses intestins, remontaient à sa mémoire, aussi nettes et précises qu'au premier jour.

— Tu as l'air bouleversée. Parle ! Dis-en un peu plus ! s'écria Cinq Défenses en la serrant dans ses bras.

— J'ai vu un homme en éventrer un autre. Juste sous mes yeux. C'était horrible… lâcha-t-elle en éclatant en sanglots.

— Où et quand était-ce, mon amour ?

— C'est arrivé dans une pagode abandonnée, peu de temps avant notre première rencontre, sur la Route de la Soie. Le spectre cauchemardesque de celui qui s'acharna contre sa victime en lui ouvrant le ventre comme on le fait avec le couvercle d'une vulgaire malle continue à hanter mes nuits !

Le visage de la jeune nestorienne, baigné de larmes, reflétait la souffrance qu'elle avait endurée en gardant pour elle un si terrible secret.

Avec une pudeur extrême, choisissant ses mots, elle

raconta à son compagnon abasourdi la scène immonde à laquelle elle avait assisté fortuitement.

— Tu as bien fait de me parler de cet horrible assassinat. Maintenant que tu t'es libérée, il te faut chasser cette scène atroce de ton esprit, Umara ! Peu à peu, j'en suis sûr, ce mauvais souvenir s'estompera. D'ailleurs, je t'y aiderai. Les vilaines choses, y compris les plus sordides, sont faites pour être oubliées ! s'écria-t-il pour la consoler.

— C'est difficile à oublier, lorsque entre-temps on découvre qui sont l'assassin et sa victime !

— Tu connaîtrais donc le nom de ces hommes ?

— Oui, hélas ! Je connais le nom de la victime. Il s'agit de Bouddhabadra, le Supérieur de Poignard de la Loi.

— Et tu n'as rien dit à Poignard de la Loi ? s'exclama, consterné, Cinq Défenses.

— Si tu savais comme je le regrette ! J'étais tellement bouleversée que j'ai bien essayé de réagir, de tout lui révéler, lorsque je l'entendis prononcer ce nom pour la première fois, à notre départ de la filature, mais aucun son ne sortit de ma bouche ! gémit-elle en se tordant les mains de désespoir.

— Je comprends, le fardeau était trop lourd à porter ! Tu l'avais enfoui si profondément en toi que le faire surgir comme ça, à l'improviste, était impossible ! souffla, bouleversé, Cinq Défenses.

— Si tu savais comme j'ai maudit cette peur et cette angoisse qui me paralysaient. Mon comportement, Cinq Défenses, fut incohérent et indigne !

— Cesse tes pleurs, mon amour. Si le courage t'a manqué, tu as des circonstances atténuantes !

— Mais à la pensée de ce pauvre Poignard de la Loi, qui continue ses recherches, sans se douter de la mort de Bouddhabadra, j'ai le cœur serré ! Si tu savais

comme j'aimerais être un oiseau pour aller le prévenir !
dit-elle, les yeux bouffis par les pleurs.

— Il finira bien par s'apercevoir, à force de le chercher en vain, que son maître n'est plus de ce monde et,
alors, il s'en retournera à Peshawar. Plus tard, si l'occasion t'est donnée de lui expliquer ton attitude, je suis
persuadé qu'il la comprendra et ne t'en voudra pas outre
mesure ! lui exposa Cinq Défenses pour la consoler,
avant d'ajouter : Si tu connais le nom de la victime, je
suppose que celui de l'assassin ne t'a pas échappé !

Umara se mit à trembler.

Dénoncer le coupable était pour elle un effort surhu-
main, tellement il était devenu innommable, tellement
elle le haïssait et s'était efforcée d'occulter son image
dans sa mémoire.

Il fallait bien, pourtant, qu'elle arrivât à le prononcer, le nom de ce sinistre personnage à la folie meurtrière, que le *ma-ni-pa* avait si souvent cité devant elle.

— Nuage Fou ! finit-elle par lâcher d'une voix
rauque. J'espère que nous n'entendrons plus jamais parler de cet homme, si tant est qu'il fasse encore partie de
l'espèce humaine...

— Tu as surtout eu de la chance de t'en sortir
indemne, mon amour. Rétrospectivement, j'en éprouve
des frissons sans fin !

— Pas plus Bouddhabadra que Nuage Fou, heureusement, ne se sont aperçus que j'étais là, prise au piège.
Après le meurtre de son compagnon, Nuage Fou tomba
dans une espèce de léthargie, de sorte que je pus m'enfuir avec...

Elle interrompit sa phrase.

— Avec quoi, Umara ? Y a-t-il autre chose dont tu
voudrais me parler ? demanda alors Cinq Défenses,
intrigué par le propos inachevé de son amante.

Celle-ci bredouilla :

— Non, mon amour, il n'y a rien d'autre que ce meurtre ! Il faut me pardonner, si je suis si troublée ! Reparler de toute cette horreur me met dans un état second...

— Umara, tu peux tout me dire ! Entre nous, il ne doit pas y avoir le moindre secret !

— Je crois t'avoir tout révélé, souffla-t-elle, épuisée par l'effort qu'elle venait de fournir.

Il sortit du lit et revint auprès d'elle muni la fameuse boîte oblongue qui avait motivé son voyage au Tibet. Elle n'avait pas quitté son sac depuis qu'il était reparti de Samyé, avec ce bien si précieux, en compagnie des Jumeaux Célestes.

— C'est à moi à présent de te livrer une ultime confidence, mon amour. Regarde cette boîte, Umara, et ouvre-la ! J'avais juré à maître Pureté du Vide le secret absolu à son sujet. Mais comment pourrais-je ne pas faire preuve de la même sincérité et de la même transparence que toi ?

Ses fines mains tremblaient comme une feuille d'arbre quand la jeune chrétienne nestorienne ouvrit l'étui du *Sûtra de la Logique de la Vacuité Pure*.

Elle en retira le précieux rouleau, puis, après l'avoir extrait de son enveloppe de taffetas de soie le plus délicatement possible, elle commença à le dérouler avec précaution sur le lit.

Son titre, ce mélange subtil de poésie et d'ésotérisme, apparut, écrit en caractères de chancellerie, au milieu des dédicaces, des sceaux et des annotations diverses laissés là par les exégètes les plus célèbres qui avaient eu l'occasion de l'avoir en main. Comme souvent, les lecteurs les plus illustres des sûtras y avaient apposé leur dédicace, de telle sorte qu'il fallait être un spécialiste du déchiffrage pour arriver à distinguer, au milieu de toutes sortes d'écritures, celle de son moine-scribe principal.

— Le titre du sermon est écrit en plus grosses lettres que les dédicaces. Si ma petite nestorienne le trouve, elle aura un gros baiser de la part de son amant bouddhiste ! lui lança d'un ton enjoué Cinq Défenses, qui voulait la sortir de la morosité dans laquelle l'avait plongée l'évocation de l'horrible meurtre de Bouddhabadra.

Sa bonne connaissance du chinois et son sens de l'observation permirent toutefois à Umara d'en déchiffrer le titre sans la moindre difficulté.

— Logique de la Vacuité Pure par Son Excellence le Révérend Maître de Dhyâna Pureté du Vide… annonça-t-elle.

— Bravo, Umara, il y a, sur cette page de couverture, tellement d'inscriptions et de formules qu'il faut savoir lire couramment le chinois pour déceler, au milieu de cet inextricable fouillis, le nom de l'auteur de ce sermon ! dit son amant.

— Il y a même un texte qui semble du tibétain ! s'exclama-t-elle en montrant des lignes à Cinq Défenses.

— Je ne sais pas déchiffrer le tibétain comme tu sais lire le sanskrit, ma douce Umara !

— Mon père ne m'a jamais donné à étudier cette langue ! C'est dommage. J'aurais bien aimé savoir ce que disent ces trois lignes… murmura-t-elle, comme si une petite voix intérieure lui susurrait qu'il y avait là un important message, dont la révélation ferait le moment venu l'effet d'une bombe…

— « Logique de la Vacuité Pure par Son Excellence le Maître de Dhyâna Pureté du Vide » ! répéta-t-il, telle est la somme philosophique à laquelle mon ancien maître a voué plus de dix ans de sa vie. C'est l'œuvre de presque toute une existence consacrée à la méditation assise et à l'étude des saints sûtras. L'ambition de mon Supérieur n'est rien de moins que de supplanter, avec son œuvre, le *Sûtra du Lotus de la Bonne Loi...*

Le *Sûtra du Lotus de la Bonne Loi,* qui permettait à tous les êtres d'arriver au stade suprême de bouddha parfaitement accompli, était le manuel religieux le plus ancien, le plus célèbre et le plus vénérable du Mahâyâna, dont tous les novices se devaient d'apprendre par cœur, dès leur plus jeune âge, les milliers de strophes.

— Quelle ambition, de la part de Pureté du Vide, que de vouloir égaler l'importance de la Bonne Loi ! murmura Umara qui connaissait la place essentielle occupée par ce sermon dans la littérature bouddhique de l'Église du Grand Véhicule.

— Pureté du Vide avait laissé cet exemplaire en dépôt à Samyé, le plus vieux monastère du pays de Bod.

— Que lui a-t-il pris, de t'envoyer ainsi braver mille dangers et courir autant de risques, pour une simple copie de son sermon ? demanda-t-elle, incrédule.

— Il m'a expliqué que les reproductions du manuscrit original se comptaient sur les doigts d'une main et que, par conséquent, il lui était indispensable de récupérer ce livre !

— L'exemplaire original du sermon de *La Logique de la Vacuité Pure* n'est donc pas en possession de son auteur ?

— Non ! Pureté du Vide l'a fait mettre à l'abri. Selon ses dires, il serait caché à l'intérieur d'une grotte aux livres creusée dans une falaise des environs de Dunhuang !

La jeune nestorienne laissa échapper un cri de surprise.

— Cinq Défenses, je crois bien savoir où se trouve le manuscrit original de l'œuvre de Pureté du Vide ! Je suis même sûre, à présent, de l'avoir tenu entre mes mains, comme cette copie ! s'écria-t-elle.

Ses jolis yeux bicolores flamboyaient.

— La cache aux livres du monastère du Salut et de la Compassion est située dans une grotte camouflée dans la paroi de la falaise sur le rebord de laquelle s'ouvre ce balcon rocheux où nous nous sommes rencontrés, ajouta-t-elle précipitamment.

— C'est la raison pour laquelle tu étais là-haut ?

— Nous l'avions découverte par hasard, avec Brume de Poussière, au cours d'une de nos escapades. La falaise sonnait creux à cet endroit. Quand nous fîmes un trou, avec une facilité déconcertante, dans le rocher factice, nous trouvâmes une cache qui regorgeait de livres précieux.

— C'est incroyable qu'une pareille coïncidence ait pu se produire !

— Je me souviens fort bien de l'exemplaire du sûtra de Pureté du Vide ; la boîte où il était rangé était gainée de soie rouge !

— Pureté du Vide, en évoquant l'original de son sûtra, me parla de cette même soie rouge qui recouvrait son étui ! murmura Cinq Défenses, que ces concours de circonstances rendaient songeur.

— Cet endroit était notre lieu de promenade favori. Nous y revenions, en grand secret, comme des comploteurs, tout excités par ce fabuleux trésor sur lequel nous pensions avoir mis la main. C'est ainsi que, ce fameux jour, mon cher Cinq Défenses — ce jour ô combien faste ! — nous tombâmes nez à nez !

— Ou plutôt dans les bras l'un de l'autre ! s'écria son amant, avant d'écraser sa bouche contre celle de sa jeune amante dont il ne se lassait pas.

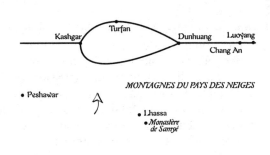

MONTAGNES DU PAYS DES NEIGES

• Peshawar

• Lhassa
• Monastère
de Samyé

30

Région des sources du Fleuve Bleu, Chine

C'était une épaisse colonne de fumée blanchâtre qui avait incité Nuage Fou à s'approcher de cette masure, où il avait décidé de s'arrêter pour demander à ses habitants de l'héberger pour la nuit.

Il avait si faim qu'il avait l'impression que son estomac, détaché de son corps, flottait sur un nuage.

Et là où il y avait de la fumée, on devait sûrement faire cuire des aliments…

Déçu, il constata qu'elle provenait d'un simple feu surveillé par un vieil homme qui profitait du temps sec pour faire brûler des mauvaises herbes et des ronces, devant une grange où il entreposait le foin pour l'hiver.

Le paysan, tout à son affaire, ne s'était même pas rendu compte de la présence de Nuage Fou.

C'est alors que le tantriste crut entendre un barrissement.

Il venait de l'autre côté de la ferme, située au bout d'un champ de millet, à quelques pas de là.

Tapi derrière le mur de pierres branlantes, Nuage Fou

s'était pincé pour s'assurer qu'il ne rêvait pas, lorsqu'il avait vu la scène.

Dans la cour de cette petite ferme qui ne payait pas de mine, un énorme éléphant dodelinait de la tête devant un jeune garçon qui lui lustrait les défenses.

Telle une gigantesque meule de paille, l'immense pachyderme dépassait la hauteur des murs qui l'entouraient et remplissait presque entièrement la petite aire où, d'ordinaire, on devait battre le blé et le millet.

À bien y regarder, malgré la boue et la poussière qui recouvraient sa peau, c'était un éléphant blanc !

Assurément, il s'agissait là d'une présence inhabituelle, dans cette région des hauts plateaux semi-désertiques du sud de la Chine et des marches du Tibet où les seuls animaux domestiques connus étaient des bœufs, des moutons, des chèvres et des yaks que les éleveurs menaient d'une pâture à une autre, pendant la belle saison, avant de les reconduire à l'étable, quand l'hiver et la neige arrivaient.

Tomber nez à nez avec un de ces éléphants sacrés comme on ne les trouvait qu'en Inde, et encore uniquement dans les monastères les plus prestigieux disposant des fonds nécessaires pour les acquérir, paraissait à Nuage Fou si irréel et même absurde qu'il s'était aussitôt demandé s'il n'était pas victime d'une énième hallucination.

Il se pinça, se frotta les yeux et se tapota les joues.

Mais non, il ne rêvait pas.

Il ne pouvait y avoir de doute : l'animal qui se dandinait en remuant sa trompe, dans un impeccable mouvement de balancier, était bien un éléphant blanc sacré, tombé — pourquoi pas ? — du ciel, dans une courette de ferme sino-tibétaine où Nuage Fou, à pas comptés, se décida à entrer.

Devant ses pattes, dont la force et la vigueur faisaient

penser à des troncs d'arbres élagués, les paysans avaient disposé une mangeoire ronde, remplie d'un mélange plutôt appétissant de tubercules et de fruits coupés en petits dés.

Nuage Fou, dont l'estomac criait famine, eût volontiers plongé sa main dans la bassine.

Entre-temps, l'enfant était reparti, laissant seuls, face à face, le pachyderme et Nuage Fou.

C'était le moment, jugea celui-ci, d'en profiter pour se rassasier.

L'animal avait l'air placide.

Tandis que Nuage Fou lui caressait le haut de la trompe pour s'approcher mine de rien de la mangeoire, le petit œil curieux de l'animal gigantesque le regardait, plutôt amusé.

C'est alors que, dans son cerveau tourmenté par l'usage excessif des substances hallucinogènes, surgit l'intuition fulgurante.

L'évidence était là.

Il ne pouvait s'agir que de l'éléphant blanc de Bouddhabadra !

Nuage Fou se souvenait, à présent, de l'étrange prédiction du Supérieur de Peshawar, dans la pagode en ruine des environs de Dunhuang, lorsqu'il lui avait affirmé que l'éléphant blanc n'était pas mort et qu'il finirait même, un jour, par tomber sur lui.

Et voilà que Bouddhabadra avait vu juste !

Comment n'y avait-il pas pensé plus tôt ?

C'était là tout sauf une rencontre fortuite.

D'ailleurs, pour Nuage Fou, rien n'était jamais dû au hasard, puisque tout, par essence, procédait du Tantra !

Tout en se gavant de fruits et de légumes coupés, il fit le compte des avantages qu'il retirerait à disposer d'un tel animal.

Quel incomparable viatique !

Doté d'un éléphant blanc aussi impressionnant, il n'aurait même plus besoin de faire étalage de ses scarifications et encore moins de ses capacités de résistance à la douleur pour impressionner les foules, dans les rues et sur les marchés. La présence du pachyderme à ses côtés attesterait des pouvoirs surnaturels revendiqués par son propriétaire. Il suffirait de demander aux futurs adeptes du tantrisme de le suivre, et, complètement épatés, ils lui obéiraient avec ardeur.

Et les miracles n'arrivant jamais seuls, il se prenait à espérer que l'animal le conduirait un jour jusqu'à cette fameuse petite boîte en forme de cœur qu'il pensait avoir perdue à jamais et qui renfermait les joyaux emblématiques du Petit Véhicule et du lamaïsme tibétain.

Cela faisait des mois qu'il marchait vers nulle part, au point qu'il sentait, chaque jour un peu plus, le découragement le gagner et son rêve consistant à synthétiser les trois courants du bouddhisme s'évanouir.

En mettant la main sur le pachyderme sacré du couvent de l'Unique Dharma, son voyage erratique finissait par avoir un sens !

Il n'était pas du genre à laisser passer ce genre d'aubaine.

Au moment où il allait faire un pas de plus vers le pachyderme, pour regarder si le nœud de sa longe était facile à défaire, le petit garçon hirsute et crasseux sortit de la masure.

Nuage Fou, aussitôt, fit le tour de l'animal pour se cacher.

L'enfant versa un seau d'eau entier dans la mangeoire, faisant remonter à la surface le mélange de légumes et de fruits qu'elle contenait, ce qui provoqua un écart de l'animal.

Quand il aperçut Nuage Fou, le gamin apeuré se précipita à l'intérieur de la fermette d'où jaillit, un instant plus tard, un paysan qui se précipita vers l'intrus, une machette à la main.

— Moi ami! Moi ami! Moi gentil! Moi ami éléphant! bredouilla celui-ci en mauvais chinois en maudissant intérieurement ce gêneur.

— N'entre pas ici! Il faut passer ta route! Tu n'as rien à faire à côté de cet éléphant! répliqua, menaçant, le paysan.

— Il volait sa nourriture! s'écria l'enfant, indigné.

— J'avais faim. J'ai mangé trois fruits et deux légumes!

L'homme était de haute taille.

Le bras levé, prêt à s'abattre, suivi par une matrone qui venait à son tour de sortir de la maisonnette avec une longue fourche, il avançait vivement en direction de Nuage Fou.

Ce dernier, comprenant qu'il n'était pas le bienvenu, n'eut d'autre choix que de reculer et de quitter précipitamment la cour de la fermette, dont le paysan referma violemment le portail.

Nuage Fou prit ses jambes à son cou et alla trouver refuge derrière un petit tertre qui s'élevait de l'autre côté d'un ruisseau. De là, furieux et dépité, après avoir ingurgité une pilule pour se calmer, il observa l'animal sacré en train de déguster tranquillement le véritable festin auquel lui-même avait à peine pu toucher.

Incapable, pour cause de lassitude et de découragement, de repartir après une telle déception, il éprouvait la très fâcheuse impression d'être passé à côté de sa chance, comme s'il n'avait pas eu le temps de saisir une perche divine.

Affalé contre un arbre rabougri, malgré la faim qui continuait à le tenailler, il sentit la torpeur l'envahir.

C'était toujours ainsi, à certains moments de la journée, après sa énième pilule : il lui fallait piquer un petit somme, après quoi il se sentait mieux.

Il ne dormit pas très longtemps, car des cris perçants, venus de la fermette, ne tardèrent pas à le réveiller.

Lorsqu'il ouvrit un œil, il constata que la grange à foin était en feu.

Devant le brasier, le vieil homme gesticulait, essayant en vain de l'éteindre à grands coups de fourche, en poussant des hurlements de désespoir.

À côté de lui, le paysan, sa femme et leur fils, l'air accablé, regardaient partir en fumée la réserve de nourriture indispensable à leur troupeau pour passer l'hiver. Car le foin sec de la grange brûlait avec entrain, à en juger par les flammes crépitantes qui s'élevaient déjà, telles des montagnes incandescentes.

Nuage Fou, d'un bond, se précipita vers l'incendie.

L'occasion était trop belle d'impressionner cette famille de cultivateurs et de s'emparer, sans coup férir, de l'éléphant blanc sacré de Bouddhabadra.

Lorsqu'ils le virent arriver en courant, les paysans n'eurent même pas le temps de lui intimer l'ordre de rester à l'écart : Nuage Fou était déjà entré, comme si de rien n'était, à l'intérieur du brasier.

— Mais il va rôtir ! s'exclama la matrone.

— Qu'il aille au diable ! souffla le fermier.

Ce fut le vieil homme qui murmura aux autres, l'air émerveillé :

— Vous avez tort de parler mal de lui. Cet individu doit être le dieu du Sol She en personne, le protecteur des récoltes humaines ! Regardez un peu comme il se joue des flammes. Regardez comme il tasse les braises avec ses pieds. C'est à peine incroyable, mais le dieu She, dans sa grande bonté, va réussir la prouesse d'éteindre cet incendie ! Loué soit-il !

De fait, Nuage Fou allait et venait, comme si de rien

n'était, dans l'épais mur incandescent, le traversant de part en part, rassemblant la paille avec une fourche au centre de la grange, pour éviter la propagation de l'incendie due aux escarbilles. En un rien de temps, il avait réussi, sous les yeux ébahis de la famille, à éteindre les flammes.

Il se félicitait d'avoir revêtu ce manteau argenté qui résistait au feu.

Il avait négocié à prix d'or sur le marché de Lhassa auprès d'un marchand indien, ce long vêtement pelucheux, tissé en fibres d'amiante.

En Chine, on prétendait parfois que l'abseste, cette fibre minérale d'une grande souplesse et résistante aux flammes qu'on extrayait de mines situées au nord de l'oasis de Hami, était du poil d'une race particulière de rat blanc qui vivait dans les parages des enfers.

En réalité, l'amiante, en raison de ses caractéristiques ignifuges, était déjà l'objet d'un commerce fort lucratif auprès des royaumes dont les soldats pouvaient ainsi se lancer à l'assaut des forteresses ennemies en faisant fi de l'huile bouillante que les assiégés leur versaient dessus au moment de l'attaque.

Les fermiers, à présent prosternés, face contre terre, aux pieds de Nuage Fou, priaient cette divinité à face humaine, qui supportait si bien les flammes, de leur laisser la vie sauve.

— Ô divin She ! Protège-nous ! implora le vieil homme en touchant le bas du manteau de Nuage Fou.

— Je vous donnerai ma bénédiction protectrice, mais il faudra, en retour, me confier la garde de l'éléphant sacré ! articula alors celui-ci dans un chinois approximatif.

— Mais je compte aller le vendre sur le marché ! Quand je l'ai trouvé, il errait dans la montagne, très malade, transi de froid ; et sa maigreur était effrayante !

Sa guérison tient du miracle. J'ai dépensé une fortune pour le soigner et le nourrir ! Aujourd'hui, il doit valoir l'équivalent de dix mille années de mes récoltes ! gémit le fermier en se tordant les mains.

— Mon père a raison. Fais ce qu'il te dit ! S'il n'est pas le dieu du Sol, cet homme est sûrement doué de pouvoirs extraordinaires, tant maléfiques que bénéfiques ! Nous n'avons pas à notre disposition la moindre goutte de salive de dragon pour nous protéger de ses influences ! Autant lui donner l'éléphant blanc et le supplier, en retour, de faire converger sur nos têtes les souffles fastes ! À défaut de quoi, il nous tuera tous, s'écria la femme à l'adresse de son époux.

Persuadée qu'elle avait affaire à She en personne, elle tremblait comme un bambou sous l'effet de la brise.

— Ma fille dit vrai ! On ne doit jamais mécontenter le dieu du Sol ! gémit le vieil homme.

Alors, la mort dans l'âme, le fermier fit signe à l'enfant d'aller détacher le pachyderme et de le conduire devant celui qui présidait aux récoltes des hommes.

— Grâce à votre don, vous aurez dix mille ans de bonne récolte ! Le dieu She vous en donne sa parole ! leur lança Nuage Fou, avant de repartir en compagnie de l'animal.

Quand il reprit sa route, il n'avait peur que d'une chose, c'était d'un ultime changement d'avis de ce fermier qui voyait s'envoler la fortune inouïe à laquelle il aurait pu prétendre en vendant l'éléphant du monastère de Peshawar.

Aussi Nuage Fou ne se laissa-t-il aller à l'euphorie qu'en fin de journée, lorsque, déjà loin de la fermette, il constata avec soulagement qu'il ne s'était rien passé de tel.

Véritable cadeau du Tantra, l'éléphant blanc sacré était bien à lui !

Et comme il était extraordinaire !

Bien plus encore que ce que lui en avait dit Bouddhabadra…

Pourtant, dans sa jeunesse, encore jeune moine du Petit Véhicule, à Vanârâsi, Nuage Fou en avait vu, de ces éléphants blancs sacrés !

Ils étaient bien mieux traités que les êtres humains, soignés et bichonnés avec amour par leurs cornacs.

Les riches mais néanmoins dévotes courtisanes, pour se faire pardonner les excès amoureux dont elles se sentaient coupables, maquillaient au khôl les yeux rieurs de ces bêtes sacrées et passaient, avant les processions, de somptueuses guirlandes de fleurs de bougainvillier autour de leurs encolures, ainsi que des colliers d'argent, où étaient fixés des grelots, autour de leurs pattes.

Jamais, au demeurant, il n'avait eu l'occasion d'approcher un pachyderme aussi blanc et majestueux que celui-ci.

Si le fermier disait vrai, et il n'y avait pas de raison qu'il eût menti, c'était, de surcroît, un miraculé, c'est-à-dire une réincarnation du dieu Ganesha lui-même !

Selon la religion indienne ancienne, cette divinité à la tête d'éléphant était le Seigneur des Commencements.

Fils de Çiva et de Parvâti[1], suite à la directive de sa mère, il avait refusé de laisser entrer son père, qu'il n'avait pas reconnu, à la maison. Ce dernier, n'ayant pas plus identifié son fils, l'avait décapité d'un coup de sabre. Devant les larmes de Parvâti, Çiva avait envoyé ses nains-démons *ganas* chercher la tête de la première créature qu'ils trouveraient : c'était un éléphant, dont

---

1. Çiva est le dieu de la destruction et de la création ; Parvâti, fille des Himalayas et épouse de Çiva, est une forme évoluée de la déesse mère Devi.

Çiva s'était empressé de poser la tête sur le corps sans vie de Ganesha afin de le ressusciter.

Depuis ce moment-là, cette sympathique créature divine à la tête de pachyderme, bien trop joueuse pour être un ascète, juchée sur le rat qui lui servait de monture, un cobra entourant sa taille, un bol de riz, un collet et un aiguillon suspendus à sa trompe, symbolisait le résultat, finalement heureux, de l'union sexuelle de Çiva et Parvâti.

Et celle-ci était l'un des fondements principaux du tantrisme indien dont Nuage Fou portait la bonne parole.

Cette arrivée miraculeuse de l'éléphant blanc était le signe que le Bouddha mais aussi Çiva, Parvâti, sans oublier Vishnu et Krishna, voyaient d'un bon œil l'action qu'il menait pour rassembler toutes les religions de la terre en une seule.

Ne présageait-elle pas un retour de jours plus fastes ?

Et la suite lui avait amplement donné raison : dans les contrées chinoises où Nuage Fou se rendit après l'épisode de la fermette, cet éléphant blanc en impressionnait plus d'un, personne n'ayant jamais vu un tel animal.

Son propriétaire ne pouvait être qu'un dieu vengeur, ou encore un immortel taoïste, venu sonder le cœur des hommes.

Il suffisait à Nuage Fou de faire son entrée dans un village pour qu'aussitôt la population se terrât chez elle, croyant à l'apparition d'un être divin, arrivé là pour lui demander des comptes parce qu'elle ne lui aurait pas rendu le bon culte.

Alors, il se postait sur la place principale et n'avait plus qu'à attendre les offrandes et les prières des villageois qui finissaient par s'approcher, jugeant que c'était une aubaine d'avoir à portée de main un dieu auprès duquel ils pourraient enfin solliciter directement toutes sortes de grâces.

Avec son éléphant blanc, Nuage Fou, dont les poches se remplissaient de taels d'or et d'argent, formait un couple à la fois impressionnant et efficace !

Il était devenu, en quelque sorte, un dieu vivant qu'on suivait à la trace. La rumeur de son arrivée à un endroit donné suscitait de plus en plus de fébrilité dans la population.

Parfois, c'était un groupe de villageois qui se dispersait comme une nuée de mouches devant Nuage Fou et son animal, criant au miracle et dérangeant un sorcier fangshi, juché sur son escabeau d'où il adressait ses boniments aux badauds.

Une autre fois, l'éléphant sacré et son improbable cornac étaient accueillis en véritables triomphateurs par la population entière d'un village qui leur faisait une haie d'honneur, de chaque côté de la route, en agitant des bouquets de pivoines.

Flanqué de ce pachyderme placide qui ne demandait qu'une ration de nourriture abondante et goûteuse, pourvu de sa dose quotidienne de petites pilules sans lesquelles la vie était insupportable, Nuage Fou, de plus en plus optimiste, se sentait pousser des ailes.

Et pourtant, un beau matin, inexplicablement, il constata avec angoisse que les obsessions d'hier envahissaient de nouveau son esprit !

De fait, alors qu'il marchait sur un chemin droit et monotone, tenant l'éléphant sacré par l'attache de son mors, Nuage Fou eut la désagréable impression que le même sempiternel cauchemar recommençait !

« Aller où ne vont pas les autres ! Aller où ne vont pas les autres ! Aller où ne vont pas… »

Voilà que l'infernale ritournelle, après avoir frappé à la porte de sa tête, s'y était une fois de plus incrustée.

À vrai dire, elle n'avait jamais cessé de rôder depuis l'incendie de la grange à foin qui lui avait permis de mettre la main sur cet éléphant blanc ; mais c'était avec moins de force.

Il était conscient que, s'il ne réagissait pas, cette obsession encombrante, irritante et usante, finirait par l'enfermer dans un processus absurde qui le détruirait. Son questionnement lancinant l'obligeait, s'il voulait le conjurer, à y apporter une réponse précise.

Il lui fallait arrêter d'avancer sans but précis, comme c'était le cas depuis le tragique épisode qui s'était achevé par le massacre de Bouddhabadra.

Il devenait indispensable de déterminer ce lieu où n'allaient pas les autres.

Mais où donc se diriger ?

C'est alors qu'il pensa à la rumeur.

Elle revenait toujours à ses oreilles, depuis qu'il allait de village en village, sur les chemins de campagne.

Elle faisait état de la présence à Chang An, la grande capitale du Nord où, disait-on, les gens étaient si riches que les toits de leurs maisons étaient en or ! d'une femme extraordinaire à la destinée unique.

Elle s'appelait impératrice Wuzhao et avait réussi, contre toute attente, à être la vraie patronne du plus grand pays du monde : la Chine...

Ce qui se murmurait au sujet de cette courtisane devenue souveraine était étrange, mais également fascinant, et ne pouvait que donner envie à Nuage Fou d'en savoir plus. Il fallait essayer d'approcher, pour mieux la connaître, cette créature mythique dont la beauté faisait dire à certains qu'elle était une réincarnation du bodhisattva Guanyin.

Aussi, au bout de quelques jours, la décision s'était-elle imposée d'elle-même au meurtrier de Bouddhabadra.

Il avait enfin trouvé cet endroit où personne d'autre que lui n'aurait jamais imaginé aller !

C'était en Chine centrale, à Chang An, précisément.

Juché sur le dos de son pachyderme impressionnant et vénérable, il se rendrait, tel un vivant reliquaire, à la rencontre des foules, au cœur même de l'empire du Milieu, dans la plus belle et la plus grande ville du monde.

Et là, il se ferait remarquer de l'impératrice elle-même, cette femme si étonnante dans son ambivalence, dont personne ne démentait l'immense foi bouddhique, pas plus que les mœurs terriblement dépravées.

Peu à peu, à force de se renseigner dans les auberges et sur les marchés, Nuage Fou reconstitua les bribes de l'histoire hors du commun de cette femme partie de rien, remarquée par Taizong le Grand pour sa beauté et récupérée par son fils dans le couvent où elle aurait dû, normalement, finir ses jours comme nonne.

Sa vie tenait déjà de la légende.

De fait, il n'était pas un estaminet, une maison de thé ou une maison de plaisirs, des deux côtés de la Grande Muraille, où l'on ne parlât de Wu, bien plus, d'ailleurs, que de l'empereur Gaozong lui-même…

La légende de l'impératrice Wu commençait déjà à s'écrire, avec ses excès de flagorneries, mais aussi d'anathèmes…

Ne racontait-on pas qu'elle défendait le peuple contre la tyrannie des nobles ?

Ne soutenait-elle pas la construction des pagodes où les pauvres mendiants trouvaient toujours un bol de soupe à boire ?

N'avait-elle pas réussi à ôter leurs moyens aux armées, ce qui rendait les soldats moins arrogants et moins efficaces dans les incessants rackets auxquels ils s'adonnaient dans les villes où ils cantonnaient ?

Ne suffisait-il qu'elle se rendît auprès d'un humble paysan pauvre pour que sa récolte, l'année suivante, fût excellente et fît de celui-ci un homme riche ?

Nombreux, parmi le peuple, étaient ceux qui la surnommaient, avec respect, «l'impératrice des pauvres».

Parfois, aussi, c'était en mal qu'on parlait d'elle, avec autant d'excès qu'en bien.

N'usait-elle pas de tous les moyens, y compris des assassinats, pour arriver à ses fins, toujours flanquée d'un géant mongol à la langue coupée, capable d'étrangler ses victimes d'une seule main ?

N'était-elle pas une usurpatrice sans foi ni loi, dont la dévotion au bouddhisme servait de prétexte pour mettre à mal le vertueux confucianisme ?

Non contente de manipuler son époux malade, ne couvrait-elle pas un trafic de soie ?

Ne jouait-elle pas de ses charmes pour collectionner les amants de façon éhontée ?

On l'appelait «l'Impératrice de la soie».

C'était un fait : l'impératrice de Chine, dans son pays, ne laissait personne indifférent.

Compte tenu de ce que Nuage Fou avait entendu à son sujet, elle n'était rien d'autre que l'alliance intime de la foi et du sexe, la fusion totale du sacré et du plaisir, l'extase à la fois du corps et de l'esprit !

L'incarnation de ce que Nuage Fou n'avait cessé, lui-même, de prôner, depuis que Lûyipa l'avait initié au tantrisme !

Convertir au tantrisme une telle femme n'était-il pas le plus beau et le plus excitant des défis ?

Aller où ne vont pas les autres !

Qui eût osé, si ce n'était lui-même, se rendre au cœur même du pouvoir chinois et là, tenter de séduire l'impératrice de la soie ?

Pour se récompenser d'avoir eu cette idée géniale,

tout en évitant de s'arrêter au prochain estaminet pour y consommer un bol de *bsang,* ce mélange dont il raffolait, fait de feuilles de chanvre indien macérées dans du lait de yak, mais que son estomac acceptait si mal, il s'octroya une pilule supplémentaire.

Même si elles faisaient moins d'effet que le bsang, dont l'absorption le faisait voler sur les nuages, les pilules étaient bien plus faciles à supporter que le breuvage favori des Sino-Tibétains.

Nuage Fou se sentait euphorique.

Il regarda son éléphant blanc.

— Tu es d'accord, ô Ganesha, pour aller séduire l'impératrice ? Je transformerai mon nom en Nuage Blanc, ce qui nous permettra d'être mieux accordés l'un à l'autre. Qu'en penses-tu ? lui lança-t-il en caressant son énorme front ridé.

Aussitôt, le pachyderme sacré baissa légèrement la tête, ce qu'il prit, avec jubilation, pour un acquiescement.

Du coup, Nuage Fou se vit invincible et puissant ; aussi incisif qu'une pointe de diamant.

Il était sûr d'atteindre ce but.

Il ne lui faudrait pas longtemps pour se faire remarquer de cette impératrice fantasque.

Il lui suffirait de se poster, bien en vue quelque part, en plein centre-ville, et la rumeur naîtrait.

Et là, assis dans la posture du lotus, devant l'éléphant sacré qui monterait la garde auprès de lui, il entrerait en méditation le temps qu'il faudrait et opposerait la même réponse à tous ceux qui l'interrogeraient : il attendait, même si ce devait être pendant des siècles, d'être reçu au palais impérial par Wuzhao pour lui révéler une indicible vérité.

La rumeur parviendrait à coup sûr aux oreilles de l'intéressée, qu'un moine saint accompagné d'un pachyderme rarissime, probable réincarnation du dieu Ganesha en personne, souhaitait transmettre à la souveraine de la Chine un message aussi important qu'ineffable.

Nuage Fou se voyait déjà recevant la visite d'un émissaire de l'impératrice de la soie, l'invitant à se rendre auprès d'elle.

Il accepterait de le suivre au palais impérial, non sans avoir exigé qu'on disposât sous les augustes pattes du pachyderme sacré des tapis précieux de haute laine, comme cela se faisait en Inde à l'occasion des grands pèlerinages.

Devant l'Impératrice de la soie, il se présenterait à moitié nu, les yeux fermés.

Avant de les ouvrir, il attendrait un long moment, pour bien faire comprendre à cette femme qu'il était un être à part, dont un pied était dès à présent dans l'autre monde.

Puis il s'efforcerait d'initier l'impératrice des pauvres au tantrisme en lui expliquant que, par ses actes, elle était déjà au cœur de cette philosophie et de cette pratique religieuse.

Et il ne doutait pas un seul instant qu'il la convaincrait.

Si elle consentait à aller un peu plus loin sur la voie du Tantra, lui expliquerait-il, elle accéderait à la pleine puissance de ses moyens.

Il n'avait qu'une hâte, c'était de la soumettre à ses volontés.

Elle ne demanderait que ça, cette impératrice de la soie au corps sublime.

Répondant à ses attentes, il la caresserait des pieds à la tête, en partageant avec elle les inexprimables plaisirs du yoga de la kundalinî, jusqu'à ce moment inoubliable où l'orgasme délivrait l'énergie contenue dans le grand serpent lové sur lui-même qui se détendrait alors depuis la base de sa colonne vertébrale jusqu'au sommet de sa tête en faisant éclater, au niveau de celle-ci, l'ineffable lotus qui répandrait ses mille pétales dans le cerveau de cette femme.

Alors, grâce à l'énergie que Nuage Fou disperserait dans le corps de Wuzhao, celui-ci s'élèverait au-dessus de lui-même, tel un nuage de brume au-dessus de la terre, et libérerait peu à peu sa *prâna*, c'est-à-dire son principe vital qui finirait, à son tour, absorbé par la félicité suprême du Sahasrâra.

Et lorsqu'il atteignait le stade du Sahasrâra, celui de l'ineffable bonheur que plus rien ne pouvait altérer, l'être humain n'en était plus tout à fait un.

Car la délivrance, pour lui, était toute proche, et son enveloppe charnelle n'avait plus aucune importance : il était devenu un pur esprit de jouissance !

Nuage Fou se l'était juré : il n'aurait de cesse qu'il ne fît vivre à l'impératrice de la soie cet instant où l'organisme en arrivait à se dissoudre complètement dans l'ineffable plaisir de ses sens.

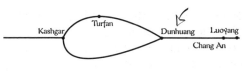

Kashgar — Turfan — Dunhuang — Luoyang — Chang An — *MONTAGNES DU PAYS DES NEIGES* — • Peshawar — • Lhassa — • *Monastère de Samyé*

31

Oasis de Dunhuang, Route de la Soie

Om! Mani padme hum!

Une oasis morte : voilà ce qu'était devenu l'endroit où Umara et Cinq Défenses s'étaient rencontrés.

Le *ma-ni-pa* n'en croyait pas ses yeux.

Il ne restait de la petite ville commerçante que des masures abandonnées et incendiées, d'où s'échappaient encore quelques volutes de fumée et où planait une terrible odeur de brûlé.

La ville dévastée, dont tous les survivants devaient avoir fui, était désespérément vide. Des cadavres d'hommes, mais aussi de femmes et d'enfants, jonchaient ses rues. À moitié décomposés, quand ils n'avaient pas été dévorés par les chiens errants, ils étaient déjà la proie de la vermine et des mouches. De temps à autre passait, au grand galop, un cheval hagard, qui avait dû échapper à l'incendie de son écurie et ne savait où aller.

Ce spectacle de désolation contrastait singulièrement avec les images que le moine errant gardait de cette cité multicolore, cosmopolite, bourdonnante et active, où toutes les races du monde et tous les métiers de la terre se côtoyaient, dans laquelle il avait séjourné avec Cinq Défenses, Poignard de la Loi et les parsis quelques mois plus tôt.

Partout flottait cette odeur douceâtre et aigrelette qui est celle de la mort.

Les seuls bâtiments encore debout étaient ceux bâtis en pierre, dont il ne subsistait que les murs recouverts de suie et maculés de sang.

À en juger par les nombreuses traces de celui-ci, la violence du carnage avait dû être inouïe.

À l'un des endroits où se tenait habituellement le marché alimentaire, des lambeaux de vêtements, de la vaisselle cassée et des meubles en pièces traînaient un peu partout, au milieu des corps sans vie de ceux qui avaient été des marchands et des clients.

Le cœur serré, le *ma-ni-pa* se souvenait qu'à cet endroit même Cinq Défenses avait acheté des beignets frits à une matrone qui avait refusé de se les faire payer.

Soudain, le Tibétain avisa un vieil homme, assis devant l'entrée d'une pagode dont les murs étaient noirs de suie.

D'une maigreur ahurissante, il paraissait plus fragile qu'un roseau. C'était un moine bouddhiste, aisément reconnaissable à sa robe jaune.

Ses yeux hagards témoignaient de l'atrocité des scènes auxquelles il avait probablement assisté.

Quand le *ma-ni-pa* s'approcha de lui, le vieux religieux ne parut même pas le voir. Il continuait à fixer le néant.

Alors, usant d'infinies précautions, le *ma-ni-pa* lui tapota doucement l'épaule.

— Que fais-tu là, ô mon frère ? demanda-t-il au vieux religieux, déjà au bord de l'autre monde.

— Tu as de la chance, je parle le tibétain ! dit le vieillard.

— *Om ! Mani padme hum !* murmura le moine errant en joignant ses mains, avant d'appliquer leur tranchant sur son front.

— J'étais sans doute trop vieux pour les pillards qui ont épargné ma vie ! Je pleure sur des ruines, en attendant que le Bienheureux vienne me prendre sous son aile protectrice ! Alors, je m'efforce de méditer pour chasser de ma mémoire tout ce que j'ai vu de terrible et d'injuste !

— Que reste-t-il des monastères du Grand Véhicule ?

— Des cendres, mon ami ! Mon couvent, celui du Salut et de la Compassion, était le plus grand de tous. Il avait été construit en plein désert, qu'il dominait depuis une majestueuse falaise. Il a été pillé ! Il était riche de statues et de livres saints ! Mon Supérieur, le moine Centre de Gravité, avait fait cacher les livres les plus vénérables de notre communauté dans une grotte creusée dans la roche ! Mais la soldatesque turque a poussé l'ignominie jusqu'à les détruire tous !

— Ce sont donc d'inestimables trésors qui sont ainsi partis en fumée !

— Le Bouddha nous a appris l'impermanence de toute chose. En voilà un exemple concret ! gémit le vieil homme.

— Que sont devenus les moines et les novices de ton couvent, ô mon vénérable frère ?

— Prévenue à temps, ma communauté monastique, heureusement, a pu s'enfuir avant l'arrivée des Turcs. Mon problème, c'est que mes vieilles jambes ne me portent plus ! Alors, pour éviter de leur faire perdre du temps, je les ai suppliés de me laisser ici.

— Le sort de la communauté nestorienne n'a pas dû être plus enviable !

— Les pillards commencèrent par mettre entièrement à sac le siège de l'évêché nestorien. Selon la rumeur, ils en avaient spécialement après son évêque, un certain Addai Aggai.

— Où est cet homme ?

— Qui pourrait le savoir ? Mes frères moines du monastère du Salut et de la Compassion avaient suffisamment à faire pour vider les lieux ! J'étais moi-même incapable de descendre les escaliers de bois, si bien qu'il fallut me jeter dans le vide depuis un balcon pour me faire tomber au milieu d'une couverture tendue par quatre moines ! Arrivé ici, je suppliai les deux moines qui me portaient de m'abandonner. Je crois avoir bien fait. Sinon, ils auraient été massacrés…

Bouleversé, le *ma-ni-pa* avait pris la main du vieillard et la caressait pour essayer de lui donner un peu de réconfort.

— Veux-tu à boire ou à manger ? lui demanda le Tibétain.

— À mon âge, trois grains de riz et deux gorgées de thé suffisent !

— C'est peu !

— J'ai passé sept ans reclus dans une grotte, sur le plateau minéral qui s'étend au-dessus de mon couvent ! J'ai l'habitude ! murmura l'ascète.

— Sept ans ! Comme cela doit paraître long !

— Pas pour atteindre le quatrième stade de la méditation, celui qui, selon le Bienheureux, permet à un moine concentré sur lui-même d'entrer dans l'infinité de l'espace et d'accéder à l'Éveil !

— Je n'aurai jamais cette patience ! soupira le moine errant.

— Pour connaître la Sainte Voie aux Huit Membres,

le temps ne compte pas ! Je vais avoir quatre-vingts ans mais je n'en sais pas plus, à ce sujet, qu'un enfant de trois ans ! marmonna le vieil ascète.

— Il ne faut pas rester ici. Venez avec moi, ô saint homme !

— Mais où veux-tu m'emmener ? Je ne tiens même pas debout ! Depuis le temps que je reste assis sur une pierre, sans bouger, mes membres inférieurs se sont peu à peu ankylosés.

— Un saint homme de votre espèce n'a pas sa place, ici, au milieu de toute cette désolation ! insista le *ma-ni-pa*.

— Passe ton chemin, moine errant, et pense à toi ! Tu as sûrement des devoirs à accomplir. Quant à moi, la mort me prendra ici. Je compte, avant cela, être arrivé au moins au troisième stade de la méditation. Je n'en suis plus très loin. Tout va très bien pour moi !

C'était dit sur un ton qui ne souffrait pas la moindre objection.

À regret, le *ma-ni-pa* laissa donc le vieil ascète à sa méditation et continua sa traversée de la ville.

Il voulait se rendre compte de l'état du monastère du Salut et de la Compassion, et se mit en marche vers la falaise où il avait été creusé.

Les murs noircis témoignaient du traitement que les pillards avaient fait subir à ce grand couvent. Il alla aussi au pied du balcon naturel, à l'endroit même où il avait joué aux dés avec Poignard de la Loi, lorsque Cinq Défenses avait décidé de monter à l'échelle de corde et qu'il y était tombé nez à nez avec Umara.

La fameuse cache aux livres avait été dévastée par les Turcs, à en juger par les milliers de lambeaux de pages et de rouleaux de sûtras qui jonchaient le sol.

Les envahisseurs avaient émietté les livres sacrés, réduisant à néant les milliers d'heures passées par des générations de copistes et de traducteurs grâce auxquels le bouddhisme indien s'était peu à peu étendu vers la Chine, pour devenir la plus importante religion de ce pays !

Le *ma-ni-pa* était effondré quand il revint trouver le vieil ascète, devant la pagode du marché aux fruits et aux légumes où il l'avait laissé quelques heures plus tôt.

Ici et là, à présent, des ombres surgissaient des ruelles et il pouvait entendre, derrière certains murs encore debout, des sanglots, des lamentations et des cris étouffés. Des habitants hagards, petit à petit, sortaient de leurs caches pour venir aux nouvelles et récupérer les quelques biens qui n'avaient pas été pillés.

Lorsqu'il s'approcha du vieux moine, il constata que celui-ci courbait la tête, comme s'il regardait la boucle de sa ceinture.

— *Om ! Mani padme hum !* Ô mon vénérable frère ! Je te supplie de ne pas rester là ! Laisse-moi m'occuper de toi ! Je marcherai à ton rythme ! supplia-t-il.

Mais l'autre ne répondait toujours pas.

Alors le moine errant essaya de lui faire relever la tête.

C'est là qu'il vit avec horreur qu'elle ne tenait pas plus qu'un vieux morceau d'écharpe.

Le vieil ascète avait atteint le stade de la méditation auquel il aspirait, car il avait bel et bien rendu l'âme.

Alors, à la hâte et le corps parcouru de frissons des pieds à la tête, tout en se gardant bien de contempler encore le spectacle lugubre et affligeant de l'oasis dévastée, ainsi que de croiser les regards éteints de ces femmes cherchant désespérément leur enfant ou leur mari, le *ma-ni-pa* quitta sur la pointe des pieds cette cité jadis fringante devenue un si triste tas de cendres, sans même essayer, tellement le courage lui manquait, de prononcer une prière.

Lorsqu'il reprit la Route de la Soie, il constata que l'expédition de la soldatesque turque avait vidé celle-ci de toutes ses caravanes.

Chacun se terrait comme il pouvait dans l'espoir de se garder des pillards, qui dans une auberge, qui dans un campement de fortune établi dans la montagne, de telle sorte qu'il fût invisible depuis la voie de passage.

Le Tibétain avançait donc sans peine, filant comme un trait de flèche là où, en compagnie d'Umara, de Cinq Défenses et des Jumeaux Célestes, il avait dû en permanence se frayer un chemin entre les troupeaux de chèvres et les files de chameaux que leurs énormes charges faisaient tanguer comme des navires.

La violence et la guerre étaient bien les ennemies jurées du commerce.

Lorsqu'il arriva en vue de Turfan, après avoir évité Hami et longé les Monts Flamboyants, il s'aperçut qu'il ne lui avait pas fallu plus de dix jours pour parcourir la distance qui séparait la « Très Brillante Perle » de Dunhuang.

L'oasis manichéenne, par contraste avec celle où les nestoriens s'étaient implantés, lui parut un havre de luxe et de raffinement.

Les Turcs, heureusement, n'y avaient pas touché.

Au-dessus des étals des marchands pendaient ces grappes de raisin confit aux reflets dorés dont raffolait l'impératrice, et que les autorités de la ville sous protectorat chinois envoyaient à la cour au début de chaque hiver, en signe d'hommage et d'allégeance. Sur le seuil de leurs boutiques, pour mieux appâter leurs riches clients, car Turfan était le siège du commerce de l'or et du jade, les joailliers étendaient de somptueux tapis de laine aux couleurs rutilantes, qu'on foulait aux pieds comme de vulgaires nattes. Les pièces d'or, d'argent et de bronze de Chine, de Sogdiane, mais aussi de Syrie et de Perse, et même des sesterces romains ainsi que des tétradrachmes grecques, passaient de main en main, en échange d'épices, de fourrures, de coupons de soie et autres raretés. Qu'on fût marchand ou client, on était indifférent à l'origine des monnaies, car seul comptait leur poids en métal.

Le *ma-ni-pa* pouvait toucher du doigt, par simple comparaison, toute la fragilité complexe de ce grand marché entre les peuples, devenu un irremplaçable vecteur d'échanges culturels et religieux, fait de l'inextricable mélange entre l'appât du gain et le désir d'aller vers l'inconnu qu'avait suscité la Route de la Soie.

Le mélange de races et de cultures fabriquait des races et des cultures nouvelles, plus raffinées, car plus complexes, que celles dont elles étaient issues.

Mais ces équilibres subtils demeuraient fragiles, et ils pouvaient être sauvagement détruits, et même réduits à néant, comme à Dunhuang, par la violence inouïe des pillards et des guerriers.

Heureusement, la force de ce besoin d'échange était telle, et les désirs, pour ne pas parler des rêves, qu'il faisait naître chez les hommes s'avéraient si irrépressibles, que les tronçons de la Route de la Soie anéantis par les comportements barbares finissaient toujours, comme par miracle, par renaître de leurs cendres, même s'il y fallait parfois beaucoup de temps.

Comme la nature reverdit après les brûlis, les hommes rebâtissaient peu à peu les ruines, restauraient leurs maisons détruites et reconstruisaient leurs temples dévastés, avec l'ardeur des bâtisseurs, tandis que les palabres et les tractations reprenaient sur les marchés qui, un beau jour, regorgeaient à nouveau de marchandises.

Car les forces de la vie l'emportaient finalement toujours sur celles de la mort et de la destruction.

Après tant d'atrocités, l'idée de revoir Pointe de Lumière avait ragaillardi l'humeur du Tibétain. Pour éviter de se faire repérer, il commença par explorer une à une les ruelles de la petite ville pour trouver la serre aux mûriers dont Pointe de Lumière s'occupait.

Après avoir tourné en rond un long moment, il finit par questionner, dans son très mauvais chinois, un marchand de pastèques.

— Petit palais devant ici ? Quoi être ? lui demanda-t-il en désignant la maison un peu plus noble que ses voisines sur le toit de laquelle flottait la bannière aux couleurs de la dynastie des Tang.

— C'est la maison du gouverneur chinois de la ville, Hong le Rouge. Même s'il ne fait que jouer aux échecs et boire du thé, tu devrais passer ton chemin. Devant chez lui, il vaut mieux avoir ses papiers en règle. Ailleurs, tu peux faire ce que tu veux. Moi, j'ai le droit de vendre mes pastèques ici parce que je paie la patente ! répondit l'homme plutôt fièrement, dans un chinois bien plus fluide que celui du *ma-ni-pa*.

— Église de Lumière où se trouver ?

— Deux rues plus loin vers la droite !

Il tomba très vite sur les bâtiments de l'Église de Lumière et, là suivit l'un des manichéens qui en sortait avec une mine de conspirateur.

L'homme le conduisit tout droit à la petite serre aux mûriers.

— Quelle bonne surprise, *ma-ni-pa* ! À quoi est dû l'honneur de ta visite ? Et comment vont Cinq Défenses et Umara ? Et les adorables enfants célestes ?

Le compagnon de Lune de Jade était en train d'élaguer ses mûriers au milieu de la serre où ils poussaient dans d'immenses jarres. À peine surpris, il avait l'air ravi de revoir le moine errant.

— *Om !* Cinq Défenses m'a expédié ici d'urgence. Et la raison va t'en sembler à peine croyable !

— Dis toujours !

— Voilà ! *Om !* L'impératrice Wuzhao en personne a un urgent besoin de moire de soie.

— Elle veut que nous arrangions ça ?

— Exact. *Om !* Elle souhaite même, au besoin, que le trafic de soie clandestine puisse reprendre en Chine centrale.

— Là, je suis plutôt estomaqué !

— Cela risque de te paraître invraisemblable, mais la souveraine est même prête à aider l'Église de Lumière à y écouler sa marchandise !

— Wuzhao violerait la loi de son pays ?

— Elle a de surcroît laissé entendre à Cinq Défenses qu'elle serait d'accord, en contrepartie, pour favoriser son installation officielle à Chang An ! Ton Parfait pourrait y ouvrir un temple ! Je suis chargé de lui annoncer cette bonne nouvelle.

— Cette bienveillance m'étonne moins que le reste. Cargaison de Quiétude sait fort bien que les autorités chinoises gardent sous le coude deux décrets essentiels, le premier autorisant les manichéens à pratiquer leur religion au vu et au su de tous ; et le second visant à proscrire les nestoriens. On dit que ce sont les confucianistes qui s'opposent farouchement à leur publication. Je suppose que l'impératrice a le bras suffisamment long pour débloquer tout cela…

— Il faut que j'en parle à Cargaison de Quiétude. *Om !* Aurais-tu l'obligeance de me conduire après de lui ?

— Lorsque tu lui annonceras ce que tu viens de me révéler, ô *ma-ni-pa*, le Parfait de Turfan exultera de joie ! Vraiment, malgré tout ce qu'on peut entendre, cette Wuzhao sait où elle va ! s'exclama le jeune Kout-chéen, admiratif.

Pointe de Lumière ne s'était pas trompé.

La surprise et la joie de Cargaison de Quiétude furent immenses lorsque le *ma-ni-pa*, dont Pointe de Lumière, comme tout Koutchéen multilingue, traduisait les propos avec une facilité digne d'un interprète chevronné, lui rendit compte de l'objet de sa mission.

Le moine errant avait retrouvé le Parfait dans sa bibliothèque de l'Église de Lumière, où il supervisait le travail d'enluminure d'un exemplaire du Grand Livre de Mani, qu'un spécialiste chinois était en train de décorer de couleurs vives.

— Ce que tu me racontes ne m'étonne qu'à moitié. L'impératrice de Chine a la réputation d'être une excellente joueuse d'échecs, constata en souriant Cargaison de Quiétude.

— Il est vrai qu'elle prévoit toujours le coup d'après ! ajouta Pointe de Lumière.

— Que lui répondrai-je, au sujet de sa proposition ? s'enquit le *ma-ni-pa*.

— Que je suis très honoré de sa confiance ! Bien sûr, nous travaillerons à l'avenir avec elle et animés d'une grande ardeur ! Wuzhao peut effectivement être d'un grand secours pour le développement en Chine de notre Église de Lumière… Je n'aurais jamais imaginé que nous recevrions un appui de ce type, quand je pense à la méfiance du gouverneur de Turfan qui me salue à peine ! s'écria le Parfait.

— Quand serez-vous à même de livrer à Chang An vos premiers coupons de soie ? interrogea le Tibétain.

Cargaison de Quiétude se tourna vers Pointe de Lumière.

— Dans trois mois environ, répondit le jeune Kout-chéen. Le temps de trouver un métier à tisser et un artisan capable de le faire fonctionner ! Depuis mon retour, mes vers n'ont pas chômé. Nous commençons déjà à avoir quelques bobines en stock.

— L'un des nôtres, Azzia Moghul, a appris dans sa prime jeunesse à tisser les tapis en Perse. Tu n'auras qu'à le réquisitionner ! Il te sera d'une aide précieuse.

— Ce sera fait, maître Cargaison de Quiétude ! dit Pointe de Lumière en s'inclinant avec respect devant son Grand Parfait.

— Comment va ta Lune de Jade ? demanda alors ce dernier à son ancien Auditeur, qu'il n'avait pas vu depuis quelque temps.

Pointe de Lumière constata que Cargaison de Quiétude avait posé sa question d'un ton enjoué.

C'était plutôt bon signe.

La proposition de l'impératrice Wuzhao le rendait d'humeur badine.

— À merveille ! Ma femme apprend à me seconder efficacement. Je ne vous remercierai jamais assez de nous avoir laissé nous marier, en acceptant de dissoudre mon serment d'Auditeur. Je crois pouvoir vous annoncer la bonne nouvelle que Lune de Jade attend un enfant ! répondit celui à qui le Parfait de Turfan avait décidé de donner une seconde chance.

— Vous vous êtes mariés ? demanda le moine tibétain, amusé.

— Il y a un mois ! déclara fièrement Pointe de Lumière.

— Je vous souhaite d'être heureux et d'avoir de nombreux enfants. *Om !* s'exclama le *ma-ni-pa* en exécutant une pirouette.

Le jeune Koutchéen, en fait, n'avait pas eu beaucoup de mal à convaincre son Parfait de le laisser convoler en justes noces avec la petite Chinoise dont il était éperdument amoureux.

La manière dont il avait exprimé sa repentance auprès du Parfait, dès leur premier entretien, jointe à sa révélation de l'ignoble comportement d'Aiguille Verte, avait incité son maître à se montrer indulgent.

Par ailleurs, il n'avait pas mis longtemps à juger que c'était l'unique façon de permettre à l'Église de Lumière de recommencer à produire la soie indispensable pour son avenir.

Un chef d'Église ne se devait-il pas d'adopter un comportement pragmatique, au moment où tant de nuages noirs s'étaient amoncelés à l'horizon ?

Il valait mieux passer l'éponge, en pardonnant sa conduite au jeune Pointe de Lumière.

Aussi Cargaison de Quiétude avait-il accepté d'effacer le serment de célibat auquel l'Auditeur avait souscrit lorsqu'il avait juré, le jour de sa consécration en tant que membre du premier grade du clergé de l'Église manichéenne, de consacrer toute son existence au culte de la Divine Lumière.

Le jeune Koutchéen tombé amoureux de Lune de Jade avait donc obtenu gain de cause.

Cette décision n'avait pas été sans poser un redoutable problème rituel au Parfait Cargaison de Quiétude.

Nulle part, dans aucun texte de l'Église de Lumière, il n'était écrit qu'un Parfait avait le droit de délier un Auditeur de son serment.

Tout membre du clergé de l'Église manichéenne était censé, selon le code ecclésial, le demeurer jusqu'à sa mort.

Le Grand Parfait de Turfan avait donc été contraint d'improviser une cérémonie dont il avait réglé lui-même les moindres détails.

Tout en implorant le pardon de Mani pour la liberté qu'il osait prendre vis-à-vis du dogme, Cargaison de

Quiétude avait imaginé un rituel qui avait pour but de réduire Pointe de Lumière à l'état de simple laïc.

Après avoir retourné le problème dans tous les sens, le Grand Parfait avait fini par décider de dire à l'envers les formules sacrées par lesquelles on devenait Auditeur, tout en effaçant, symboliquement, du front de l'intéressé la trace laissée par l'huile consacrée dont il l'avait oint, au cours d'une cérémonie identique, quelques années plus tôt.

Alors, aux yeux de Cargaison de Quiétude, Pointe de Lumière était redevenu un homme comme les autres, qui pouvait de ce fait prendre Lune de Jade pour épouse sans le moindre problème.

Tout était rentré dans l'ordre.

Depuis ce moment, soucieux de montrer à Cargaison de Quiétude qu'il avait bien fait de lui pardonner et de lui donner sa chance, l'ancien Auditeur s'était mis au travail comme un forcené dans la serre aux mûriers, où il n'avait pas ménagé sa peine pour relancer la production de cocons.

Le premier millier d'entre eux s'étalait déjà sur les clayettes disposées le long d'un mur, tout au fond de la serre aux mûriers, ce qui augurait bien de la possibilité de reprendre, au bout de quelques semaines, le rythme de croisière de la production du fil de soie.

Les efforts de Pointe de Lumière n'avaient donc pas été inutiles.

Quant à Lune de Jade, désireuse d'aider son jeune époux, elle n'était pas la dernière à mettre la main à la pâte.

— En attendant que je revienne à Chang An, afin de soumettre à Wuzhao les premiers échantillons tissés, en quoi pourrais-je vous être utile ? s'enquit le Tibétain, ravi de constater que tout se passait pour le mieux.

La réponse du Koutchéen ne se fit pas attendre.

— Tu ne seras pas de trop à la serre. Ainsi, je pourrai plus aisément surveiller l'atelier de tissage que nous allons y installer.

— *Om !* Je suis prêt à y aller tout de suite ! Je déteste ne rien faire ! lança le *ma-ni-pa.*

— À ce propos, maître Cargaison de Quiétude, il me faut contacter le plus vite possible Azzia Moghul. Où le trouverai-je ? demanda Pointe de Lumière au Parfait.

— À cette heure de la journée, cet adepte persan est toujours dans le chœur du sanctuaire, à genoux devant l'Autel de la Lumière où il revit, par ses prières, la Passion de Mani. C'est l'un de nos Parfaits les plus pieux, mais il a été aussi un excellent tisserand ! répondit celui-ci.

Ils se rendirent à l'église où Azzia Moghul, absorbé par sa méditation, les accueillit avec étonnement.

— Tu aideras Pointe de Lumière à installer un métier à tisser la soie dans son usine, lui dit sobrement Cargaison de Quiétude.

— Mais cela ne risque-t-il pas de me distraire de mes tâches spirituelles ? s'enquit le Persan, qui avait passé sa jeunesse à Shiraz, dans une fabrique de tapis de soie dont son père était le contremaître.

— Tu feras œuvre utile pour notre Église. Je t'expliquerai pourquoi un jour, lui répliqua le Grand Parfait.

Azzia Moghul n'avait pas pu faire autrement que d'obéir à un tel ordre, de la part de celui qui était également, en tant que Grand Parfait, son chef spirituel.

Le Persan était effectivement capable de superviser la fabrication d'un métier à tisser. Sous sa férule, un charpentier de Turfan réalisa à la hâte une machine qui permettait de sortir un tissu d'honorable qualité, même s'il n'atteignait pas la finesse de celui que produisait l'atelier clandestin d'Addai Aggai.

Quelques jours plus tard, une machine à tisser quelque peu rudimentaire, mais en parfait état de marche, fut apportée dans la serre aux mûriers et au bout de quelques semaines, les premiers coupons s'empilaient déjà dans la petite réserve que Pointe de Lumière avait spécialement aménagée à cet effet.

— Tu pourras bientôt repartir pour les montrer à Wuzhao, dit au *ma-ni-pa* Cargaison de Quiétude, venu se rendre compte de l'avancement de la tâche immense à laquelle Pointe de Lumière s'adonnait avec une telle diligence.

— Sa Majesté, je crois, a une nette préférence pour la moire jaune ou rouge ! déclara le moine errant.

— La moire, c'est ce qu'il y a de plus difficile à tisser. Avec ce métier-là, c'est même rigoureusement impossible ! Il faut une machine spéciale comme seuls les Chinois savent en fabriquer et, pour le coup, je serais bien incapable d'en superviser la mise au point ! Le brocart, passe encore, mais la moire, c'est non ! expliqua, désolé, Azzia Moghul aux deux hommes.

La réponse de Pointe de Lumière fusa :

— Et si nous faisions venir à Turfan un ingénieur chinois ? Ce serait le moyen de construire une machine capable de tisser la moire. L'impératrice Wuzhao, si vous le lui demandiez, Maître Parfait, ne vous le refuserait certainement pas ! Ne sommes-nous pas devenus des alliés objectifs, depuis qu'elle vous a expressément autorisé à établir l'Église de Lumière en Chine centrale ?

— Je suis prêt à repartir là-bas, si c'est nécessaire, pour l'informer de ce souhait de votre part, dit le *ma-ni-pa* à l'adresse de Cargaison de Quiétude

Le moine errant allait un peu vite en besogne.

De fait, il existait bien, à Chang An, dans l'atelier des ingénieurs du ministère de la Soie, quelques machines à tisser, comportant chacune plusieurs dizaines de fuseaux actionnés par des rouets reliés entre eux par des courroies de transmission ; elles permettaient de tisser à une vitesse incomparable de la moire brodée d'une qualité parfaite.

Mais ces métiers étaient considérés comme de véritables « trésors nationaux », et la divulgation à des tiers de leurs plans et mécanismes était punie de mort ! N'entraient au bureau d'études de l'administration de la Soie que des ingénieurs triés sur le volet, dont la moralité avait été dûment vérifiée et qui faisaient l'objet, une fois recrutés, d'une surveillance permanente exercée par les agents spéciaux du Grand Censorat.

Même Wuzhao n'aurait pu, dans ces conditions, avoir accès au plan de ces machines ni convaincre, d'ailleurs, un des techniciens qui les avaient conçues de se rendre à Turfan pour en indiquer les principes techniques aux manichéens.

Cargaison de Quiétude, auquel la vie avait appris qu'il valait mieux, dès lors qu'on souhaitait aller loin, procéder par étapes, entreprit de calmer leurs ardeurs.

— Produisons d'abord le plus beau tissu possible, avant d'aller demander une chimère à Whuzhao ! Le jour où le *ma-ni-pa* reviendra à Chang An, il commencera par donner à l'impératrice ce qu'elle a souhaité obtenir. Alors, si Sa Majesté est satisfaite, le reste, selon la belle expression de notre prophète Mani, viendra par surcroît.

— Cela me paraît plus réaliste, ajouta Azzia Moghul, tissons au préalable de la faille de soie en nous efforçant d'employer de belles teintures. Avec de la patience et de la minutie, c'est tout à fait à notre portée ! Nous n'avons pas encore notre petit chien savant, mais cela ne tardera pas !

— Que vient faire ici cette histoire de petit chien

savant, Grand Parfait ? lança, étonné, Pointe de Lumière.

— Tu ne connais pas l'histoire de ce minuscule caniche, capable de tenir une lampe allumée dans sa gueule et d'arrêter un cheval au galop rien qu'en se plantant devant ? rétorqua le Parfait amusé à son ancien Auditeur.

— Je n'en ai jamais entendu parler !

— Tel fut le présent que le roi de Gaochang, c'est le nom que les Chinois donnaient alors à notre oasis, envoya à la cour impériale, un peu avant la montée sur le trône de Taizong le Grand, pour obtenir les bonnes grâces de l'Empire chinois. Ce petit chien, dit-on, venait de Rome ! Depuis ce jour, on appelle du nom de « petit chien savant » le tribut que Turfan offre chaque année à l'empereur de Chine pour continuer à bénéficier de sa protection... expliqua Cargaison de Quiétude à Pointe de Lumière, médusé.

— Cet animal incroyable était né à Rome ! Veux-tu parler de l'empire de Da Qin, qui s'étend vers les mers de l'Ouest où l'on pêche le coquillage pourpre ? s'enquit le Koutchéen.

C'est alors qu'Azzia Moghul prit la parole.

— On dit qu'au Da Qin il existe une mer où vivent des coquillages avec des perles brillantes comme la lune ; on trouve aussi dans cette mer de la toile faite avec le duvet d'un mouton de mer et des rameaux rouges. Les princes de cet empire, baigné par des eaux tenant du miracle, permettent même aux citoyens de déposer leurs plaintes dans une urne ! Les médecins y sont capables d'ouvrir le cerveau des malades pour en extraire les insectes qui les rendent aveugles ! ajouta l'ancien tisserand persan dont la jeunesse, à Shiraz, avait été bercée par les récits de certains voyageurs racontant comment, sur les bords de la Méditerranée, dans l'Empire romain appelé par les Chinois tantôt Da Qin, tantôt Folin, on pêchait l'huître perlière et le corail, dont les anciens Latins pensaient qu'il était le sang de la Gorgone Méduse, répandu dans la mer après qu'elle eut été décapitée par Persée.

— Il est vrai que la Route de la Soie se poursuit jusqu'à Constantinople... expliqua Cargaison de Quiétude.

En 643, une ambassade de la cour de Chine y avait été reçue par l'empereur byzantin Constant II, lequel avait offert à l'émissaire Tang de somptueuses verreries multicolores, appelées *liuli* par les Chinois, et surtout la thériaque, cet extraordinaire médicament mis au point par les médecins grecs d'Alexandrie pour guérir les morsures de serpent.

Et de Constantinople, par bateau cette fois-ci, on pouvait aller jusqu'à Rome, située à plus de quarante mille li de la capitale chinoise, Chang An.

Certains voyageurs plus intrépides que les autres faisaient ainsi la jonction entre ces deux mondes qui ne s'ignoraient plus, et dont les émissaires cherchaient à vérifier les incroyables histoires qu'on rapportait, de part et d'autre, à leur sujet.

Chacun d'entre eux avait sa religion dominante : le christianisme à l'Ouest et le bouddhisme à l'Est.

Les richesses des uns, chèrement acquises, servaient à parer les reliques saintes des autres, et réciproquement.

Car rien n'était assez beau pour ces Églises.

Paradoxalement, les bonzes et les diacres enseignaient, chacun à leur façon, les bienfaits du dénuement et de la pauvreté, mais c'était d'or, de gemmes, de jade, d'ivoire, de corail, de bois précieux et, bien sûr, de soie dont ils avaient tous besoin pour affirmer leur foi.

— Au Da Qin, les femmes raffolent des tissus de

soie ! Qui sait ! Peut-être que, dans le cadre de son expansion vers Rome, l'Église de Lumière fera aussi appel à nous ! Tu as compris ce qu'il te reste à faire, mon cher Pointe de Lumière… ajouta en souriant le Grand Parfait.

— Nous avons du pain sur la planche. Il faut se remettre au travail sans perdre une minute ! s'écria, heureux comme un enfant, Pointe de Lumière en prenant son épouse par la taille.

— Que Mani vous bénisse, Lune de Jade et Pointe de Lumière ! leur lança, sur un ton enjoué, Cargaison de Quiétude avant de repartir vers son sanctuaire manichéen.

Alors, chacun, dans la serre, reprit ses activités, tandis qu'Azzia Moghul se penchait fébrilement sur ses réglages.

— Comme j'aimerais, un jour, aller moi aussi au Da Qin ! On ne cesse de parler de sa capitale, du nom de Rome. Il s'agirait, comme Chang An, d'une immense belle ville entièrement couverte de palais somptueux. D'après ce qui se dit, ses habitants l'appelleraient aussi « nombril du monde », comme si ce Da Qin était, à l'Ouest, ce que la Chine est à l'Est : un empire du Centre… murmura pensivement Pointe de Lumière.

— Et moi donc ! Ce mouton de mer avec le duvet duquel on fait de la toile, si tu savais ce qu'il peut me faire rêver ! Comme j'aimerais pouvoir lui caresser le dos ! chuchota Lune de Jade à l'oreille de son époux en la lui mordillant.

— À défaut de mouton de mer, nous avons à nourrir nos vers. Je vois qu'il faut remplir les bacs avec les feuilles de mûrier… dit son amant.

— Je t'aime, Pointe de Lumière ! lui souffla-t-elle, après lui avoir tendu ses lèvres.

— Comme j'ai hâte de voir le fruit de tes entrailles,

ma Lune de Jade ! Le jour où l'amant deviendra un père, je serai comblé ! s'exclama-t-il, avant d'aller chercher la serpette avec laquelle il couperait la brassée de feuilles fraîches dont les vers se gavéraient.

Comme ils avaient l'air heureux, ce jeune Koutchéen et cette jeune Chinoise aussi beaux qu'intelligents que le *ma-ni-pa* contemplait d'un air ému et attendri.

Les malheureux !

Ils ne se doutaient pas que le moment où la vie les séparerait de nouveau, hélas ! n'était pas loin...

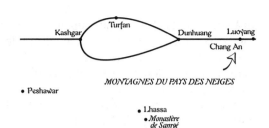

MONTAGNES DU PAYS DES NEIGES

• Peshawar

• Lhassa
  • *Monastère*
  de Samyé

32

Palais impérial, Chang An, Chine, 28 octobre 657

La soirée, comme à l'accoutumée, s'annonçait douce et tranquille, dans le jardin d'agrément du Pavillon des Loisirs.

La nuit était déjà tombée et, sous les frondaisons rougeoyantes des arbres, les fleurs d'automne embaumaient l'atmosphère.

Bientôt, il serait temps d'aller coucher les Jumeaux Célestes, qui s'accrochaient à leurs chaises en gazouillant.

Encore quelques semaines, et ces enfants, confiés par lama sTod Gling à Cinq Défenses, arriveraient à se redresser sur leurs petites jambes. Et tant Umara, dont l'affection pour ces bébés n'avait pas de bornes, que son compagnon n'avaient qu'une hâte, c'était de voir les Jumeaux Célestes accomplir leurs premiers pas.

— Nous n'avons pas encore donné de noms définitifs à ces enfants, ne serait-il pas temps de le faire ? demanda Umara à Cinq Défenses.

— C'est vrai qu'ils nous appellent déjà maman et

papa ! Je suis d'accord avec ce que tu proposes, mon amour, il serait grand temps de les nommer ! répondit Cinq Défenses en souriant.

Jusque-là, ils s'étaient effectivement contentés d'affubler les enfants de quantité de petits surnoms : cela allait de « la Jolie Petite Paire » à « Pile et Face », en passant par « les Tombés du Ciel ». Partout où ils étaient allés, les badauds ne se privaient pas de les gratifier de surnoms « xiaoming [1] » encore plus amusants.

Avec des gestes aussi attentifs que ceux d'une mère, Umara tenait à présent sur ses genoux les enfants célestes, dont elle lissait les cheveux. Elle venait de les faire dîner d'une purée de légumes dans laquelle elle avait soigneusement émietté des ailes de poulet bouillies.

— J'ai une idée ! s'écria soudain Cinq Défenses. Pourquoi pas « Lotus » et « Joyau » ?

— Bonne idée ! Lotus et Joyau, c'est plutôt joli ! Demain, les foules bouddhistes ne seront pas déçues lorsqu'elles viendront vénérer Lotus et Joyau ! constata en souriant la jeune nestorienne.

— Ce serait aussi la bonne façon de les rattacher au mantra *Om ! Mani padme hum*, « *Om !* Le joyau est bien dans le lotus ». Cette formule sacramentelle utilisée par nous autres bouddhistes fait appel au bodhisattva Avalokiteçvara, celui qui est le meilleur avocat des hommes auprès du Bienheureux Bouddha.

— Je sais. Tu m'as expliqué que c'est de là que vient le nom de *ma-ni-pa*.

— Le moine errant qui m'a aidé à transporter les enfants sera des plus flattés quand il l'apprendra. Ces

1. Le xiaoming, ou petit nom, est utilisé par les Chinois lorsqu'il s'agit de caractériser les individus, au-delà de leur simple nom de famille.

Jumeaux Célestes n'ont-ils pas, déjà, un pied sur terre et un autre au nirvana ? Et puis cela les placera tous deux sous la divine protection du bodhisattva intercesseur !

Cinq Défenses paraissait tout heureux de sa trouvaille.

— Qui appellerons-nous Lotus et qui portera le nom de Joyau ? s'enquit-elle.

— Je te laisse le choix, Umara !

— Lotus pourrait être le garçon et Joyau la fille. Qu'en penses-tu ?

— Je suis d'accord.

— Surtout pour la fillette. Malgré son incroyable pilosité, elle est si belle ! Son visage est une préciosité ! s'écria Umara en tendant à Cinq Défenses celle dont le nom était désormais Joyau.

Les propos d'Umara ne faisaient que souligner, une fois de plus, le paradoxe vivant qu'incarnait cette enfant, avec le surprenant défaut de l'exacte moitié de son visage.

La finesse des traits de la petite Joyau était telle que l'apparente disgrâce de ce terrible et si rare nævus infligé par la nature donnait à son visage la forme d'un masque partagé par l'arête du nez, alliance entre les traits d'une créature hors normes et ceux d'une fillette à l'incomparable beauté.

Lorsqu'on regardait son frère Lotus, même si la ressemblance entre les Jumeaux Célestes demeurait frappante, on ne pouvait que constater que la fillette avait des traits beaucoup plus fins que ceux de son frère.

La monstruosité portée à l'excès touchait, en l'occurrence, au sublime, et faisait de la petite Joyau un être dont l'apparence à la fois si irréelle et si belle témoignait des origines divines.

Incarnation d'une divinité descendue du ciel, Joyau,

puisque tel était désormais son nom, serait faite pour inspirer la dévotion.

Il fallait voir, déjà, comment les femmes de chambre et les gouvernantes du palais impérial prenaient soin d'elle, allant même, pour les plus pieuses d'entre elles, jusqu'à se prosterner devant ce bébé espiègle et adorable, auquel Umara s'était si vite attachée.

— Ma douce Joyau ! Comme j'aimerais savoir ce que l'avenir te réserve ! murmura Cinq Défenses.

— Crois-tu que les jumeaux ont vraiment été engendrés par un dieu ? demanda Umara à son amant.

— La façon dont tu me regardes en me posant cette question me laisse entendre que tu en doutes.

— Mon Dieu ne peut avoir infligé un tel fardeau à une œuvre de sa création.

— Je ne suis pas sûr que le Bouddha y soit, de son côté, pour quelque chose. C'est notre ami le *ma-ni-pa* qui prétend que ces jumeaux descendent de la Démone des Rochers. Et les Chinois sont si superstitieux ici qu'à la vue d'un tel phénomène ils invoquent aussitôt la main divine du Bienheureux, ou bien encore la Voie du Tao !

— J'espère surtout qu'au moment où cette enfant découvrira son visage elle n'en subira pas de traumatisme ! lâcha-t-elle, soudain inquiète, en frissonnant.

Car plus le temps passait, et plus Umara, qui ne pouvait imaginer, en tant que chrétienne, que Joyau eût été conçue par une divinité quelconque, se demandait quelle serait la réaction de la petite lorsqu'elle s'apercevrait de sa tare.

Provisoirement, elle avait fait ôter du Pavillon des Loisirs tous les miroirs qui en ornaient les murs. De même évitait-elle d'emmener la fillette trop près du bord des bassins d'agrément.

Elle voulait être celle qui expliquerait à Joyau qu'elle était normale et que les créatures du Dieu unique, quelles que fussent leurs apparences, étaient toutes égales entre elles.

D'ailleurs, profonde était la connivence qui s'était installée entre Umara et la petite Joyau.

La jeune chrétienne, au bout de quelques mois, se comportait déjà comme la véritable mère adoptive des Jumeaux Célestes.

La nuit était à présent complètement tombée et il commençait à faire frais dans le jardin du Pavillon des Loisirs.

Il était temps, pour Umara, d'aller coucher les deux petits enfants dans la chambre qui jouxtait la leur.

Lorsqu'elle revint, Cinq Défenses l'attendait de pied ferme dans le lit impérial du Pavillon des Loisirs, pour une nuit d'amour qui ne manquerait pas, une fois de plus, d'être torride et ensorcelante, tant ils se donnaient désormais complètement l'un à l'autre, dans des élans mutuels que plus aucune pudeur ne retenait.

Soucieux uniquement de combler l'autre, avec tout ce qu'il souhaitait, jusqu'à l'épuisement, ils s'accordaient à merveille, comme les deux notes de musique *huanzhong*, la coche-jaune, de nature yang, et *zhonglu*, la tige-médiane, de type yin.

Ces deux sons, parfaitement complémentaires, provenaient du premier et du dernier des douze tubes musicaux tels que les avait étalonnés le musicien Linglun, à la demande du mythique Empereur Jaune. C'était à l'infinie bonté de ce très généreux souverain des temps immémoriaux, dont le premier empereur Qin Shi Huangdi avait voulu jouer les dignes héritiers, que les Chinois devaient l'écriture, le calcul et les nombres, ainsi que la méthode de fabrication de la soie…

— Après avoir fait l'amour avec toi, je suis comme transportée au paradis. Quand mon père me parlait de cet endroit où se retrouvent les âmes justes, après la mort de l'enveloppe charnelle, j'étais sceptique, au point de douter parfois de l'existence d'un tel lieu. Depuis que je m'unis avec toi, je sais de quoi il retourne : le paradis existe bien, au moment où toi et moi, nous nous rejoignons ! murmura le lendemain matin Umara, dont le corps était encore tout imprégné des sucs et des empreintes que son amant y avait laissés, tout en lui caressant amoureusement la chevelure.

— Le Bienheureux a dit : «Il est un domaine où il n'y a ni terre ni eau, ni feu ni vent, pas plus qu'infinité de la conscience, et pas même néant : c'est la fin de la douleur, le nirvana. » Pour nous autres, contrairement à ce qu'on entend ici et là, le nirvana ne correspond pas à votre notion de paradis, puisqu'il correspond au stade où l'être humain ne souffre plus, parce qu'il a réussi à éteindre tous les feux qui brûlent en lui ! Dans ton paradis, les âmes sont éternellement heureuses, alors que dans mon nirvana elles ne souffrent plus !

— Cela ne revient-il pas un peu au même ?

— Tout dépend de ce qu'on appelle le bonheur ! Nous autres, bouddhistes, recherchons plutôt l'absence de sensations. Comme si le bonheur n'existait que par rapport au malheur...

— Il est vrai que depuis que je te connais, mon amour, j'ai peur de te perdre et cela me fait souffrir un peu !

— Moi aussi, depuis que je suis amoureux de toi, j'ai peur de te perdre !

— Ce que tu viens de dire est juste : s'ils veulent connaître le bonheur, les êtres humains doivent accepter de souffrir... murmura, songeuse, la jeune chrétienne.

— C'est même la façon dont les bouddhistes expliquent la *dukka*, ou douleur : par le désir et le bonheur. Dès qu'il désire ou jouit de quoi que ce soit, l'homme endure le martyre, le jour où il le perd ! Je n'imagine même pas dans quel état je serais s'il devait t'arriver un malheur ! gémit Cinq Défenses qui n'en finissait pas de constater à quel point la philosophie de l'existence, telle qu'elle lui avait été enseignée, cadrait peu avec ce qu'il était en train de vivre.

— Faut-il, pour autant, maudire le jour où nos chemins se mêlèrent ? Je préfère souffrir après avoir été heureuse, plutôt que vivre une existence morne et sans aucune sensation ni aspérité ! Tous les êtres, selon moi, ont le droit d'être heureux sur terre, pas seulement dans des paradis lointains dont, finalement, ils ne savent rien, puisque personne n'en est jamais revenu ! conclut-elle en se jetant dans ses bras.

— Tu as raison, ma petite Umara. Pour ce qui me concerne, c'est pareil : je ne regretterai jamais le jour où je t'ai vue pour la première fois. Ce moment-là fut pour moi comme une seconde naissance ! Depuis, je ne me sens plus le même. Je vois la vie différemment. J'ose dire qu'avant le sens profond de celle-ci m'échappait… chuchota-t-il en caressant ses petits seins fermes.

— Nous nous aimons. C'est là notre immense chance.

Chacun à leur façon, ils mesuraient la distance qui s'établissait entre certains préceptes religieux et les choses de la vie, telles qu'elles survenaient.

Si la foi bouddhique de Cinq Défenses demeurait intacte, sa rencontre avec Umara avait toutefois fait changer de sens certains des mots qui la constituaient.

«Illumination», par exemple, était de ceux-là.

Ce terme, jusque-là resté à ses yeux une pure abstraction, avait désormais une signification précise.

Il était ce mélange d'émerveillement et d'évidence qu'il avait ressenti au plus profond de son cœur lorsque son regard avait croisé pour la première fois celui d'Umara.

Pour Umara, c'était le mot « Révélation », au moyen duquel son père lui avait tant de fois expliqué l'attitude du prophète Moïse, quand Dieu avait fait part à ce dernier de son existence dans un buisson ardent, puis de ses Dix Commandements, en les gravant par les éclairs de l'orage sur les Tables de la Loi du Prophète, dont elle comprenait à présent le sens.

Grâce à Cinq Défenses, Umara avait eu la « Révélation » de l'amour.

De même, les mots « impermanence » et « anatman », c'est-à-dire l'expression du « non-soi » qui caractérisait selon le Bouddha l'état des choses et des êtres, et les rendait éphémères et vulnérables, étaient peu conformes à l'image que Cinq Défenses avait de son amante.

Umara était bien plus qu'un être de chair et de sang. La fille de l'évêque nestorien avait une personnalité qui en faisait un être unique. Elle avait donc une âme.

Pourquoi le Bienheureux avait-il décrété que tout n'était qu'« anatman » ?

Quelles étaient les raisons d'un tel pessimisme et, au fond, d'une telle désespérance ?

Pourquoi les hommes naissaient-ils dans une impasse appelée le monde, gouverné par la tragique et douloureuse loi de la douleur et de l'impermanence, duquel il importait de sortir au plus vite ?

Pourquoi était-il écrit, dans les Évangiles, que le bonheur ne s'obtenait jamais sur terre, et qu'il était plus difficile à un homme riche d'entrer au paradis qu'à un chameau de passer par le trou d'une aiguille ?

Les religions n'étaient-elles faites que pour les gens malheureux ?

Et pourquoi les dieux et les bouddhas, censés aimer les êtres, en laissaient-ils tellement plongés dans l'affliction de la faim, du dénuement, de la maladie et de la solitude ?

Comment concilier le bonheur et l'épanouissement individuel avec la foi religieuse ?

Telles étaient les questions que Cinq Défenses et Umara se posaient, chacun de leur côté, tandis qu'il avait à nouveau dénudé sa jeune amante et que celle-ci s'apprêtait, une fois de plus, à ouvrir toutes grandes les portes qui lui permettraient d'effectuer la délectable visite de ses palais intimes !

Lorsqu'il la pénétra, elle ne put s'empêcher de crier, tellement était grand le plaisir où elle s'engloutissait par vagues successives, qui paraissaient ne jamais pouvoir être dépassées, alors que la suivante, comme par enchantement, lui faisait toujours oublier la précédente...

— Tu m'empêches de sortir de ce lit alors que l'heure tourne ! lui souffla-t-elle quand tout fut fini, en pouffant de rire.

— Que puis-je faire pour que tu me pardonnes, mon amour ? plaisanta-t-il.

— Va donc me cueillir une de ces pivoines géantes du jardin d'agrément du Pavillon des Loisirs. Ce sont les dernières de la saison. Hier soir, elles m'ont semblé si belles ! suggéra-t-elle.

— Ne bouge surtout pas ! Je reviens ! s'écria-t-il en bondissant hors du lit.

Il s'en fut donc cueillir la fleur à l'extraordinaire boursouflure immaculée dont le cœur rouge se dévoilait, lorsqu'on en écartait les pétales dentelés.

L'arbuste en était couvert et embaumait l'atmosphère à plusieurs pas à la ronde.

Cinq Défenses s'apprêtait à couper la plus belle lorsqu'il sentit qu'on lui tapotait le dos.

À cette heure-là, bien avant l'arrivée des jardiniers

impériaux, il n'y avait pourtant jamais personne dans le jardin d'agrément du Pavillon des Loisirs.

Légèrement inquiet, il se retourna vivement et tomba nez à nez avec un inconnu qui le dévisageait d'un drôle d'air.

— Nous sommes voisins, je crois... Je m'appelle Aiguille Verte. Je suis logé dans le Pavillon de l'Horloge à Eau, juste à côté de celui des Loisirs, derrière le mur qui borde ce jardin, expliqua l'inconnu d'une voix nasillarde.

Aiguille Verte ! Ce nom disait quelque chose à Cinq Défenses. Mais quoi exactement, il ne s'en souvenait pas, pris de court par l'arrivée de cet homme qui l'avait surpris, à demi nu, sur le point de couper la pivoine d'Umara !

L'individu, au visage plutôt chafouin, désignait du doigt l'immense mur de briques situé au bout du jardin du pavillon où Wuzhao avait installé Cinq Défenses, Umara et les Jumeaux Célestes. Il était percé, à sa base, par un passage en forme de cercle parfait, dans lequel on apercevait la fontaine qui alimentait le mécanisme de l'horloge à eau qui avait donné son nom au pavillon mitoyen.

— Mon est nom est Cinq Défenses.

— Je sais qui tu es. On entend tout ce qui se dit, de l'autre côté du mur ! avoua l'homme sans la moindre vergogne.

— Tu es donc si curieux que ça ? demanda l'amant d'Umara, piqué au vif par le ton lourd de sous-entendus avec lequel Aiguille Verte venait de s'exprimer.

— Les journées paraissent longues, quand on n'a rien à faire ! Et puis ton amante et toi vous faites un de ces bruits ! Je te l'avoue franchement, parfois je ne dors pas de la nuit ! Il y a des soirs où j'ai même l'impression d'être au milieu de vous... ricana-t-il.

Le regard en coin d'Aiguille Verte, content de sa plaisanterie, était franchement désagréable à Cinq Défenses.

— Eh bien, essaie donc de te dénicher une occupation ! Il y a des milliers d'arbres à tailler dans les parcs du palais impérial ! lança-t-il, passablement ulcéré et mal à l'aise, ne trouvant rien d'autre à rétorquer à l'importun.

Il s'apprêtait à couper la fleur réclamée par son amante quand le quidam, bille en tête, s'écria, à son tour, l'air furieux :

— Il faut vous méfier de Wuzhao ! L'impératrice ne tient jamais parole ! Il vaut mieux le savoir avant qu'après...

— Pourquoi dis-tu ça ? s'enquit Cinq Défenses interloqué.

— J'ai mes raisons ! Et crois-moi, elles sont plus que valables. Je parle d'expérience, éructa Aiguille Verte, avant de tourner brusquement les talons.

De retour dans le pavillon, Cinq Défenses raconta à son amante les propos et l'attitude étranges de l'individu qu'il venait de croiser dans le jardin.

— T'a-t-il donné son nom ? demanda Umara.

— Aiguille Verte !

— C'est bizarre, ce nom ne m'est pas inconnu.

— Moi c'est pareil, mais j'ai beau chercher, je ne retrouve pas les circonstances dans lesquelles il fut déjà prononcé devant moi !

— N'est-ce pas Pointe de Lumière et Lune de Jade qui nous en ont parlé, dans le lit de la rivière asséchée ? s'écria soudain Umara en serrant ses petits poings.

— C'est cela même ! Et pas en termes élogieux, si je me souviens bien. Selon leurs dires, cet Aiguille Verte les avait dénoncés aux autorités...

— Nous n'avons aucune raison d'en douter !

— L'homme que j'ai rencontré est donc un traître. Il avait vraiment l'air d'un faux jeton...

— Cinq Défenses, si tu savais ce que je suis inquiète ! Que fait-il là, au palais impérial, à épier le moindre de nos faits et gestes ? demanda Umara, affolée.

— C'est à n'y rien comprendre ! Il s'agit peut-être là d'une subtile manœuvre de l'impératrice ! À ce niveau de responsabilités, on dit qu'il est prudent de toujours avoir plusieurs fers au feu... murmura pensivement Cinq Défenses.

Et ils avaient, en effet, de quoi être inquiets...

Car Torlak l'Aiguille Verte se sentait bel et bien abandonné par l'impératrice Wuzhao.

Le Ouïgour n'en pouvait plus d'attendre un signal de sa protectrice qui ne venait jamais.

Cela faisait des mois qu'il passait ses journées à ne rien faire et le sentiment d'inutilité qui le taraudait, joint à la frustration d'assister, fût-ce par l'ouïe, aux ébats de ces deux amants dont il entendait le moindre soupir, était en passe, une fois de plus, de transformer ce frustré en être maléfique.

Depuis que Wuzhao avait recruté le Ouïgour auprès d'elle, c'est tout juste si elle l'avait fait venir deux fois dans son boudoir afin de lui extirper ce qu'il savait sur l'organisation de la production et de la commercialisation de la soie clandestine. Mais ces révélations étaient devenues inutiles quand le trafic s'était interrompu.

En lui proposant de travailler pour elle, l'impératrice avait surtout placé Aiguille Verte hors de portée de ses geôliers.

Mais le Ouïgour s'était imaginé jouer les premiers rôles et, quand il avait compris le peu d'intérêt que l'impératrice lui portait, il n'avait pas tardé à en concevoir une vive aigreur.

L'ancien agent secret de Cargaison de Quiétude était de ces êtres à la fois méchants et bêtes semblables au scorpion de la fable qui, se croyant malin, avait fini par piquer la grenouille sur le dos de laquelle il était monté pour traverser la rivière, provoquant la mort du batracien avant de périr noyé à son tour !

La réflexion que Cinq Défenses venait de lui envoyer à la figure avait eu sur cet individu aigri et malfaisant l'effet d'une véritable gifle.

Sitôt revenu dans le jardin du Pavillon de l'Horloge à Eau, il s'était assis, ivre de rage, devant la gigantesque roue dont les godets puisaient et reversaient l'eau qu'une conduite forcée amenait dans une grande vasque de marbre.

Ce moine forniqueur l'avait proprement insulté.

Cela faisait des semaines que, l'oreille collée au mur de son jardin, le Ouïgour percevait tout ce que ces deux amoureux se racontaient, au point qu'il avait pu reconstituer entièrement leur histoire…

Tout s'était précipité lorsque, à sa grande surprise, Aiguille Verte avait entendu l'impératrice elle-même, quelques semaines plus tôt, venir faire ses confidences à ces tourtereaux dépravés et solliciter leur aide !

Si elle l'avait délaissé, c'était donc à leur profit…

Enragé et dépité, il avait écouté Cinq Défenses proposer à Wuzhao de lui servir d'intermédiaire avec les manichéens de Turfan, dans cette histoire de fourniture de bannières de soie peintes au couvent mahâyâniste de Pureté du Vide !

N'était-ce pas un comble ?

Non seulement l'impératrice paraissait l'avoir complètement oublié, lui Aiguille Verte, mais voilà qu'elle faisait appel à ce jeune couple d'amoureux dont les étreintes bruyantes ne cessaient de troubler son sommeil.

Depuis cet épisode, et malgré les risques qu'une telle démarche lui faisait encourir, il n'avait qu'une hâte, c'était d'aller dire à ce Cinq Défenses ses quatre vérités !

Il avait fini par craquer, à l'issue de cette nuit au cours de laquelle il s'était cru dans leur chambre, tellement Umara avait hurlé pendant l'orgasme.

Au moins, c'était chose faite ! Il avait vidé son sac comme un cobra lâchant son venin, d'un seul jet.

Et quoiqu'il eût été payé pour savoir que la jalousie et la haine étaient mauvaises conseillères, et que personne ne respectait les traîtres, il n'en avait cure : la haine était trop forte dans son cœur.

Il y avait une phrase du grand philosophe légiste Han Feizi[1] que les professeurs de morale rebattaient aux enfants chinois : « Il ne sert à rien d'attendre près d'une souche qu'un lièvre vienne s'y fracasser le crâne ! »

À force de l'entendre, Aiguille Verte avait fait sienne cette maxime.

Qu'attendait-il pour régler leur compte à tous ceux qui l'avaient humilié ?

À ne rien faire, en demeurant à l'ombre de sa clepsydre, ne finirait-il pas par pourrir sur pied, jusqu'à ce que la disgrâce atteigne à son tour celle qu'il avait sottement crue, lorsqu'elle lui avait proposé de le protéger, et qui l'avait tellement déçu ?

Abonné à faire le mal, Aiguille Verte en était au point où le bonheur des autres lui était insupportable, et surtout celui d'Umara et de Cinq Défenses, qui lui rappe-

---

1. Ce grand penseur et stratège, inventeur du légisme, vécut à la fin des Royaumes Combattants, au IIIᵉ siècle av. J.-C.

lait douloureusement celui de Pointe de Lumière et de Lune de Jade.

Ces couples amoureux ne cessaient de lui renvoyer l'image de sa propre solitude ainsi que de l'impasse dans laquelle il se trouvait depuis que Wuzhao l'avait confiné dans ce sinistre Pavillon de l'Horloge à Eau du palais impérial où personne, jamais, ne venait le voir, si ce n'était un chambellan qui lui apportait ses trois repas quotidiens.

Il ne voyait pas d'autre issue, pour se venger, que d'avertir les autorités concernées de la présence de Cinq Défenses et d'Umara au palais impérial, tout en s'arrangeant, au passage, pour éclabousser Wuzhao…

Mais il était exclu, cette fois, pour d'évidentes raisons, d'effectuer la démarche lui-même.

Les sbires du Grand Censorat ne désiraient que cela : lui faire payer au prix fort sa collaboration avec Wuzhao.

Il agirait donc anonymement. Ce serait plus prudent et tout aussi efficace.

Il y avait, à Chang An, suffisamment d'écrivains publics à qui il pourrait dicter son rapport explosif, où il raconterait par le menu non seulement les frasques de ces deux amoureux clandestinement hébergés au palais, mais également l'incroyable marché dont il avait fort bien entendu les termes.

Chacun, alors, connaîtrait en détail les manigances de l'impératrice.

Il ferait parvenir ce libelle au préfet Li, avec copie, pour plus de précaution, au ministre de la Soie Vertu du Dehors.

Et ce rapport, à n'en pas douter, ferait l'effet d'une bombe.

Celle-ci explosa quelques jours plus tard, en fin de journée, ce moment rare dont Umara et Cinq Défenses aimaient profiter ensemble, lorsque la multitude des plantes odorantes du jardin d'agrément du Pavillon des Loisirs, à la suite de leur longue exposition au soleil, dispersaient dans l'atmosphère leurs effluves enivrants.

À leur grande surprise, les deux amants virent débouler l'impératrice en personne, suivie de l'inévitable Muet qui tenait la cage du grillon.

Wuzhao paraissait aux cent coups.

Si la souveraine leur rendait visite à une heure aussi inusitée que tardive, c'était que l'instant était grave.

— Cinq Défenses, Umara, il vous faut partir ! Les agents du Grand Censorat viennent d'entrer par la Porte Nord du palais impérial ! annonça Wuzhao, d'une voix blanche, encore tout essoufflée d'avoir couru dans les immenses couloirs.

L'inquiétude éprouvée par les deux amants, après les propos d'Aiguille Verte, si lourds de menaces, se révélait — hélas ! — légitime.

— Que se passe-t-il, Votre Majesté ? s'enquit Umara, le visage fermé.

La jeune chrétienne fixait l'impératrice de Chine d'un air plutôt hostile, comme si elle avait un reproche à lui faire.

— Il n'y a pas une minute à perdre ! Les brigades spéciales sont à vos trousses. Heureusement que le Muet m'a prévenue à temps : les agents du Grand Censorat se préparent à vous cueillir ici ! Quelqu'un a dû vous dénoncer !

Cinq Défenses remarqua, de son côté, avec déplaisir, que Wuzhao employait désormais le « vous » et non le « nous ».

— Mais où pouvons-nous nous cacher ? Y a-t-il au palais un endroit suffisamment discret pour attendre que l'orage passe ? demanda Cinq Défenses.

— Vous n'y pensez pas ! Au palais, vous êtes grillés.

Il faut partir le plus loin possible d'ici, et vite ! s'écria Wuzhao, dont l'agacement, désormais perceptible, traduisait un certain affolement.

— De l'autre côté de la Grande Muraille ? fit alors, incrédule, la jeune chrétienne.

— Nous avons eu suffisamment de mal à la franchir, pour ne pas la repasser dans l'autre sens ! s'exclama son amant, consterné.

— Et pourtant, il faudra vous y résoudre ! De l'autre côté du Grand Mur, les mailles du filet policier qui s'abat sur vous seront un peu plus lâches ! dit sèchement l'impératrice.

Au jeune couple, ces propos firent l'effet d'un véritable coup de massue.

Alors qu'ils pensaient toucher bientôt au but, Chang An étant située à deux jours à peine de navigation de Luoyang par le Canal Impérial, voilà qu'ils devaient repartir en arrière !

— La situation est-elle à ce point désespérée que nous devions quitter la Chine ? s'enquit Umara.

— Il n'y a, hélas, rien d'autre à envisager ! conclut tristement Wuzhao.

— Quel serait pour nous le refuge idéal ? murmura Umara, à qui les larmes étaient venues aux yeux.

— À coup sûr, il vous faut aller là où n'iront jamais les sbires qui sont à vos trousses ! souffla fébrilement l'impératrice.

— Dans ce cas, le mieux serait encore de chercher refuge au pays de Bod. Bien malin celui qui saura que nous y sommes ! finit par conclure Cinq Défenses, après quelques instants de réflexion.

— Bonne idée ! Filez donc à Samyé ! Lorsque tout se sera apaisé, je vous enverrai un émissaire sûr et vous pourrez revenir ici en toute quiétude. Pendant que vous serez là-bas, j'obtiendrai le pardon de Pureté du Vide à l'endroit de Cinq Défenses, dont la conscience sera ainsi définitivement en paix ! s'écria Wuzhao.

Repartir à Samyé !

Cinq Défenses n'avait jamais imaginé qu'il y serait un jour contraint !

Quant au pardon du grand maître de Dhyâna, il ne croyait guère à son obtention par la voie d'un intermédiaire, fût-ce par le truchement de l'impératrice ; connaissant la légendaire rigidité et le goût de l'autorité de son Supérieur, il était persuadé que la seule chance de faire fléchir ce dernier était d'agir lui-même et, face à lui, de faire allégeance en implorant sa grâce.

Malgré ce terrible contretemps, le couple qu'il formait avec Umara était tellement fort et uni que, tout bien réfléchi, peu lui importait de quitter Chang An et de se remettre à marcher sur les chemins, y compris ceux qui menaient au pays de Bod, du moment qu'elle était avec lui.

La seule éventualité inenvisageable n'était-elle pas d'être privé du bonheur intense et apaisant de se retrouver, chaque matin, dans les doux bras de son amante ?

— Et les enfants célestes ? Ils dorment comme des anges ! s'exclama soudain Umara, folle d'angoisse.

— Vous n'aurez pas le temps de les emmener. Les gardes du Grand Censorat vont faire irruption ici d'une minute à l'autre ! tonna Wuzhao.

— Mais que vont-ils devenir ? Lotus et Joyau n'ont, que je sache, fait de mal à personne ! gémit la fille d'Addai Aggai dont la voix s'était étranglée d'émotion.

— Vous n'avez qu'à me les laisser. Je m'en occuperai ! Ce ne sont pas les gouvernantes qui manquent, à la cour impériale. Ils seront traités comme des petits princes d'empire ! Faites-moi confiance, j'en prendrai le plus grand soin, lui rétorqua l'impératrice de Chine.

— Majesté, je me suis attachée à eux et je ne suis

pas loin de les considérer comme mes propres enfants ! murmura, brisée, la jeune chrétienne dont la détresse était manifeste à l'idée d'abandonner là les Jumeaux Célestes.

— Umara, je crois que l'impératrice a raison. Si nous devons nous enfuir, il ne nous appartient pas de faire courir le moindre risque inutile à ces enfants… intervint Cinq Défenses que le désarroi de son amante chagrinait au plus haut point.

— Eh bien, soit ! Mais il me faut votre parole, Majesté, que vous vous occuperez des Jumeaux Célestes comme s'ils étaient issus de votre propre sang ! dit Umara, la mort dans l'âme, à l'adresse de Wuzhao, en plongeant ses yeux dans ceux de l'impératrice.

— J'essaierai de m'en occuper aussi bien que toi ! Dès demain matin, mes gouvernantes viendront les chercher, lui assura celle-ci, avant d'ajouter, de plus en plus nerveuse : Maintenant faites vite ! Si les agents du Grand Censorat vous trouvent ici, je ne pourrai rien pour vous. J'espère bien avoir été claire !

Au moment où Wuzhao s'apprêtait à repartir, Umara vint se poster devant elle et lui posa la question qui lui brûlait les lèvres.

— Majesté, pourquoi avez-vous laissé publier cet édit qui interdit aux nestoriens d'exercer librement leur culte dans l'empire de Chine, contrairement aux manichéens qui disposent de ce droit ?

La réponse de l'épouse de Gaozong fusa du tac au tac.

— Il n'est pas en mon pouvoir d'arrêter tel ou tel décret !

— Ce n'est pas ce qui se raconte, Majesté. Les pouvoirs qu'on vous prête vous auraient permis de le faire, si vous l'aviez décidé ! répliqua Umara.

— À cause des nestoriens, auxquels des mazdéens

déçus voulaient régler leur compte, Dunhuang a été mise à sac par les Turcs le mois dernier ! Tous les monastères bouddhiques de l'oasis ont ainsi été détruits. L'Église nestorienne est à l'origine de ces troubles regrettables. Je n'y suis, en ce qui me concerne, rigoureusement pour rien ! précisa, agacée, Wuzhao en regagnant la porte du Pavillon des Loisirs.

— Le grand couvent du Salut et de la Compassion a-t-il été pillé ? se hasarda à demander, angoissé, Cinq Défenses.

— Hélas, oui ! Le rapport de gendarmerie précise même que la célèbre grotte aux livres précieux de ce monastère a été saccagée ! Quand des étrangers, par leur comportement irresponsable, sont à l'origine de tels troubles à l'ordre public, il est normal que la Grande Chine leur interdise l'entrée sur son territoire ! lâcha l'impératrice avant de les planter là.

Trois jours plus tôt, tout Chang An bruissait de cette rumeur selon laquelle l'impératrice de Chine avait laissé promulguer deux décrets impériaux concernant le manichéisme et le nestorianisme, ces religions occidentales qui possédaient des établissements sur la Route de la Soie.

Comme d'usage, les textes avaient été placardés par la Grande Chancellerie de l'empire, chargée de les rédiger, sur les panneaux de bois accrochés aux balcons de la haute Tour des Affiches afin que nul, au sein du peuple, n'en ignorât l'existence.

Dominant la capitale de toute sa hauteur, cet édifice austère et imposant, dont c'était l'unique fonction, avait été construit, quelque mille ans auparavant, à l'époque du royaume de Qin, avant que celui-ci ne devînt le premier Empire chinois.

Haletante et furieuse, Umara s'était précipitée au pied de la Tour des Affiches pour tenter de déchiffrer ces textes réglementaires dont l'impératrice s'était bien gardée de lui parler, alors que les deux femmes se côtoyaient presque tous les jours.

Les textes, hélas pour les nestoriens, étaient des plus sévères.

Le premier leur interdisait à l'avenir, en raison des troubles à l'ordre public provoqués par leur Église, de franchir la Grande Muraille et d'ériger sur le territoire chinois le moindre édifice cultuel, sous peine de mort.

Le second autorisait, au contraire, l'Église manichéenne à fonder sur le sol chinois des « établissements », à la seule condition d'en demander au préalable l'autorisation administrative !

Révoltée par tant de discrimination, après avoir lu et relu ces pancartes, tout d'abord incrédule, la jeune femme était allée se jeter dans les bras de Cinq Défenses en pleurant à chaudes larmes.

— Te rends-tu compte de cette injustice ! avait-elle protesté. Il y a, derrière ce deux poids deux mesures, un cynisme dont je ne croyais pas capables les autorités de ce pays ! Quand mon pauvre père saura ça, lui qui a consacré sa vie à essayer d'aller plus vite que l'Église de Lumière, il en pleurera autant que moi !

— Il est vrai que, dans cette affaire de trafic de soie, l'impératrice a davantage besoin des manichéens que des nestoriens.

— Peut-être avons-nous été naïfs de faire confiance à cette femme et de lui ouvrir nos cœurs, en lui proposant de servir d'intermédiaire avec le manichéen Cargaison de Quiétude…

— À quels troubles à l'ordre public le décret d'interdiction de l'Église nestorienne fait-il allusion ? s'était-il alors demandé, surpris par la tournure des événements.

À présent que l'impératrice en personne venait de

leur donner la réponse, Umara était plongée dans les affres de l'inquiétude quant au sort de son père.

Qu'était devenu ce pauvre Addai Aggai ?

Avait-il péri ou avait-il pu sauver sa vie, au cours de cette attaque ?

Mais ce que Cinq Défenses ignorait à ce moment-là, c'était qu'Umara était également terriblement contrariée par le pillage de la cache aux livres précieux.

La petite boîte de santal en forme de cœur qu'elle croyait y avoir laissée à l'abri, en attendant de pouvoir la récupérer, était perdue à jamais.

De ce trésor évanoui, elle n'avait toujours pas osé parler à Cinq Défenses !

Quelle mystérieuse raison l'avait empêchée de révéler, y compris à l'homme de sa vie, l'existence du petit reliquaire du monastère de Peshawar ?

Ce n'était, en tout cas, plus le moment de le faire : elle n'aurait fait qu'accroître le trouble de son amant.

Condamnée à se taire sur ce point, elle était tellement abattue que Cinq Défenses dut la secouer pour lui faire placer à la hâte dans un sac de voyage les quelques effets indispensables à leur fuite.

— Espérons qu'il ne sera rien arrivé à notre *ma-nipa* ! ajouta-t-il en regardant tristement Umara.

— Il est vrai qu'il a dû découvrir à Dunhuang un immense champ de ruines ! Je n'ose même pas imaginer à quoi doit ressembler l'évêché… murmura-t-elle, les yeux mouillés de larmes.

— Dépêche-toi, Umara ! Nous risquons notre vie !

— Je veux embrasser Lotus et Joyau avant de partir ! souffla-t-elle.

Dans leur chambre, les deux enfants, chacun dans son petit lit, ne bronchèrent pas lorsqu'elle se pencha sur eux pour leur embrasser doucement le front.

C'est à peine si Joyau esquissa un minuscule sourire, lorsque les lèvres d'Umara effleurèrent ses cheveux.

La jeune nestorienne sanglotait.

Elle s'était tellement attachée aux Jumeaux Célestes que cette séparation intempestive était un arrachement.

Qu'allaient-ils devenir, sans leur protection, ces deux pauvres enfants encore incapables de faire le moindre pas ?

C'était terrible de les abandonner à leur sort !

L'impératrice Wuzhao avait certes promis de se charger de leur éducation et de leur entretien.

Mais, était-il possible de faire confiance à cette femme secrète et implacable, capable de toutes les foucades, qui n'avait pas hésité à laisser l'État proscrire l'Église à laquelle Umara appartenait, sans même en avertir, fût-ce d'un mot, la fille d'Addai Aggai ?

Le cœur serré et la mort dans l'âme, celle-ci referma doucement la porte de la chambre et s'en fut rejoindre Cinq Défenses qui achevait de museler Lapika.

— Elle vient avec nous. Les jumeaux n'ont plus besoin de son lait. Je lui passe la muselière, parce que je ne voudrais pas que la pauvre bête se mette à aboyer de joie quand elle s'apercevra que nous sortons de ce palais où elle est enfermée depuis des mois ! Elle connaît bien la route de Samyé. Là-bas, il y en a un qui tombera des nues quand il la reverra ! s'écria-t-il.

Il faisait allusion au lama sTod Gling, qui lui avait fourni la chienne nourricière en même temps qu'il lui avait confié la garde des bébés à peine âgés de quelques jours.

Ils quittèrent à la hâte, en veillant à faire le moins de bruit possible, le Pavillon des Loisirs, pour gagner la sortie arrière du palais impérial, celle qui n'était utilisée que par les jardiniers et les palefreniers.

Ils évitèrent les cours immenses, aux noms plus mystérieux et poétiques les uns que les autres — Pureté de l'Esprit, Faveurs Célestes, Solennité Sincère ou encore Ancêtres Incomparables —, qui succédaient à des préaux au plafond à caissons somptueusement orné, lesquels menaient à de sombres corridors débouchant à leur tour sur d'innombrables salles où les gardes et les serviteurs, affalés sur des banquettes, passaient leur temps à attendre des ordres.

Car le palais impérial n'était jamais vide, peuplé en permanence par une armée d'eunuques et de chambellans qu'il était exclu pour Umara et Cinq Défenses, dans les circonstances présentes, de croiser.

Tous ces hommes, mi-espions, mi-serviteurs, dont chacun surveillait l'autre, avaient pour fonction de se tenir prêts à se plier au moindre caprice des souverains, car les désirs de l'empereur, comme ceux de son épouse, devaient être satisfaits sur-le-champ.

Cela pouvait aller d'un mets particulier — et le cuisinier risquait sa tête, s'il n'était pas capable de le préparer dans les délais requis ! — à la convocation d'un ministre ou d'un haut fonctionnaire qu'il fallait déranger toutes affaires cessantes pour le traîner devant le couple impérial.

Il y avait aussi des requêtes bien plus étranges, comme ce souhait, émis un beau jour par Gaozong, qu'on lui amenât un léopard des neiges dressé, ou encore celui de Wuzhao qu'on lui procurât un oreiller spécial, fait de soie rembourrée de plumes de cygne, destiné à soulager ses maux de tête...

Heureusement, les portes de service du palais impérial étaient encore ouvertes lorsqu'ils s'y engouffrèrent, sous le regard indifférent des trois concierges aux pieds coupés, avant de se retrouver dans les ruelles adjacentes où ils ne tardèrent pas à se fondre dans la foule.

Flanqués de Lapika qui trottinait, délivrée de sa

muselière, ils franchirent bien plus facilement que Lune de Jade et Pointe de Lumière, quelques mois plus tôt, la barrière de l'octroi de la capitale des Tang.

La nuit largement tombée, un crachin persistant commença à les mouiller sérieusement, les obligeant à se réfugier dans la première auberge venue.

Ce soir-là, pour la première fois depuis qu'ils étaient arrivés en Chine centrale, ils ne purent faire l'amour.

Une odeur de bouc régnait dans la salle commune qui faisait office de dortoir ; à l'intérieur de celle-ci, la promiscuité était telle qu'il n'était même pas envisageable de s'embrasser. Ils se contentèrent donc de se pelotonner l'un contre l'autre, la chienne jaune à leurs pieds, avant de s'endormir.

Le lendemain matin, ils quittèrent l'auberge sans déplaisir, en se jurant qu'à l'avenir, ils tâcheraient de trouver des lieux plus tranquilles pour passer la nuit.

L'automne rougissait les feuilles des arbres, parant la nature de son incomparable palette de couleurs intenses que seule cette saison intermédiaire, s'immisçant tel un miracle entre l'été et l'hiver, était capable de faire surgir.

— Dis-moi, mon amour, comment juges-tu le comportement de Wuzhao ? demanda Umara à Cinq Défenses, alors qu'ils marchaient derrière un troupeau de moutons que des bergers emmenaient paître vers les prairies encore verdoyantes qu'ils apercevaient à l'horizon.

— Assurément, elle est exceptionnelle, tant pour ses qualités que pour ses défauts !

— Elle m'a terriblement déçue ! Elle était si froide et si distante quand elle vint nous prévenir... soupira la jeune chrétienne.

— Umara, il est difficile de se mettre à la place de l'impératrice.de Chine ! Surtout dans la situation où se trouve Wuzhao, seule contre tous à la cour de Chang An. Cette femme ne peut probablement jamais tourner le dos à quiconque ! Elle nous a tout de même prévenus à temps. Sans elle, nous serions dans les geôles du Grand Censorat !

— Que va-t-elle faire des Jumeaux Célestes ? Je crains le pire pour ces innocents !

— Elle s'en occupera mieux que bien. Nous serions embarrassés, aujourd'hui, si nous les avions avec nous, ne serait-ce que pour les porter à bout de bras… À l'aller, c'était plus facile, grâce à Droit Devant l'étalon !

— Ne serais-tu pas enclin à l'indulgence parce que cette femme soutient le Grand Véhicule ? dit-elle tristement.

Cinq Défenses, non sans accablement, constata que les yeux de la fille d'Addai Aggai s'étaient emplis de larmes.

— Umara, mon amour pour toi passe avant tout le reste. Si ma religion dictait à ce point ma conduite, je ne serais pas ici, sur ce chemin, à tes côtés ! lâcha-t-il.

— Excuse-moi ! J'ai été maladroite. C'est l'angoisse ! D'avoir été contrainte de laisser derrière moi les Jumeaux Célestes ; de ne pas savoir où est mon père : tout cela m'amène à la déraison !

— Une intime conviction, mon amour adoré, me fait dire que l'évêque Addai Aggai est en vie ! s'écria Cinq Défenses, prêt à tout pour rassurer son amante qu'il ne supportait pas de voir si malheureuse.

Sur la route, les ovins, intimidés par le molosse des fugitifs, formaient une masse compacte, les empêchant d'avancer à leur rythme.

— Si mon Dieu Unique pouvait au moins me confirmer une telle intuition, fût-ce par n'importe quel signe ! Mais ce Yahvé est si grand et si inaccessible qu'il semble éloigné des hommes ! J'ai beau lui demander de me parler, il reste désespérément muet… murmura-t-elle avec accablement.

— Chaque fois que je le peux, je supplie le Bienheureux Bouddha pour que, dans son infinie compassion, il protège à son tour l'évêque nestorien Addaï Aggaï ! Tout comme la chienne Lapika, dressée à tuer les loups et les ours, est capable de protéger ces moutons ! ajouta-t-il en lui prenant la main.

Le spectacle du troupeau apeuré que la chienne contenait par sa seule présence finit par déclencher un sourire chez la jeune femme.

— Je t'aime, ô mon Cinq Défenses ! Tu es mon rayon de soleil. Ensemble, nous formons un être unique. Sans toi, j'ai conscience que je ne serais pas grand-chose ! Peu importent nos différences en matière de croyances religieuses. Ce qui compte, désormais, c'est toi et moi ! assura-t-elle en frissonnant.

Désireux d'achever de la consoler, il l'embrassa avec tendresse.

— Plus les jours passent et plus je mesure ce que j'aurais perdu, Umara, si par malheur je ne t'avais pas rencontrée ! J'aurais probablement fini en Supérieur du couvent de la Reconnaissance des Bienfaits Impériaux, assis à méditer la moitié de la journée, sans jamais savoir ce qu'était l'amour, dit-il pour continuer à la dérider.

— Supérieur du plus grand monastère mahâyâniste de Chine, il y a pire !

Il était satisfait de voir revenir son humour.

— Sans doute, mais quand une clé trouve la serrure pour laquelle elle a été forgée, c'est mieux ! murmura-t-il en l'embrassant.

— Qui est la clé ? Et qui est la serrure, mon amour ? demanda-t-elle, déjà toute frémissante de désir.

— Tantôt c'est moi, la clé, et tantôt c'est toi !

Ses doigts complices, passés par l'échancrure de sa robe, caressaient ses seins.

— Pas ici, Cinq Défenses ! Pas dehors ! pouffa-t-elle, soudain joyeuse. On pourrait nous voir !

— Qui ça ? Les troupeaux ? s'écria-t-il en éclatant de rire.

Rien n'entamait cette soif inextinguible qu'ils éprouvaient l'un pour l'autre.

Et n'était-ce pas là, entre un homme et une femme aux racines si différentes, dans un monde et à une époque où les Églises se côtoyaient sans jamais se mélanger, parce que les barrières religieuses l'emportaient, une extraordinaire preuve d'amour ?

Ils savaient qu'à deux ils seraient bien forts que tout seuls !

D'ailleurs, leur marche soutenue ne leur coûtait aucune fatigue.

À ce rythme, ils seraient vite descendus vers le sud-ouest de la Chine.

Plus ils s'éloignaient de la région au climat tempéré de Chang An, plus la nature devenait inhospitalière.

Contrairement à ce qu'il avait envisagé au départ, Cinq Défenses avait décidé, pour d'évidentes raisons de sécurité, d'éviter cette fois la Route de la Soie et de gagner directement Samyé par la voie méridionale.

Cet itinéraire faisait traverser le massif montagneux de l'Emei shan, puis franchir successivement, par quantité de ponts de fortune suspendus au-dessus du vide, les immenses fleuves Bleu et Mékong dont les lits aux flots tumultueux, séparés par de hautes montagnes, coulaient presque parallèlement.

Une fois vaincu ce double obstacle, c'était une vaste zone accidentée que le voyageur devait aborder. Les chemins de plus en plus étroits serpentaient au milieu d'un relief étagé qui, tel un gigantesque escalier aux volées multiples, permettait d'accéder, comme par enchantement, au plateau tibétain.

Et c'était peu de dire que la découverte de la très haute montagne devait se mériter !

Le voyage au Tibet, par le sud, tenait en effet de l'épreuve initiatique, tant était pénible la succession des dénivelés.

Monter, puis redescendre, puis gravir de nouveau des sommets, avant de redégringoler plus bas encore, après avoir franchi un col, pour remonter plus haut : voilà ce qui attendait les marcheurs, harassés par le manque d'oxygène, qui avaient souvent l'impression de voir les montagnes reculer au fur et à mesure qu'ils avançaient, tant leur fatigue devenait grande.

Il fallait être ascète ou, à tout le moins, aimer la souffrance et l'abnégation pour passer par là, lorsqu'on souhaitait aller au pays de Bod.

Aussi cette éprouvante route du Sud était-elle essentiellement empruntée par des moines bouddhistes.

Peu soucieux de commerce de soie, d'épices et de fourrures, ces hommes traversaient le Tibet avant de se rendre pieusement en Inde, sur les traces du Bouddha, et profitaient de cet itinéraire pour visiter le Toit du monde dont on disait qu'il ressemblait déjà au nirvana parce qu'il en était tout proche.

Malgré les dénivelés absorbés chaque jour, les deux jeunes gens marchaient à un bon rythme, portés par l'enthousiasme et la force de leur amour.

La plupart du temps, les portes des masures se fermaient sur leur passage, car en voyant ce couple de jeunes gens bien mis, qui ne ressemblaient pas à des Tibétains, accompagné d'un molosse aussi impressionnant, les montagnards étaient persuadés qu'il ne pouvait s'agir que de spectres tout droit sortis des enfers.

Parfois, heureusement, l'hospitalité leur était, au contraire, généreusement accordée.

Alors, ils étaient accueillis dans le *thabkang* de la maison, qui servait à la fois de cuisine et de pièce à vivre, sur lequel donnaient les chambres et le minuscule oratoire où trônait invariablement la statuette d'Avalokiteçvara, devant un *thangka* accroché au mur. Dans la réserve attenante, le chef de famille allait chercher les ingrédients du repas de fête qu'on leur destinait : les œufs, le beurre de yak, la farine d'orge grillée et les boulettes de viande fumée.

Puis on leur préparait le thé à la tibétaine, servi dans de longs récipients cylindriques où on le fouettait avec du beurre de yak et une pincée de sel et de soude.

Une fois que le chef de famille en avait lancé quelques gouttes vers les quatre points cardinaux, en guise d'offrande symbolique à tous les êtres avec lesquels il eût été éminemment souhaitable de partager le repas, celui-ci pouvait enfin commencer, ponctué par les rires et les congratulations réciproques.

À part ces rares intermèdes conviviaux, les jours se succédaient calmement, et le lendemain ressemblait toujours, à s'y méprendre, à la veille.

Pour progresser sans être gagné par la fatigue due à l'altitude ni céder au découragement, Cinq Défenses savait qu'il fallait mettre un pied devant l'autre lentement, et surtout régulièrement, car repartir en plein milieu d'une pente était toujours une épreuve à la fois physique et morale. Dormir à la belle étoile devenait un exploit à mesure que l'altitude faisait baisser la température, dès le coucher du soleil. Alors, la fourrure épaisse et chaude de Lapika, contre laquelle ils se pelotonnaient dans les bras l'un de l'autre devant les flammes pétillantes du feu qu'ils avaient allumé, n'était pas de trop.

Dans ces paysages grandioses, aux sommets inaccessibles et aux glaciers tutoyant le ciel, l'espèce humaine se faisait rare, telle une fleur d'edelweiss. Entre les longues distances, de plus en plus fastidieuses, qui séparaient les hameaux, ils ne croisaient ni ne dépassaient âme qui vive, et sans les brusques changements de paysage, qu'accentuaient les incessants passages de versants, tantôt à l'ombre et tantôt au soleil, le rythme de leurs journées leur aurait semblé monotone.

Pour arriver au Pays des Neiges, un dicton populaire, dont il était aisé, pour Umara et Cinq Défenses, de constater la pertinence, prétendait qu'il « fallait le mériter par dix mille karmans » !

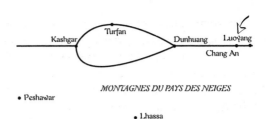

MONTAGNES DU PAYS DES NEIGES

• Peshawar

• Lhassa
• *Monastère de Samyé*

33

Luoyang, capitale d'été des Tang, Chine, 5 décembre 657

L'étrange musique des ciseaux des sculpteurs qui faisaient voler en éclats, en la heurtant avec précision et force, la pierre blanche de l'immense falaise de Longmen, s'était transformée, à présent que Wuzhao s'était rapprochée du chantier, en cliquetis assourdissant.

Bientôt, à force de sueur et de précision, se dresserait là, majestueuse, une statue du Bouddha assis de près de vingt mètres de haut.

Une fois achevée, l'effigie gigantesque représenterait, trônant sur une fleur de lotus, Vairocana, le Bouddha cosmique, dont le torse serait lui-même orné de cinq bouddhas assis.

Symboles immédiatement perçus par les fidèles qui ne manqueraient pas de se presser aux pieds d'une œuvre si imposante, ses mains énormes et effilées à la fois adopteraient la posture de l'*abhaya-mûdra*, celle de l'apaisement, pour la droite, et du *varada-mûdra*, celle du don, pour la gauche.

La statue porterait aussi toutes les marques sacrées des *mâhapurusa*, ou « grands hommes », dont les textes assuraient qu'elles étaient présentes sur le corps de Gautama dès sa naissance, à Kapilavastu, une bourgade indo-népalaise d'où était originaire sa famille : la protubérance crânienne, *ùsnisa*, la touffe de poils stylisée sur le front, *ûrna*, les oreilles allongées, les doigts longs et les épaules larges.

Lorsqu'il avait donné rendez-vous à l'impératrice Wuzhao sur ce chantier colossal, situé à deux heures de marche au nord de Luoyang, au bord de la rivière Yi He, où des milliers d'ouvriers s'affairaient depuis l'aube jusqu'au coucher du soleil, maître Pureté du Vide visait un double objectif.

Il souhaitait d'abord faire à son illustre visiteuse, qui ne l'avait pas encore découvert, les honneurs de ce site sacré.

Un siècle et demi plus tôt, la dynastie des Wei du Nord, dont les souverains n'avaient pas hésité à proclamer haut et fort leur foi bouddhique, profitant de la consistance idéale de ces falaises déjà gravées de scènes chamaniques par les hommes des temps préhistoriques, avait commencé à y faire sculpter des milliers de figures de bouddhas.

Mais le but principal de la démarche du Supérieur du couvent de la Reconnaissance des Bienfaits Impériaux était de permettre au chef des sculpteurs qui s'affairaient autour du Bouddha cosmique géant de prendre un relevé, de face et de profil, du visage de l'impératrice, afin de s'en inspirer.

Ainsi, une fois achevée, la statue géante du Bouddha assis de Longmen aurait-elle le visage de l'impératrice Wuzhao en personne.

L'idée de cet hommage avait germé, quelques mois

plus tôt, dans l'esprit manœuvrier et subtil du grand maître de Dhyâna.

Le but était de verrouiller le soutien de Wuzhao au Mahâyâna, tout en la remerciant pour le geste qu'elle avait fait en confiant les Jumeaux Célestes au couvent de Pureté du Vide.

N'était-ce pas là le meilleur moyen de s'attacher définitivement les faveurs de celle qui protégeait tant le bouddhisme, au point de rêver d'en faire la religion officielle de l'empire du Milieu, que de donner ses traits à cet immense Vairocana ou « Bouddha de gloire » devant lequel se prosterneraient à coup sûr des centaines de milliers de pèlerins ?

— Majesté, les générations futures connaîtront ainsi le visage de celle dont la foi dans la Sainte Vérité aux Huit Membres guida toujours les pas ! avait conclu pompeusement le Supérieur du couvent de la Reconnaissance des Bienfaits Impériaux de Luoyang, lorsqu'il s'était rendu à Chang An pour inviter officiellement l'impératrice à prêter ses traits à la statue géante.

Flattée, l'impératrice avait immédiatement accepté la proposition de Pureté du Vide.

C'est pourquoi elle n'avait pas tardé à répondre à ladite invitation, et son arrivée sur le chantier, quelques semaines plus tard, avait créé un désordre indescriptible en raison de l'ovation que les ouvriers avaient tenu à lui faire.

Elle était heureuse et fière.

Ces gens-là, au moins, la respectaient et lui témoignaient de la sympathie.

Soucieuse toutefois de garder une certaine réserve, elle resta impassible lorsque son hôte lui demanda l'autorisation de laisser s'approcher d'elle le chef des sculpteurs et que celui-ci accourut, muni de son carnet de croquis.

— Qu'il vienne ! J'essaierai de ne pas bouger ! déclara-t-elle sobrement, alors qu'elle jubilait de ce tour qu'avec la complicité de Pureté du Vide elle était en train de jouer à ses ennemis irréductibles, dont elle imaginait la fureur lorsqu'ils découvriraient que la plus grande statue du Bouddha jamais sculptée avait emprunté les traits de son visage…

Quand on était l'impératrice de Chine, fût-ce en terrain ami, il fallait toujours tenir son rang, surtout sur ce chantier où tous ces hommes et ces femmes du peuple s'agitant avec zèle n'avaient d'yeux que pour celle dont ils croyaient dur comme fer à l'essence quasi divine.

En fait, plus on demeurait impavide et mieux on se portait…

Touchée au cœur par cette marque de révérence et de confiance que le Grand Véhicule lui témoignait, Wuzhao contemplait à présent l'énorme masse rocheuse où les formes de la statue apparaissaient déjà. Bientôt, les plis de la robe où se nicheraient les cinq bouddhas secondaires, symboles des continents, seraient fignolés au grattoir, au point de rendre plus vraies que nature ses amples et belles draperies.

Seule la tête du Vairocana géant restait, et pour cause, encore au stade de l'ébauche.

Et son modèle se disait qu'elle reviendrait volontiers là, dans quelques mois, pour constater si le travail de ce sculpteur qui croquait son visage sous tous les angles était probant.

— Quel est le personnage qui se tient à droite de Vairocana Bouddha ? demanda-t-elle à Pureté du Vide.

— Il s'agit d'Ananda. Le cousin et disciple bien-aimé du Bienheureux. Celui qui l'accompagna partout et l'assista lorsqu'il atteignit le nirvana ! J'ai pensé que c'était là sa place.

— Son visage vous ressemble, maître Pureté du Vide ! remarqua-t-elle, amusée.

— Majesté, vous avez le sens de l'observation… se borna à répondre l'intéressé.

Elle ne s'était pas trompée.

Tout à sa volonté de marquer de son empreinte le bouddhisme du Grand Véhicule, Pureté du Vide avait fortement incité le sculpteur à s'inspirer de son visage pour modeler celui du cousin et disciple favori du Bienheureux.

— Que prévoyez-vous dans les niches supérieures ? dit-elle en désignant une dizaine d'emplacements qui servaient de frise à la partie haute de la falaise devant laquelle se dressaient les statues géantes.

— Nous y mettrons les plus belles des Jâtakas du Bienheureux. Elles y alterneront avec les Quatre Caractères, répondit le maître de Dhyâna.

Wuzhao connaissait parfaitement les Jâtakas, ces innombrables histoires édifiantes, plus merveilleuses les unes que les autres, sur les existences antérieures du Bouddha, où il apparaissait sous les formes les moins attendues et les plus charmantes, depuis celle du cerf charitable arrachant aux flammes des voyageurs égarés dans la forêt, jusqu'à celle du francolin secourable, en passant par celle du roi si généreux qu'il avait accepté de donner sa chair à un vautour pour sauver une colombe…

Quant à la présence des Quatre Caractères chinois porte bonheur, « Fu », « Lu », « Xi » et « Shou », qui symbolisaient respectivement la Bénédiction Céleste, la Richesse, le Bonheur et la Longévité, dont l'origine remontait à l'époque archaïque, bien avant l'introduction du bouddhisme, elle témoignait du souci du Grand

Véhicule de ne pas couper totalement la population de ses racines confucéennes, mais au contraire d'inscrire la religion venue de l'Inde dans les traditions ancestrales de la Chine.

— Les Quatre Caractères, tout dévot ayant reçu un minimum d'instruction, en effet, saura les lire... C'est une bonne idée que de les placer là ! Quant aux Jâtakas, il vous appartiendra de choisir les plus charmantes et les plus merveilleuses, celles qui frappent le mieux les esprits. J'ai vu des gens se convertir au bouddhisme à la simple écoute du récit d'une jolie Jâtaka ! constata l'impératrice avec satisfaction.

— Majesté, la prochaine fois que vous viendrez inspecter ce chantier, qui est aussi le vôtre, vous nous donnerez la liste des vies antérieures du Bienheureux que vous préférez, dit cérémonieusement Pureté du Vide, avant de proposer à Wuzhao de monter jusqu'au dernier étage de l'échafaudage qui recouvrait le Bouddha géant.

« La vue y est exhaustive sur le site de Longmen, lequel vous doit beaucoup, Votre Majesté. Sans votre appui, les bouddhas géants n'auraient jamais vu le jour ! » ajouta le grand maître de Dhyâna.

Il faisait allusion au financement qu'il avait obtenu, à la suite de l'intervention expresse de Wuzhao, de l'administration impériale des Cultes, laquelle avait accepté, non sans mal, d'affecter au chantier des Dix Mille Bouddhas de Longmen une part non négligeable de la taxe perçue sur la construction des pagodes.

Là-haut, sur la passerelle étroite et brinquebalante, elle fut saisie de vertige, tant elle avait l'impression de voir fourmiller et même s'animer ces falaises aux Dix Mille Bouddhas, sur lesquelles les sculptures se mélangeaient aux ouvriers dans un fouillis indescriptible.

Au-dessous d'elle, ce n'était plus désormais qu'un immense brouhaha.

Une bonne centaine de sculpteurs s'affairait sur la statue de Vairocana. Les « ho ! hisse ! » sonores des manœuvres qui transportaient les pierres, moellon après moellon, depuis la carrière ouverte dans la falaise jusqu'au pied de la statue géante, se mêlaient au bruit des ciseaux et des marteaux qui frappaient furieusement la pierre.

Ici et là, sur des autels portatifs, des guirlandes de fleurs et des fruits attestaient du culte que les ouvriers les plus dévots rendaient déjà à cet incroyable panthéon de divinités que leurs ciseaux faisaient naître, peu à peu, de la muraille du rocher.

— Joli chantier ! L'impressionnante falaise des Dix Mille Bouddhas porte bien son nom ! Elle traversera les siècles, murmura sobrement Wuzhao qui ne voulait surtout pas montrer à Pureté du Vide qu'elle était sujette au vertige, en redescendant de l'échafaudage.

« Je boirais bien une gorgée de thé ! » ajouta-t-elle, une fois arrivée en bas.

— Majesté, je vous propose d'aller nous asseoir sous ce pavillon où l'on vous servira tout ce que vous désirez ! suggéra le Supérieur du couvent mahâyâniste de Luoyang en désignant un élégant édicule de bambou construit sur les berges de la rivière Yi He.

Le Muet, porteur de l'habituelle cage au grillon impérial, les y attendait.

Le géant mongol, pour lequel le corps de l'impératrice n'avait désormais aucun secret, était toujours aussi impassible.

Qui aurait pu se douter que le Muet et Wuzhao étaient devenus amants ?

Dès qu'elle fut assise, un serviteur apporta un assortiment de bols en porcelaine céladon.

Après avoir laissé bouillir l'eau sur un trépied de bronze jusqu'à ce que les bulles eussent la taille, comme on disait, des «yeux d'une langouste», il la versa dans la théière, où il avait déposé une poignée de feuilles de thé de trois variétés différentes, «Pointes de cheveux des monts Jaunes», «Escargot du Printemps» et enfin «Puits du Dragon», avant d'y mêler de l'écorce d'orange, des feuilles de menthe, ainsi qu'un minuscule morceau de datte et une pelure d'oignon.

Puis le préposé au thé vint s'agenouiller cérémonieusement devant Wuzhao pour fouetter la mixture à l'aide d'un balai miniature.

Les bouddhistes, qui n'hésitaient pas à récupérer les éléments les plus traditionnels de la civilisation chinoise, appelaient le thé «plante de l'éveil», en souvenir du moine indien Bodhidharma, l'un des fondateurs de l'Église du Grand Véhicule, dont on disait que, pour se punir de s'être laissé gagner par le sommeil au cours d'une méditation, il s'était coupé les paupières et les avait jetées dans la terre où elles avaient pris racine pour donner naissance au premier plant de théier…

Wuzhao but une gorgée en fermant les yeux.

Elle aimait cette sensation de brûlure qui la saisissait à la gorge, avant de s'apaiser brusquement, quand elle dégustait, matin et soir, son thé bouillant.

— Comment se portent les Jumeaux Célestes depuis deux mois que vous en avez la garde ? demanda-t-elle au Supérieur du couvent de la Reconnaissance des Bienfaits Impériaux.

— Pour le mieux, Votre Majesté. Ils commencent à parler. La petite fille, qu'on appelle Joyau, amorce déjà des phrases. Elle sera plus précoce que son frère ! La nonne qui s'occupe d'eux le fait avec amour et diligence. Comme je savais que vous me poseriez cette

346

question, permettez-moi de vous les montrer, Majesté !
dit-il avant de faire signe à un moine.

Quelques instants plus tard, les Jumeaux Célestes,
emmitouflés dans leurs vêtements molletonnés, faisaient leur entrée sous l'édicule de bambou, dans les
bras d'une moniale qui les portait précautionneusement
comme des reliques saintes.

— Bonjour, madame ! Jolie ! Jolie ! ânonna la fillette
quand elle vit Wuzhao.

— Ils sont vraiment de plus en plus adorables ! Je
constate qu'ils sont bien soignés, s'écria celle-ci, tout
sourire, devant le garçon et la fille, nullement intimidés, qui lui tendaient leurs petits bras en poussant des
cris de joie.

L'impératrice de Chine prit Joyau sur ses genoux et
ses lèvres effleurèrent le front de l'enfant. La fillette
battit des mains et colla sa petite bouche contre la poitrine de Wuzhao. Son extraordinaire visage était toujours aussi beau, tant côté normal que côté velu !

— Ils ne tiennent pas en place et courent partout
dans les salles de prière et les dortoirs du couvent !
Toute la communauté est émerveillée par les Jumeaux
Célestes, dit la nonne.

— Si leur présence pose un jour le moindre problème, n'hésitez pas à me le dire. Je m'arrangerai autrement ! assura l'impératrice.

— Ils font la joie de la communauté tout entière !
s'écria la religieuse.

— Le monastère est très honoré que vous lui ayez
confié la garde de ces enfants, Majesté. Je suis sûr qu'il
en tirera le meilleur profit, ajouta Pureté du Vide.

Si elle eût désiré vérifier auprès du maître de Dhyâna
que son intuition avait été la bonne lorsqu'elle lui avait
proposé de prendre en charge ces deux enfants, peu

après le départ pour le Tibet de Cinq Défenses et d'Umara, il était inutile d'aller plus loin.

— Majesté, depuis que les fidèles et les pèlerins ont appris que le monastère héberge les Jumeaux Célestes, ils viennent par centaines, chaque jour, déposer des offrandes, y compris en espèces sonnantes et trébuchantes, devant le pavillon où je les ai fait installer. La plupart souhaitent toucher la robe de la petite Joyau, en laquelle ils voient une réincarnation inachevée ! Bientôt, leur présence générera une recette équivalente à celle d'un pèlerinage en bonne et due forme ! poursuivit, satisfait, le grand maître de Dhyâna.

Elle avait donc vu juste en tablant sur le fait que les deux enfants du Tibet attireraient de nombreux pèlerins. Pertinente était cette compensation de l'impossibilité dans laquelle elle se trouvait de fournir à Pureté du Vide la soie promise pour ses bannières.

— Je ne me suis pas trop trompée, lorsque je vous ai offert d'accueillir ces jumeaux ! Souvenez-vous comme j'ai dû insister… lui lança-t-elle, afin de préparer le terrain sur lequel elle avait décidé d'amener Pureté du Vide.

Pour le placer sur la défensive, elle faisait là état des réticences qu'elle avait décelées chez le Supérieur, méfiant par nature et peu enclin à voir dans l'apparence de la petite fille autre chose qu'un accident de naissance, lorsqu'elle était venue lui suggérer d'héberger ces jumeaux qu'elle appelait célestes.

Face au silence gêné de l'intéressé, elle avait été pratiquement obligée d'insinuer qu'un refus de sa part eût remis en cause le soutien qu'elle accordait à ses œuvres.

Désormais, grâce à elle, le Supérieur du plus grand monastère mahâyâniste de Chine disposait de l'atout extraordinaire que constituaient pour son établissement ces deux petites reliques vivantes.

C'est pourquoi, sûre de son fait, elle jugea que l'instant était venu de reparler au Supérieur de la Reconnaissance des Bienfaits Impériaux du cas de Cinq Défenses.

Elle n'avait pas l'intention d'abandonner à son sort ce jeune moine auquel elle avait promis qu'elle ferait tout son possible pour arracher le pardon de Pureté du Vide ; elle voulait aussi rattraper cet incident qu'elle avait eu avec Umara, au moment de leur départ précipité, suite à la publication du décret de proscription des nestoriens. Elle s'en voulait d'avoir été brutale, mais la peur que les agents du Grand Censorat découvrissent qu'elle les hébergeait clandestinement l'avait rendue nerveuse et cet épisode malheureux avait gâché leurs adieux.

Elle n'avait pas eu le temps de leur expliquer qu'elle n'était pour rien dans la publication desdits décrets dont elle avait découvert, avec un agacement extrême, l'existence en même temps qu'eux. Leur promulgation témoignait, s'il en était besoin, de la puissance souterraine et sournoise des ennemis de Wuzhao. La surprise de Gaozong, lorsqu'elle l'avait interrogé, n'était pas feinte. Ces décrets étaient l'œuvre de la technostructure impériale, qui agissait en l'occurrence sans l'aval positif des autorités politiques, en faisant sien l'adage selon lequel ce qui n'était pas expressément interdit était bel et bien autorisé…

Mais Wuzhao, surtout, voulait du bien à Umara et à Cinq Défenses.

Elle enviait l'amour qu'ils se portaient.

Comme elle, ils étaient des combattants de la vie. Mais leurs armes n'étaient pas les mêmes que les siennes et ils n'avaient pas eu besoin de tuer, contrairement à elle.

L'impératrice de Chine, consciente qu'Umara allait

vers son bonheur avec opiniâtreté, eût volontiers troqué sa somptueuse défroque contre celle, bien moins ostentatoire, de la jeune chrétienne nestorienne.

Elle savait d'expérience que bonheur et pouvoir, amour et richesse allaient rarement de pair et que réussir sa vie supposait, la plupart du temps, qu'on renonçât à briguer les responsabilités suprêmes...

La petite Umara avait fini par devenir, pour la toute-puissante Wuzhao, une sorte de modèle et il lui paraissait important de faire en sorte que Cinq Défenses obtînt le pardon de son ancien Supérieur.

— Majesté, vous avez bien fait d'insister. Ces Jumeaux Célestes vont être très utiles au couvent de la Reconnaissance des Bienfaits Impériaux, constata sobrement le vieux moine du Grand Véhicule, en réponse à la réflexion de l'impératrice.

L'instant était opportun pour aborder le sujet qui fâchait.

— Je ne vous l'ai pas encore dit, maître Pureté du Vide, mais j'ai à ce sujet une confidence des plus importantes à vous faire ! chuchota-t-elle en lui faisant signe de se rapprocher, avant de l'entraîner vers le bord de la rivière pour s'assurer qu'ils seraient à l'abri des oreilles indiscrètes.

Le Supérieur mahâyâniste regarda Wuzhao d'un air étonné.

Il ne s'attendait pas à une telle attitude de la part de l'épouse de Gaozong.

— C'est le tripitaka Cinq Défenses qui a ramené de Samyé ce couple d'enfants sacrés qu'on lui confia dans un couffin sans lui révéler ce qu'il contenait ! Ce garçon a fait preuve d'un immense courage et d'une grande abnégation en se chargeant de convoyer jusqu'ici les Jumeaux Célestes. Un autre que lui eût été incapable de mener à bien une mission aussi périlleuse et délicate !

Cela ne vaut-il pas votre pardon ? lança-t-elle, tout à trac, au grand mahâyâniste en plantant son regard dans le sien.

— Cinq Défenses est donc revenu en Chine ? bredouilla-t-il, interloqué.

— Je l'ai même hébergé quelques jours à Chang An, avec ses Jumeaux Célestes !

— Si tel est le cas, il faut lui dire qu'il vienne me voir. Lui et moi avons à parler… conclut le vieux moine, sans se démonter le moins du monde.

Comme tous ceux qui n'aimaient pas qu'on leur forçât la main, Pureté du Vide n'avait pas mis longtemps à recouvrer ses esprits.

— Seriez-vous prêt à l'absoudre ? insista l'impératrice Wuzhao, qui prenait conscience que son interlocuteur n'était pas du genre à baisser facilement la garde.

— Mais de quoi votre protégé aurait-il besoin de se faire pardonner ? Qu'il revienne me voir et je l'accueillerai à bras ouverts ! Serait-il devenu important au point de ne pas pouvoir se déplacer de Chang An à Luoyang ? répliqua, l'air pincé, le Supérieur de Luoyang, faisant semblant de ne pas comprendre où Wuzhao voulait en venir.

— Disons, pour faire simple, qu'il en est empêché ! lâcha-t-elle.

— Majesté, si vous n'êtes pas plus précise, je ne pourrai malheureusement rien faire pour ce garçon !

— Il a dû repartir à l'étranger ! Et s'il revenait vous voir, ce serait pour vous demander de lui permettre de retourner à l'état laïc !

— À l'état laïc ? Par le Saint Bouddha, mais pourquoi donc ? Cinq Défenses est l'un de mes moines à l'avenir le plus prometteur ! dit le maître de Dhyâna.

— Tout simplement parce que ce garçon est tombé amoureux fou d'une belle jeune fille ! C'est une maladie somme toute assez commune, compte tenu du profil de l'intéressé ! finit par lancer mi-figue, mi-raisin l'impératrice de Chine.

— Et comment s'appelle la créature qui a réussi à dépraver l'un de mes meilleurs disciples ?

— Umara, maître Pureté du Vide, tel est son nom !

Le vieux Supérieur de Luoyang marqua un temps d'arrêt.

C'était à présent de la stupeur que l'impératrice pouvait lire sur son visage osseux, comme si ce nom eût soudain évoqué en lui quelque chose de précis.

— Vous dites que Cinq Défenses est tombé amoureux d'une certaine Umara ? Vous avez bien dit Umara ! s'écria-t-il en reprenant illico contenance, même si ses poings serrés témoignaient de sa colère rentrée.

— Il s'agit d'une jeune nestorienne adorable rencontrée par votre assistant sur le chemin du retour du pays de Bod. À Dunhuang, très exactement.

— Je croyais que le nestorianisme était une religion proscrite dans l'empire du Centre ! répliqua sèchement le vieux Supérieur mahâyâniste.

— L'interdiction que l'administration chinoise vient de notifier à l'Église nestorienne de continuer à pratiquer son culte ne m'empêche nullement de trouver cette jeune femme profondément sympathique. Elle a tout pour rendre heureux Cinq Défenses ! rétorqua-t-elle.

Entre le moine et la souveraine, même s'il était à fleurets mouchetés, c'était bel et bien un duel qui s'était engagé, dont l'enjeu était le pardon de Cinq Défenses.

— Je vois ! Je vois ! Ce moine a donc trahi sa foi ! Et pas avec n'importe qui… soupira, des plus songeurs, Pureté du Vide.

L'impératrice constata que le nom même d'Umara provoquait chez lui un sentiment d'hostilité palpable mais également une colère sourde.

— Eh bien, dans ce cas, qu'ils viennent me voir tous les deux et j'aviserai ! ajouta-t-il d'un ton où la menace était parfaitement perceptible.

Le grand maître de Dhyâna, de nouveau serein, accoudé à une rambarde surplombant la rivière où des carpes faisaient des cercles concentriques, paraissait tout aussi impérial que son interlocutrice.

— Ces deux jeunes gens ont dû quitter Chang An où le Grand Censorat était à leurs trousses. J'ai dû organiser leur fuite en toute hâte. D'impérieuses raisons, dont certaines, d'ailleurs, vous concernent, m'obligèrent à les mettre à l'abri ! Voilà pourquoi vous avez hérité des Jumeaux Célestes ! expliqua l'impératrice qui l'avait suivi.

— En quelque sorte, c'est moi qui vous rends service ! souffla-t-il effrontément.

— Disons que chacun y gagne. Mais avouez que vous n'êtes pas le plus perdant des deux !

— Et où sont-il allés ? demanda, l'air de rien, le Supérieur de Luoyang en se gardant bien de relever le propos de Wuzhao.

Penché sur l'eau de la rivière, à la surface de laquelle des libellules procédaient à de savants vols en rase-mottes pour éviter les poissons qui les guettaient, il attendait la réponse de l'impératrice.

Wuzhao regardait à son tour une grosse carpe qui venait de sauter, laissant derrière elle une traînée de gouttelettes irisées.

N'était-ce pas là un heureux présage, qui l'incitait à dire la vérité à Pureté du Vide quant à l'endroit où les fugitifs étaient partis ?

La carpe, ou Liyu, était perçue, en raison de ses grosses écailles, comme un guerrier caparaçonné, capable d'affronter le Grand Dragon qui sommeillait dans le lit du Fleuve Jaune, et la queue de cet auguste poisson était considérée à la cour des Tang comme l'un des huit mets les plus exquis, avec la langue de canard, la laitance de poisson, les lèvres de singe, la patte d'ours, la moelle de bœuf, la bosse de chameau et la queue de cerf.

— Au pays de Bod. Cinq Défenses a pensé que le monastère où vous l'avez déjà envoyé était un lieu suffisamment discret et inaccessible pour leur servir de refuge, répondit donc l'impératrice.

— Ainsi, cette Umara et mon Cinq Défenses sont partis pour Samyé ! Il est vrai que l'endroit ne se trouve pas facilement... murmura, toujours impassible, le chef spirituel du monastère de la Reconnaissance des Bienfaits Impériaux de Luoyang.

Wuzhao aurait voulu savoir ce que cachait une telle absence de réaction, après l'énervement dont il avait fait preuve lorsqu'elle lui avait parlé de son ancien assistant.

Mais rien n'était perceptible dans ce regard dont il n'émanait plus que le calme.

— Lorsque votre assistant sera de retour de Samyé, accepterez-vous de le recevoir ? demanda-t-elle à Pureté du Vide.

— La porte de mon bureau n'est jamais fermée ! Qu'il vienne et nous pourrons toujours discuter ! C'est un dialogue sans intermédiaire que tout maître spirituel doit entretenir avec ses disciples ! lui répliqua suavement ce dernier.

Le maître de Dhyâna, manifestement, ne voulait prendre aucun engagement ferme sur un sujet aussi essentiel, puisqu'il était relatif à l'autorité exercée sur ses moines par chaque supérieur de couvent du Grand Véhicule.

Wuzhao, quelque peu déçue, constatait qu'il était inutile, à ce stade, d'essayer d'en obtenir davantage...

Pureté du Vide se préparait à regagner le chantier de la falaise de Longmen, lorsque l'impératrice lui posa à brûle-pourpoint une ultime question :

— Maître Pureté du Vide, connaissez-vous l'existence de cette énorme pierre que des moines bouddhistes auraient déposée, il y a des années de cela, au fond du lit de la rivière Lë ? On dit que seraient gravées sur deux de ses faces des prédictions secrètes !

— La rivière Lë se jette dans celle-ci un peu amont de Luoyang. À l'endroit où cette roche sainte a été jetée par un de mes lointains prédécesseurs, son lit est si encombré par la vase que je ne l'ai malheureusement jamais vue de mes propres yeux ; mais je ne doute pas un seul instant qu'elle s'y trouve ! C'est même la première confidence que reçoit tout Supérieur du monastère de la Reconnaissance des Bienfaits Impériaux de la part de son aîné, lorsque celui-ci est atteint par la limite d'âge ! Ce rocher sert de talisman invisible qui se transmet entre les générations de moines et permet de s'assurer que le nouveau dirigeant du couvent n'est pas un usurpateur. Mais pourquoi une telle question, Majesté ?

— Je voulais être sûre que cette histoire de pierre gravée n'était pas une légende.

— Je crois avoir été clair avec vous, Majesté… La roche est sous l'eau du fleuve depuis des temps immémoriaux.

— De quoi parlent les inscriptions qu'elle porte ?

— Si aucun doute n'est possible sur l'existence de la pierre, en revanche, sur ce dernier sujet, Votre Majesté, force m'est de constater qu'il règne un certain flou.

— Qu'est-ce à dire ?

— Les uns prétendent que ces mystérieuses écritures concernent des prédictions liées au Bouddha, d'autres qu'il s'agit de la description d'événements à venir concernant l'empire de Chine. À vrai dire, il faudrait dépêcher une équipe de plongeurs pour sortir cette roche de l'eau. C'est l'unique façon de tirer au clair ce qui reste une énigme ! répondit Pureté du Vide, aussi impénétrable et distant que d'habitude.

— Je vois… je vois… C'est intéressant ! dit-elle, toute songeuse.

— Votre Majesté, puis-je me permettre de vous demander pourquoi vous vous intéressez aux mots gravés sur le caillou de la rivière Lë ? poursuivit le Supérieur de Luoyang.

— Oh ! rien de bien précis ! C'est juste une idée que j'avais à ce sujet et qui me trottait dans la tête ! se contenta-t-elle de répondre.

Tant l'impératrice de Chine que le chef de son Église du Grand Véhicule étaient des êtres dont les pensées intimes ne se laissaient pas facilement déchiffrer, y compris par des esprits aussi intuitifs que les leurs…

C'est alors que Wuzhao posa la dernière question qui lui brûlait les lèvres :

— Maître Pureté du Vide, une réincarnation du Bienheureux Bouddha est-elle possible ?

— Sûrement pas ! Gautama Bouddha a atteint le nirvana et, à ce titre, le Bienheureux est définitivement sorti du cycle des morts et des naissances. Le Bienheureux est au-dessus du monde. C'est pourquoi il ne pourra jamais y remettre un pied.

— Fût-ce au nom de la Compassion pour un grand pécheur dont il aurait mesuré la capacité à diffuser son enseignement et au profit duquel il eût accepté de déroger à ses saints principes ?

— De quel pécheur parlez-vous, Majesté ? s'enquit, surpris, le Supérieur de Luoyang.

Wuzhao, sans un mot, s'était remise à contempler la

rivière et ses carpes qui faisaient bouillonner l'eau de ses berges, à l'endroit où elle se tenait.

Son comportement parut soudain des plus bizarres à Pureté du Vide.

À quel individu vivant dans le péché l'épouse de Gaozong faisait-elle allusion ?

S'il s'agissait de Cinq Défenses, il pensait avoir été clair : il n'était pas question de lui donner un blanc-seing, fût-ce par l'entremise de Wuzhao.

Il réitéra donc sa question.

— Oh ! C'est à propos d'un bruit qui court, en Chine méridionale, remonté par mon réseau d'espions et d'informateurs, et qui m'intrigue au plus haut point. On parle d'un curieux personnage qui va de ville en ville sur le dos d'un éléphant blanc ! Cet homme serait doué de pouvoirs extraordinaires. Les uns prétendent qu'il s'agit d'un bodhisattva, d'autres du Bouddha Gautama Çakyamuni lui-même ! Partout où il passe, les dévots accourent. Il se dit même qu'il est capable de guérir en imposant ses mains sur le front des malades…

— Il ne peut en aucun cas s'agir du Bouddha Çakyamuni Gautama ! Il faut se méfier de telles rumeurs, Votre Majesté. Ceux qui les propagent sont soit des ignorants complets, soit des menteurs invétérés ! conclut sèchement le grand maître de Dhyâna, pressé qu'il était désormais d'aller donner des instructions à ses maîtres sculpteurs.

— Ce qui accroît mon trouble, c'est cet éléphant blanc. On dit qu'il ressemble à une montagne de neige ! Le bodhisattva Samantabhadra Puxian n'a-t-il pas pour monture un pachyderme immaculé ? ajouta l'impératrice.

— L'éléphant blanc de Puxian le Sage possède six défenses et son dais est couronné de perles enflammées ; par ailleurs, il ne se déplace que sur des fleurs de lotus. Je serais étonné que ce soit le cas de l'animal auquel vous faites allusion, Majesté, dit-il, l'air pincé.

— Le pachyderme en question, d'après la rumeur, serait blanc comme la neige de l'Emeishan !

— La couleur n'entre pas en jeu ! Une de mes relations indiennes possède un éléphant sacré à la peau claire. Dans les couvents hînayânistes de l'Inde du Nord, ces animaux sont habilités à transporter des reliques saintes. Même si les mots « éléphant » et « présage de Grande Paix » se prononcent de la même façon, j'ai le regret de vous affirmer que vous faites fausse route, Votre Majesté ! L'éléphant blanc dont vous me parlez ne saurait être celui de Puxian !

— Je vois ! Si je vous avais dit que cet individu chevauchait un lion, et à condition qu'il se déplace, lui aussi, sur un tapis de lotus, auriez-vous accepté de voir en lui la réincarnation de Manjusri Wenshu, le disciple de Çakyamuni chargé de chasser l'ignorance ? persifla-t-elle.

— Majesté, ce sont là des sujets avec lesquels il me paraît déplacé de plaisanter ! J'espère bien qu'un jour Manjusri Wenshu, dont le lion est la monture, exaucera vos prières ! répondit le Supérieur de la Reconnaissance des Bienfaits Impériaux, dont la réprobation était perceptible.

Faire de l'humour, fût-ce très indirectement, au détriment du panthéon spirituel du Grand Véhicule, était une démarche que le dirigeant du monastère le plus emblématique de cette Église avait toujours condamnée et qui avait valu à plus d'un de ses novices des mois entiers de pénitence dans un ermitage isolé du reste de la communauté.

Mais Wuzhao, intriguée par cette rumeur qui ne cessait d'enfler au point de prendre déjà les dimensions d'une légende, n'en avait cure : elle voulait savoir qui se cachait derrière un personnage aussi étonnant que fantasque.

— Dans ce cas, ne pourrait-ce pas être Amithâba, le Bouddha de Lumière ?

— Cet individu ne saurait être Amithâba, Votre Majesté ! Le Bouddha de la Lumière Infinie règne sur le Paradis de l'Ouest, la Terre du Parfait Bonheur, laquelle est située à une distance incalculable de notre monde ! Le sud de la Chine en est fort loin, répondit Pureté du Vide en levant les yeux au ciel.

Le ton avec lequel le grand maître avait formulé cette dénégation finit par vexer Wuzhao. C'est donc du bout des lèvres qu'elle le salua avant de regagner précipitamment son palanquin.

Pureté du Vide, conscient qu'il était peut-être allé un peu loin avec la souveraine, était ennuyé.

Comme tout homme de pouvoir expérimenté, parfaitement rompu aux arcanes de celui-ci, il savait qu'il n'était jamais bon d'humilier les puissants : tôt ou tard, ils vous le faisaient payer.

Et il eût été déplorable que les conséquences de sa conduite retombassent sur l'Église du Grand Véhicule.

Il devenait urgent, pour le chef religieux, de limiter les dégâts en évitant que l'impératrice ne repartît fâchée.

Il se précipita donc vers la fenêtre grillagée qui s'ouvrait au milieu de ce caisson de bois doré, somptueusement sculpté de motifs de feuilles et d'oiseaux, que les six porteurs, quelques instants plus tard, hisseraient sur leurs épaules.

— Majesté ! Tout bien réfléchi, cet individu juché sur son éléphant blanc, s'il guérit les malades, c'est qu'il doit être médecin ! Convoquez-le à la cour ! On ne sait jamais… bredouilla-t-il pour se rattraper.

— Je crois savoir ce que j'ai à faire et ne manquerai pas de vous tenir au courant ! répliqua-t-elle, d'un ton pincé.

— Que le Bienheureux vous inonde de sa douce et divine Lumière ! Tout le Grand Véhicule est derrière vous, Majesté ! s'exclama Pureté du Vide en s'inclinant devant le palanquin de la souveraine.

— Je n'en doute pas !

Mais, au lieu d'ordonner aux porteurs de son palanquin de l'amener au palais impérial de Luoyang, où elle s'était installée depuis quelques jours, elle se fit conduire au bord de la rivière Lë, à l'endroit précis où l'on disait que la pierre gravée de prédictions avait jadis été jetée.

La rivière y était bordée par des saules pleureurs, qu'on appelait les « arbres de l'amour ». Leurs branches longilignes plongeaient dans l'eau comme la chevelure d'une créature qui se fût préparée à s'y baigner. À cet endroit, le lit de la Lë s'élargissait pour former une sorte de petit lac, au milieu duquel un remous impressionnant faisait tournoyer l'eau en spirale, comme si, par en dessous, elle se fût vidée dans un siphon géant.

C'était là, au milieu de cette épaisse couche de vase qui donnait à la rivière sa couleur de jade vert, qu'était censé reposer le rocher sacré aux inscriptions mystérieuses.

Et de ce texte immémorial, elle savait déjà tout le parti qu'elle pourrait tirer.

Elle avait en tête un plan qui lui permettrait d'utiliser astucieusement cette pierre immergée là depuis des siècles.

« L'eau qui tombe goutte à goutte, à la longue, finit par percer la pierre », disait le *Livre des Odes*, ce manuel de poésie vieux de plusieurs milliers d'années.

Il suffisait de le décider : cette pierre gravée de la rivière Lë deviendrait la sienne.

Elle était là exprès pour elle.

Tapie au fond de la vase, elle attendait que Wuzhao donnât l'ordre de la sortir de ses eaux.

Ce rocher serait l'allié indéfectible de celle qui, arrivant à la cour de Chang An, avait découvert, non sans étonnement, la vénération que les lettrés et les artistes vouaient aux pierres.

Trouées et érodées par le vent et l'eau, ce qui leur permettait de laisser passer les souffles vitaux Qi, les *jingshi*, ou « pierres-paysages », étaient les copies conformes des montagnes, avec leurs pics dentelés et leurs vallées profondes, qui formaient les Cinq Monts Sacrés de Chine ; montées sur des socles de palissandre ou de bois de rose lourdement ouvragés, elles servaient de pose-pinceaux aux peintres et aux calligraphes ; incrustées de marques fossiles de coquillages, d'insectes et de fougères, elles s'échangeaient entre collectionneurs capables de dépenser des fortunes pour détenir ces pierres dont certains médecins taoïstes préconisaient de les piler pour obtenir de la poudre de longévité ; quand elles avaient, à l'instar des Huashi, la forme caractéristique des œufs de dinosaure, on les considérait comme pondues par un oiseau phœnix.

Quant aux « fleurs de pluie », ou *caishi*, dont on prétendait qu'il s'agissait de fleurs de pierre tombées du ciel, elles ornaient de préférence les bassins miniatures des jardins.

Enfin, dans les jardins de leurs temples, sur des aires impeccablement gravillonnées, les moines bouddhistes s'adonnaient facilement à la contemplation devant les *chanshi*, ces pierres de la « méditation assise », aux formes si rares qu'elles en paraissaient absurdes et permettaient à l'esprit de s'évader instantanément de la réalité.

Mais les « pierres écrites » étaient — ô combien ! — plus importantes encore que ces « pierres de rêve ».

Car un rocher, lorsqu'il portait des inscriptions ou des dessins exécutés par la main des hommes, devenait une stèle, un *shishu*, soit un « livre de pierre ».

Et les textes gravés dans la pierre, parce qu'ils n'étaient pas effaçables, gagnaient en solennité pour devenir des « ordres célestes ».

Il existait de nombreux sites rupestres, vénérés comme de véritables aires sacrées, où les hommes de la préhistoire avaient laissé leurs marques dans la pierre, sous forme de dessins d'animaux, voire de scènes plus crues figurant des accouplements où pas un détail n'avait échappé au ciseau du sculpteur-chaman.

Depuis les grandes dynasties des Shang puis des Zhou, époque où les codes chinois avaient été compilés, ce respect des signes scripturaires s'était transmis de génération en génération, grâce, notamment, aux marques écrites apposées sur les bronzes rituels.

Le dernier empereur des Han avait ainsi ordonné, vers 200 après Jésus-Christ, que les Treize Classiques fussent gravés sur des plaques de calcaire, et son lointain descendant, Taizong le Grand, le propre père de Gaozong, avait fait aménager à Chang An la « forêt des stèles » qui n'était rien d'autre qu'une extraordinaire bibliothèque minérale, censée conserver les plus grands écrits de la littérature et de l'histoire de la Chine.

Mais parfois, un livre de pierre portait aussi des « inscriptions cachées » et, dans ce cas, ne livrait son message qu'à des yeux doués de pouvoirs spéciaux.

Alors, il fallait être prêtre, devin ou médium pour en déchiffrer le sens.

Wuzhao en était sûre : il devait y avoir, sur ce rocher immergé, un ordre céleste la concernant.

Et au besoin, elle se faisait fort de trouver des yeux

suffisamment perspicaces pour en déchiffrer l'ineffable contenu.

Ce jour-là, le rocher immergé de la rivière Lë deviendrait «la pierre de l'impératrice Wuzhao».

— Regarde bien cette rivière, dit-elle au Muet, il y a là, sous ces eaux, un allié minéral qui va m'aider à arriver à mes fins.

Ils étaient seuls ; les porteurs du palanquin attendaient plus loin.

Elle lui tendit ses lèvres.

— Cette pierre, crois-moi, le Muet, n'a pas été jetée là par hasard, ajouta-t-elle.

Et le grillon devait être d'accord, puisque, sans crier gare, dans celle des grosses mains du géant qui tenait la précieuse petite cage, tandis que l'autre caressait le sein de l'impératrice, il se mit soudain à chanter.

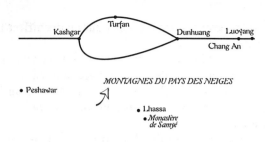

Kashgar · Turfan · Dunhuang · Luoyang · Chang An

MONTAGNES DU PAYS DES NEIGES

· Peshawar

· Lhassa
· *Monastère de Samyé*

34

Sur la route de Samyé, dans les montagnes du Pays des Neiges, Tibet

Cela faisait plus de deux mois qu'ils avançaient côte à côte, précédés par la chienne jaune qui courait en tous sens, heureuse de flairer la moindre odeur animale, habituée à ces grands espaces où la faune, la plupart du temps invisible à l'œil humain, pullulait à l'abri des buissons qui n'étaient pas encore enfouis sous la neige, en ce début d'hiver.

Cet après-midi-là, au détour d'un virage du sentier où des yaks avaient déposé les traces encore fumantes qui signalaient leur passage, Cinq Défenses fut surpris par le curieux manège de la chienne Lapika.

Le chemin longeait, à cet endroit, une déclivité où poussaient des herbes si hautes qu'elles arrivaient à poindre malgré l'épaisseur de neige.

C'était là que le molosse était tombé à l'arrêt, la truffe aux aguets, comme s'il se fût préparé à débusquer un animal tapi derrière le monticule de neige.

— Regarde-la, Umara, montrer ses crocs ! Lapika a

retrouvé tous ses instincts de défense et d'attaque. Il doit y avoir un léopard des neiges, ou peut-être même un ours, prêt à bondir sur nous, tout près d'ici ! s'exclama Cinq Défenses, à moitié rassuré.

Il venait à peine de finir sa phrase que Lapika, après avoir bandé ses muscles comme un arc, avait pris son élan pour bondir rageusement, gueule ouverte, en direction du tas de neige d'où, soudain, un homme surgit en hurlant de peur !

— Retenez-le ! Ce molosse va me dévorer tout cru ! criait l'individu couvert de neige.

Cinq Défenses donna l'ordre à Lapika de revenir à ses pieds, ce que la chienne fit sur-le-champ, au grand soulagement de celui qui avait bien failli être sa victime et dont la rougeur du visage, à cause du contact de la neige, était extrême.

C'est alors qu'Umara, abasourdie, reconnut, malgré son étrange casquette, ses cils pleins de givre et la peur panique qui défigurait ses traits, Brume de Poussière.

Son ancien petit compagnon de jeu, avec lequel elle avait découvert la cache aux livres de Dunhuang, la dévisageait avec autant de surprise qu'elle...

— Brume de Poussière ! Mais que fais-tu donc là, en plein Tibet ! Quelle divine surprise ! Je suis si contente de te voir... Comme tu as grandi ! bredouilla-t-elle, au comble de l'étonnement.

Le jeune Chinois la dépassait largement en taille, ce qui n'était pas le cas lorsqu'elle l'avait rencontré pour la dernière fois, dans le verger de l'évêché de son père.

Comme il s'époussetait, elle pouvait, à présent, mieux contempler sa silhouette. Il portait à l'épaule un petit sac de voyage auquel il devait tenir, à en juger par la manière dont il l'agrippait avec ses mains violacées.

— Je me cachais dans le fossé ! Je vous avais aperçus de loin monter le chemin avec la chienne. Je suis obligé, comme tout fuyard, de me méfier. Si j'avais su que c'était toi, je ne me serais pas jeté dans ce fourré ! se contenta de répondre le jeune Chinois.

— Entre fuyards, nous devrions pouvoir nous entendre ! plaisanta Umara.

Cinq Défenses, qui ne connaissait l'intéressé que de nom, remarqua que le visage de son amante était illuminé de joie. Elle était vraiment enchantée de cette rencontre inopinée, qui lui fournissait l'occasion de s'expliquer enfin avec Brume de Poussière au sujet de son brusque départ de Dunhuang.

Ce dernier, en revanche, toujours mal à l'aise, la regardait d'un air plutôt sombre, et même à la limite de la bouderie.

La façon dont Umara s'était évaporée sans la moindre explication lui était restée en travers de la gorge. Quand il avait constaté l'absence de la jeune fille avec laquelle il avait réussi à tisser des liens aussi complices, il en avait atrocement souffert.

Pourquoi l'avait-elle abandonné ainsi ? Que lui avait-il fait pour être traité de la sorte ?

Comme s'il avait reçu un coup de massue, il avait erré des jours entiers dans Dunhuang et dans ses environs, terriblement déçu, partagé entre l'incompréhension, le ressentiment et la peur, à la recherche de la jeune fille qui était devenue, depuis qu'il avait fait sa connaissance, la seule personne qui comptât pour lui au monde.

Il tournait en rond, meurtri et la rage au ventre, sans savoir où aller, persuadé que son destin était maudit, lorsque, le troisième jour, une rencontre avait éclairé sa lanterne et l'avait décidé à partir pour Samyé…

Et c'est donc un Brume de Poussière au visage fermé, passablement amaigri par sa fuite, qui répondit au véritable interrogatoire auquel Cinq Défenses et Umara, sans même se rendre compte de la pression qu'ils exerçaient sur lui, le soumirent le soir même au bivouac. Ils avaient hâte d'en savoir plus sur les circonstances qui avaient amené le jeune Chinois à cet endroit, aux marches du pays de Bod, dans une région si peu hospitalière, balayée en permanence par les vents glacés et où il était si rare qu'on croisât âme qui vive…

— Si je comprends bien, tu l'as échappé belle. Il ne doit plus rester grand-chose de l'oasis ! se lamenta Cinq Défenses, après que le jeune Chinois leur eut succinctement expliqué comment, à la suite de l'attaque de Dunhuang par une armée de Turcs, il avait été contraint de s'enfuir.

— Pourquoi as-tu décidé de venir ici ? finit par demander Umara.

Son ancien camarade n'avait pas mis longtemps à constater que ses deux interlocuteurs, à leur façon de se toucher et de se regarder, étaient fort épris l'un de l'autre.

— Ne dit-on pas, chez nous, que « sur le Toit du monde, aucun poursuivant ne pourra jamais rattraper un homme » ? laissa tomber le jeune homme à l'adresse de Cinq Défenses, en s'abstenant de regarder Umara, histoire de lui faire comprendre qu'elle avait beaucoup à se faire pardonner.

Pour rien au monde, la rancœur demeurant vive à l'encontre de la jeune chrétienne qui l'avait abandonné, à l'évidence à cause de ce Cinq Défenses, il ne leur aurait révélé la raison de sa présence.

— Je connais, comme toi, ce dicton ! C'est sûr que dans ces parages, ce ne sont pas les Turcs qui viendront te chercher… conclut Cinq Défenses, à mille lieues de se douter que Brume de Poussière ne lui disait pas tout.

Ils continuèrent à bombarder le jeune Chinois de questions.

À ce dernier, qui ne s'exprimait plus que par bribes, il fallait d'ailleurs tout arracher.

— L'incendie a ravagé tous les bâtiments de bois et de torchis. Quand j'ai quitté l'oasis, elle était en ruine, finit-il par dire, la mine sombre, après une énième question de Cinq Défenses sur les conséquences de la mise à sac de la ville par les pillards.

— Et l'église nestorienne construite pierre à pierre par mon père, qu'est-elle devenue ? s'enquit en tremblant Umara, dont l'inquiétude était tragiquement ravivée par le récit de son ancien compagnon de jeu.

— Elle a été pillée. Il n'en restait qu'un tas de cendres quand je suis passé devant, au moment où je m'enfuyais. C'était elle, avant tout, que visaient les assaillants, consentit à préciser Brume de Poussière.

Umara, éperdue de chagrin, éclata en sanglots.

Qu'était-il advenu de son père bien-aimé ?

Avait-il eu le temps de fuir ? Et Diakonos, le diacre qui s'occupait de la filature de soie clandestine, avait-il pu échapper aux pillards ? Et cette pauvre Goléa, sa gouvernante, qui l'avait élevée comme sa propre mère, où avait-elle trouvé refuge, pour autant qu'elle eût été épargnée par ces abominables Turcs ?

Elle pensait aussi à tous ses frères, les quelque trois cents membres de l'Église nestorienne, qui avaient dû subir également cette terrible offensive.

Cinq Défenses, conscient qu'elle n'était pas loin de l'effondrement, serrait la main de son amante dans la sienne.

— C'est épouvantable ! Une oasis si belle ! Et tous les monastères bouddhiques creusés dans les falaises environnantes ? demanda-t-il, curieux à son tour d'avoir des nouvelles de ses confrères du Grand Véhicule.

— Pas un seul n'a échappé à l'incendie. Ils ont été détruits ! marmonna le jeune fuyard.

— Y compris leurs salles troglodytes ?

— Dévastées et brûlées comme les maisons de la ville ! Il ne reste plus une seule peinture sur leurs parois, pas la moindre trace de stuc ouvragé ! Les attaquants n'ont fait aucun quartier !

— Mais je parle de véritables grottes et de leurs éventuelles caches aux livres ou aux trésors, creusées dans les falaises… précisa Cinq Défenses.

— Quand je dis que tout a été pillé à Dunhuang, je crois être précis ! J'ai eu très peur. Cela fait des mois que je marche droit devant moi, sans oser me retourner, répondit sèchement celui qui était encore, l'année précédente, l'indéfectible compagnon de jeu d'Umara.

Le spectacle de la mise à sac de l'oasis, ainsi que du massacre d'un grand nombre de ses habitants, avait traumatisé Brume de Poussière à un tel point qu'il lui avait fallu cette fuite éperdue vers le pays de Bod pour essayer de s'en guérir et d'oublier ces images de têtes coupées et de charniers sur lesquels des soudards avinés entassaient des corps découpés en morceaux avant d'y mettre le feu en poussant des hurlements de joie.

Umara, qui comprenait la raison de ce comportement distant, fit signe à Cinq Défenses de les laisser seuls.

Puis elle s'approcha de lui. Il continuait à éviter de la regarder, fixant les flammes du foyer que Cinq Défenses avait allumé pour y faire cuire une soupe aux orties.

— Brume de Poussière, j'admets que tu m'en veuilles. Je suis partie sans te dire au revoir et tu as dû croire que je t'avais abandonné. Pardonne-moi ! Quand je t'aurai raconté les circonstances de notre départ de Dunhuang, tu comprendras pourquoi il m'était impossible de faire autrement, même si je l'ai regretté profondément. murmura-t-elle.

— J'ai erré des jours entiers à ta recherche ! Chaque

soir, je revenais bredouille à Dunhuang, un peu plus désespéré. Jusqu'à ce que j'apprenne, de la bouche d'un moine nestorien, que ton père lui-même ne savait pas où tu étais… Tu m'as laissé tomber pour un autre, d'après ce que je constate ! lâcha-t-il, ulcéré.

— Je ne pouvais pas faire autrement, mon petit Brume de Poussière. Cinq Défenses et moi nous sommes décidés à partir au dernier moment !

— Peu m'importent les circonstances. J'ai de quoi t'en vouloir ! Tu m'en as préféré un autre !

Médusée, elle prenait conscience que la réaction de son jeune ami ne relevait, en fait, que du dépit amoureux !

C'était donc ça ! À coup sûr, Brume de Poussière s'était épris d'elle, et elle, encore toute naïve ! ne s'en était jamais rendu compte…

D'ailleurs, il n'y avait qu'à voir les yeux du garçon, à présent qu'il consentait à la regarder en face.

Ne témoignaient-ils pas à la fois de la colère et de la révolte, mais surtout de l'immense détresse éprouvée par un être qui se sentait trahi par la seule âme dont il fût proche ?

— Qu'y a-t-il, Umara, tu n'as pas l'air d'aplomb ? lui chuchota Cinq Défenses, après que Brume de Poussière fut allé se coucher un peu à l'écart, sous sa couverture de poils de yak.

— Brume de Poussière me tient rigueur de ma conduite. Il l'a vécue comme un véritable abandon ! répondit Umara en regardant pensivement les braises du foyer qui ne tarderaient pas à s'éteindre.

— Dis-moi, n'était-il pas un peu amoureux de toi ?

— C'est probable. Mais je te jure que je ne le découvre qu'aujourd'hui !

Le lendemain de ces retrouvailles plutôt fraîches, les trois voyageurs arrivèrent dans un village accroché à un piton rocheux, dont la place principale était occupée par un attroupement de jeunes gens portant des vêtements de couleur et des turbans de toile blanche. À leurs chevilles pendaient des grelots minuscules tandis que leurs mains tenaient des haches de guerre. Devant eux s'alignaient autant de joueurs de tambour qui frappaient leurs instruments en cadence, pour rythmer la danse des villageois.

Cinq Défenses avisa un vieil homme qui regardait le spectacle, assis sur un banc de pierre, et lui demanda en tibétain de quoi il retournait.

— C'est la danse rituelle bang ! Elle raconte la guerre à laquelle se livrent les *deva* et les *asura* qui convoitent les fruits de l'arbre planté tout au sommet du mont Sumeru ! répondit en chuintant le vieillard.

Cinq Défenses s'aperçut alors que sa bouche était totalement dépourvue de dents.

— Blanc fut créé dans le ciel ; bleu fut créé dans le ciel ; puis la montagne immaculée de la glace fut créée ; puis fut créé l'océan extérieur ; au milieu de cette mer, neuf sacs de cuir furent créés ; de ces sacs surgirent tout à coup neuf armes ; puis furent créés le dieu Père Sauvage qui fait tomber la Foudre, et la mère protectrice dite de la Conque Marine, hurlait un barde coiffé d'un turban jaune aux jeunes gens qui avaient cessé de frapper leurs tambours et s'étaient figés devant lui.

— Où se trouve le mont Sumeru ? s'enquit naïvement Cinq Défenses auprès du vieillard édenté.

— Il faut monter sur le Toit du monde ; il est encore un peu au-dessus ! On peut y accéder par une échelle de corde, dit péremptoirement le vieux Tibétain.

— J'ignorais l'existence de ce dieu Père Sauvage ! s'écria, tout étonné, l'amant d'Umara.

Pour le mahâyâniste qu'il était, le Sumeru n'était rien d'autre que le centre du monde, une abstraction géométrique et métaphysique à l'instar du Bindu, ce point central autour duquel s'organisaient les savants diagrammes des mandalas.

— Le dieu du mont Sumeru est un tas de pierres, ajouta le vieil homme, surpris par l'ignorance de son interlocuteur, il est entouré sur les quatre côtés par la lionne blanche de l'Est, le dragon bleu du Sud, le tigre de l'Ouest et le yak sauvage du Nord.

— Le Pays des Neiges est aussi celui des animaux fantastiques ! constata avec amusement Umara lorsque son amant lui traduisit les propos du vieil homme.

Le bonpo, religion originelle du Tibet, était un florilège d'étrangetés qui ne pouvait que laisser pantois ceux qui le découvraient pour la première fois.

Selon sa tradition, la création du monde résultait du dépeçage d'un démon à tête de ruminant, ou encore de celui d'un elfe à l'apparence d'un crapaud, et même de l'«émiettement» de la tigresse buveuse de lait et mangeuse d'hommes !

Dans ce pays où les montagnes étaient tellement sacrées et inaccessibles qu'on les surnommait à la fois «pilier du ciel» et «clou de fixation de la terre» régnaient des divinités au faciès terrifiant, mangeuses d'hommes et de bêtes, plus carnassières et assoiffées de sang les unes que les autres.

Tout, dans la religion tibétaine traditionnelle, se résumait au combat perpétuel entre les forces du ciel et celles des mondes souterrains, qu'il fallait s'efforcer de relier entre elles afin de permettre aux dieux gentils d'en haut de venir régler leur compte aux dieux méchants d'en bas, grâce à la corde *mû*, appelée aussi «échelle de vent», laquelle était semblable à une colonne lumineuse aux couleurs de l'arc-en-ciel qui partait de la terre pour monter jusqu'au firmament, là où se tenaient les divinités protectrices et bénéfiques.

C'était grâce à l'offrande de la fumigation, élément essentiel du rituel bang, que l'adepte du bonpo pouvait espérer forcer l'ouverture de la porte du ciel, représentée par le crâne du bélier, à laquelle l'échelle de vent permettait d'accéder.

Quant à la porte de la terre, qu'on pouvait franchir après y avoir «enfoncé le clou de la terre», elle était symbolisée par un masque de chien.

Pour nos trois voyageurs, qui ne connaissaient rien à la mythologie bonpo, le spectacle ne pouvait donc que revêtir une fascinante étrangeté.

Et encore n'étaient-ils pas au bout de leurs surprises...

Dans un coin de la place, les villageois avaient en effet construit une sorte d'échafaudage sur lequel avaient été placées des statues de beurre mélangé à de la farine représentant toutes sortes d'animaux fantastiques : dragons à tête de chien, lions à la longue chevelure, moutons à tête de singe et autres oiseaux quadrupèdes.

— On dirait qu'elles sont en train de fondre ! constata, médusée, Umara qui s'était approchée de cette construction éphémère.

La multitude des bougies disposées entre les figurines, qu'elles éclairaient par transparence, dégageait une telle chaleur qu'elles avaient commencé à fondre, ce qui rendait les formes des hybrides encore plus monstrueuses.

— Pas une religion ne se ressemble ! dit pensivement Umara au moment où ils quittèrent ce village, après y avoir copieusement déjeuné.

— Qui sait ? Ce que nous avons vu là exprime la religion des dieux, celle-là même que le Bienheureux proposa aux hommes de dépasser. Mais peut-être que leurs

dieux protègent tous ces gens qui ont l'air si sincères…
Après tout, s'ils sont heureux ainsi… dit Cinq Défenses.

— Mon père a toujours prétendu qu'on devait faire partager ses convictions à autrui. Depuis que je t'aime, je suis moins sûre qu'il ait raison, s'écria Umara en se jetant au cou de son amant

Voilà que l'assistant de Pureté du Vide, bien plus capable de pratiquer la tolérance que ne l'était son maître, en arrivait, uniquement par sa conduite, à rallier son amante à sa cause.

Quant à Brume de Poussière, lequel mesurait à chaque pas l'intensité de l'amour entre Cinq Défenses et Umara, il s'était enfermé dans un épais mutisme.

La suite du périple de ce trio se déroula malgré tout sans encombre particulier.

C'est tout juste si elle fut troublée par les léopards des neiges qui rôdaient la nuit autour de leur bivouac, car la chienne Lapika se chargeait de faire fuir ces fauves plutôt peureux et craintifs que seule l'absence de gibier amenait à s'approcher de l'homme.

Après le passage du fameux dernier col avant le monastère, quand Umara découvrit pour la première fois les toits d'or de Samyé, entre les deux stûpas que son compagnon appelait joliment «Joyaux du Sommet», elle ne put s'empêcher de pousser un soupir d'émerveillement.

— Ces statues plantées au sommet du toit sont merveilleuses ! s'exclama-t-elle en désignant la saisissante représentation de la Roue de la Loi aux huit rayons, soutenue par les deux biches affrontées, qui couronnait l'édifice principal.

— Elles sont dorées à l'or fin. Samyé est le plus ancien mais aussi le plus riche monastère du pays de Bod. Ici, rien n'est trop beau pour célébrer le Bouddha, lui expliqua Cinq Défenses.

— Tant de somptuosité, dans un endroit aussi perdu, au bout du monde ! Comme tout cela est étrange ! souffla-t-elle.

Dès qu'il ouvrit la porte, lama sTod Gling, les yeux écarquillés d'effroi comme devant un revenant, reconnut Cinq Défenses.

— Bonjour, lama sTod. Tu dois être surpris de me revoir, mais tu n'es pas sans savoir que Samyé est un endroit où on revient volontiers ! dit plaisamment celui-ci en guise d'entrée en matière.

— Tu es seul ? demanda, angoissé, le lama.

— Les enfants, si tu fais allusion à eux, sont entre de bonnes mains à Chang An !

— Tu les as laissés derrière toi ?

— Je n'avais pas le choix. Je te raconterai plus tard. C'est l'impératrice de Chine en personne qui les héberge et s'en occupe ! Ils ne peuvent pas être dans de meilleures mains.

— Je vois ! Leur sort pourrait être pire, en effet, soupira le lama, soulagé.

Cinq Défenses afficha alors son plus beau sourire, puis fit signe à ses compagnons qu'ils pouvaient approcher.

— Aujourd'hui, nous sommes trois : Umara, Brume de Poussière et ton serviteur, à venir solliciter l'hospitalité auprès du Très Vénérable Ramahe sGampo, le Supérieur de l'illustre couvent de Samyé !

Lama sTod Gling les fit entrer.

— Vous devez avoir faim. Venez vous installer au réfectoire des moines, le temps que j'aille prévenir le Supérieur de votre venue. Ainsi, mon cher Cinq Défenses, tu pourras lui raconter ton histoire le ventre plein.

Devant la marmite de soupe fumante à base de mouton bouilli aux épices, dans laquelle on puisait à la

375

louche pour arroser son bol de riz, les estomacs, peu à peu, se calèrent.

— Le Supérieur Ramahe sGampo vous fait dire qu'il serait heureux de vous recevoir dès demain matin, leur annonça à la fin du repas lama sTod Gling, qui était allé avertir ce dernier de cette arrivée inopinée.

Brume de Poussière, qui n'avait pas absorbé la moindre soupe chaude épicée depuis qu'il s'était enfui de Dunhuang, paraissait d'humeur moins sombre.

Il souriait presque en regardant Umara, comme si, déjà, il lui en voulait moins pour sa conduite.

Elle était si charmante et il en était, sans se l'avouer, tellement amoureux… Le jeune vagabond ayant toujours vécu dans un dénuement et une solitude extrêmes, à présent qu'il se sentait envahi par la douce torpeur issue de l'ingestion d'un aliment aussi chaud et succulent, ne pouvait s'empêcher d'espérer !

Et si Umara lui appartenait ?

N'était-elle pas la seule personne qui eût jamais compté ?

Sa beauté, il la prenait pour lui. Sa douceur, elle lui était réservée. Son intelligence, elle lui était destinée.

Naïvement, à force de la côtoyer à Dunhuang, de jouer, de galoper dans le désert, Brume de Poussière s'était persuadé qu'Umara était véritablement sa moitié. Et il rêvait soudain que tout espoir de la récupérer n'était pas évanoui…

Il avait fallu la mise à sac de l'oasis par les Turcs, et la sombre perspective de se faire capturer, pour qu'il consentît enfin à sortir de la léthargie dans laquelle l'absence de celle qu'il aimait l'avait plongé, comme un animal terrestre dans les eaux tumultueuses d'un torrent d'où il lui était impossible de sortir.

Aussi, lorsqu'il était tombé sur elle, au moment où cet énorme chien avait failli l'égorger, avait-il éprouvé le sentiment atroce que la plaie de cette souffrance intime venait de se rouvrir et la douleur s'était avivée, sous l'effet d'une sournoise jalousie.

Constater qu'elle était partie avec un autre, un Chinois comme lui, de surcroît, était insupportable.

C'est pourquoi, lorsqu'ils l'avaient interrogé sur les circonstances de sa fuite, pensant ne devoir aucune confidence à la jeune femme tant que son amoureux serait présent, il s'était contenté d'en dire le moins possible, s'abstenant de leur préciser qu'il était allé récupérer *in extremis* dans la cache aux livres le fameux cœur en bois de santal qui reposait au fond de sa besace, mais également qu'il avait fait, trois jours après le pillage, cette rencontre qui avait décidé de sa venue à Samyé.

Lorsque lama sTod Gling mit les trois voyageurs en présence de Ramahe sGampo, Brume de Poussière ne manqua pas d'être impressionné par ce vieux lama aveugle, assis dans un fauteuil de bois de rose aux courbures élégantes, dont les yeux blancs paraissaient transpercer l'âme de part en part.

— Bienvenue à Samyé ! Je crois que l'un d'entre vous connaît déjà cet endroit, même s'il y est venu sans que je le sache ! lança le vénérable Supérieur lamaïste dans un chinois parfait qui témoignait de sa vaste culture linguistique et littéraire.

— Je suis cet homme, mon Vénérable ! De fait, lors de mon séjour ici, je n'ai pas eu la chance de vous saluer ! répondit Cinq Défenses, avant de lui présenter Umara et Brume de Poussière.

— Si lama sTod Gling m'avait prévenu, c'est volontiers que je t'aurais reçu... marmonna le vieil aveugle, tandis que son secrétaire, penaud, piquait du nez.

Ramahe sGampo avait tutoyé Cinq Défenses, comme

il était d'usage, entre moines bouddhistes, lorsqu'un aîné s'adressait à un cadet.

— Ma visite fut néanmoins fructueuse : j'obtins ce que j'étais venu chercher, avec, en prime, les Jumeaux Célestes ! ajouta sobrement l'assistant de Pureté du Vide.

— Lama sTod Gling m'a tout expliqué au sujet du couple d'enfants dont il te confia la charge, l'année dernière. Si j'ai bien compris, ils se trouvent actuellement en lieu sûr…

— L'impératrice de Chine Wuzhao en personne n'est pas indifférente à leur sort, mon Vénérable !

— Compte tenu de la réputation de votre souveraine, elle ne doit pas faire cela par hasard.

— Elle parlait souvent des Jumeaux Célestes comme de la réincarnation possible de divinités bouddhiques ! murmura Umara qui s'adressait pour la première fois à Ramahe sGampo.

— L'impératrice Wuzhao professe-t-elle toujours une foi sans faille dans la Parole du Bienheureux ? s'enquit ce dernier.

— Sans nul doute, mon Vénérable. Elle entretient des liens étroits avec maître Pureté du Vide, qu'elle consulte régulièrement. Elle soutient le Grand Véhicule face aux multiples offensives dont notre Église est victime de la part des confucéens, qui n'ont jamais admis l'entrée de cette roturière dans la famille impériale et encore moins la façon dont elle a réussi à se faire épouser par l'empereur Gaozong… répondit l'ancien assistant du grand maître de Dhyâna.

— Si elle pouvait éviter la catastrophe qui se prépare, je serais prêt à aller lui faire allégeance et à mettre à son service tous les monastères du pays de Bod !

La voix caverneuse de Ramahe sGampo tremblait

imperceptiblement au moment où il avait lâché cette confidence, d'un ton qui trahissait une vive angoisse.

— À quelle catastrophe faites-vous allusion, mon Très Vénérable Révérend ? Et en quoi l'impératrice Wuzhao pourrait-elle contribuer à l'éviter ? demanda aussitôt Cinq Défenses, auquel l'importance de ce dernier propos n'avait pas échappé.

— Puisque Pureté du Vide t'a envoyé ici afin de récupérer le sermon de la *Logique de la Vacuité Pure*, je me considère délié vis-à-vis de toi de mon obligation de discrétion à ce sujet ! murmura le moine aveugle à l'adresse de Cinq Défenses en guise de préambule.

— Ce sûtra, Révérend Ramahe sGampo, autant vous l'avouer tout de suite, n'a pas pu être remis à Pureté du Vide... Notre départ précipité de Chang An m'en empêcha ! C'est regrettable, mais c'est ainsi. J'ai pourtant fait de mon mieux...

— Je n'en doute pas. L'important est qu'il soit en lieu sûr. Ainsi, le moment venu, il te sera possible de le récupérer. De même que tu auras su confier les Jumeaux Célestes à de bonnes mains, je constate avec plaisir que tu prends un grand soin de ce qui t'a été confié. C'est bien ! Rares sont ceux qui ont à ce point le devoir chevillé au corps... dit le vieil aveugle.

— J'ai été à fort bonne école. Au monastère de la Reconnaissance des Bienfaits Impériaux, lorsque j'étais encore un jeune novice, maître Pureté du Vide m'a appris le sens du devoir, expliqua sobrement Cinq Défenses, qui ne souhaitait pas, avant d'en savoir plus, révéler à Ramahe sGampo que le précieux sûtra était à ses pieds, dans son étui gainé de soie, soigneusement enroulé dans une couverture tout au fond de son sac de voyage.

— T'a-t-il expliqué à quoi servait cet exemplaire de son testament spirituel et surtout, pourquoi il t'avait demandé de le lui rapporter à Luoyang ? s'enquit Ramahe sGampo de sa voix douce et profonde.

— Pas une seule fois. Toutefois, à force d'y réfléchir, j'ai fini par considérer que cet exemplaire du sermon de la *Logique de La Vacuité Pure* avait une fonction qui le dépassait en tant que tel. Sinon, pourquoi m'aurait-il prié de venir le récupérer ici ?

— Tu es dans le vrai. Tu dois d'abord savoir que ce texte, en tant que manuel exhaustif de la méditation assise, représente, aux yeux de son auteur qui se trouve être le chef de l'Église du Grand Véhicule, la quintessence même de sa doctrine. Ce sûtra tient donc lieu de gage pour l'Église du Grand Véhicule.

— Je ne vois pas en quoi mon Église aurait besoin — comme vous dites — d'un gage ! intervint Cinq Défenses, qui ne comprenait pas les propos de Ramahe sGampo ni où celui-ci voulait en venir.

— Il a servi de gage dans le cadre d'une sorte de pacte de non-agression qui s'est noué entre les trois grandes Églises bouddhiques, il y a plusieurs années de cela, lâcha le vieux moine aveugle.

— Le lamaïsme tibétain et le Petit Véhicule disposent-ils également de gages ? demanda l'amant d'Umara qui cherchait à élucider ce qui était pour lui un mystère.

— Oui ! Sinon, comment voudrais-tu établir un pacte équitable ? répondit le vieil aveugle, quelque peu étonné par une telle question.

— En quoi consistent les gages des deux autres Églises, mon Révérend ?

— Il s'agissait de raretés tout aussi précieuses que le sûtra de Pureté du Vide et, de surcroît, toutes les deux parfaitement représentatives de la façon de penser du lamaïsme ainsi que de celle du Petit Véhicule.

— Maître sGampo, je constate que vous vous exprimez sur les deux autres gages au passé, comme s'ils n'existaient plus ! Qu'est-ce à dire ? murmura le mahâyâniste, lequel avait décidé de tirer les vers du nez du vieux Supérieur tibétain.

Malgré sa cécité qui empêchait de lire dans son regard, ce dernier, bras ballants le long de sa longue robe de bure, tenant comme un fardeau son lourd chapelet mala, paraissait accablé.

— Les deux autres gages, tu l'as bien compris, ont, hélas ! disparu ! souffla-t-il.

— De quoi étaient-ils faits ?

— De deux diamants et d'un mandala de soie ! Deux raretés, les diamants, enfin ! parce qu'ils étaient gros comme des œufs de caille ; le mandala, parce que l'artisan qui l'avait brodé et le peintre qui l'avait peint y avaient passé chacun près de deux ans !

— Pourquoi avez-vous dit « enfin » en parlant des diamants ? s'enquit Cinq Défenses, décidé à se comporter comme le plus fin des limiers.

— C'est une vieille histoire… une anomalie à laquelle il fut mis fin. Ou plutôt à laquelle il aurait dû être mis fin, si les choses s'étaient passées normalement… se contenta de répondre le vieux religieux aveugle.

— De tels propos ne font qu'accroître mon trouble, mon Révérend ! Voilà un mystère qui, au lieu de se clarifier, est en train de s'épaissir considérablement ! lâcha Cinq Défenses qui n'arrivait plus à cacher sa perplexité.

— Tout cela, peut, en effet, paraître obscur à quelqu'un d'extérieur…

— De tels diamants doivent coûter très cher ! constata Cinq Défenses, sans illusion sur les précisions supplémentaires qu'il obtiendrait de la part du vieil aveugle quant aux propos qu'il venait de tenir.

— Quoique n'étant pas bijoutier, je peux t'affirmer,

sans être démenti, que des pierres aussi grosses et aussi lumineuses sont même si rares qu'elles n'ont pas de prix !

— Et comment pouvez-vous connaître avec autant de précision la durée de réalisation du mandala de soie ? insista par ailleurs Cinq Défenses, tout à sa quête éperdue de la vérité.

— Parce qu'il s'agissait de notre propre gage, que j'avais moi-même commandé à ce maître brodeur et à ce miniaturiste venus tout exprès de Lhassa pour la circonstance. Ce mandala devint l'un des inestimables trésors de Samyé. Voilà ! conclut Ramahe sGampo, quelque peu agacé par la façon dont ce jeune moine chinois le harcelait de questions.

À présent, une atmosphère pesante régnait dans la pièce mal éclairée où le Supérieur avait coutume de s'adonner à ses méditations quotidiennes.

— Cette disparition des deux gages, mon Révérend, a l'air de vous chagriner au plus haut point… intervint Umara.

— C'est bien pire que cela ; elle m'accable ! soupira-t-il.

Abasourdie, la jeune chrétienne avait écouté sans mot dire les propos du vieux lama, dont elle comprenait bien mieux le contexte, et pour cause, que ce pauvre Cinq Défenses.

— D'où vient votre affliction ? Si nous en connaissions la cause, peut-être pourrions-nous vous aider… osa ajouter Umara, qui avait bien conscience de détenir, au sujet des deux gages manquants, une information capitale.

Le vieil aveugle se tourna vers la fille d'Addai Aggai.

— Vous êtes donc Umara ? lui demanda-t-il.

Il ne pouvait pas la voir mais, devant tant de douceur et de prévenance, il lui souriait.

— Elle-même, mon Révérend Père, et particulièrement désireuse de tout faire, dans la mesure de ses modestes moyens, pour vous aider, répondit-elle.

— Vous risquez d'avoir fort à faire ! marmonna alors le vieil aveugle, mi-figue mi raisin, toujours en souriant.

— Je souscris aux propos d'Umara, mon Révérend. Si je peux vous prêter mon concours, ce sera également volontiers, s'empressa de déclarer Cinq Défenses.

Les yeux blancs de Ramahe sGampo se tournèrent à présent vers celui-ci.

La sincérité de ce jeune couple lui paraissait réelle, et dénuée de toute arrière-pensée.

Ne méritait-il pas des explications moins elliptiques ?

Aussi, malgré sa réticence à trahir le secret qu'il avait juré à ses deux autres mandants, décida-t-il qu'il pouvait, sans grand risque, affranchir un peu plus, sans pour autant tout leur révéler, ce jeune homme et cette jeune femme pour lesquels il éprouvait de la sympathie.

— Vois-tu, ô Cinq Défenses, à cause de la disparition de ces deux gages, c'est une confiance bâtie sur un rituel irremplaçable qui est en train de s'évanouir, risquant d'aboutir, hélas, à la rupture de la trêve entre les trois Églises bouddhiques. C'est la paix entre celles-ci, permettant à tous les adeptes du Bouddha de vivre en bonne intelligence, pour mieux lutter ensemble contre l'influence des religions étrangères, qui est menacée ! Maintenant que ce front uni risque de profondes fissures, l'avenir sera moins faste pour les Nobles Vérités du Bienheureux ! commença donc à leur expliquer Ramahe sGampo, sur le ton quelque peu lugubre qui correspondait à sa sombre prophétie.

— Cela signifierait-il que serait caduc ce pacte de non-agression, forgé par le rituel dont vous venez de faire état ? s'enquit l'adepte du Mahâyâna.

— On peut le dire, hélas ! En l'absence des gages, le rituel ne peut évidemment s'accomplir. Et les conflits et les luttes reprendront à coup sûr ! Mais plus encore que le rite, c'est la confiance qui, désormais, fait défaut… Le vieil homme que je suis a peur de l'avenir ! Et tout ça à cause d'un individu complètement fou, auquel, hélas, nous avons fait un jour confiance ! gémit le vieil aveugle.

Le Supérieur de Samyé, dont les mains égrenaient nerveusement son chapelet mala, ne cherchait même plus à masquer l'angoisse qui l'étreignait.

— Pour mieux comprendre, et essayer de vous aider de mon mieux, mon Révérend, il me faudrait en savoir plus au sujet de ce rituel, qui est, si je comprends bien, unique en son genre, insista Cinq Défenses.

— Son existence, jusqu'à présent, était gardée secrète. Il s'accomplissait à Lhassa où ses pratiquants étaient sûrs d'être tranquilles, et aussi parce que cette ville sainte est la plus proche du Ciel. D'où le nom de « concile de Lhassa » donné à la cérémonie dont je crains fort qu'elle n'ait plus jamais lieu ! assena le vieux lamaïste d'une voix assourdie.

Le concile de Lhassa !

C'était la première fois que Cinq Défenses entendait parler d'une telle réunion. L'ancien moine du Mahâyâna, de plus en plus interloqué, se perdait en conjectures.

Il constatait d'abord, avec un certain effarement, que Pureté du Vide s'était bien gardé d'éclairer sa lanterne au sujet de la mission qu'il lui avait confiée. Il s'agissait, en fait, d'aller récupérer rien de moins que le « gage » du Grand Véhicule nécessaire à la tenue du rituel secret du concile de Lhassa…

Un tel manque de confiance était pour le moins décevant.

Si le terme de manipulation avait un sens, il n'y en avait pas d'autre pour qualifier l'attitude de Pureté du Vide.

Que cachaient donc ces manigances ? se demandait Cinq Défenses. Sûrement des éléments aux conséquences dramatiques, à en juger par le désarroi que Ramahe sGampo ne cherchait même plus à dissimuler à ses visiteurs...

Parmi eux, Brume de Poussière, troublé au plus haut point par la révélation sur la nature des deux gages manquants, avait écouté sans mot dire la conversation.

La détresse du vieux Supérieur aveugle avait fini par ébranler sa conscience.

Il ne lui avait pas échappé, lorsque le regard d'Umara avait croisé le sien, que la jeune chrétienne nestorienne était en proie à un trouble identique au sien.

Nul doute que, pour lui, c'était là, et à plusieurs titres, une divine surprise !

Cette révélation de Ramahe sGampo, en même temps qu'elle levait l'énigme du contenu du petit cœur de santal, était synonyme d'espoir.

Tout à son rêve et à sa rage de supplanter Cinq Défenses, Brume de Poussière voyait là l'infaillible moyen de conquérir le cœur de la jeune nestorienne...

Le jeune Chinois possédait une carte maîtresse qu'il n'avait pas encore abattue et dont le vieux lama venait de lui révéler l'importance.

Il était tellement sûr de son fait qu'il avait de la peine à masquer l'intense jubilation qu'il sentait naître en lui.

Il lui suffisait de se rappeler l'excitation d'Umara lorsqu'ils se rendaient dans la cache aux livres de la falaise pour vérifier que leur « Grand Trésor », comme elle l'appelait, dont ils étaient seuls à connaître l'existence, était toujours là, sagement posé à sa place.

La façon dont la jeune chrétienne nestorienne s'agenouillait puis ouvrait, avec d'infinies précautions, la petite boîte, comme si elle eût craint de la retrouver vide, en disait long sur l'importance qu'elle attachait au Grand Trésor et sur la déception qui avait dû être la sienne à l'annonce du pillage de la grotte.

Elle devait être persuadée que ce Grand Trésor était désormais dans les poches d'un pillard chanceux, et d'autant plus marrie qu'elle venait de comprendre que le petit cœur contenait les deux gages précieux.

Brume de Poussière savourait par avance le triomphe qui serait le sien lorsqu'il apprendrait à Umara qu'il n'en était rien, puisque les gages avaient été sauvés du pillage par ses soins.

Il lui suffisait de révéler à l'assistance l'exploit qu'il avait accompli : il avait pris le risque de se ruer dans la cache aux livres juste avant l'arrivée de la horde de Turcs qui l'avaient mise à sac après avoir constaté qu'elle ne contenait ni or, ni armes, ni argent, mais simplement des vieilleries écrites sur des rouleaux de papier et de soie.

— Tout n'est pas perdu, mon Révérend ! Les deux trésors inestimables qui servent de gage aux Églises bouddhiques, il se trouve que je les ai sur moi ! annonça-t-il sobrement, pour ménager ses effets, en extirpant de son sac de voyage la petite boîte de santal en forme de cœur. Je suis allé la chercher avant que la cache aux livres ne soit dévastée par les Turcs ! ajouta fièrement Brume de Poussière.

Bombant le torse, il fixait Umara d'un air entendu. Et, sûr de son fait, à en juger par le sourire qui venait d'illuminer le beau visage de la jeune femme, persuadé qu'elle ne tarderait pas à tomber dans ses bras, il ouvrit la précieuse boîte, puis, un rien théâtral, en versa le contenu sur la table basse devant laquelle Ramahe sGampo était assis.

Au centre de la table s'étalaient à présent les deux précieux gages que leurs représentants utilisaient respectivement pour le concile de Lhassa, au nom du lamaïsme et du Petit Véhicule : un mandala de soie peinte, pas plus grand qu'un joli mouchoir, au milieu duquel deux énormes diamants taillés en amande brillaient d'un éclat intense.

Les pierres inouïes, telles des étoiles tombées du ciel, paraissaient phosphorescentes.

Les mains osseuses et parcheminées de Ramahe sGampo parcoururent la table, effleurant les reliques. Puis il porta à ses narines à la fois le mandala et les deux énormes gemmes, pour mieux les authentifier.

— Il n'y a pas de doute, murmura-t-il, ce sont bien là les gages manquants ! Avec l'exemplaire du sûtra que Pureté du Vide t'a envoyé récupérer ici, ils constituent les éléments nécessaires à l'accomplissement du rituel du concile de Lhassa !

— Voilà ce qu'on appelle les Yeux de Bouddha ! Ces pierres précieuses exceptionnelles proviennent du reliquaire de Kaniçka à Peshawar. Quant au Mandala sacré du mantra du Vajrayâna, auquel le monastère de Samyé doit sa fondation, il s'agit de la relique la plus précieuse du lamaïsme tibétain ! Maître Ramahe sGampo désespérait de le retrouver ! Pour une fois qu'elles étaient là, voilà qu'elles disparaissaient aussitôt apparues, précisa lama sTod Gling, très ému, à ses visiteurs.

— Les Yeux de Bouddha ! s'écria Cinq Défenses, interloquée.

— Dans une de ses innombrables autant qu'ineffables existences antérieures, le Bienheureux Bouddha accepta de donner ses yeux à un pauvre aveugle. Ces diamants sont censés les représenter. La tradition veut que ce soit le roi indien Kaniçka lui-même qui les ait fait tailler dans des pierres jumelles d'un poids et d'une pureté incomparables, avant de les faire incruster sur le visage d'une statue de bronze du Bienheureux, puis déposer dans le reliquaire qui porte son nom ! La statue de bronze a été fondue pour en faire un canon, pendant l'invasion de Peshawar par les Huns Hephthalites. Seuls les diamants furent sauvés, avant d'être enfermés au sommet du reliquaire, dans un écrin en or pur. À ce titre, il s'agit de la relique la plus sacrée de toute l'Inde du Nord ! Des millions d'adeptes espèrent un jour voir le reliquaire au cours du Grand Pèlerinage. Pour eux, cela revient à regarder le monde avec le même regard que le Bienheureux… expliqua, de sa voix gutturale et lente, Ramahe sGampo, son visage aux yeux blancs éclairé par un large sourire.

— Les Yeux de Bouddha ! Je comprends mieux, à présent, pourquoi le *ma-ni-pa* en parlait si souvent ! s'exclama Cinq Défenses.

— Il n'y a rien d'étonnant à ça. Ici, au Tibet, ce geste édifiant du Bienheureux est représenté sur de nombreux *nagthang*, ces peintures sur fond noir exécutées par nos meilleurs enlumineurs, ajouta lama sTod Gling.

— Mais si les diamants sont ici, comment font-ils à Peshawar, lorsque la période du Grand Pèlerinage arrive ? s'enquit, toujours aussi curieux, l'assistant de Pureté du Vide.

— Bonne question ! Je crois entendre les objections de Bouddhabadra en personne… lâcha le vieil aveugle, amusé.

— De quelles objections parlez-vous ? insista lourdement Cinq Défenses.

— À moins d'ouvrir la petite boîte pyramidale en or pur pour en vérifier le contenu, ce qui serait, au demeurant, l'expression d'un doute sacrilège, nul ne peut savoir qu'ils ne s'y trouvent pas, à l'exception de celui-ci qui les y a pris, c'est-à-dire Bouddhabadra lui-même... expliqua, comme si tout cela allait de soi, le Supérieur de Samyé.

— Le Mandala du mantra du Vajrayâna est-il une relique aussi précieuse que les Yeux de Bouddha ? poursuivit Cinq Défenses.

— Pour Samyé et, par extension, pour tout le lamaïsme tibétain, c'est même l'objet le plus saint ! murmura Ramahe sGampo, avant de replonger son nez dans le petit carré de soie. Le mantra du « Véhicule du Foudre-Diamant » est la représentation de l'Ineffable Réalité Suprême, le Vajrasattva. Je l'ai commandé au plus grand peintre tibétain, qui mit deux ans à achever la peinture centrale. Elle est cousue sur un fond de soie dont les broderies demandèrent le même temps au vieil artisan qui accepta de les réaliser. Mes successeurs honoreront cette pièce unique comme le symbole même du plus vénérable couvent bouddhique du pays de Bod...

Personne ne s'aperçut que Brume de Poussière, bizarrement, s'était mis à acquiescer, comme s'il connaissait déjà la valeur de la relique sainte.

— Qu'appelez-vous un "mandala", maître Ramahe sGampo ? interrogea alors Brume de Poussière, qui ignorait tout du lamaïsme tibétain.

Le vieux Supérieur aveugle lui répondit.

— Mandala est le mot sanskrit signifiant « cercle » ou « disque ». Au pays de Bod, il désigne la projection picturale, en deux ou trois dimensions, du domaine particulier d'une divinité sous l'aspect d'un diagramme organisé autour d'un axe et d'un point central, le bindu. C'est pourquoi les mandalas ressemblent souvent à des plans de villes sacrées idéales.

— Nous désespérions de remettre un jour la main sur le Mandala sacré du Vajrayâna ! C'est une chance inouïe, pour le couvent de Samyé, que de le retrouver, n'est-ce pas, Révérend Ramahe sGampo ? s'exclama lama sTod Gling qui exultait de joie.

— Nuage Fou aura bien failli nous posséder jusqu'au bout, lorsqu'il nous proposa benoîtement de conserver par-devers lui ce mandala ! Je regrette de ne pas m'être montré plus méfiant ! Je n'aurais jamais dû accepter... marmonna le Supérieur aveugle, comme s'il se parlait à lui-même.

Penché sur le diagramme géométrique de la peinture centrale du mandala, Cinq Défenses appréciait à la fois l'extraordinaire finesse des formes et des couleurs et le profond ésotérisme empêchant le néophyte qu'il était d'en comprendre le sens caché.

— C'est à l'aide d'un cil d'éléphant que l'artiste exécuta les détails des visages de ces figures peintes ! Regardez un peu et admirez-moi cette finesse d'exécution ! s'écria lama sTod Gling, tel un bonimenteur.

— Je n'ai jamais rien vu d'aussi extraordinaire ! Il y a là une telle précision ; ces lèvres, vues de près, il ne manque pas un pli à leur commissure... murmura Cinq Défenses, proprement estomaqué.

— Deux fois par an, la tradition de Samyé veut que des moines reproduisent en grand les figures du petit mandala sacré. Avec patience, ils les dessinent sur toute la surface de sol de la cour d'honneur de notre monastère, à l'aide de poudres colorées qu'ils répandent sur la terre, grâce à des canules sur lesquelles ils tapotent doucement, s'exclama sTod Gling sur un ton de plus en plus exalté.

— Et quand on vient se placer dessus, il n'est pas rare que la Lumière du Bienheureux vous inonde, comme c'est le cas aujourd'hui, tellement ce jour est béni ! Et dire que j'en étais venu à soupçonner maître Pureté du Vide d'avoir partie liée avec le sinistre individu qui, un jour, proposa de le garder par-devers lui ! ajouta, presque en gémissant, le Révérend aveugle.

— Vous avez parlé d'un cil d'éléphant… Eh bien, je peux vous révéler qu'il y a un cil dans cette boîte ! lança alors Brume de Poussière à la cantonade, avant de se pencher à son tour et de prendre délicatement, dans un recoin de la boîte, un poil minuscule qu'il montra à l'assistance.

— Il l'avait donc apporté aussi ! Comme c'est bizarre, un tel entêtement ! dit pensivement Ramahe sGampo.

— À en juger par la taille du poil, ce n'est pas un cil d'éléphant, constata sTod Gling.

— Le Saint Cil du Bienheureux ne saurait être un poil de pachyderme ! laissa tomber le vieil aveugle.

— Le Saint Cil du Bienheureux ? Que fait-il là-dedans ? Je croyais que chaque Église n'avait besoin que d'un seul gage ? s'enquit Cinq Défenses.

— Je me pose la même question que toi, figure-toi ! rétorqua le Révérend du tac au tac.

Cinq Défenses jugea qu'il était temps, puisque les deux autres gages étaient là, de déposer à son tour sur la table basse celui dont il disposait.

— Il ne me reste plus qu'à vous fournir le troisième gage ! Comme je vous l'ai dit, j'ai dû le garder dans l'attente de l'occasion de le remettre à son auteur… dit-il d'un ton neutre, avant de poser sur la table l'étui qui renfermait le *Sûtra de la Logique de la Vacuité Pure*.

— Je croyais que tu l'avais laissé à Chang An, avec les petits Jumeaux Célestes ! s'exclama Ramahe sGampo dont l'étrange regard vide exprimait toutefois une immense surprise.

— Le saint rouleau ne m'a pas quitté depuis qu'il me fut remis ici ! expliqua l'assistant du grand maître de Dhyâna.

— Voilà un vrai miracle, Révérend sGampo ! hurla, fou de joie, lama sTod Gling.

— C'est à peine croyable, mais voilà que la Triple Corbeille pourra être remplie ! Le concile de Lhassa est de nouveau possible… murmura le Supérieur aveugle, après avoir humé la boîte cylindrique, gainée de soie rouge, où était rangé le saint rouleau.

Puis il fit signe à sTod Gling de s'approcher et lui glissa quelques mots à l'oreille.

— Vous devez avoir faim et soif ! ajouta-t-il.

Quelques instants plus tard, un moine apporta, sur un de ces immenses plateaux d'argent qui servaient à recueillir les présents des dévots, le thé au beurre de yak et les galettes au miel que Ramahe sGampo souhaitait offrir à ses visiteurs.

— À présent que les gages sont là, il nous reste à en connaître l'usage ! Pourquoi avez-vous dit que la Triple Corbeille était de nouveau remplie ? demanda Cinq Défenses que la perplexité empêchait de manger et de boire.

— Nous ne pourrons vous aider que si vous consentez à nous en dire un peu plus, mon Révérend, ajouta Umara de sa voix douce.

— Puisque c'est à vous que je dois le miracle de la Triple Corbeille de nouveau remplie, j'aurais mauvaise grâce à ne pas accéder à votre souhait… finit par leur annoncer le vieil aveugle, après un long moment de réflexion qui lui avait permis de peser le pour et le contre.

Chacun buvait et mangeait silencieusement, dans l'attente de ce moment unique, où le vieux lamaïste leur révélerait le secret que jamais les uns et les autres n'auraient dû connaître si le hasard, le destin, la chance, la volonté du Bouddha et de Dieu ou, tout simplement, les circonstances ne l'avaient décidé.

La voix du moine aveugle était encore plus caverneuse, quand il commença son récit devant les trois voyageurs médusés.

— Il arriva un temps où les trois grands courants du bouddhisme souhaitèrent, pour des raisons diverses, mais surtout pour être plus unis face à l'offensive des religions venues de l'Ouest, mettre un terme à leurs rivalités. Il fut donc décidé par les chefs de ces trois courants qu'un concile se tiendrait à Lhassa, tous les dix ans, dans la Pagode de l'Oie.

— Pourquoi avoir choisi Lhassa, mon Révérend ?

— Parce que cette ville est la capitale du pays du Toit du monde, lequel, à l'instar du mont Sumeru, est le pivot de l'Univers entier. De plus la Pagode de l'Oie est un sanctuaire désaffecté. Le concile doit se dérouler — vous comprendrez aisément pourquoi — à la fois en terrain neutre et à l'abri de tout regard extérieur ! expliqua Ramahe sGampo.

— En quoi consistent, précisément, ces conciles de Lhassa ? demanda fébrilement Cinq Défenses, dont la voix tremblait d'impatience.

— À la base de ces réunions, il y a précisément l'échange des « gages précieux ». Après avoir déposé dans la Triple Corbeille celui qu'il détient, chacun emporte le « gage précieux » qui lui a été attribué par tirage au sort. Le représentant du Mahâyâna héritera, par exemple, du gage précieux du Petit Véhicule et celui du lamaïsme tibétain du gage du Grand Véhicule. À chaque nouveau concile, le sort fait ainsi tourner les gages d'une Église à l'autre, grâce à celui qui, les yeux bandés, attribue au hasard à l'un des trois participants le numéro correspondant à l'un des gages. Cela paraît compliqué à décrire, mais en réalité, c'est tout simple.

— Je comprends ! De la sorte, aucune Église ne pourra être tentée d'agresser l'autre puisqu'elle est dépositaire du bien le plus précieux de celle-ci, s'exclama l'assistant de Pureté du Vide.

— Tu as tout saisi, fit le vieux lama. En outre, tous les cinq ans, se tient à Samyé une réunion intermédiaire destinée, selon l'expression consacrée, à «faire tenir la concorde». Il s'agit, pour chacun des chefs d'Église, afin de s'assurer que la concorde régnera pendant les cinq années suivantes, de montrer aux autres la relique précieuse qui lui est échue lors du concile de Lhassa.

— C'est un mécanisme astucieux ! Il est semblable à celui des otages, souvent des fils de prince et même de roi, que s'échangeaient entre eux les Royaumes Combattants, du temps où la Chine n'était pas encore un empire ! conclut Cinq Défenses.

— Le procédé était effectivement censé ne pas avoir de faille ! murmura le vieil aveugle.

— Vos propos laissent entendre qu'il y en avait une ! conclut le jeune mahâyaniste.

— Il y a six ans, à Lhassa, le tirage au sort aboutit à ce que son propre trésor revînt à chaque Église ! Le Grand Véhicule hérita du *Sûtra de la Logique de la Vacuité Pure*, le lamaïsme tibétain du Mandala sacré du Vajrayâna et le Petit Véhicule des Divins Yeux de Bouddha…

— Les gages n'en étaient donc plus ! s'exclama Umara.

— Pourquoi n'avez-vous pas effectué un autre tirage au sort ? s'enquit son amant dont l'esprit logique cherchait à tout prix à combler les points faibles qu'il croyait déceler dans les propos du vieil aveugle.

— Parce que Nuage Fou, l'homme que nous avons trouvé pour procéder en toute impartialité aux tirages au sort, nous en dissuada vivement. Usant d'une rare habileté, le gredin nous convainquit de lui confier par tirage au sort l'un des précieux gages, arguant du fait qu'un tel geste garantirait la paix entre les Églises. À mille lieues de nous douter de la duplicité de cet homme, nous jugeâmes même l'idée géniale ! Dans cette situation où le tirage au sort rendait inopérant le mécanisme du concile de Lhassa, Nuage Fou nous servait, en quelque sorte, de garant et de caution. C'est ainsi qu'il hérita, avec notre plein accord, du Mandala sacré du Vajrayâna. Aussi, tu peux imaginer notre consternation à tous quand nous dûmes constater, après l'avoir attendu en vain trois jours d'affilée, qu'il ne viendrait pas à la dernière réunion intermédiaire, celle de l'année dernière ! expliqua le vieil aveugle que les trois voyageurs médusés écoutaient dans un silence religieux.

— Ce Nuage Fou aura essayé de vous flouer ! Mais comment avez-vous pu accepter de laisser participer à vos cénacles ultra-secrets un être aussi démoniaque, un homme dont la conduite inqualifiable démontre l'hypocrisie ? s'écria, révolté, l'assistant de Pureté du Vide.

— Comme toujours, par le plus grand des hasards ! On ne se méfie jamais assez. C'était au cours du concile de Lhassa précédant le dernier, il y a seize ans de ça. Nous cherchions quelqu'un de pur, et dénué de toute arrière-pensée, pour effectuer le tirage au sort de ce qui devait échoir à chacun d'entre nous, en matière de gage.

— Comment procédiez-vous, avant ?

— L'un d'entre nous lançait des cailloux sur le sol. Selon la façon dont ils retombaient, nous décidions de qui héritait de tel gage. Une fois, la main de Bouddhabadra, dont c'était le tour, se mit à trembler si fort qu'il dut s'y reprendre à plusieurs reprises pour lancer ses cailloux qui retombaient toujours dans le même sens, rendant impossible toute opération d'attribution fiable. C'est alors qu'il avisa, juste devant la porte de la Pagode de l'Oie, un ascète qu'entourait par une foule dense, impressionnée par les scarifications rituelles auxquelles s'adonnait l'inconnu et qui formaient sur son ventre le caractère *Om !* Nous jugeâmes que l'état de pureté de cet homme devait être grand et que nous pouvions lui demander d'effectuer un tirage au sort impartial… Il accepta sans hésiter et s'acquitta parfaitement de sa tâche, de sorte que tous les trois, nous fûmes ravis de sa prestation au point que nous acceptâmes qu'il assiste à l'intégralité de cette réunion. Puis nous l'invitâmes à participer à la suivante, il y a six ans de ça. Nous étions loin de nous douter de ce qu'il nous en coûterait aux uns et aux autres !

— Je vois : celui auquel vous aviez fait jouer le rôle de caution morale se révéla être un traître !

— C'est vrai ! Dire qu'il a toujours prétendu rechercher la synthèse des trois courants bouddhiques que nous représentions, affirmant qu'il tenait chacun d'entre eux en égale estime… tout cela pour nous amadouer et se jouer de nous : c'est à proprement parler écœurant ! lâcha Ramahe sGampo dont le beau visage émacié aux yeux blancs reflétait l'indignation.

— Il paraît évident que cet ignoble individu projetait, en fait, après avoir subtilisé le mandala, de dérober les Yeux de Bouddha et le *Sûtra de la Logique de la Vacuité Pure* ! Mais à quelles fins ?

— Justement ! Pour effectuer cette synthèse, qu'il prétendait incarner, entre les trois courants du bouddhisme. Ce mégalomane devait rêver d'un concile de Lhassa dont il eût été le seul participant ! C'était d'ailleurs l'occasion unique, cette fois-là, à Samyé… ajouta, des plus songeurs, Ramahe sGampo, comme s'il découvrait, lui aussi, certaines évidences qui lui eussent jusque-là échappé.

— Cet individu n'aura donc reculé devant rien pour aboutir à ses fins ! conclut le mahâyâniste.

— Il est complètement fou mais brillant et aussi doué que persuasif, sans quoi il n'aurait pu gagner notre confiance ! Reste qu'il est doté d'une personnalité inquiétante, témoignant d'une volonté de pouvoir terrifiante...

Ramahe sGampo venait ainsi de révéler le grand secret que les trois chefs d'Église avaient juré, pourtant, devant une image du Bienheureux Bouddha, de garder entre eux jusqu'à leur mort et de ne transmettre qu'à leurs successeurs.

Cinq Défenses, perdu dans ses pensées à la suite de cet incroyable récit, n'était pas au bout de ses surprises.

Il contemplait sans un mot les trois « gages précieux » que de si étranges coïncidences, qui tenaient à tout le moins du miracle, avaient réunis à l'endroit où ils auraient dû se trouver l'année précédente, à l'occasion de la fameuse réunion qui avait tourné court.

Par quels tortueux chemins de traverse étaient-ils parvenus jusque-là ?

Ces Yeux de Bouddha, comme ils portaient bien leur nom ! se disait-il en regardant les diamants posés sur le somptueux mandala multicolore qui leur servait d'écrin, sur lequel ils n'en finissaient pas de briller d'un éclat éblouissant.

— Ces gemmes sont aussi grosses que les œufs de Dungchung karmo, l'aigle blanc qui vit sur l'arbre droit planté au centre du monde ! murmura lama sTod Gling.

Dungchung karmo était le nom tibétain de Garuda, l'aigle blanc qui servait de monture mythique au dieu Vishnu.

— Puis-je les toucher ? demanda Cinq Défenses à Brume de Poussière.

— C'est à Umara qu'il faut le demander ! lâcha le Chinois d'un air entendu.

Surpris, Cinq Défenses se tourna vers la jeune chrétienne, qui baissa son regard.

— Pour le Mandala du Vajrayâna, le Saint Cil et les Yeux de Bouddha, puisque tu les as sauvés du pillage, Brume de Poussière, c'est à toi de dire qui a le droit de les prendre dans ses mains ! Pour moi, tout cela c'est du passé… lâcha, dans un souffle, Umara horriblement gênée.

— Je n'ai pas la religion des reliques… Moi, je n'ai ni dieu, ni bouddha ni maître ! s'écria le jeune Chinois, fort peu satisfait de la réponse de la jeune chrétienne.

Au demeurant, il ne mentait pas, n'ayant jamais été élevé dans une religion particulière et encore moins dans une école quelconque, si ce n'était celle de la rue…

— Tu ne crois donc à rien ? lui demanda, d'un air apitoyé et choqué à la fois, lama sTod Gling.

— Je crois aux gens ; je crois au bonheur et au malheur ; j'aimerais tant croire à l'amour ! Ce jour-là, je serais comblé ! murmura celui qui n'avait d'yeux que pour Umara.

— Que comptes-tu faire de tes reliques ? La mienne est à la disposition du monastère de Samyé, lui assena Cinq Défenses devant Ramahe sGampo, impassible, qui ne pipait mot.

— Cinq Défenses t'a posé une question, Brume de Poussière. Quelle est ta décision, au sujet de ce reliquaire de santal ? s'enquit alors lama sTod Gling.

Soucieux de bien faire, il regardait alternativement Brume de Poussière et Ramahe sGampo.

— Cette petite boîte appartient à Umara, c'est elle qui l'a trouvée ! Pour ma part, je n'ai fait que la mettre à l'abri du pillage de Dunhuang ! Tu es la seule juge, Umara. Je n'ai pas à te faire cadeau de ces pierres, pas plus, d'ailleurs, que du mandala sacré, puisque c'est toi qui les as découverts ! s'écria le rival de Cinq Défenses en défiant celui-ci du regard.

Il comptait bien qu'Umara saisirait au bond la balle qu'il venait, tout content de lui, de lui lancer.

L'assistant de Pureté du Vide, stupéfait par les propos de Brume de Poussière, regardait à présent son amante avec consternation.

Pour lui, c'était un terrible coup, comme si le sol, après s'être dérobé sous ses pieds, eût commencé à l'engloutir, que d'apprendre qu'Umara avait mis la main sur les Yeux de Bouddha et le mandala mythique de Samyé !

Comment avait-elle pu lui cacher une trouvaille pareille et faire preuve d'une telle duplicité ?

— Et par quel miracle ces « précieux gages » ont-ils échoué entre vos mains, ô jeune fille ? Confidence pour confidence, il me semble que vous seriez bien inspirée de me l'expliquer ! intervint la voix gutturale du Supérieur aveugle.

Alors, la gorge nouée par l'atrocité de la scène qui surgissait de nouveau dans sa mémoire, la jeune chrétienne nestorienne dut se résoudre, quoi qu'il lui en coûtât, à relater les circonstances de l'horrible crime auquel elle avait assisté, mais sans omettre cette fois la petite boîte en forme de cœur qu'elle avait emportée par hasard, au moment où, profitant du sommeil de Nuage Fou, elle s'était enfuie de la pagode dans laquelle il avait sauvagement éventré Bouddhabadra.

— Je vous jure que j'ai emporté ce cœur de santal par inadvertance ! conclut-elle, en larmes, avant de se jeter aux pieds du vieux Supérieur aveugle comme une petite fille devant son père.

— Je sais, au seul ton de votre voix, que vous ne mentez pas ! Je considère votre récit comme totalement digne de foi, murmura l'ascétique vieillard en entourant de ses amples manches les épaules de la jeune femme.

— Nuage Fou a donc assassiné Bouddhabadra ! Je me suis toujours douté que cet individu n'avait pas toute sa raison ! Mais ce que vient de raconter Umara se situe au-delà de l'horreur ! gémit lama sTod Gling.

— Et dire que son acolyte était de passage ici, il y a quelques jours à peine, pour essayer de le retrouver ! souffla, atterré, Ramahe sGampo.

— Vous parlez de Poignard de la Loi ? demanda Cinq Défenses, sans jeter le moindre regard à Umara, défait par ce qu'il venait d'entendre.

Comment, d'ailleurs, n'en eût-il pas voulu à la fille d'Addai Aggai pour une omission aussi coupable, dont l'énormité remettait en cause la confiance mutuelle qui existait jusque-là entre eux.

— Lui-même ! Le pauvre moine sillonne le pays de Bod, à la recherche de son maître et de son pachyderme blanc sacré ! s'écria lama sTod Gling.

— Un éléphant blanc ? J'en ai croisé un ! Ma parole ! s'exclama, triomphant, Brume de Poussière, que son rôle de pourvoyeur d'informations décisives, à en juger par le silence médusé de son auditoire, faisait jubiler d'aise.

— Si tu as rencontré dans les parages un éléphant blanc, ce ne peut être que l'animal sacré du monastère de l'Unique Dharma de Peshawar. Au pays de Bod, on ne voit jamais d'éléphant ! assura lama sTod Gling.

— Où était-il ? s'enquit Ramahe sGampo.

— L'animal habitait dans une ferme dont les paysans m'hébergèrent pour la nuit. Au début, j'ai cru voir une apparition divine lorsque cette énorme masse blanche émergea de l'étable !

— Comment as-tu su qu'il s'agissait d'un éléphant ?

demanda Cinq Défenses que l'anecdote avait fini par dérider.

— J'en avais déjà vu, représenté sur les sûtras à la gloire de Dizang, le bodhisattva qui chevauche l'éléphant blanc aux six défenses ! Les gens qui s'occupaient de lui avaient un fils un peu plus jeune que moi, avec lequel j'ai sympathisé. Il me raconta que son père chassait la zibeline quand il était tombé sur ce pachyderme à moitié enseveli sous la neige. Ils avaient réussi à le soigner et comptaient bien le vendre fort cher sur un marché de Chine centrale.

— Quelle histoire incroyable ! s'écria lama sTod Gling.

— En effet ! constata sobrement Cinq Défenses, dont cette nouvelle, qu'il eût ardemment souhaité annoncer à son ami Poignard de la Loi, atténuait un peu la tristesse.

— L'heure approche où il faudra nous séparer. Umara, vous n'avez toujours pas dit à Cinq Défenses s'il avait le droit de toucher les Yeux de Bouddha ! lança à la jeune chrétienne Ramahe sGampo qui voyait venir l'heure du prochain office.

— Bien sûr qu'il le peut ! Cette relique est même à lui s'il le souhaite ! murmura, la gorge de nouveau nouée, la jeune chrétienne nestorienne qui n'osait pas regarder son amant.

— Ces reliques appartiennent au couvent de l'Unique Dharma de Peshawar, répondit Cinq Défenses, lequel, malgré sa déception, avait néanmoins tellement envie de serrer dans ses mains les Yeux de Bouddha, cette « chose précieuse » comme la désignait joliment le *ma-ni-pa,* qu'il finit, après un petit moment de réflexion, par s'exécuter.

Les deux gemmes saintes du reliquaire de Kaniçka, que des millions de dévots avaient déjà vénérées avant lui, se trouvaient à présent dans le creux de sa paume ouverte, comme si sa main faisait le geste du Vara-mudrâ, celui du don.

Il tenait les Yeux de Bouddha !

Leur valeur intrinsèque, en raison de leur dimension et de leur pureté, devait être colossale, vu le prix auquel les diamants infiniment moins beaux se négociaient chez les bijoutiers de la Route de la Soie.

Pour autant, ils n'étaient pas ce que croyaient les pèlerins qui marchaient pendant des jours entiers pour être présents lors de la procession de leur reliquaire, à l'occasion du Grand Pèlerinage de Peshawar : les vrais Yeux de Bouddha. De ces reliques saintes, ces deux grosses gemmes se contentaient d'être la représentation.

Des plus songeurs, Cinq Défenses imaginait la fureur et le désespoir de la masse compacte de cette foule dévote, au bord de l'hystérie, si elle eût été avertie que l'éléphant blanc du monastère ne transportait, en lieu et place des yeux du Bienheureux, que deux diamants, certes d'une taille et d'un éclat extraordinaires, mais qui n'avaient d'yeux que le nom…

Pour toutes ces raisons, Cinq Défenses, comme tout bon mahâyâniste de son espèce, n'était pas de ceux dont la dévotion aux reliques était si grande qu'ils étaient prêts à livrer des guerres saintes pour se les approprier.

À peine avait-il reposé les diamants sur le carré de soie que Brume de Poussière, armé de son plus beau sourire, s'empressa de ranger le tout dans le cœur de bois de santal avant de le remettre à sa chère Umara.

— Je te remercie, ô Brume de Poussière, mais je crois qu'il faut laisser ces reliques ici ! Le Révérend Ramahe sGampo vient de nous expliquer que le man-dala sacré appartient au couvent de Samyé depuis des siècles ; je trouve normal qu'il y retourne, dit-elle, de plus en plus défaite devant la mine redevenue sombre de Cinq Défenses.

— Peut-être ! Mais alors pourquoi ne gardes-tu pas au moins les Yeux de Bouddha et le Saint Cil ? En ce qui concerne ce poil divin, c'est moi qui l'ai découvert, minuscule et coincé tout au fond de la boîte… Eh bien malgré cela, je considère qu'il est à toi, déclara Brume de Poussière, tout à son désir de faire plaisir à l'élue de son cœur.

— Le Saint Cil et les Yeux de Bouddha, ici, seront en lieu sûr ! Après ce qui s'est passé à Dunhuang, il convient qu'ils attendent tranquillement que leur propriétaire légitime se manifeste. Ces reliques saintes ne m'appartiennent pas ! Si je les ai eues entre les mains, je ne l'ai pas cherché ! déclara la jeune chrétienne.

— Tu as tort ! Tu devrais garder ce qui t'appartient, Umara. Je suis sûr que Cinq Défenses est du même avis que moi ! lança Brume de Poussière, provocant, à l'adresse de son rival.

— Je n'ai que faire de ces reliques ! Elles doivent rester ici ! s'écria Umara, au comble du désespoir.

— Quant à moi, je n'ai pas changé d'avis. Je confie le sûtra de Pureté du Vide au monastère de Samyé en formant des vœux, mon Révérend, pour que, un jour prochain, un nouveau concile puisse se tenir à Lhassa. Cette entreprise me paraît en effet fort digne d'intérêt et je trouve regrettable les circonstances qui empêchèrent le bon déroulement de votre réunion intermédiaire, dit alors d'une voix lasse Cinq Défenses en se levant pour prendre congé.

— Le Bienheureux puisse entendre tes vœux, mon fils ! Je ne cesse de le prier dans ce sens… murmura le vieil aveugle.

— Qui sait, mon Révérend ? Ces reliques pourraient vous être nécessaires plus tôt que vous ne le croyez…

ajouta gentiment Cinq Défenses à l'adresse du Supérieur de Samyé.

— Mes amis, vous pouvez compter sur ma parole. Umara, merci pour la confiance que tu accordes par ton geste à cette maison. Ces quatre reliques seront enfermées à double tour dans la réserve de la bibliothèque du monastère et y demeureront jusqu'à nouvel ordre ! Nous veillerons sur elles, croyez-le bien, comme sur la prunelle de nos propres yeux, même si les miens ne servent, hélas, à rien ! conclut le Supérieur aveugle, sous le regard devenu soudain furieux de Brume de Poussière, avant de se lever à son tour.

Il était temps, à présent, de prendre congé afin de laisser le Révérend aller présider sa énième cérémonie cultuelle de la journée.

Cinq Défenses était anéanti.

Il avait envie de tout laisser tomber, de partir escalader un des sommets du Toit du monde et ne jamais en revenir, ou encore d'appeler à la rescousse un dragon taoïste, lequel le conduirait au-dessus de la mer de Chine pour lui faire goûter à l'orange de jade qui lui ferait oublier tous ses malheurs et Umara avec eux.

Aussi, peu lui importait désormais de tenir sa promesse à Pureté du Vide. Du *Sûtra de la Logique de la Vacuité Pure* et de ses arguties ésotériques, il n'avait plus que faire.

En sortant de la cellule de Ramahe sGampo, il se sentait anéanti, trahi au plus profond de lui-même par l'être qu'il avait tant aimé.

Quant à Brume de Poussière, paradoxalement, il était presque aussi déstabilisé que son rival.

Son coup avait raté.

Non seulement Umara n'avait pas saisi la perche qu'il lui avait tendue, en refusant de garder les Yeux de

Bouddha et son Saint Cil, mais elle ne paraissait même pas lui être reconnaissante.

Les deux Chinois avaient la mine aussi sombre l'un que l'autre lorsque, un peu plus tard dans l'après-midi, lama sTod Gling les emmena visiter la bibliothèque du monastère, en compagnie d'Umara.

L'archiviste en chef leur fit découvrir le trésor constitué par son immense collection de manuscrits peints que des copistes, studieusement penchés sur de longues tables, s'employaient à reproduire en tirant la langue, devant une myriade de petits pots contenant toutes les nuances de l'arc-en-ciel en couleurs végétales.

Puis le lama leur avait montré la chambre forte, un réduit sombre dépourvu de fenêtres, fermé par une porte massive, où les quatre « gages précieux » seraient soigneusement enfermés à double tour.

Le soir venu, ni Umara ni Cinq Défenses ne prêtèrent attention à l'exaspération de Brume de Poussière quand celui-ci leur souhaita une bonne nuit du bout des lèvres.

Humilié et déçu, il avait compris que la jeune nestorienne tenait bien plus à Cinq Défenses qu'à lui-même, et que la petite boîte en forme de cœur ne comptait pas pour elle au regard de l'amour qu'elle portait à ce jeune moine mahâyâniste chinois à la si belle prestance.

D'ailleurs, la façon qu'elle avait de le regarder, depuis la réunion avec Ramahe sGampo, alors même qu'il avait l'air de la bouder et ne cessait, comme ulcéré par son comportement, de repousser le moindre de ses gestes, en disait long sur les sentiments de la jeune chrétienne !

Il n'avait aucune chance, dans ces circonstances, de la séduire et lorsqu'il se jeta sur son lit, dans sa cellule, Brume de Poussière éclata en sanglots rageurs.

N'eût-il pas mieux valu, après avoir récupéré le petit

cœur de santal, vendre les « gages précieux » à un bijoutier ou à un marchand d'antiquités, empocher une forte
somme d'argent, puis s'en aller couler des jours tranquilles quelque part, en essayant de tourner définitivement la page d'Umara ?

Pourquoi le destin s'était-il ainsi acharné à les faire
se rencontrer sur un de ces innombrables chemins du
massif montagneux le plus vaste du monde, alors que
le cœur de la jeune femme était pris ailleurs ?

Quant à Umara et à Cinq Défenses, leur désarroi
n'était pas moins grand.

Dès qu'ils se retrouvèrent seuls dans leur cellule, où
la chienne Lapika les attendait pour leur faire fête,
Umara, blême et tremblante, se jeta aux pieds de son
amant en pleurant.

Les nerfs de Cinq Défenses, excédé d'avoir été
obligé de faire bonne figure toute la journée, lâchèrent
et il laissa brutalement exploser sa colère.

Le gros molosse jaune, conscient qu'il se passait
quelque chose de grave entre ses patrons, se pelotonna,
penaud, gueule plongée au milieu des pattes avant, dans
un angle de la pièce.

— Pourquoi ne m'as-tu jamais parlé de cette boîte,
Umara ? Je pensais que nous n'avions pas de secrets
l'un pour l'autre… C'est un poignard acéré que tu m'as
planté dans le cœur ! Entre nous, tout est fini ! s'écria-
t-il, révolté.

Incapable de répondre, Umara, dont le corps fuselé
était secoué de spasmes, se mit à sangloter de plus belle.

— Tu sais ce que je vais faire : revenir à Luoyang,
pour supplier Pureté du Vide de me pardonner mes
écarts… Je reprendrai la vie pieuse que je n'aurais
jamais dû abandonner. Comme j'ai été naïf ! Aussi naïf
que Ramahe sGampo lorsqu'il fit confiance à Nuage
Fou !

La jeune chrétienne pleurait tellement qu'elle pouvait à peine s'exprimer.

— Cinq Défenses, par-pardonne-moi ! J'ai c'cru bien faire. Ce-cette boîte traînait par terre à c'côté du cadd'avre de Bouddhabadra. Je l'ai ra-ramassée sans mm'en rendre compte. Une f'fois dehors, je l'ai ou-ou-ouverte. Le contenu me parut si extraordinaire que je suis allée le-le-le mettre à l'a'bbri d'dans cette cache aux livres que n'nous avions dé-dé-découverte, Bru-brum'me de Poussière et moi ! À qui d'autre pou-p'pouvais-je en parler, si-si-sinon à lui ?

Le flot de ses borborygmes, loin de calmer son amant déçu, eut pour effet de décupler sa colère.

— Mais pourquoi ne m'avoir pas dit tout ça plus tôt ? Cela fait des mois que nous nous connaissons ! hurla-t-il, hors de lui, en mettant en pièces l'oreiller de leur lit.

— J'avais peur !

— Tu me prends pour un imbécile ? Comment pouvais-tu avoir peur de moi ?

— Quelqu'un m'avait enjoint de jamais parler à quiconque de cette boîte, sous peine de lui porter irrémédiablement malheur ! Je craignais de te nuire en te révélant ce que contenait le reliquaire de santal… bredouilla-t-elle en reniflant, avant d'essayer de se blottir contre lui.

— Mais qui donc t'a mis dans la tête de telles inepties ?

Comme tout amant déçu, Cinq Défenses ne pouvait être qu'incrédule.

— C'est le tripitaka Centre de Gravité ! Sur la tête de mon père bien-aimé, je te le jure ! C'est la stricte vérité ! D'ailleurs, il avait raison : quand je vois le mal que je t'ai fait en t'apprenant cela… réussit-elle à articuler malgré ses pleurs, entre deux hoquets.

— Tu veux parler du Supérieur du monastère du Salut et de la Compassion de Dunhuang ? Mais c'est incroyable ! Que vient-il faire dans cette histoire, Umara ? murmura l'assistant de Pureté du Vide, devenu blême.

La fille de l'évêque Addai Aggai pleurait si fort que le couvre-lit de coton qu'elle serrait contre son cœur était trempé par ses larmes.

— J'étais allée le voir pour lui montrer ce que contenait la boîte en forme de cœur. J'étais persuadée que ces objets avaient de la valeur ; naïvement, je souhaitais lui proposer de me l'acheter. Ce grand couvent mahâyâniste avait la réputation d'être immensément riche. Juste avant notre rencontre, je venais de découvrir les difficultés de mon père, en raison de l'arrêt de la production de soie clandestine. J'ai pensé que ce pouvait être là un moyen efficace de récupérer de l'argent pour notre Église, à un moment où ses ressources financières s'étaient brusquement taries !

— Ainsi, tu es allée monnayer, auprès de Centre de Gravité, le mandala sacré et les Yeux de Bouddha, murmura, consterné et ému, Cinq Défenses, dont la voix s'était déjà adoucie.

— Je t'assure que je croyais bien faire !

— Et que t'a répondu cet homme ?

— Il prétexta qu'il ignorait tout de ce que je lui montrais, et commença par refuser obstinément de me dire de quoi il s'agissait. Mais j'étais sûre qu'il me mentait. Il avait l'air, en fait, très excité. D'ailleurs, au bout d'un moment, son discours changea et il finit par m'affirmer que ces objets n'auraient jamais dû se trouver entre mes mains et qu'ils porteraient malheur à tous ceux auxquels je m'aventurerais à en parler. Ils étaient porteurs de terribles maléfices. Aussi valait-il mieux les lui laisser en dépôt !

— Cet ignoble Centre de Gravité a tout bonnement essayé de t'escroquer !

— J'étais naïve et je l'ai cru, lorsqu'il m'assura que ces trésors avaient le mauvais œil. D'où mon silence ! s'écria-t-elle.

— Pourquoi, dans ces conditions, ne les lui as-tu pas cédés ? demanda Cinq Défenses qui cherchait à tester la bonne foi de la jeune chrétienne.

— Tout simplement parce que j'en voulais de l'argent ! Au fur et à mesure de l'entretien, Centre de Gravité ne m'inspirait plus aucune confiance. J'avais compris qu'il voulait mettre la main sur les pierres et le carré de soie.

— Et c'est ainsi que tu ramenas la boîte en forme de cœur dans sa cachette !

— Avec toutes les peines du monde ! Centre de Gravité insistait tellement pour que je la lui donne ! Voyant que je ne lâchais pas prise, il essaya même de m'empêcher de sortir de son bureau avec. Il me pressait tellement que l'odeur de sa mauvaise haleine me poursuivit longtemps ! C'est lorsque je le menaçai, en lui affirmant que mon père était au courant de ma démarche, qu'*in extremis* Centre de Gravité s'écarta… Et, crois-moi, ce fut vraiment à contrecœur…

— Et tu as gardé un si lourd secret pour toi ! Je comprends mieux, à présent, ton attitude, ô ma douce et tendre Umara !

Bouleversé, Cinq Défenses la prit dans ses bras, apaisé par un ton aussi sincère et des explications aussi convaincantes.

— Je ne pouvais pas faire autrement ! Hantée par les propos de ce moine, j'étais terrorisée à la simple idée de te nuire, mon amour, en te parlant de cette boîte ! Et pourtant, mon Dieu Unique sait combien il m'en coûta ! J'espère que tu ne m'en veux plus… expliqua-t-elle en essuyant un peu ses larmes.

— Comment pourrais-je t'en vouloir, mon amour ? C'est plutôt Centre de Gravité qui s'est très mal comporté. En tant que bouddhiste, j'estime sa conduite tout simplement inqualifiable, surtout de la part d'un moine de son rang !

— C'est à croire que cette petite boîte a été fabriquée pour attirer les convoitises ! Elle est mieux à l'abri dans la réserve de la bibliothèque de Samyé, fit-elle, avant de se laisser embrasser tendrement.

Forts de cette pleine et entière réconciliation, les ébats d'Umara et de Cinq Défenses, cette nuit-là, dépassèrent toute mesure.

La brève crise de leur relation ne fit que renforcer la fougue mutuelle de leurs élans.

À présent que chacun connaissait sur le bout des doigts tous les recoins les plus intimes de l'autre, il suffisait de peu pour déclencher les soubresauts d'un désir partagé qui s'achevait toujours dans l'apothéose d'une vague qui les portait à l'unisson jusqu'au paroxysme du plaisir.

Umara était la plus déchaînée, qui prit soin de se parfumer le corps avant de rejoindre Cinq Défenses sur le lit où il l'attendait.

Elle était nue et son ventre, lisse comme les collines de sable du désert de Gobi, frissonnait déjà. Les petites lèvres roses de son sexe qu'un imperceptible duvet laissait entrevoir palpitaient doucement quand son amant, allongé sur le dos, commença à les caresser du bout violacé de son bâton de jade dressé comme un lingam.

En même temps qu'il lui prenait, entre le pouce et l'index, les pointes de ses seins désirables, elle s'accroupit au-dessus de lui et écarta le plus largement possible ses cuisses fuselées.

— Tu es une fontaine et je vais boire à ta source, ma tendre et douce Umara ! chuchota-t-il, constatant à quel point, déjà, elle était humide.

Il la fit glisser vers l'avant, de telle sorte que c'était la langue de son amant qu'elle avait à présent à l'orée de sa porte intime ; une langue dont la pointe s'enfonçait en elle comme la plus douce des épées, faisant danser son ventre dont la surface se tendait telle la peau d'un tambour.

— Après le supplice que tu es en train de m'infliger, je ne pourrai jamais me retenir ! murmura-t-elle.

— Laisse-toi aller, mon amour. Ce soir, je ne suis qu'un pauvre esclave qui meurt de soif dans les bras d'une sublime princesse dont le moindre des désirs sera un ordre… lâcha-t-il, avant de replonger son visage entre les cuisses brûlantes de son amante en pâmoison.

— Mais c'est tellement bon de sentir ainsi ta langue si frémissante… C'est une véritable fontaine d'amour qui s'écoule de mon ventre ! réussit-elle à articuler, avant de se pencher à son tour sur la tige de jade de son amant, afin de lui rendre la pareille.

— Fontaine de jouvence au goût de grenade ! Sais-tu qu'en Chine nous appelons ce fruit « main de bouddha », à cause de sa forme étrange qui le fait ressembler à une paume ouverte ? ajouta-t-il en riant.

Quelques mois plus tôt, jamais il n'eût osé plaisanter ainsi avec elle, en utilisant le surnom donné à la grenade que les responsables bouddhistes essayaient vainement de proscrire du vocabulaire.

Il se rendait compte que l'amour d'Umara faisait de lui un homme libre, un être désentravé des atavismes religieux.

Sa foi dans le Bouddha et sa Loi demeurait intacte.

Mieux, il avait même l'impression qu'elle se renforçait, depuis qu'il avait uni sa vie avec celle de la jeune nestorienne.

Entre deux respirations, avant de continuer à rendre le culte de l'amour au lingam de son amant, celle-ci avait, de son côté, réussi à lui glisser dans le creux de l'oreille qu'elle l'aimait de plus en plus fort.

Comme pour Cinq Défenses avec le bouddhisme, les convictions chrétiennes de la jeune femme, fondées sur la croyance en un Dieu unique, qui «était Amour», n'avaient cessé de s'affirmer depuis qu'elle avait découvert en quoi consistait, précisément, l'amour entre un homme et une femme.

À présent, sur le lit étroit de cette cellule dont ils avaient barricadé la porte afin de ne pas être dérangés, ils en étaient au point où ni l'un ni l'autre ne pouvaient parler, tout occupés qu'ils étaient à se donner mutuellement du plaisir.

Puis c'est dans leurs bouches respectives qu'ils recueillirent chacun le nectar ineffable de l'autre, qu'ils savaient si bien faire jaillir au milieu d'eux.

Et ils n'avaient nul besoin du tantrisme, pas plus, d'ailleurs, que du Yin et du Yang, pour s'accorder l'un et l'autre, comme la clé de la précieuse armoire de bois de rose où l'impératrice Wuzhao rangeait ses bijoux était la seule à entrer parfaitement dans la serrure de bronze doré de celle-ci.

Son mécanisme, au demeurant, était si complexe qu'il était fait pour résister à tous les passes du palais impérial de Chang An…

Et Dieu sait s'ils pullulaient !

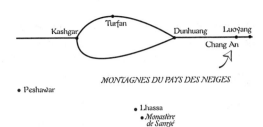

MONTAGNES DU PAYS DES NEIGES

35

Palais du général Zhang, Chang An, Chine

— Il faudrait envoyer à l'usurpatrice les Cinq Venimeux et on n'en parlerait plus ! Surtout qu'elle est à
nouveau enceinte ! Si au moins ce pouvait ne pas être
d'un garçon ! glapit la voix aigrelette du vieux général
Zhang qui venait de fumer discrètement, avant l'arrivée
de ses visiteurs, ce mélange particulier qui le laissait
toujours sans timbre.

Les Wudu, ou Cinq Venimeux, étaient des bestioles
aussi peu amènes que le serpent, l'araignée, le scorpion,
le crapaud et le mille-pattes, et même si les pharmaciens
tiraient de leur venin, ou de leur dépouille séchée puis
émiettée, de puissantes décoctions censées donner des
forces aux vieillards et aux malades, il ne faisait pas bon
marcher en sandales sur l'un d'entre eux !

Le confucéen et ex-Premier ministre de l'empereur
Taizong avait le dos en compote, suite à sa partie hebdomadaire de polo.

Ce jeu venu d'Iran faisait fureur à la cour des Tang,
où il était pratiqué tant par les femmes que par les

hommes depuis que cet illustre souverain avait décidé de s'y adonner et y avait pris un certain goût.

Cet après-midi-là, c'était un véritable tribunal décidé à instruire à charge le procès de l'impératrice Wuzhao qui était réuni autour du vieux dignitaire.

Pour ces hommes, haut placés mais terriblement impuissants face à l'épouse de Gaozong, c'était l'unique façon de soulager la frustration générée par leur totale absence de prise sur une situation qu'ils jugeaient de plus en plus dangereuse. L'usurpatrice ne cessait en effet d'étendre son emprise sur son époux de plus en plus faible et volage à la fois.

Entre ces hommes, des rivaux qui se détestaient cordialement, la haine de l'impératrice était le seul ciment.

Il y avait là, bien sûr, le ministre de la Soie Vertu du Dehors ainsi que le préfet Li, mais également le secrétaire général de l'Administration Impériale Linshi, oncle de Dame Wang, l'ancienne épouse de Gaozong, et enfin Hanyuan, le Grand Chancelier Impérial.

— Tu as bien joué en t'arrangeant pour faire sortir sans qu'elle le sache les décrets relatifs aux manichéens et aux nestoriens ! dit le vieux général au Grand Chancelier dont l'une des tâches était précisément de faire procéder à l'exposition des textes promulgués sur les parapets de la gigantesque Tour des Affiches.

— L'impératrice, dit-on, était furieuse. Lorsqu'elle s'est plainte à Gaozong, il était trop tard ! Les décrets étaient déjà affichés. Mais j'ai dû me bagarrer pour y arriver ! lança Hanyuan, qui jubilait encore de ce qui était un véritable exploit, tant l'influence de Wuzhao était forte, au sein même de certains services administratifs.

Comme à l'accoutumée, ce fut le vieux militaire qui se chargea de porter la première estocade.

— La situation, grinça-t-il, devient hallucinante.

Voilà qu'elle s'est entichée d'un personnage fantasque débarqué à Chang An en compagnie d'un éléphant blanc ! Et ce malgré son ventre impérial qui n'en finit pas de grossir !

— Depuis qu'elle passe certains moments avec lui, il paraît qu'elle flotte sur un petit nuage… pouffa le secrétaire général Linshi, un personnage barbichu, aussi maigre et sec que Hanyuan était gros et moite, ravi de son jeu de mots sur le nom de Nuage Blanc dont s'était affublé la dernière conquête de Wuzhao.

— Personne ne sait d'où vient ni qui est, exactement, le nouvel élu de son cœur… Quant à Gaozong, persuadé que sa femme attend un enfant de lui, il est le dernier à se douter de quoi que ce soit ! ajouta, l'air pincé, Linshi dont la bouche, étroite comme une fente, suintait la haine et le mépris.

— Elle est allée chercher ce Nuage Blanc en centre-ville, sur le marché aux herbes. Cela faisait trois jours qu'il était assis à moitié nu, dans la position du lotus, sans manger ni boire, flanqué de son pachyderme immaculé, gros comme une montagne de farine… Il avait bien manigancé son affaire et n'eut pas à attendre trop longtemps. Je suis sûr qu'elle avait eu vent de la venue de ce personnage devant lequel se forment des files de malades attendant la guérison ! Mes agents m'ont indiqué que, sur certains marchés, ont lieu de véritables émeutes, poursuivit le préfet Li, l'air courroucé.

— Il se murmure qu'il possède même des talents incontestés de pourvoyeur d'immortalité, ajouta, en gloussant nerveusement, le ministre de la Soie Vertu du Dehors.

— Ce n'est pourtant pas, que je sache, un fangshi taoïste ! protesta le Grand Chancelier Impérial dont la moue dédaigneuse témoignait du profond mépris qu'il nourrissait à l'endroit de ce genre de personnage.

— Elle s'entiche toujours de sorciers et de mages plus extravagants les uns que les autres ! Hier, c'était un physiognomoniste devin qui prétendait lire le caractère des gens sur leur visage ! Une autre fois, ce guérisseur taoïste qui prétendait détenir de la poudre des fruits de jade des arbres des Îles Immortelles. Aujourd'hui, c'est cet illuminé qui voyage sur un éléphant blanc ! Demain, ce sera, à coup sûr, un mage mazdéen : cela manque cruellement à son tableau de chasse ! enragea le vieux général.

— Cette femme a toujours eu le don de s'acoquiner avec des aventuriers, rappelez-vous ce curieux sorcier fangshi acupuncteur, dont il se chuchotait qu'il se promenait nu comme un ver dans les appartements privés de l'impératrice ! Mais ce n'étaient là que des passades qui ne dépassaient jamais deux ou trois jours. Cette aventure-ci dure depuis bientôt deux mois ! C'est plus que préoccupant ! conclut Linshi.

— Tout ça finira mal ! ajouta le ministre de la Soie dont les propos étaient une magistrale illustration de sa réputation de benêt.

— Méfiez-vous ! Elle est plus maligne que vous ne le pensez ! Non contente de tout faire pour séduire le clergé bouddhique, songez un peu à l'habileté avec laquelle elle essaya de s'attirer les grâces des lettrés confucéens qu'elle n'a pourtant jamais cessé de mépriser ! soupira Linshi.

Ce qui frappait, quand on regardait le secrétaire général de l'Administration Impériale, plus que son visage glabre passablement efféminé, c'était la longueur de sa tresse mandarinale, laquelle partait du haut de son crâne, qu'un barbier lui rasait tous les jours, et lui arrivait jusqu'au milieu du dos.

— Tu veux parler de ces anthologies de poèmes écrits par des femmes prétendues illustres, qu'elle a commandées à l'Académie de la Porte Septentrionale ? C'est tout simplement grotesque ! éructa l'ancien Premier ministre de Taizong.

Les lettrés confucéens les plus furieusement opposés à l'usurpatrice avaient en effet pour habitude de se réunir, tous les jeudis, dans une salle située au premier étage de la Porte Nord du palais impérial.

— C'est peut-être ridicule, mon général, mais c'est aussi très efficace ! Elle a ainsi donné six mois de travail à des archivistes, des scribes et des copistes aigris qui pour la plupart, sont payés à ne rien faire ; mais surtout, elle a su les flatter durablement. Mes agents font état d'un notable changement de leur attitude à l'égard de Wuzhao. Non seulement ils ne vitupèrent pratiquement plus, mais ils ne cessent de la couvrir de louanges ! osa rétorquer le préfet Li au vieux confucéen.

— La belle affaire ! En deux coups de pinceau, ces intellectuels sont capables de retourner leur veste ! lança Linshi, sa longue tresse se balançant lentement sur le dos de sa veste de soie mordorée.

— À cet égard, plutôt que de pinceau, je parlerais volontiers de *tiebi* ! ajouta le préfet Li, décidément en verve.

Le tiebi, ou «pinceau de fer», servait à graver les pierres dures, pour en faire des sceaux grâce auxquels un lettré, un ministre, un mandarin, voire l'empereur lui-même, apposaient leurs marques sur des textes réglementaires, des poèmes ou des peintures.

— Et si nous allions trouver Gaozong pour lui annoncer que son épouse est en train de le conduire à la ruine ? demanda alors le secrétaire général de l'Administration Impériale, excédé par les commérages des uns et des autres.

— Il ne faut pas compter sur l'empereur de Chine. Son absence totale de réaction, quand le Grand Censorat tenta de le prévenir, le plus discrètement possible, il y a quelques mois de ça, que son épouse hébergeait deux intrus au sein même du palais impérial, en dit long à la fois sur la progression de sa maladie et sur son détachement de plus en plus grand des choses de l'État. Les jeunes filles sont devenues son seul centre d'intérêt, marmonna, désabusé, le préfet Li.

— Première nouvelle ! Des intrus ? Au sein même du palais impérial ? Mais je rêve ! hurla le Grand Chancelier Hanyuan à l'adresse du Grand Censeur, son rival de toujours.

Il connaissait parfaitement cet épisode mais feignait de le découvrir pour mettre le préfet Li en difficulté.

— Malheureusement non ! Elle a abrité un moine bouddhiste défroqué et une jeune nestorienne... Quand j'ai essayé de faire comprendre en haut lieu que cette situation n'était pas admissible... poursuivit quelque peu ingénument ce dernier.

Il fut sèchement coupé par le vieux général.

— Nous connaissons tous ce lamentable épisode ! Inutile de revenir là-dessus. Ce pauvre Gaozong est totalement sous influence. Elle le tient et le manipule à sa guise. L'influence qu'elle exerce hélas ! sur lui ne fait que croître !

— Il a d'autres chats, si j'ose dire, à fouetter : il s'est amouraché une fois de plus d'une jeunette qui n'a même pas atteint quinze ans ! précisa le Grand Censeur.

— L'empereur du plus grand pays du monde perdu par les jeunes filles ! Voilà pourquoi plus aucun haut fonctionnaire n'offre à notre souverain de cadeau avec un cerf dessiné sur le papier d'emballage ! ajouta Linshi qui riait jaune.

Une coutume ancestrale voulait qu'on témoigne ainsi

au souverain de son souhait d'accéder à des fonctions plus importantes dans l'administration — la prononciation du mot *lu* signifiant à la fois «cerf» et «félicité», «faveurs» ou encore «salaire».

— Les technocrates sont pragmatiques! Ils ne vont que là où ils sont sûrs d'être servis en soupe... pouffa le gros Hanyuan.

— N'est-ce pas de cette petite traînée vicieuse de Helan Guochu qu'il s'agit? s'enquit le général Zhang qui n'avait pas l'air d'apprécier particulièrement cette forme d'humour.

— Tout à fait. Elle est la propre nièce de Wuzhao, et sa tante est loin de voir, et pour cause, cette idylle d'un mauvais œil! lança doctement son interlocuteur.

La jeune Helan Guochu était la fille de la sœur aînée de Wuzhao, et la liaison tapageuse qu'elle entretenait avec Gaozong défrayait la chronique amoureuse de la cour impériale.

— Elle est fort capable d'avoir mis sa nièce dans les bras de son époux! soupira le vieux Zhang.

— Et ces prétendus Jumeaux Célestes qu'elle a confiés au grand monastère de Luoyang! Elle laisse dire qu'ils posséderaient des pouvoirs particuliers, surtout la fillette, celle dont la moitié de la face est recouverte de poils comme une petite guenon! Nul ne sait d'où ces enfants sortent! À quoi cela rime-t-il? Encore un mystère que le Grand Censorat, dont c'est pourtant la fonction, n'a pas été capable de résoudre! lâcha, venimeux à souhait, le vieux général.

— Ce sont mes hommes, mon général, qui vous ont appris qu'elle avait prêté ces enfants au monastère de la Reconnaissance des Bienfaits Impériaux de Luoyang, répliqua le Grand Censeur Impérial que les piques incessantes du vieux militaire commençaient à excéder passablement.

À présent, chacun se plaignait et lâchait sa bile contre les méthodes de l'usurpatrice.

— Par ces temps où la disette menace, son comportement scandaleux finira à coup sûr par choquer le peuple !

— La récolte de l'année dernière n'a pas été bonne et la sécheresse compromet celle de l'été prochain... Si la famine s'abat sur le pays, c'est le mandat céleste de Gaozong qui risque de lui être retiré par le peuple, et pas celui de Wu qui, au demeurant, n'en a reçu aucun !

— Il ne pleut pas depuis des mois. Bientôt, la rivière Lë sera à sec... C'est un signe néfaste pour Gaozong...

— Messieurs, assez parlé ! Contre l'usurpatrice, que proposez-vous donc ? Il me faut des choses concrètes. J'en ai assez des mots ! lâcha le vieux général, agacé par cette discussion qui n'arrêtait pas de tourner en rond.

Un grand silence se fit dans les rangs de ces comploteurs en chambre après l'intervention du vieux confucéen recru d'aigreur qui n'en finissait pas de vouer à cette femme toute la haine dont il était capable.

Parmi eux, aucun n'était vraiment courageux ni prêt à prendre le moindre risque pour instruire le procès de l'usurpatrice et porter celui-ci sur la place publique.

Et pourtant, il y avait urgence, pour ces conjurés. Toutes leurs offensives étaient en effet restées lettre morte.

C'est ainsi qu'à leur grand dam elle avait réussi à obliger le souverain à déchirer piteusement devant le Grand Chancelier de l'empire, qui avait failli en faire une jaunisse, un décret la destituant de son rang d'épouse officielle que les confucéens avaient extorqué à l'empereur dans un de ses moments de faiblesse, pendant qu'elle était allée visiter le chantier des falaises sacrées de Longmen.

Ensuite, désireuse de faire de Luoyang, où elle prétendait que le climat était plus agréable qu'à Chang An, la capitale de l'empire, elle avait obtenu que Gaozong y fît construire une résidence somptueuse, dont le haut mur d'enceinte commençait à monter, alors même que les impôts, à cause des mauvaises récoltes successives, avaient de la peine à rentrer. Et pour achever de lancer la mode de la pivoine, sa fleur préférée, que les lettrés qualifiaient joliment de « fleur nationale » et de « beauté céleste », elle avait fait planter aux abords de la ville des champs entiers de cette fleur emblématique de la dynastie des Tang.

Transporter la cour à Luoyang était, pour Wuzhao, un enjeu essentiel.

Non seulement elle se rapprocherait de Pureté du Vide, mais, surtout, elle couperait Gaozong des confucéens de Chang An, qui étaient ses pires ennemis.

Les intéressés, qui n'avaient pas tardé à s'apercevoir du stratagème, déployaient tous leurs efforts pour dissuader l'empereur de Chine de satisfaire ce désir de son épouse.

Jusqu'à présent, cela avait été en vain.

C'est dire à quel point le ressentiment et la haine à l'encontre de Wuzhao étaient forts.

Dans le silence total, un serviteur s'approcha du vieux général pour lui glisser un message à l'oreille.

— Fais donc entrer cet homme ! Mais malheur à toi si tu me fais perdre mon temps ! répondit-il à celui qui attendait respectueusement la réponse à sa requête.

Quelques instants plus tard, un individu agité déboulait dans ce cénacle de comploteurs en chambre.

Son visage pâle et ses yeux exorbités témoignaient de l'effroi qu'il avait dû surmonter avant d'arriver là.

— N'es-tu pas Aiguille Verte, celui que l'impératrice Wuzhao en personne fit extraire de mes geôles et qui, depuis ce moment, a disparu de la circulation ? demanda, fort surpris, le préfet Li, dès qu'il vit l'individu.

— Pourquoi vous mentirais-je ? Je suis bien cet homme-là ! bafouilla l'intéressé.

— Cet homme nous a permis de démanteler un réseau étranger opérant sur le territoire national ! déclara pompeusement le Grand Censeur Impérial.

— Qu'est-ce qui nous vaut cette démarche pour le moins cavalière ? s'enquit, d'un ton soupçonneux, le général Zhang.

— C'est moi qui ai fait parvenir il y a deux mois au Grand Censorat le libelle anonyme au sujet du couple hébergé clandestinement au palais impérial par la souveraine Wu. J'étais derrière un mur lorsque l'impératrice vint en personne les prévenir et organisa leur fuite, juste avant l'arrivée des brigades spéciales du Grand Censorat ! bredouilla le Ouïgour.

Sa face ruisselait de sueur.

— Si je comprends bien, tu es ce qu'on appelle un indicateur ! murmura, soudain mielleux, l'ancien Premier ministre de Taizong.

— Je viens confirmer à qui de droit ce que j'ai vu et entendu, grâce à mes yeux et à mes oreilles, monseigneur !

— Ainsi, selon toi, Wuzhao a délibérément informé ce jeune homme et cette jeune femme de leur prochaine arrestation par le Grand Censorat ? lança, ivre de rage, le Grand Chancelier Hanyuan.

— Puisque je vous le dis ! Elle s'arrangea pour soustraire ce couple d'amants à votre justice ! J'en ai été le témoin direct !

— Pourquoi viens-tu nous faire part de cela ? poursuivit, méfiant, le préfet Li.

— Je souhaiterais un sauf-conduit me permettant de

regagner Turfan... Ici, je n'ai plus rien à faire. Je passe mes journées à écouter le chant des oiseaux, dans le Pavillon de l'Horloge à Eau. Je me sens inutile. Je veux rentrer chez moi, souffla le Ouïgour, mal à l'aise.

Cela faisait des semaines qu'il ruminait ce coup.

Lorsque, l'oreille collée au mur du jardin du Pavillon des Loisirs, il avait entendu Cinq Défenses expliquer à Wuzhao comment ils avaient croisé Pointe de Lumière, en compagnie d'une jeune Chinoise, aux environs de la Porte de Jade, son sang n'avait fait qu'un tour.

Il ne pouvait s'agir que de Lune de Jade.

Son rival honni avait donc réussi à l'emmener avec lui.

Et depuis cette annonce, le Ouïgour n'avait plus qu'une idée en tête, c'était de revenir là-bas pour tenter l'ultime manœuvre qui lui permettrait de récupérer cette jeune femme dont les charmes ne cessaient de hanter ses nuits et ses jours de prisonnier de luxe solitaire, dont Wuzhao semblait avoir, de surcroît, oublié l'existence.

— Pour quelle raison Wuzhao protégerait-elle ces fuyards ? demanda Linshi.

— En agissant ainsi, elle a pris des risques insensés ! s'exclama le vieux général Zhang, persuadé qu'il tenait là l'information qui conduirait la souveraine à sa chute.

— L'impératrice fait tout ce qu'elle peut pour que le trafic de soie reprenne. L'ancien moine bouddhiste et la jeune nestorienne qu'elle hébergeait ont partie liée avec des manichéens de Turfan spécialisés dans la fabrication de la soie ! Elle-même est la fille d'un certain Addaï Aggaï, évêque de son état. Les nestoriens de Dunhuang se chargent ainsi de tisser le fil produit par les manichéens de Turfan. Puis ils assurent sa diffusion ici, en toute clandestinité... Cela, je ne l'ai pas fait écrire dans la dénonciation que vous avez reçue... Une information aussi capitale ne peut être révélée que de vive voix ! déclara, sur un ton maladroitement théâtral, Aiguille Verte, ravi de l'effet qu'il venait de produire.

— Mais tout ça est incroyable ! Wuzhao protège cet odieux trafic ? siffla alors la voix fluette du ministre de la Soie Vertu du Dehors, lequel, pour une fois, mesurait l'importance des propos du traître.

— Quel scandale ! Connaissant cette femme, je ne serais pas étonné qu'elle en soit le cerveau principal… soupira le Grand Chancelier de l'empire dont le double menton tremblotait d'indignation.

— C'est ahurissant ! Ainsi donc, nous sommes gouvernés par une femme qui, non contente d'être une usurpatrice, joue aussi les trafiquantes… Mon grand pays, décidément, sera tombé fort bas ! Quant à l'efficacité du Grand Censorat, au sujet de laquelle je finissais par me poser des questions, je sais à présent à quoi m'en tenir ! tonna le secrétaire général de l'Administration Impériale Linshi qui voyait là une bonne façon de régler définitivement son compte à la police secrète du préfet Li.

— Dans le bol des autres, comme dit le proverbe, la viande paraît toujours plus grasse ! répliqua tant bien que mal le préfet Li contre lequel la charge, à en juger par sa mine défaite, avait porté.

Au sein de la petite assistance médusée, il était évidemment celui qui avait le plus à perdre, suite aux révélations d'Aiguille Verte.

Aussi avait-il du mal à maîtriser sa colère, serrant les poings si fort que ses phalanges étaient devenues blanches.

La tournure de la discussion, à n'en pas douter, était en train de déraper et la séance risquait de tourner très vite à la mise en accusation de son service.

Quant au vieux Premier ministre honoraire, il était si choqué par les révélations d'Aiguille Verte qu'il en était devenu tout rouge et toussotait à présent comme s'il venait d'avaler une arête de carpe, un mets dont il raffolait, surtout lorsqu'elle était bouillie avec du gingembre.

Aussitôt, un serviteur se précipita vers le général Zhang, une théière de terre cuite à la main, au bec de laquelle il fit boire le vieux soldat au bord de l'asphyxie, tel un bébé au biberon.

— Mes chers amis, si vous le permettez, je souhaiterais poursuivre l'interrogatoire de cet individu dans les locaux du Grand Censorat. Ce qu'il raconte mérite en effet d'être dûment consigné dans un rapport spécial ! s'écria le préfet Li, n'y tenant plus.

N'était-ce pas le meilleur choix, compte tenu de la situation ? Il lui fallait absolument un prétexte pour emmener l'incontrôlable Aiguille Verte loin de cette assemblée de courtisans où personne ne s'aviserait de le défendre ni de lui faire le moindre quartier.

Du moins cette initiative prouverait-elle à ses collègues, unis seulement par la haine tenace qu'ils nourrissaient tous envers Wuzhao, que le Grand Censeur, soucieux des intérêts supérieurs de l'État, contre vents et marées, continuerait son opiniâtre travail de surveillance et d'investigation.

À peine son signal émis, deux sbires en armes firent irruption avant de claquer les talons dans un garde-à-vous impeccable.

D'un simple coup de menton, le Grand Censeur leur ordonna de s'emparer d'Aiguille Verte et de le faire sortir.

— Tu m'as faussé compagnie une fois, suite à l'intervention de l'impératrice, et cela ne se reproduira pas, si tu veux m'en croire ! chuchota, d'une voix menaçante, le préfet humilié à l'oreille du Ouïgour que les deux agents entraînèrent sans ménagement vers un palanquin.

À présent, le préfet Li, soulagé de constater que personne n'avait eu le temps de réagir, comptait bien obtenir du tortueux espion à la solde de Cargaison de Quiétude une déposition écrite, dûment signée et authentifiée de sa main, laquelle deviendrait la preuve irréfutable que l'impératrice Wuzhao en personne protégeait le trafic de soie, allant jusqu'à cacher au cœur même du palais impérial des individus ayant trempé dans la combine, et à favoriser leur fuite au moment où la police secrète de l'État voulait les arrêter.

Alors, le haut fonctionnaire tiendrait sa revanche et, de surcroît, clouerait définitivement le bec à tous ses collègues malintentionnés qui passaient leurs journées à dénigrer les agents du Grand Censorat...

En un rien de temps, Aiguille Verte se retrouva donc, après d'interminables escaliers, dans le cachot d'où l'impératrice l'avait fait extraire.

Il lui parut encore plus sombre et plus humide que la première fois.

Les cellules du Grand Censorat devaient être pleines à craquer car, contrairement à son premier séjour et malgré l'épaisseur des murs de pierre, il n'entendait que cris déchirants et gémissements incessants.

La torture, sans aucun doute, devait battre son plein dans les souterrains réservés aux auteurs de « crimes d'État ».

C'était l'époque de l'année où l'administration fiscale, à la recherche de fraudeurs, recevait son afflux traditionnel de dénonciations-absolutions.

Tout contribuable qui dénonçait un voisin ou un proche se voyait dispensé de sa propre contribution fiscale, sous réserve qu'elle fût inférieure à celle du fraudeur. Ce système de la délation hérité de la pratique légiste du pouvoir, telle que le premier empereur Qin Shi Huangdi l'avait mise en œuvre, restait le pivot essentiel des moyens de coercition employés par l'État pour assurer une cohésion sociale fondée sur la contrainte et la terreur.

Le citoyen que l'empereur était censé protéger, grâce à l'existence des armées impériales, et surtout nourrir *a minima* en lui fournissant le lopin de terre nécessaire à sa survie ainsi qu'à celle de sa famille, et au besoin, en cas de disette, en prenant sur les stocks des magasins d'État, n'avait en retour pas d'autre choix que de s'en remettre à la collectivité et de courber l'échine devant ce totalitarisme absolu, infaillible et incontournable, où les individus n'avaient qu'un seul droit : celui de se taire et de subir.

À l'intérieur de la Grande Muraille, le territoire de l'empire des Tang était divisé en sous-préfectures, préfectures et régions, où des fonctionnaires impériaux, soucieux de plaire pour progresser plus vite dans la hiérarchie, appliquaient les ordres venus d'en haut, en prenant bien soin de tout écrire car seul comptait ce qui était inscrit sur une feuille ou gravé sur une pierre.

À l'extérieur de la Grande Muraille, dans les protectorats établis par Taizong, la surveillance était plus lâche, mais il était vivement conseillé aux autorités locales d'expédier chaque année à l'empereur du Milieu un tribut plus somptueux que celui de l'année précédente…

Les termes de cet échange inégal, où la population était prise en otage par ses dirigeants, étaient codifiés dans le Code des Tang, un volumineux traité de droit public dont la première édition xylographiée remontait à 624.

Essentiellement pénal et réparti en douze sections, ce document de plus de cinq cents articles fixait avec une extrême précision les peines encourues pour chaque crime ou délit.

Les infractions à l'intégrité de l'État, qui étaient les plus graves, allaient des fautes commises par les fonctionnaires dans l'exercice de leurs fonctions, jusqu'aux fraudes dans les haras et les magasins d'État, en passant par les contrefaçons, le non-respect du couvre-feu et surtout la non-révélation de crimes dont on avait eu connaissance.

Rien, ou presque, de l'activité humaine en société n'échappait au Code des Tang. Le souci du juridisme, qui allait parfois jusqu'à la caricature, masquait à merveille la caractéristique essentielle qui faisait de ce système de pouvoir un parfait totalitarisme : c'était l'État, et lui seul, qui décidait de la culpabilité de tel ou tel.

Bien évidemment, sans terreur, toute cette machinerie tournait à vide.

Aussi, tout individu pris en flagrant délit d'absence de collaboration avec cette redoutable mécanique, ce qui était le cas d'Aiguille Verte, était-il puni de mort.

C'est dire si le préfet Li disposait d'un choix quasiment illimité de manquements à la loi pénale dans la qualification des faits qui pouvaient être reprochés à ce Ouïgour qui avait mis si dangereusement en porte à faux les services du Grand Censeur Impérial.

Lorsque des gardes le conduisirent sans ménagement dans la salle de torture de la prison du Grand Censorat, Aiguille Verte se mit à hurler de terreur.

— Tu vas me raconter tout ce que tu as sur le cœur ! Après quoi, il t'appartiendra de signer une déposition écrite contre l'impératrice Wuzhao. Alors, tu seras libre de repartir où tu voudras, marmonna le préfet Li, pendant que les sbires, après lui avoir ôté sa chemise, s'employaient à attacher le Ouïgour sur une chaise spéciale.

Un bourreau au crâne rasé et au visage grêlé par la

vérole fit alors une entrée théâtrale, destinée à l'impressionner.

Il était aisément reconnaissable à son tablier de cuir auquel pendaient, dans un lugubre alignement, classés par tailles et par séries, des pinces, des scalpels, des aiguilles et autres ustensiles piquants, coupants et tranchants, plus effrayants les uns que les autres.

Il y avait là, à n'en pas douter, de quoi infliger à un supplicié les souffrances les plus horribles et les châtiments les plus subtils.

— J'ai dit tout ce que je savais ! Pourquoi me jetez-vous de nouveau en prison ? Ce n'est pas là une façon équitable de me traiter, gémit le prisonnier dont la mâchoire s'était mise à claquer, tellement il avait peur.

Il regrettait amèrement cette impulsion qui l'avait amené à s'exprimer à visage découvert devant l'aréopage qu'il venait de quitter.

— Il y a là une feuille de papier toute blanche. Il te suffit de la signer en haut à droite. Je me chargerai de la remplir ! Je sais déjà, mot pour mot, les propos que le scribe consignera là-dessus !

— Je ne saurai jamais écrire Aiguille Verte en chinois ! Je ne connais rien du chinois écrit ! se lamenta ce dernier qui se tortillait sur sa chaise.

— Eh bien, je vais te faire apprendre ! tonna le préfet Li avant d'ajouter, à l'adresse du bourreau auquel il avait fait signe de s'approcher : Fais attention ! Il ne faut jamais se fier à ce genre de She !

Le caractère She désignait le serpent, un animal rusé et maléfique, qu'il valait mieux écraser du talon avant qu'il ne vous infligeât sa morsure venimeuse.

N'était-ce pas le pire des présages, que ce qualificatif dont venait de l'affubler le préfet Li ? se demanda

Aiguille Verte, alors même que sa face était devenue livide, au point de ressembler à celle d'un spectre.

— Je te laisse en compagnie de cet homme. Quand je reviendrai, je suis sûr que tu sauras écrire ton nom en chinois ! s'exclama le Grand Censeur.

Ne supportant pas la vue du sang, le Grand Censeur préférait que le bourreau officie hors de sa présence ; il revenait devant le supplicié une fois que celui-ci avait subi les infamies qu'il avait ordonnées.

Alors, en général, il lui suffisait de tendre l'oreille, car les aveux arrivaient sans peine : les victimes étaient prêtes à tout pour arrêter la main de leur bourreau. Parfois, elles n'avaient même pas le temps d'acquiescer aux accusations qui étaient portées contre elles pour justifier les châtiments infligés, car la mort était déjà venue cueillir ces corps saignés à blanc, charcutés par le macabre outillage de leur tortionnaire.

Soigneusement, le bourreau se mit à étaler sur une tablette les instruments qu'il portait à la ceinture et commença son travail, tel un artisan de la terreur, avec minutie et précision.

Il commença par garrotter la bouche d'Aiguille verte avec un foulard pour l'empêcher de hurler, puis il lui fit poser les deux mains sur sa tablette. Après avoir choisi quatre aiguilles aussi fines que celles utilisées par les acupuncteurs, il les enfonça lentement sous l'index et le majeur d'une main du Ouïgour, puis de l'autre.

Dans l'ordre des châtiments, les aiguilles sous les ongles, supplice idéal pour extorquer des aveux, venaient bien sûr après le rotin, puis le bambou dont les coups secs et redoublés faisaient éclater les chairs ; elles étaient encore ce que la justice réservait de plus bénin aux coupables, bien moins invalidantes que l'ablation des pieds, punition habituelle des voleurs à la tire récidivistes, et surtout beaucoup moins radicales que la décapitation réservée aux crimes d'État : le meurtre d'un fonctionnaire public, quel qu'en fût le rang, la désertion et l'atteinte aux biens de l'État, comme la dégradation de bâtiments publics ou la fraude aux taxes et aux octrois, au-dessus d'un certain montant, conduisaient inéluctablement leurs auteurs à la mort.

Les dents d'Aiguille Verte avaient beau mordre furieusement le bâillon qui encombrait sa bouche, la douleur était si insupportable qu'il se sentit partir dans un autre monde, à peine le bourreau avait-il commencé à appuyer sa petite tige de fer pointue sous l'ongle de l'index crispé de sa première main.

Il avait bel et bien perdu connaissance et avait l'impression de planer, tel un aigle, sur les dunes du désert de Gobi.

Le bourreau, tout à son minutieux travail de boucherie, ne s'était pas rendu compte que sa victime, les yeux révulsés, était en proie à un terrible choc cardiaque dû au stress et à l'extrême douleur.

Torlak le Ouïgour, alias Aiguille Verte, survolait à présent Turfan, à la recherche de Lune de Jade.

Il avait beau explorer les ruelles de la ville, piquer sur ses jardinets et ses fontaines, tournoyer au-dessus de ses marchés, il ne voyait aucune trace de la jolie Chinoise, au somptueux corps de laquelle il eût tant aimé goûter.

Sous ses ailes, les coupoles du sanctuaire manichéen ne paraissaient pas plus grosses que des bols renversés. Au milieu de la cour, il apercevait le sommet du crâne de Cargaison de Quiétude, entouré par d'autres Parfaits, en train de veiller un corps inerte, étendu sur un brancard. Il effectua une brutale descente en tournant afin de s'en rapprocher. Lorsqu'ils virent fondre sur eux le rapace, les Parfaits, comme un seul homme, se saisirent de leurs arcs qu'ils bandèrent aussitôt. Le Ouïgour volant vit arriver sur lui une multitude de traits qui le transpercèrent de part en part, tandis qu'il s'abattait, ailes déployées, dans la cour de l'Église de Lumière.

Au moment où il allait s'abîmer sur les dalles de pierre, Aiguille Verte ouvrit soudainement les yeux.

C'était à présent pas moins de dix aiguilles que le bourreau lui avait enfoncées sous chaque doigt de la main : voilà à quoi menait la destinée d'un lâche et d'un délateur !

Le préfet Li, revenu dans la pièce, se tenait devant lui, et son visage menaçant se rapprochait lentement du sien.

— À présent, je suis sûr que tu as appris à écrire ton nom en chinois ! murmura-t-il en ordonnant au bourreau de lui ôter le garrot qui lui barrait la bouche.

— Ô Mani, toi qui as subi le supplice de la Passion pendant vingt-six jours, aide-moi ! Ouvre-moi tes bras ! hurla l'espion de Cargaison de Quiétude.

— Puisque tu n'as pas l'air de comprendre, ce sera le supplice de l'étranglement ! s'écria, ivre de fureur, le Grand Censeur, qui ne s'était pas attendu à la moindre résistance de la part d'un individu chez lequel la délation paraissait être une seconde nature.

Le bourreau lui fixa au cou les deux planchettes trouées, reliées par des cordes au milieu desquelles on faisait passer un bâton qu'il suffisait de tourner pour provoquer l'insupportable compression des veines jugulaires et des carotides.

— Quand tu commenceras à étouffer, je suis sûr que tu sauras écrire ton nom en chinois !

Mais Aiguille Verte en avait décidé autrement.

Ce cadavre disposé sur une civière que veillaient les manichéens de Turfan, c'était le sien.

Depuis la découverte de cette évidence, il avait compris que sa dernière heure était venue et ne voulait, en aucun cas, finir sa vie percé par les flèches de ses frères de l'Église de Lumière.

Il y avait peut-être un ultime espoir pour que Mani le Miséricordieux acceptât de passer l'éponge sur les turpitudes de Torlak et attendît celui-ci au Royaume des Bienheureux, ce paradis auquel tout manichéen rêvait d'accéder.

Il ne pouvait pas se présenter devant lui avec autant de souillures abjectes et d'actes néfastes qui avaient fait de lui un être malfaisant et, pis encore, un traître doublé d'un couard.

Il était grand temps pour lui d'expier ses immenses péchés.

Il n'avait que trop dénoncé des innocents, par simple haine et jalousie, et fait le mal à des gens qui ne le méritaient pas.

Il se voyait comme une ordure.

Écœuré de lui-même, il ne souhaitait désormais plus qu'une chose : que la douleur insoutenable provoquée par les gestes précis et méticuleux de ce bourreau fût aussi grande que celle provoquée par le feu que les manichéens allumaient lors de leurs rituels de purification de l'âme, pendant la fête du Bêma au cours de laquelle ils commémoraient chaque année, au mois de mars, la Passion de Mani.

Le préfet Li, qui, de rage, avait décidé de tourner lui-même le bâton du garrot, pouvait à présent voir les ongles du Ouïgour, malgré le sang dont ses mains tuméfiées et gonflées étaient inondées, former un angle droit avec le bout de ses phalanges.

— Alors, ce nom d'Aiguille Verte ! Il suffit de deux caractères pour l'écrire ! Je suis sûr que tu les connais parfaitement ! marmonna-t-il, la bouche collée à l'oreille du supplicié, au moment où un premier craquement indiquait que ses vertèbres cervicales n'étaient plus indemnes.

— Comment crois-tu que je pourrais écrire quoi que ce soit ? dit le Ouïgour, dans un souffle, presque fièrement, ses yeux vitreux provoquant ceux du Grand Censeur.

Telle fut la dernière phrase d'Aiguille Verte, en même temps qu'il levait ses mains martyrisées, incapables désormais de servir à quoi que ce soit.

Le Grand Censeur Impérial, aveuglé par la colère, dépité par cet inexplicable défi que le Ouïgour venait de lui jeter à la face, donna un nouveau tour au garrot qui serrait son cou.

Un ultime cri résonna dans la salle de tortures, tandis que le préfet Li murmurait le dicton populaire qui témoignait du peu de respect qu'on avait pour l'âne en Chine centrale, auquel il avait tôt fait d'assimiler Aiguille Verte :

— Quand il a fini de tourner la meule, on n'a plus qu'à le tuer !

Mais le Ouïgour, dont la tête disloquée s'était affalée sur le torse, tel un pantin désarticulé, n'entendit pas cette plaisanterie macabre.

Pour la simple raison qu'il était déjà mort.

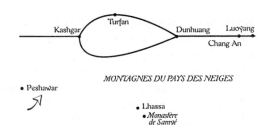

MONTAGNES DU PAYS DES NEIGES

36

Monastère de l'Unique Dharma, Peshawar, Inde

Face à lui, ils étaient une bonne cinquantaine, vieux et jeunes, le crâne impeccablement rasé, revêtus de la toge safran plus ou moins délavée selon l'ancienneté de leur entrée dans les ordres : tous les « chefs de file », ou « responsables » de quelque chose, au sein de l'organisation du monastère de l'Unique Dharma, le regardaient avec une attention extrême.

Éprouvant la fort désagréable impression de comparaître devant un tribunal, Poignard de la Loi, fort ennuyé, se disait que la réunion risquait de mal finir.

Pourtant, il aurait souhaité que cette confrontation n'eût pas lieu avant le jour où il aurait des éléments nouveaux à apporter à ses frères, auxquels sa découverte de la disparition des Yeux de Bouddha avait fait l'effet d'un véritable tremblement de terre.

— Tu nous as laissé tomber pour le Petit Pèlerinage et voilà que tu prétends à présent t'occuper du Grand ! N'oublie pas que nous avons promis aux dévots, pour calmer leur colère, de leur présenter, cette fois, non seulement le Cil dans son cœur de santal, mais également le coffre en or pur où reposent les Yeux compatissants du Bienheureux Bouddha…

Le moine qui venait ainsi de laisser filtrer tant de méfiance et d'acrimonie à l'encontre de Poignard de la Loi s'appelait Sainte Voie aux Huit Membres.

Pour le premier acolyte, c'était fort désagréable, car, jusqu'à récemment, ce moine faisait partie des membres de la communauté qui lui témoignaient de la sympathie.

Originaire de Turfan, quoique élevé dans un monastère du Grand Véhicule, ce religieux était arrivé, quelque vingt ans plus tôt, alors qu'il était encore un jeune novice, avec un grand maître de Dhyâna chinois dont il portait les bagages. Le vieux moine était mort subitement, au cours de leur halte au couvent de Peshawar, ce qui avait valu au jeune Sainte Voie aux Huit Membres, désemparé, d'y être accueilli sans l'ombre d'une hésitation par maître Bouddhabadra.

Sainte Voie aux Huit Membres était d'ordinaire un être chaleureux et jovial, toujours prêt à rendre service, soucieux de faire oublier à ses frères indiens adeptes du bouddhisme primitif qu'il avait été formé dans le plus grand monastère chinois du Grand Véhicule de l'oasis de Turfan.

Populaire chez les jeunes novices, dont il surveillait les travaux de balayage et d'astiquage, il avait accepté de devenir l'intendant du nettoyage du couvent de l'Unique Dharma, une tâche humble mais décisive qu'il exerçait avec allant et passion.

C'est ainsi qu'il était devenu le meilleur ami de Joyau de la Doctrine, le moine qui avait mené la fronde contre Poignard de la Loi, son rival de toujours, lorsque celui-ci était revenu bredouille de son expédition au Pays des Neiges.

Depuis ce moment-là, Joyau de la Doctrine n'avait

pas de mots assez durs contre le Supérieur absent, dont il ne cessait d'assimiler l'attitude à une impardonnable désertion, et contre son acolyte, qu'il accusait à mots couverts de jouer un jeu trouble dans cette mystérieuse affaire.

À force de se répandre en sous-entendus et de vilipender l'attitude de Poignard de la Loi, Joyau de la Doctrine avait fini par rallier à sa cause Sainte Voie aux Huit Membres, lequel s'était éloigné de son ancien ami.

Les deux hommes n'hésitaient plus à mettre publiquement en cause la légitimité de leur Supérieur inexplicablement évaporé avec le cœur de santal qui contenait le Cil du Bienheureux.

Ce dernier épisode, telle la goutte d'eau qui faisait déborder le vase, avait accru la suspicion que nourrissait désormais une écrasante majorité de moines du couvent de l'Unique Dharma à l'encontre des agissements de Bouddhabadra.

Joyau de la Doctrine osait à présent désigner Poignard de la Loi comme un dissimulateur qui ne disait pas tout à ses collègues sur les raisons du non-retour de leur Inestimable Supérieur à Peshawar.

L'hostilité avérée de Sainte Voie aux Huit Membres attristait donc Poignard de la Loi, lequel, à présent, faisait face à la cinquantaine de moines qui attendait de lui la solution à l'insoluble problème que posait à la communauté la disparition des Yeux de Bouddha.

— Je vous pose la question : me faites-vous confiance ? leur demanda brusquement Poignard de la Loi, excédé par la remarque de son ancien ami.

— Que proposes-tu pour que notre couvent récupère ses reliques saintes, sans lesquelles il n'est rien ? maugréa Joyau de la Doctrine, toujours prompt à partir à l'attaque.

— Sans les Yeux de Bouddha, autant laisser pourrir

le Grand Reliquaire de Kaniçka ! ajouta le moine Corbeille à Offrandes.

— Nous n'aurons plus qu'à nous replier dans des grottes de la montagne, si nous voulons éviter que les dévots déçus nous fassent la peau ! s'écria un autre religieux.

— Je vous promets que je ferai tout pour que nous récupérions nos Yeux de Bouddha ! Mais auparavant, je veux que cesse cette suspicion à mon égard. Si notre samgha est désunie, elle échouera. La division finit toujours mal, lorsqu'il s'agit d'affronter les difficultés ! tonna Poignard de la Loi, soucieux de rassurer ses frères.

Car c'était peu de dire que la nouvelle de la disparition de la relique sacrée les avait plongés dans l'affliction.

Le premier acolyte de Bouddhabadra n'y était pour rien.

Conscient que la communauté des moines serait profondément déstabilisée le jour où elle l'apprendrait, il avait décidé de garder tout cela pour lui.

En homme de devoir, désireux de préserver la tranquillité de la communauté dont il se sentait en charge, il était prêt à faire l'impossible pour retrouver les saintes reliques, y compris, si c'était nécessaire, à leur trouver un substitut.

Mais Joyau de la Doctrine et Sainte Voie aux Huit Membres en avaient décidé autrement : quelle n'avait pas été sa surprise, en effet, à peine la dernière marche franchie, de constater qu'une petite troupe l'attendait au pied du reliquaire.

Il avait été suivi !

— Nous t'avons entendu commettre l'acte sacrilège consistant à abattre la fine cloison de torchis qui bouche la niche sacrée, lui avait lancé Sainte Voie aux Huit Membres dont la voix tremblait de colère.

— Poignard de la Loi, tu nous dois des explications sur la terrible profanation que tu viens d'accomplir. Cette niche n'est ouverte que lors du Grand Pèlerinage. Tu ne peux pas t'en tirer par le silence ! Pourquoi es-tu allé piller le reliquaire ? Dis-nous la vérité ! Sais-tu ce qu'il coûte à un moine de s'en écarter ? avait ajouté, mauvais, Joyau de la Doctrine.

Autour de ces deux ennemis, les autres moines murmuraient leur désapprobation.

— Idiots que vous êtes ! C'est précisément en vue du prochain Grand Pèlerinage que je suis allé vérifier si tout était en place au sommet du reliquaire ! La confiance règne ! avait lancé Poignard de la Loi, excédé par tant de méfiance et de ressentiment, mais qui n'osait pas encore leur avouer la situation.

— Si tu ne dis pas la vérité, c'est l'Enfer Froid qui t'attend, Poignard de la Loi, dans lequel tu erreras la bouche cousue, de telle sorte que tu ne pourras même pas t'alimenter ! lui avait asséné Sainte Voie aux Huit Membres.

Puis c'était en chœur, et avec le même regard empreint d'hostilité, que les moines avaient continué à le serrer de près, certains l'accusant même d'être un menteur.

Alors, Poignard de la Loi avait compris qu'il n'avait pas d'autre choix que de leur lâcher le morceau, quelles que fussent les conséquences d'un tel geste.

— Eh bien, puisque vous voulez tout savoir, les Yeux de Bouddha ne sont plus là-haut ! La pyramide censée les contenir est vide ! Elle n'a même pas été forcée mais tout simplement ouverte, par quelqu'un qui devait disposer de sa clé ! L'unique Dharma est un monastère sans reliques et sa grande tour reliquaire n'est plus qu'un édifice inutile ! Mes amis, j'ai l'honneur de vous annoncer que nous gardons, désormais, des ombres et du vent ! s'était-il écrié, blanc de rage et hors de lui.

Après une telle sortie, l'assistance, à la fois choquée par la nouvelle et éberluée par le ton du premier acolyte, n'avait pas osé lui répondre.

Chacun, l'air penaud et catastrophé, regardait ses pieds.

— C'est à n'y rien comprendre ! Qui donc a pu commettre un tel crime ? À l'issue du dernier Grand Pèlerinage, je fus désigné pour replacer le petit reliquaire d'or pur dans cette niche, juste avant qu'elle soit murée par l'artisan préposé à ce travail ! avait gémi Joyau de la Doctrine, rompant le lourd silence.

— Il faut que j'aille immédiatement chez cet homme ! Où habite-t-il ? Donne-moi tout de suite son adresse ! s'était exclamé le premier acolyte, soucieux de montrer son entière bonne foi à la communauté et saisissant au bond cette balle que son rival venait inopinément de lui lancer.

Le moine bedonnant Triple Corbeille, de son inimitable et curieuse voix haut perchée, lui avait indiqué le nom de la ruelle où était censé habiter ce maçon.

Alors, sans perdre un seul instant, Poignard de la Loi, plantant là ses frères plongés dans l'affliction, s'était rué dans le vieux quartier de Peshawar où il avait fini par dénicher, après moult interrogatoires et recoupements, la maisonnette de torchis dans laquelle l'artisan vivait avec sa femme et ses dix enfants.

L'homme, dont les yeux dévoraient le visage osseux, à l'instar des tailleurs de pierre et des chauleurs, qui mouraient jeunes à force d'emplir leurs poumons de poussières abrasives, avait été formel.

Il avait juré sur la tête de son dernier-né à Poignard

de la Loi qu'il n'était pas remonté sur le reliquaire depuis qu'il en avait muré la niche à l'issue du Grand Pèlerinage.

— Maître Bouddhabadra n'est jamais venu me trouver. Comment, au demeurant, aurais-je osé toucher avec ces pauvres mains le reliquaire d'or pur ? Un tel joyau doit absolument demeurer à sa sainte place ! Qui s'en emparerait serait, à coup sûr, voué au pire des enfers ! En revanche, la seule fois où j'ai aperçu maître Bouddhabadra dans ce quartier, il se rendait dans l'échoppe du bijoutier, juste de l'autre côté de la rue ! avait-il ajouté, tremblant de tous ses membres.

— Où ça ? Conduis-moi chez lui, je te prie et tu auras de quoi nourrir ta nombreuse progéniture ! avait alors rugi Poignard de la Loi en extirpant de sa ceinture, en toute hâte, une pochette qu'il avait brandie sous le nez du maçon.

— Cet artisan a dû s'installer ailleurs. Son échoppe est fermée depuis l'année dernière ! avait gémi ce dernier, qui voyait s'envoler une bonne occasion de gagner plus d'argent qu'en trois mois de travail acharné.

— C'était un marchand de gemmes ?

— Non ! ce père de famille nombreuse, qu'il arrivait d'ailleurs, comme moi, hélas ! à peine à nourrir, se contentait de tailler les pierres que des gros bijoutiers du quartier de l'or lui apportaient le matin et reprenaient le soir !

Le maçon hâve et aux yeux enfiévrés paraissait sincère.

Il n'était sûrement pour rien dans le vol des Yeux de Bouddha.

Dès son retour au monastère, Poignard de la Loi avait répercuté aux moines, qui l'attendaient avec impatience, ce que l'artisan lui avait dit.

Il fallait bien se rendre à l'évidence : quelqu'un était

monté au sommet du reliquaire, depuis la fin du dernier Grand Pèlerinage, et avait fait main basse sur ce que contenait le petit coffre d'or pur en forme de pyramide et aux superbes poignées d'ivoire représentant des bouquetins affrontés.

Et pour Poignard de la Loi, il n'y avait pas le moindre doute : l'auteur de cet acte inqualifiable, qui plongeait dans l'affliction l'une des plus grandes et vénérables communautés du Petit Véhicule indien, ne pouvait être que Bouddhabadra…

Toutes les déductions, à présent, s'enchaînaient, en effet, selon une logique parfaite.

Avant de partir pour le Pays des Neiges avec l'éléphant blanc sacré, dont la fonction principale était, précisément, de transporter cette relique, le Supérieur de Peshawar l'avait subtilisée, sans même prendre la peine de refermer la pyramide d'or ! Quant à la relique elle-même, il devait s'agir de pierres précieuses, sinon pourquoi Bouddhabadra serait-il allé trouver cet artisan ?

Mais à quelles fins ? Était-ce pour lui vendre les Yeux de Bouddha ?

Il était permis d'en douter !

Outre qu'il ne voyait pas son Inestimable Supérieur se livrer à un vulgaire trafic mercantile, s'agissant d'une relique aussi sacrée, le petit tailleur de gemmes eût été incapable de la commercialiser.

Bouddhabadra n'était-il pas allé lui rendre visite, dans ces conditions, pour la lui faire retailler ?

C'était déjà une hypothèse plus plausible.

En tout état de cause, c'était à présent évident : Bouddhabadra, le Supérieur du couvent de l'Unique Dharma de Peshawar, était un profanateur et un voleur de reliques sacrées qui avait abandonné à son sort une communauté dont il avait la charge et qui se trouvait confrontée désormais à sa propre survie !

La communauté de l'Unique Dharma se doutait-elle à son tour de la double, voire de la triple, personnalité de son Inestimable Supérieur ?

Bien des points demeuraient obscurs, aux yeux de Poignard de la Loi, conscient que certains aspects de cette histoire lui échappaient encore.

Pourquoi le Supérieur de Peshawar avait-il éprouvé le besoin d'emporter la relique sainte au Pays des Neiges ?

Pourquoi avait-il laissé ouvert le reliquaire pyramidal, ce qui avait permis de détecter le vol, alors que, s'il l'eût refermé, personne, en l'absence de clé, n'eût osé profaner le reliquaire en procédant à son ouverture intempestive ?

De retour au monastère, après son édifiante visite auprès de l'artisan maçon, face à ces moines au regard chargé d'angoisse à qui il venait de rendre compte de son expédition à Peshawar, l'acolyte de Bouddhabadra se disait que l'heure de vérité avait sonné.

Tout paraissait accuser son Supérieur.

Et pourtant, depuis que Ramahe sGampo l'avait affranchi, fût-ce elliptiquement, sur la raison des déplacements de Bouddhabadra au Pays des Neiges, il ne se sentait pas le courage de le jeter ainsi en pâture à ses frères moines.

Dans l'ignorance des véritables motifs qui avaient guidé son action, il se considérait toujours lié à lui par un devoir de loyauté.

Car tout était là.

Pouvait-il encore, ou non, faire confiance à Bouddhabadra ? Il en avait tellement envie !

Le mieux, dans ces conditions, n'était-il pas de s'expliquer de vive voix avec l'intéressé, et, par conséquent, d'attendre patiemment son retour, même s'il était urgent de trouver une solution pour le Grand Pèlerinage ?

La prudence commandait donc de ne pas faire part à la communauté, dont les plus éminents représentants étaient réunis avec lui, des soupçons écrasants qui pesaient désormais sur les épaules de Bouddhabadra.

— De tout ce que m'a dit l'artisan maçon, aucune conclusion ne pourra être tirée tant que maître Bouddhabadra en personne ne nous aura pas aidés à résoudre ces énigmes. Quant à moi, j'ai toujours confiance en lui ! Et que ceux qui ne sont pas d'accord lèvent la main ! assena-t-il à ses collègues.

Pas une main ne se leva.

Il constata avec satisfaction que personne n'osait encore s'en prendre ouvertement à Bouddhabadra.

La discussion tournait à présent sur les conséquences de l'incroyable pillage de la niche faîtière du Grand Reliquaire.

— Qu'allons-nous faire ? Sans les reliques saintes, nous n'avons plus de raison d'être ! Nous sommes dans la situation de l'homme poursuivi par l'éléphant et qui va tomber dans le puits ! lâcha, visage fermé, Sainte Voie aux Huit Membres, au nom de ses camarades.

Le moine faisait allusion à la célèbre parabole bouddhique censée démontrer aux hommes qu'ils ne pouvaient pas se sauver tout seuls, sans la divine protection du Bienheureux.

Elle relatait l'histoire d'un pauvre homme agrippé aux racines d'un arbre dominant le puits dans lequel il s'était jeté pour échapper à la charge d'un éléphant furieux, avant de s'apercevoir qu'il ne pourrait plus remonter à la surface, parce que deux rats étaient en train de ronger lesdites racines, où s'étaient lovés deux serpents venimeux qui s'apprêtaient à le piquer, tandis qu'un monstre, tapi au fond du puits, la gueule ouverte, se préparait à ne faire qu'une bouchée de celui qui croyait s'être réfugié en lieu sûr !

Et chacun, à présent, de s'interroger sur ce qu'il convenait de faire, en tournant son regard vers Poignard de la Loi.

— Comme le prisonnier du puits, je suis aussi démuni que vous, rétorqua ce dernier.

— Bouddhabadra ne t'a-t-il jamais fait la moindre confidence au sujet des Yeux de Bouddha ? l'interrogea l'un d'entre eux.

— Jamais ! Je vous le jure !

— Ne serait-ce pas lui qui aurait emmené les Yeux de Bouddha au Pays des Neiges, avec l'éléphant blanc, seul habilité à les transporter ? Sinon, pourquoi se serait-il embarrassé d'un pachyderme, au lieu de prendre un cheval au pied sûr et entraîné à gravir la haute montagne ? s'enquit, l'air de rien, Sainte Voie aux Huit Membres.

La question valait réponse et Poignard de la Loi constatait, sans grande surprise, il est vrai, qu'il n'était plus le seul à soupçonner l'Inestimable Supérieur de cet inqualifiable forfait.

À continuer de le défendre en niant l'évidence, ne risquait-il pas, tout bonnement, de passer pour son complice et de perdre irrémédiablement la confiance de ses congénères ?

Alors, la mort dans l'âme, Poignard de la Loi jugea qu'il était inutile de chercher à protéger Bouddhabadra contre vents et marées.

— Je me perds en conjectures, comme toi, probablement. Pour t'avouer le fond de ma pensée, je ne suis pas loin de partager ton avis... C'est précisément pourquoi j'ai pris la peine de monter au sommet de la tour-reliquaire, alors que je suis sujet au vertige. Pour autant, si notre Inestimable a agi ainsi, il devait avoir d'impérieuses raisons ! gémit-il, plongeant dans la consternation la petite assemblée qui lui faisait face.

— Le fait d'avoir emmené avec lui l'éléphant blanc sacré suffit à signer son crime ! ajouta Joyau de la Doctrine dont la voix tremblait d'indignation.

La seule issue, à ce stade, consistait à gagner du temps en espérant que le jour viendrait où Bouddhabadra pourrait lui-même s'expliquer.

— Rien ne dit que tout cela soit criminel, Joyau de la Doctrine. Il faut se garder d'aller trop vite en besogne ! Les jugements expéditifs aboutissent parfois à condamner des innocents. Pense un peu à l'Exploit de Celui qui avait un chignon en forme de conque ! Il nous enseigne la patience ; en toutes circonstances, il convient de donner du temps au temps, avant de tirer des conclusions radicales ! Des soupçons ne sont pas des preuves ! s'écria le premier acolyte.

La Jâtaka [1] dite de la Patience racontait comment, dans une vie antérieure, Çakyamuni avait pris la forme d'un ascète nommé Shakhacârya dont la coiffure en chignon avait la forme d'une conque. Un jour qu'il méditait au pied d'un arbre, un oiseau y avait déposé des œufs. Sortant de son extase, il avait fait le vœu de continuer à méditer sans bouger, jusqu'à ce que les oisillons éclos des œufs fussent en âge, à leur tour, de s'envoler.

— Parfois, attendre revient à renoncer ! Car notre prochain Grand Pèlerinage, lui, n'attendra pas ! lâcha, d'un ton définitif, son principal contradicteur, Sainte Voie aux Huit Membres, toujours de mèche avec Joyau de la Doctrine.

— Bouddhabadra nous a volé nos reliques ! Il a réduit à néant tout ce que nous sommes ! Nous n'avons

1. Nom indien des récits des vies antérieures de Bouddha.

plus qu'à partir d'ici, la tête couverte de cendres ! bafouilla, désespéré, le gros Triple Corbeille.

Le chœur lugubre des lamentations des uns et des autres fusait de toutes parts : « Autant annuler le Grand Pèlerinage et fermer l'Unique Dharma !… L'Inestimable n'en est plus un : il nous a proprement assassinés !… Comment Bouddhabadra a-t-il pu accomplir une telle forfaiture ! »

Les moines, tels des enfants orphelins de leur père, affligés par ce qu'ils venaient d'entendre, pleuraient à chaudes larmes en maudissant à qui mieux mieux le traître et le renégat qui les avait abandonnés.

— Mes frères, à supposer que Bouddhabadra ait agi ainsi, c'est sûrement qu'il n'avait pas d'autre choix ! Son monastère a toujours été pour lui la seule chose qui comptait, avec la Noble Vérité du Bienheureux, protesta Poignard de la Loi.

Lorsqu'ils se quittèrent à une heure tardive pour regagner leur cellule, après avoir remué dans tous les sens, sans grand succès, toutes les hypothèses, Poignard de la Loi constata avec tristesse que l'atmosphère était devenue encore plus glaciale qu'au début de leur réunion.

Rien n'avait avancé, et l'organisation du Grand Pèlerinage s'annonçait des plus périlleuses.

Traumatisée, terriblement déçue, la communauté de l'Unique Dharma, dépouillée de ses reliques sacrées qui étaient son unique raison d'être, totalement désunie et à la dérive, n'était plus qu'un édifice en train de se fissurer.

Dans sa cellule, le premier acolyte, atterré par ces déchirements qui auguraient bien mal de l'avenir, épuisé par la journée passée à chercher la maison de l'artisan maçon, s'affala sur le ventre, dans un demi-sommeil, sur la planche étroite et dure de sa couche. Il ressassait, comme toujours dans ces moments-là, l'énigmatique expression «faire tenir la concorde» formulée par Ramahe sGampo. Elle ne cessait de le hanter depuis qu'il l'avait entendue et accompagnait les insomnies dont il était devenu coutumier.

«Faire tenir la concorde cinq ans de plus.»

Son esprit répétait inlassablement cette phrase, comme un lancinant mantra, lorsqu'il sentit une main lui effleurer doucement le dos.

Il se retourna en sursaut.

C'était Sainte Voie aux Huit Membres, qui le regardait cette fois sans hostilité particulière.

— L'acrimonie est mauvaise conseillère. De surcroît, nous nous devons la compassion. Je viens te demander pardon pour l'agressivité dont j'ai fait preuve à ton égard depuis ton retour du Pays de Neiges, dit ce dernier d'une voix posée, à la grande surprise du premier acolyte.

Comment, en si peu de temps, avait-il pu changer à ce point d'attitude?

— Que pense Joyau de la Doctrine de ta démarche? s'enquit, quelque peu méfiant, Poignard de la Loi en s'asseyant sur sa couchette.

— Il n'est pas au courant que je me trouve auprès de toi. J'ai compris tout à l'heure que c'était la jalousie à ton égard qui finissait par l'aveugler. Il n'est pas de bonne foi et j'ai conscience qu'il m'a manipulé! C'est pourquoi je suis venu faire la paix avec toi. Je suis sûr que tu étais sincère lorsque tu nous affirmas que Bouddhabadra ne t'avait fait aucune confidence sur le motif de son voyage!

— Si c'est le cas, tu es bien le seul! Nos frères ne me croient plus. Ils sont même persuadés que je leur mens… lâcha, maussade, le premier acolyte de Bouddhabadra.

— J'aurais dû proclamer haut et fort, devant tous les autres, que tu étais honnête et transparent. Je regrette amèrement de ne pas l'avoir fait.

Poignard de la Loi était de plus en plus surpris.

Le moine de Turfan était-il loyal ?

Ce qui était sûr, en tout cas, c'est qu'il avait adopté un ton nouveau qui tranchait singulièrement avec la funeste agressivité dont il avait fait preuve un peu plus tôt.

Dans ses yeux légèrement bridés, le premier acolyte ne décelait pas une ombre de duplicité : Sainte Voie aux Huit Membres avait l'air de parler vrai.

— Cela fait plusieurs heures que je réfléchis en méditant et en priant. J'ai peut-être une solution pour permettre à l'Unique Dharma de récupérer des reliques saintes ! souffla-t-il.

— Dans ce cas, il faut me la soumettre, parce que le temps presse !

— C'est à Turfan qu'elle se trouve !

— Sur la Route de la Soie ?

— Là même, dans le couvent du Grand Véhicule où j'ai effectué mon noviciat. Son Supérieur Bienfait Attesté a toujours claironné qu'il serait prêt à vendre la relique sainte du monastère si d'aventure, un jour, il manquait d'argent pour acheter la soie dans laquelle sont taillées les bannières votives accrochées aux murs des salles de prière.

— Cet homme devait avoir un sérieux sens de l'humour... Es-tu certain que ce n'était pas là une boutade ?

— Pas le moins du monde ! Je t'assure qu'il y a quelque chose à tenter.

— Il doit alors s'agir d'une bien piètre relique, pour que le Supérieur de ce monastère mahâyâniste soit disposé à s'en défaire !

— Détrompe-toi ! Depuis cent ans au moins, l'ongle

de l'index droit du Bienheureux est l'objet d'une vénération immense. Lorsque j'étais novice, des centaines d'adeptes venaient, chaque jour, se prosterner devant le vase de jade serti d'or dans lequel il est enfermé !

— Et selon toi, cet homme échangerait ce trésor contre de simples bannières votives ? s'enquit Poignard de la Loi dont le visage s'éclairait peu à peu.

— Tu n'es pas sans savoir que le Mahâyâna prône l'usage des bannières sur lesquelles sont peintes les figures cultuelles, au détriment de celui des reliques qu'il assimile à des fétiches encourageant des superstitions qui n'ont plus rien à voir avec la Vérité du Bienheureux ! Aussi, pour Bienfait Attesté, l'ongle du Bienheureux n'est-il qu'une survivance d'un passé révolu…

— À présent je comprends mieux…

— La plupart des monastères du Grand Véhicule préconisent de faire « le vide en soi », comme ils disent, devant les bannières votives pour atteindre l'Illumination subite.

— L'ongle est-il toujours à sa place et ton ancien Supérieur serait-il toujours prêt à un tel échange ? s'enquit fébrilement Poignard de la Loi que les propos de son collègue remplissaient d'un fol espoir.

— La seule façon de le vérifier serait que nous allions là-bas !

— Mais qui nous dit que ce monastère de Turfan a toujours besoin de bannières peintes ? demanda, l'air anxieux, le premier acolyte.

— Cela fait des mois que des rumeurs convergentes se multiplient, colportées par de nombreux voyageurs qui font halte chez nous, au sujet d'une terrible pénurie de soie qui sévirait dans la Grande Chine ! Compte tenu du nombre de bannières neuves nécessaires pour les nouveaux moines, je serais étonné qu'ils ne commencent pas à en manquer ! conclut en souriant le Turfanais.

— Et en admettant que les faits corroborent ce dont bruit la Route de la Soie, que pourrions-nous offrir à ton Bienfait Attesté en échange de l'ongle de l'index droit du Bouddha ? demanda Poignard de la Loi que ces propos sur la pénurie de soie chinoise ne surprenaient pas pour en avoir vérifié le bien-fondé à Dunhuang, quelques mois plus tôt, auprès d'Addai Aggai.

— De la soie, pardi ! s'écria triomphalement Sainte Voie aux Huit Membres.

— Regarde un peu mes mains, ô Sainte Voie aux Huit Membres ! Elles ne sont pas, hélas, celles d'un mage qui aurait le pouvoir de transformer en fil de soie la poussière du désert ! s'écria Poignard de la Loi en tendant ses bras.

— Je détiens à cet égard une information capitale : depuis quelques années, un prêtre manichéen a implanté à Turfan un élevage clandestin de vers à soie lâcha, sûr de son effet, son interlocuteur.

— As-tu pu vérifier de tels dires ? Que je sache, depuis que tu es arrivé à Peshawar, tu n'es jamais retourné chez toi…

— C'est un de mes cousins germains, marchand d'épices de son état, qui m'en a informé par hasard, alors que nous parlions de choses et d'autres, et que je lui demandais ce qu'il y avait de neuf dans mon oasis natale. Il est passé ici, pendant que tu étais absent. Le soir de son arrivée, alors que nous prenions le frais dehors, avec Joyau de la Doctrine, ce cousin nous fit cette incroyable confidence. Je n'ai aucune raison de douter de ses propos que, sur le moment, je n'ai pas relevés… mais qui ne sont pas tombés dans l'oreille d'un sourd ! D'ailleurs, regarde un peu, ce cousin dont le chargement de poivre valait une petite fortune, je ne l'ai pas inventé ! s'écria, l'air satisfait, Sainte Voie aux Huit Membres en tendant le bras vers Poignard de la Loi.

Dans la main ouverte que le Turfanais venait d'extraire de sa poche, le premier acolyte aperçut effectivement quelques grains de poivre…

Ébranlé par cette stupéfiante révélation, il ne mit pas longtemps à réfléchir.

Après tout, que risquait-il à se rendre à Turfan, en compagnie de Sainte Voie aux Huit Membres, pour essayer de récupérer la relique sainte dont le Supérieur Bienfait Attesté avait la garde ?

Un bout d'ongle du Bienheureux ne pouvait-il pas utilement remplacer un de ses divins Cils ?

Quant aux Yeux de Bouddha, c'était, hélas, une autre affaire.

Le sort de ces reliques aussi célèbres, vénérées avec tant de ferveur depuis plus de mille ans par des millions d'adeptes, et de ce fait absolument irremplaçables, était lié à celui de Bouddhabadra…

Le couvent de l'Unique Dharma devait-il pour autant se priver de la possibilité d'en récupérer de moins prestigieuses ?

— Sais-tu ce qu'il en coûte à un membre de la samgha de mentir à son collègue, ou encore de l'emmener, en pleine conscience, sur des chemins ne menant nulle part ?

— Je le sais. C'est une faute gravissime. Mais je ne te mens pas, Poignard de la Loi. Je te le jure : je suis transparent avec toi.

— Dans ce cas, serais-tu prêt à partir avec moi dans ta ville natale ?

— Je te l'ai proposé. Et dès demain, s'il le faut ! Ce sera pour moi une immense joie que d'aller saluer mes oncles et mes tantes, s'ils sont toujours en vie !

Le moine turfanais paraissait sincère et plein de bonne volonté.

— Nous en ferons part demain à la communauté. C'est à elle de décider. Je ne désire pas aller à l'encontre de ses souhaits, dit alors Poignard de la Loi qui avait à cœur de restaurer le lien de confiance, désormais si distendu, avec les autres moines.

Le lendemain, les visages fermés de ces derniers étaient d'ailleurs toujours marqués par le mauvais souvenir de leur discussion de la veille lorsque Poignard de la Loi s'adressa à eux, en compagnie de Sainte Voie aux Huit Membres, dans l'une des immenses salles de prière du couvent de l'Unique Dharma.

Dans un recoin sombre de l'immense pièce d'où les deux compères ne pouvaient l'observer, Joyau de la Loi constatait avec amertume la défection de Sainte Voie aux Huit Membres.

— Mes chers amis, nous avons un plan à vous soumettre. À Turfan, on trouve de la soie. Et contre celle-ci, il n'est pas impossible d'échanger des reliques saintes ! Qu'en pensez-vous ? déclara le premier acolyte.

— La plupart des monastères du Grand Véhicule se débarrasseraient de leurs reliques contre de la soie pour faire des bannières votives devant lesquelles les moines mahâyânistes pratiquent la méditation assise, ajouta Sainte Voie aux Huit Membres.

— Vous seriez donc prêts à partir pour Turfan et à vous dévouer pour nous sortir de l'ornière dans laquelle nous sommes ? s'enquit un vieux moine dont les oreilles, percées de lourds anneaux de bronze, étaient si longues que le bas de leur lobe frôlait ses épaules.

— Nous pensons même essayer de récupérer une relique importante : l'ongle de l'index droit du Bienheureux ! conclut le Turfanais.

— Celui que le Bienheureux appuie contre son pouce dans le Dharmacakra-mûdra de la prédication ?

C'était le même vieux religieux qui posait la question.

— C'est cela ! Cet ongle est conservé au monastère mahâyâniste de Turfan. Il fait l'objet d'un pèlerinage annuel, au moment de la fête votive commémorant l'entrée de l'Éveillé au Parinirvana, expliqua à ses confrères Sainte Voie aux Huit Membres.

Les propos du moine turfanais semblaient avoir porté, car les visages s'étaient passablement éclairés.

C'est alors que, furieux de constater que son ami avait rompu leur alliance contre Poignard de la Loi, Joyau de la Doctrine s'écria fiellement :

— Tu vas partir, c'est une chose ! Mais qui dit que tu reviendras ? Où sont les garanties pour l'Unique Dharma, qui joue actuellement sa survie ?

— Le Bienheureux Bouddha nous éclairera de sa Divine Lumière et nous aidera à surmonter cette terrible épreuve qui nous accable tous autant les uns que les autres. Tes paroles, Joyau de la Doctrine, m'étonnent ! On dirait celles d'un homme qui aurait perdu la Foi, rétorqua sévèrement Poignard de la Loi.

Le brouhaha approbateur de l'assistance démontra aux intéressés qu'elle avait été conquise par ce qu'elle venait d'entendre.

Et lorsqu'ils quittèrent, à cheval, quelques jours plus tard, le monastère de l'Unique Dharma, la communauté réunie au grand complet, toujours inquiète mais remplie d'espoir, leur fit une haie d'honneur, en les acclamant tout en formant des vœux pour la réussite de cette tentative dont chacun avait bien conscience qu'elle était celle de la dernière chance.

Seul Joyau de la Doctrine manquait à l'appel, qui éructait dans sa cellule contre son rival honni.

Ni Poignard de la Loi ni Sainte Voie aux Huit Membres, au demeurant, tendus vers l'objectif qu'ils s'étaient assigné, ne s'étaient rendu compte à quel point ils s'étaient fait un ennemi mortel.

Malgré les mauvais sorts que Joyau de la Doctrine, invoquant les pires démons, essaya de leur jeter, le voyage vers Turfan des deux moines se déroula sans encombre, en moins de deux petits mois, sur des chemins plus praticables qu'en hiver au bord desquels poussaient déjà les premières fleurs de l'été.

Du haut du plateau rocheux qui dominait la plaine aux abords de sa ville natale, dont ils distinguaient au loin les toits de tuiles grises, Sainte Voie aux Huit Membres, de plus en plus radieux, s'apprêtait déjà à en humer les odeurs, lorsque, soudain, il fit s'arrêter net son cheval.

Il éprouvait l'impression bizarre que Turfan la riante, celle qu'on appelait « la plus brillante perle de la Route de la Soie », n'était plus la même.

Tout d'abord, il avait beau écarquiller les yeux, nulle fumée ne s'échappait des cheminées, pas plus qu'il n'apercevait, sur les routes qui convergeaient vers la ville, la moindre trace de vie, alors que, d'ordinaire, elles étaient encombrées par les caravanes et les troupeaux. Il avait beau tendre l'oreille, il n'entendait pas le brouhaha caractéristique des nombreux marchés de l'oasis, ce mélange de cris d'enfants et d'éclats de rire des commères, de grincements de roues des charrettes, de musique des petits orchestres ambulants où les flûtes se mélangeaient aux tambourins et de jurons dont les marchands et les acheteurs ponctuaient leurs dialogues, lorsqu'ils avaient fini de négocier le prix des denrées.

C'était à une ville morte que Turfan ressemblait lorsqu'ils y pénétrèrent.

En s'approchant des premières maisons, ils constatèrent avec effarement que leurs habitants s'étaient soigneusement barricadés et que pas une devanture de commerce n'était ouverte.

— Il a dû arriver un malheur grave, pour que chacun soit terré de la sorte ! déclara Poignard de la Loi, quelque peu perplexe.

— Dès que nous croiserons quelqu'un, nous en connaîtrons la raison. En attendant, si tu veux bien, nous pourrions aller tout de suite jusqu'à l'élevage clandestin. D'après ce que m'a expliqué mon cousin, il se trouve tout près d'ici, juste derrière le prochain carrefour.

— Je vois que tu ne perds pas de temps ! C'est bien ! dit le premier acolyte de Bouddhabadra pour essayer de se rassurer.

Ils firent quelques pas de plus, parcourant des rues toujours désespérément vides.

— Ce doit être là-bas, au bout de cette ruelle ! Le bâtiment correspond trait pour trait à la description faite par mon cousin ! s'écria Sainte Voie aux Huit Membres en désignant une espèce de hangar au fond d'une impasse.

Devant la porte défoncée, un homme assis, la tête dans les mains, devait être plongé très loin dans ses pensées, car il leur fallut lui effleurer le bras pour qu'il se redressât brusquement en poussant un cri d'effroi.

— Que fais-tu là, ô *ma-ni-pa* ! Quelle surprise de te voir ! Je te croyais à Chang An ! Je te présente le tripitaka Sainte Voie aux Huit Membres. Il est originaire d'ici, s'exclama Poignard de la Loi qui avait reconnu sans peine le moine errant, lequel avait l'air complètement abattu.

— Bonjour, monsieur le premier acolyte !

Suite à son séjour à Chang An, le *ma-ni-pa* baragouinait un peu mieux la langue des Han, même si c'était toujours avec un terrible accent.

— Que se passe-t-il ! Tu n'as pas l'air heureux de me revoir ! ajouta, intrigué, Poignard de la Loi.

Le *ma-ni-pa,* tremblant de tous ses membres, paraissait éprouver la plus grande peine à retenir ses larmes.

— Parle ! Qu'est-il arrivé, ô *ma-ni-pa* ?

Le premier acolyte de Bouddhabadra, inquiet devant un tel désarroi, se faisait pressant.

— *Om !* Je suis un rescapé. Avalokiteçvara m'a protégé… *Om ! Mani padme hum !* se borna à lâcher le moine errant avant de s'enfermer à nouveau dans un mutisme total.

— Explique-toi un peu ! Ne suis-je pas ton ami ! Pour libérer ses angoisses, il faut parler. Je suis prêt à tout entendre ! insista avec douceur le moine hînayâniste de Peshawar.

— C'est bien ici qu'il y a une fabrique de fil de soie ? s'enquit, sur le ton le plus jovial possible, Sainte Voie aux Huit Membres.

— Effectivement. C'est bien ici. Mais les Tujüe ont tout cassé ! Venez voir ! *Om !* gémit le moine errant en leur faisant signe de le suivre.

De ce qui était précédemment la belle serre aux mûriers des manichéens de Turfan, il ne restait pratiquement rien.

Poignard de la Loi, le cœur serré, avança dans les ruines jonchées de blocs de pierres et de fragments de jarres, où les troncs de mûriers déchiquetés témoignaient de la violence du saccage. Les marmites de bronze dans lesquelles les cocons étaient ébouillantés avaient été renversées sur le sol où gisaient quantité de larves écrasées, au milieu de morceaux de ce qui avait été des vases à teinture. Sur les étagères qui couraient encore le long du mur du fond de la serre, il ne subsistait plus un seul coupon de soie.

Les deux moines de Peshawar, consternés, se demandaient si leurs espoirs n'étaient pas en train de s'envoler.

— Tu ne m'as toujours pas dit ce que tu faisais ici, ô *ma-ni-pa* ! demanda avec insistance Poignard de la Loi à l'intéressé, sur le seuil du local dévasté par les Turcs, que les Chinois appelaient Tujüe.

— Moi ? *Om !* J'aide les manichéens à tisser la soie… dit, visage fermé, le moine errant sur un ton lugubre.

— Mais qui t'a envoyé jusqu'ici ?

— Cinq Défenses ! Pour aider l'impératrice du Chine.

— L'impératrice Wu ? s'enquit Poignard de la Loi.

— Oui ! *Om !* l'impératrice Wuzhao ! Très belle, très intelligente, cette dame ! Elle sait être très gentille, mais aussi, s'il le faut, très méchante ! *Om !*

— Pourquoi veut-elle de la soie ?

— Pour satisfaire le Mahâyâna ! se contenta de répondre le *ma-ni-pa.*

— Je vois que nous ne sommes pas les seuls à poursuivre le même but ! murmura, mi-figue, mi-raisin, Sainte Voie aux Huit Membres.

Le moine turfanais, des plus maussades, comprenait peu à peu que le plan qu'il avait échafaudé risquait de se révéler fort difficile à mettre en œuvre.

C'est alors que le *ma-ni-pa* s'effondra littéralement dans les bras de Poignard de la Loi en sanglotant.

— *Om ! Mani padme hum !* Moi, j'ai très honte ! Je suis un *ma-ni-pa* indigne !

— Pourquoi parles-tu ainsi ? s'enquit avec douceur Poignard de la Loi.

— Hier, les Tujüe nous ont capturés ! *Om !* Comme

un vulgaire butin ! lâcha le *ma-ni-pa* d'une voix déchirante.

— Ce n'est tout de même pas ta faute, si les Tujüe t'ont — comme tu dis — capturé comme un vulgaire butin ! s'exclama Sainte Voie aux Huit Membres.

— Le chef tujüe a décidé de me relâcher ! *Om !* Moi je leur ai expliqué que j'étais originaire du pays de Bod ! Ils ne voulaient que du chinois ! Il n'y avait pas de place sur leurs chevaux pour un vulgaire Tibétain ! *Om ! Om !* ânonna le *ma-ni-pa* dont la mine défaite témoignait de sa peur mais également du dépit qu'il avait ressenti de ne pas être traité comme un Han.

— Ce qui est d'une élémentaire évidence ! Tu es tibétain et les Tujüe chevauchent des pur-sang connus pour leur vivacité ! Tu n'as rien fait de mal ! conclut le premier acolyte de Bouddhabadra, qui ne saisissait pas pourquoi le moine errant continuait à pleurer comme une fontaine.

— Il faut sécher tes larmes. Dis-toi plutôt que tu l'as échappé belle, surtout quand on connaît la rivalité qui oppose depuis toujours les Tibétains aux Turco-Mongols ! ajouta Sainte Voie aux Huit Membres.

— Oui mais, pour ce faire, j'ai commis un karman impardonnable ! gémit l'intéressé, au bord de l'évanouissement.

C'est alors qu'en proie à une irrépressible crise de sanglots, le moine errant finit par leur expliquer qu'en fait, à peine sorti de la serre aux mûriers pour aller faire une course en ville, il était tombé dans une embuscade que les Tüjue lui avaient tendue, au bout de la rue qui menait à l'atelier clandestin des manichéens.

Les assaillants avaient l'air cruels et sauvages. Leur chef l'avait sommé de le conduire à la serre aux mûriers. Ils l'avaient menacé et injurié à cause de son faciès buriné qui trahissait ses origines tibétaines. Pressé par la pointe aiguisée de leurs dagues sur son cou, où elles avaient d'ailleurs laissé des traces, le *ma-ni-pa* avait fini par obéir.

— Malheur sur moi ! Je n'ai pas hésité à envoyer deux innocents à la mort ! Plus jamais je n'oserai affronter le regard de Cinq Défenses ! *Om !* L'impératrice Wu me traitera de chien, à juste titre ! *Om !* Ramahe sGampo me maudira ! Je suis une très mauvaise personne ! *Om !* J'ai été abandonné par Avalokiteçvara dont le bras aurait dû me retenir lorsque j'ai agi de la sorte ! *Om !*

Le désespoir du moine errant, secoué de spasmes, le visage inondé de larmes qui creusaient un peu plus les rides de sa face burinée, faisait peine à voir.

— Pourrais-tu nous conduire auprès du chef de l'Église manichéenne ? lui demanda alors Sainte Voie aux Huit Membres, avant d'ajouter : Nous avons des informations importantes à lui transmettre !

Cargaison de Quiétude les reçut aussitôt que le portier alla le prévenir de leur arrivée.

Le Grand Parfait était abattu.

Le saccage de la serre aux mûriers et l'enlèvement de Pointe de Lumière, dont on venait de lui faire part, étaient pour lui un coup particulièrement rude, qui remettait en question tous ses plans.

Une fois les présentations faites, Poignard de la Loi entra dans le vif du sujet et expliqua tant bien que mal au manichéen, même si les circonstances ne s'y prêtaient que fort peu, les raisons de sa venue à Turfan, avec Sainte Voie aux Huit Membres.

— Je connais à peine le Supérieur Bienfait Attesté ! Nous vivons en bonne intelligence avec les mahâyânistes, mais chacun chez soi ! Et pour ne rien vous cacher, j'ai aujourd'hui des sujets de préoccupation autrement plus graves… se contenta-t-il de murmurer, la tête ailleurs, lorsque le premier acolyte de Bouddhabadra eut achevé son récit.

— Mes propos n'ont pas l'air de vous avoir convaincu ! avança alors ce dernier, quelque peu désappointé.

— Si je ne peux même plus fabriquer de la soie pour mon Église, je ne vois pas comment je pourrais le faire pour les besoins de votre cause ! lâcha-t-il, maussade.

— Que pensez-vous donc faire, monsieur le Parfait, pour remédier à la situation ? s'enquit alors, plutôt ingénument, le moine hînayâniste Sainte Voie aux Huit Membres.

— Depuis quelque temps, un décret impérial autorise les manichéens à pratiquer leur culte en Chine centrale. Je compte donc partir pour Chang An le plus rapidement possible et, là-bas, obtenir une audience de l'impératrice Wuzhao pour lui expliquer la situation. À la suite de quoi, nous aviserons ! conclut sans ambages le Parfait manichéen Cargaison de Quiétude, avant de faire signe à l'Auditeur de service de raccompagner les visiteurs jusqu'à la porte.

Une fois dehors, ils entrèrent dans un estaminet pour commander du thé.

Poignard de la Loi, accablé par cette journée qui débutait si mal, commençait à sentir son courage et sa vitalité s'échapper de son corps, comme l'air d'une de ces outres confectionnées avec de la peau de cochon qui servaient de flotteurs, depuis des temps immémoriaux, aux radeaux avec lesquels les Chinois traversaient le Fleuve Jaune.

Il éprouvait la désagréable impression de s'être déplacé pour rien jusqu'à Turfan…

Tant de chemin accompli, pour se retrouver face à un *ma-ni-pa* désemparé, qui lui annonçait la fin de toute production de soie clandestine à Turfan, et à un Parfait manichéen décidé à aller trouver l'impératrice en personne, pour lui soumettre son problème !

Autant se l'avouer tout de suite : leur expédition s'avérait un cuisant échec…

À côté de lui, Sainte Voie aux Huit Membres, encore plus désappointé, ne pipait mot, jusqu'à ce que Poignard de la Loi, excédé par son silence, l'interrogeât pour savoir ce qu'il pensait de la situation.

La discussion tourna rapidement court.

— Bienfait Attesté nous rira au nez, à juste titre, si nous allons le voir ! Je crains que ce déplacement n'ait été parfaitement inutile… conclut Poignard de la Loi.

Sans le moindre coupon de soie à proposer à son Supérieur, comment auraient-ils pu, en effet, aller frapper à la porte du monastère du Grand Véhicule, situé à quelques rues de là, sans se faire rembarrer ?

C'était pourtant là qu'un minuscule fragment d'ongle du Bouddha reposait dans un vase d'albâtre, au fond de la niche de la pagode principale, veillée par une immense statue de cèdre représentant son Éveil, à Uruvilva, sous le pipal sacré, l'arbre de la Bodhi.

Mais faute d'une monnaie d'échange, la démarche tombait à l'eau. Ils seraient, au mieux, poliment éconduits et, au pis, chassés de là comme de vulgaires escrocs si, d'aventure, ils avaient osé demander, ainsi que Sainte Voie aux Huit Membres l'avait naïvement suggéré à Poignard de la Loi, de prêter la sainte relique au monastère de Peshawar sans véritable contrepartie.

— Il se fait tard. Je propose que nous nous rendions dans une auberge discrète pour aller dormir. La nuit porte conseil ! lança Poignard de la Loi, que les péripéties de cette rude journée avaient épuisé.

— Accepteriez-vous que je mette mes pas dans les

vôtres jusqu'à un lit réparateur ? Je ne sais plus où aller et je tombe de fatigue ! gémit le *ma-ni-pa*.

— Bien sûr ! Une soupe chaude et un lit douillet ne pourront que te faire du bien ! lui répondit gentiment le moine de Peshawar.

L'auberge était située juste à la sortie de la ville et sa salle commune était déjà remplie de buveurs qui commentaient, dans un brouhaha indescriptible, l'incursion des Tujüe, à grands coups de rasades de vin de raisin que des servantes en nage apportaient par jarres entières sur leurs frêles — mais néanmoins robustes — épaules, avant de les poser sur d'immenses tables constellées de taches.

Après un plat de nouilles agrémenté de soupe de mouton aux épices, ils gagnèrent tous les trois le dortoir, avant de sombrer dans un profond sommeil.

— Que comptes-tu faire, désormais, ô *ma-ni-pa* ? lança Poignard de la Loi le lendemain, quand le moine errant, dont le visage avait l'air un peu plus reposé, fit son entrée dans le réfectoire pour y prendre la collation du matin.

— *Om !* Revenir chez moi au pays de Bod, ou bien retourner à Chang An, prévenir Cinq Défenses : j'hésite. Il me faut essayer à tout prix de rattraper ce mauvais karman pour éviter une réincarnation dans un insecte qui finira dans l'estomac de la première couleuvre venue ! répondit le moine errant, désemparé, partagé entre la volonté de tourner la page, en laissant tout tomber, et sa fidélité, toujours aussi indéfectible, à l'assistant de Pureté du Vide.

— Dans la vie, il ne faut jamais quitter le chemin du devoir ! Aller de l'avant et ne jamais revenir sur ses pas dans la Voie du Salut, tel est l'enseignement du Bienheureux Bouddha, dit le moine de Peshawar.

— Je suis d'accord avec toi ! *Om !* J'irai là où me le dictera mon devoir.

— Tu ne peux pas laisser Cinq Défenses dans l'illusion que l'impératrice de Chine disposera de la soie manichéenne. À ta place, je retournerai dare-dare en Chine centrale pour l'avertir du problème… Voilà le bon karman qui atténuera les effets néfastes du précédent, conclut Poignard de la Loi, sa compassion de moine bouddhiste ne l'empêchant nullement de se montrer aussi exigeant avec les autres qu'il l'était envers lui-même.

— Tu parles bien ! Grâce à toi l'espoir revient dans mon cœur, murmura le *ma-ni-pa.*

Leur collation achevée, ils sortirent de l'auberge en continuant leur discussion.

Devant eux, sur la Route de la Soie, malgré le fort vent de sable qui s'était levé pendant la nuit, passaient de nouveau des convois de chameliers et de cavaliers, mais aussi des hommes à pied, avec ou sans leur âne, tantôt par petits groupes et tantôt seuls. Les animaux croulaient sous les balles de céréales et de légumes secs, au milieu desquelles étaient coincés les sacs de cuir contenant des denrées plus précieuses : épices de Kashgar, ivoire d'Inde, bijoux en or de Sogdiane, corail de Méditerranée, tapis de Perse ou jade de Hetian.

Une fois passé l'alerte aux Tujüe, dans l'oasis encore meurtrie, la vie reprenait son cours et le commerce ses droits.

Les hommes, partout et toujours, étaient ainsi faits : tant qu'il y avait motif à commerce et à échange, les forces du bien-être finissaient par l'emporter sur celles de la destruction.

— Dans quelle direction veux-tu aller ? demanda Sainte Voie aux Huit Membres à Poignard de la Loi.

Épineuse question que celle-là !

Fallait-il prendre à droite, vers l'ouest, en revenant sur leurs pas, ou bien à gauche, vers l'est, pour gagner la Chine ?

Poignard de la Loi, qui se perdait en conjectures, tergiversait encore lorsqu'il entendit une voix venue de derrière une des buttes de sable au pied de laquelle passait la route.

— *Ma-ni-pa* ! *Ma-ni-pa* ! Regarde un peu par ici ! C'est moi ! Je suis là ! criait une voix angoissée.

— Par le Bienheureux Bouddha, *Om !* Par exemple ! s'écria le *ma-ni-pa*, tellement bouleversé qu'il ne s'était pas rendu compte qu'il s'exprimait en tibétain.

Son visage buriné par le soleil d'altitude s'était soudain illuminé.

L'élégante silhouette de Pointe de Lumière, la chevelure et les épaules entièrement blanchies par la poussière du désert, venait d'apparaître sur le monticule, qu'il dévala promptement pour les retrouver.

— Les Tujüe m'ont éjecté du convoi.

— Quel bonheur ! *Om !*

— Ils ont gardé Lune de Jade…

— Que s'est-il passé ? Que raconte-t-il ? demanda Poignard de la Loi, venu aux nouvelles.

— Les Tujüe devaient chercher de la soie. Et en grandes quantités. Quelqu'un leur avait probablement fait miroiter qu'ils en trouveraient dans la serre aux mûriers. Quand ils se sont aperçus qu'il n'y en avait encore aucun coupon de prêt, leur chef entra dans une colère noire. C'est alors qu'il décida de nous capturer pour nous emmener. Et ensuite, juste après l'éviction du *ma-ni-pa,* ils procédèrent à la mienne.

— Merci, Avalokiteçvara ! *Om !* murmura ce dernier.

— Manifestement, pas plus que d'un moine errant, ils ne voulaient de moi. Ils n'étaient pas intéressés par le Koutchéen que je suis ; ils ne capturent que des Chinois — ou hélas pour moi ! des Chinoises — pour s'en servir, disent-ils, comme otages... Quant à ma pauvre Lune de Jade, elle risque de finir ses jours dans un harem d'une ville appelée Bagdad, au bord d'un fleuve nommé Tigre, c'est du moins ce que lui promettait ce salopard de chef tujüe au visage de loup, dont les moustaches retombaient jusqu'à sa ceinture... murmura Pointe de Lumière dont la lassitude paraissait extrême, ce qui ne l'empêchait pas de serrer les poings de rage.

— Bagdad ! Ce nom m'est inconnu... dit Sainte Voie aux Huit Membres.

— Pas à moi. Tel est le nom d'un immense port, d'où la soie chinoise est transportée par bateaux entiers vers les villes si splendides que certains voyageurs prétendent que les tuiles de leurs palais sont en or pur ! s'exclama Poignard de la Loi, qui confondait allégrement Bagdad avec Constantinople ou Beyrouth, les grandes villes maritimes d'où partaient vers l'Occident les cargaisons des caravanes de la Route de la Soie.

— Ce doit être très loin d'ici ! se lamenta Pointe de Lumière.

— Tellement loin que je n'en ai entendu parler que par des gens qui, eux-mêmes, en avaient entendu parler ! soupira, songeur, le moine de Peshawar, lequel, plus d'une fois, avait rêvé de ces capitales mythiques, si éloignées de l'Inde que certains finissaient par douter de leur existence même.

— Si je ne me lance pas à leur poursuite immédiatement, je risque donc de ne jamais revoir ma femme ! gémit Pointe de Lumière.

Il avait l'air épuisé et au bord des larmes.

— J'implore ton pardon ! s'écria alors le *ma-ni-pa*, avant de raconter, toujours en sanglotant, à son compagnon le geste auquel sa peur panique des Tujüe l'avait conduit.

— De toute façon, les Tujüe se seraient rendus dans la serre même si tu n'avais pas été là ! lui répondit Pointe de Lumière, mettant ainsi une grosse couche de baume au cœur du moine errant, avant de s'affaler, incapable de faire un pas de plus, au pied d'un muret.

Les deux moines du Petit Véhicule décidèrent alors de ramener de force ce nouveau venu à l'auberge où ils avaient passé la nuit et, là, ils l'obligèrent gentiment à boire du thé à la menthe et à manger des abricots confits.

Le *ma-ni-pa* fit les présentations et le jeune homme, malgré sa tristesse, trouva la force d'expliquer le rôle qui était le sien auprès de Cargaison de Quiétude.

Poignard de la Loi, pour lequel cette rencontre aussi inespérée que miraculeuse signifiait une lueur d'espoir, proposa alors au jeune Koutchéen de lui faire servir des boulettes de viande, ce que l'intéressé, affamé, accepta finalement.

— Combien de temps te faudrait-il pour relancer la production de soie ? demanda-t-il à Pointe de Lumière, après l'avoir laissé se restaurer de petits pains farcis à la viande.

Le moine de Peshawar était tellement tourné vers le but de son périple qu'il ne s'était pas rendu compte de l'effet que sa question allait produire sur le tout jeune époux de Lune de Jade.

— Aujourd'hui, ma priorité, c'est de retrouver ma femme ! Elle est ce que je chéris le plus au monde. Nous attendons un enfant. J'espère que ces Turcs ne la maltraiteront pas... C'est un immense malheur qui s'est abattu sur nous ! murmura-t-il, triste et pensif, tout en avalant les petits pains les uns après les autres.

— Connais-tu la direction prise par ses ravisseurs, à

part que tu les a entendus parler de Bagdad ? lui demanda le premier acolyte de Peshawar.

— Hélas non ! Tout ce que je peux dire, c'est qu'ils sont partis vers l'endroit où le soleil se couche… répondit-il, la mort dans l'âme.

— Ils doivent être déjà loin, avec leurs chevaux de guerre plus vifs que les éclairs du tonnerre ! lâcha, sincèrement ennuyé pour Pointe de Lumière, Sainte Voie aux Huit Membres.

— *Om !* Leurs chevaux sont rapides comme la flèche propulsée par une arbalète ! *Om !* s'écria le *ma-ni-pa* en pointant l'index vers une invisible cible.

— Si tu nous aides à tisser de la belle soie, nous t'assurerons des milliers d'heures de prières au Bienheureux Bouddha qui finira par accéder à ton désir de revoir ta femme ! Il n'est pas non plus impossible que les Tujüe acceptent de te la rendre en échange de l'équivalent du poids de ton épouse en coupons de ce tissu précieux… ajouta le moine de Peshawar.

— Tu parles sérieusement ? Ces sauvages seraient capables de me rendre Lune de Jade contre son poids en soie ? s'enquit le jeune Koutchéen, quelque peu incrédule.

— Un moine du Petit Véhicule, s'il s'avisait de mentir, commettrait un péché qui l'amènerait tout droit à l'Enfer Froid ! dit Poignard de la Loi en frissonnant.

— Je n'ose y croire ! Ce serait là une merveilleuse surprise ! ajouta, soudain songeur, Pointe de Lumière.

— Une telle hypothèse suppose que tu consentes à te remettre sur tes métiers à tisser ! conclut Sainte Voie au Huit Membres.

— Nous pourrions t'y aider. Je suis prêt à rester ici avec toi le temps qu'il faut. D'ailleurs, après le choc que tu viens de subir, il n'est pas bon de demeurer seul, insista le moine de Peshawar.

— Ces deux religieux disent la vérité ! *Om !* Tu ne dois pas rester tout seul ici ! Ce n'est pas bon pour le moral ! s'écria à son tour le *ma-ni-pa* à l'adresse du jeune manichéen éploré.

— Tu vois, Pointe de Lumière, je serais à ta place, je réfléchirais sérieusement à la proposition de mon collègue ! s'exclama plaisamment Sainte Voie aux Huit Membres en serrant le bras du Koutchéen.

— Pourquoi avez-vous tant besoin de soie ? s'enquit alors l'ancien Auditeur de l'Église de Lumière, que la conviction et la gentillesse de ces deux moines du Petit Véhicule commençaient à ébranler.

— C'est pour mener à bien une œuvre pieuse ! lâcha Poignard de la Loi, évasif.

— Je réponds de l'honnêteté de ces deux moines du Petit Véhicule, pour avoir fort bien connu celui-ci ! ajouta le *ma-ni-pa* en désignant Poignard de la Loi à Pointe de Lumière.

— Dans ce cas, nous verrons ! Pourquoi pas… conclut ce dernier d'un ton las.

Comme il était loin, le jeune Koutchéen astucieux et malin, rayonnant d'espièglerie, à présent que son casque de cheveux blanchis par la poussière du désert de sable accentuait l'accablement dont témoignait ce regard éteint qui lui ressemblait si peu !

À bout de nerfs, il n'arrivait même plus, alors qu'il était d'habitude si fier, à contenir le flot de désespoir qui l'avait envahi après l'enlèvement de sa tendre moitié par les redoutables Tujüe.

C'était peu de dire, en effet, que cette peuplade turco-mongole ne suscitait que haine et inquiétude, partout où ses bandes de pillards passaient.

Leurs incessantes incursions armées en Iran, puis en Sogdiane, avaient contribué à étendre peu à peu l'empire nomade des Turcs.

Originaires de l'Altaï, ces guerriers nomades, dotés des chevaux les plus rapides de la steppe qu'ils n'hésitaient pas à vendre fort cher aux haras impériaux des Tang, ces cavaliers sanguinaires, auxquels seuls les Ouïgours, qui partageaient avec eux une implacable cruauté, ainsi que l'âpreté au combat, osaient tenir tête, avaient, à force de sang versé, réussi à construire un vaste empire dont la division en deux khanats, l'un oriental et l'autre occidental, allait constituer l'amorce de la dynastie des Omeyyades.

En 601, ils avaient même réussi à atteindre les portes de Chang An.

Sans un hiver particulièrement rude, et qui avait décimé leur cheptel, nul doute qu'ils y seraient entrés.

Alors, le cours de l'Histoire eût à coup sûr changé, et la Chine des Tang, à l'instar des civilisations opulentes, brillantes et sophistiquées, en présence des assauts de la barbarie, eût probablement succombé.

Depuis ce moment-là, c'était une étrange paix armée, faite d'un savant donnant-donnant, à coups de chevaux des steppes, d'otages de haut vol dûment échangés et de présents précieux, choisis selon un protocole millimétré où régnait néanmoins la plus grande méfiance, qui s'était installée entre l'empire des Tang, soucieux de contrôler le plus loin possible la Route de la Soie, et la puissance nomadisée des insaisissables Tujüe, lesquels entendaient bien profiter des carences de cet adversaire moins redoutable qu'il n'y paraissait.

Si les incursions des uns chez les autres étaient rares, lorsqu'elles se produisaient, elles étaient particulièrement violentes, comme celle qui avait dévasté Dunhuang, quelques semaines plus tôt.

L'attaque de Turfan, en revanche, était d'un ordre différent, beaucoup plus circonscrite, comme si leur objectif avait été cantonné à la destruction de la capacité de production de soie des manichéens.

Pointe de Lumière, hébété de chagrin, somnolait à présent sur sa chaise, tandis que Poignard de la Loi se disait qu'il valait mieux le laisser dormir et que le jeune Koutchéen était trop fatigué par ce qui venait de lui arriver pour entendre ses arguments.

Le premier acolyte de Bouddhabadra, à nouveau plein d'espoir, se prit à rêver.

Il était sûr de pouvoir convaincre le jeune Koutchéen de faire redémarrer la production du fil magique.

Quand on avait entre les mains la possibilité de produire de la soie, il fallait être complètement inconscient pour ne pas en profiter, même si des Tujüe vous avaient enlevé votre femme.

Il lui suffirait de faire comprendre à Pointe de Lumière que la fabrication de la soie était la meilleure façon de retrouver Lune de Jade, soit en la rachetant à ses ravisseurs, soit en payant des informateurs pour avoir de ses nouvelles.

Tout simplement parce que la soie était la clé de tout : de la richesse pour ceux qui aimaient l'argent, des reliques pour les dévots et du pouvoir pour les ambitieux…

D'ailleurs, ce n'était pas un hasard si dans certaines oasis de la Route de la Soie, à Kizil[1] ou à Dandân-Oïlik[2], par exemple, des peintres n'hésitaient pas à représenter sur les parois des grottes un curieux dieu doté de quatre bras et de trois yeux, le front souvent ceint d'une couronne d'or, vêtu d'un caftan de tissu fleuri, chaussé d'amusantes bottes noires, dont les

1. Le site bouddhique de Kizil est situé à une quinzaine de kilomètres de Kucha.
2. Dandân-Oïlik est situé à environ vingt kilomètres de Hetian.

mains brandissaient la navette, le peigne du tisserand, le gobelet à teindre et surtout le panonceau qui représentait la légende de la Princesse Chinoise de la soie, censée avoir importé secrètement à Hetian des graines de mûrier et des œufs de ver à soie.

Cette étrange figure du dieu de la Soie, si caractéristique de l'alchimie religieuse sino-indienne de l'Asie centrale, dont la forme primitive était celle du dieu des Tisserands et des Tailleurs, suffisait à signaler l'emprise de ce matériau divin, si doux au toucher que les Chinois le comparaient à un nuage.

Non contents de la payer fort cher et de braver mille dangers pour la posséder, afin de pouvoir l'échanger contre des épices ou de l'or, voilà que les hommes osaient la diviniser, en empruntant, pour la circonstance, l'effigie d'une de leurs plus vénérables divinités…

La soie était désormais, tant pour Wuzhao que pour Cargaison de Quiétude, mais aussi autant pour Pointe de Lumière que pour Poignard de la Loi, au centre de tous les enjeux.

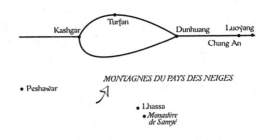

37

Dans les montagnes du Pays des Neiges

Sans prêter la moindre attention au paysage grandiose dont la vue s'offrait à lui, Cinq Défenses avançait comme un automate, suivi de près par la chienne Lapika.

Contrairement à ses habitudes lorsqu'il retrouvait la montagne, le molosse aux longs poils jaunes ne courait pas après les marmottes ou les perdrix des neiges, pas plus qu'il ne gambadait dans les pentes herbeuses en jappant de joie. Il se tenait tout contre son maître, dont il frôlait les jambes en permanence, comme s'il se fût agi de le protéger et, surtout, de le consoler.

Car c'était peu de dire que Cinq Défenses avait bien besoin de réconfort.

Cela faisait trois jours qu'il marchait ainsi à vive allure, la tête vide, anéanti par l'immense malheur qui s'était abattu sur lui.

À jamais, il se souviendrait du terrible choc qu'il avait éprouvé lorsque, de retour de sa promenade habituelle en compagnie de Lapika dans le bois de sapins qui s'étageait sur le versant septentrional de la montagne où il aimait observer les papillons, juste en face du monastère de Samyé, il avait constaté la disparition d'Umara.

D'ordinaire, la jeune femme l'attendait, en lui tendant un bol de thé brûlant, sur le seuil de la petite salle commune du cabanon de bergers où lama sTod Gling les avait installés, un peu à l'écart du couvent, au milieu d'une prairie où pacageaient les yaks et les moutons noirs, à charge pour eux de garder, lorsque le berger en était empêché, ces troupeaux qui appartenaient au monastère.

Cet après-midi-là, il avait constaté avec inquiétude qu'elle n'était pas sur le seuil de la maisonnette.

La façon dont le molosse jaune s'était brusquement arrêté, truffe à l'air, à quelques pas du cabanon, ne lui disait rien qui vaille.

Arrivé devant la porte, il s'était rué à l'intérieur pour voir avec effroi qu'il était vide, tandis que Lapika flairait le pourtour des murs en poussant de petits couinements de mauvais augure.

Il regrettait amèrement, d'ailleurs, d'avoir emmené le chien de garde avec lui.

En proie aux pressentiments les plus sombres, il avait fait un tour dans les parages en hurlant le nom d'Umara, avant de se ruer auprès de lama sTod Gling pour lui demander s'il avait aperçu la jeune femme.

— Je ne l'ai pas vue, cher Cinq Défenses. Elle ne vient jamais au monastère. Il ne faut pas t'inquiéter, elle sera allée cueillir des champignons ou des myrtilles, dont la saison vient de commencer. Que veux-tu qu'il lui soit arrivé ? À Samyé, personne n'a rien à craindre ! avait dit le lama.

Le soir était arrivé, puis la nuit, froide et sombre, au cours de laquelle il n'avait pas fermé l'œil, claquant des dents sur ce lit où, au passage, il s'était aperçu qu'il n'était bien que dans les bras de la femme aimée.

Le lendemain était passé, puis la nuit suivante.

Au petit matin du troisième jour, Umara n'étant toujours pas là, il avait fallu à Cinq Défenses se rendre à l'évidence : la jeune chrétienne nestorienne avait bel et bien disparu.

Il avait perdu sa moitié !

Tout bouddhiste qu'il demeurât, éduqué dans la méfiance des préceptes taoïstes, il pouvait constater à quoi se réduisait un Yang dépourvu de son Yin : ce sentiment bizarre de ne plus marcher que sur une seule jambe ou encore de n'être qu'une moitié d'oiseau Bi-yiniao, ce symbole chinois des amoureux, lequel, ne disposant que d'une aile, ne pouvait voler que s'il était apparié…

C'est alors que l'intuition, si fulgurante que son évidence ne faisait aucun doute, avait traversé son esprit : Brume de Poussière !

C'était sûrement lui qui avait fait le coup !

Comment n'avait-il pas pensé plus tôt au jeune Chinois que les moines de Samyé avaient logé dans une autre cabane, derrière ce mamelon rocheux couvert de buissons de myrtilles, comme un menton de barbe, qui s'élevait au milieu de la prairie aux yaks et aux moutons noirs ?

Il n'y avait qu'à voir le regard furieux dont il les gratifiait, depuis la remise à Ramahe sGampo des trois gages sacrés, trois mois plus tôt !

L'ancien compagnon de jeu d'Umara n'avait toujours pas admis d'avoir échoué à faire changer celle-ci d'attitude.

Aussi les boudait-il ostensiblement.

Enfermé dans un mutisme dont personne, pas même lama sTod Gling, n'arrivait à le sortir, il passait ses journées à arpenter, la mine sombre, les montagnes environnantes pour y observer les papillons et les oiseaux.

Malgré toutes les tentatives d'Umara, il refusait de venir partager leurs repas.

C'était tout juste s'il saluait Cinq Défenses, du bout des lèvres et en évitant de le regarder en face, lorsque celui-ci passait devant sa cabane pour aller faire sa promenade.

Le cœur battant, Cinq Défenses avait donc couru comme un fou à travers l'herbage, au milieu des bêtes apeurées qui s'enfuyaient devant la chienne jaune, laquelle ne le quittait plus d'une semelle, en direction du cabanon du jeune Chinois.

Lorsqu'il s'était rué sur la porte à moitié vermoulue de la minuscule masure de Brume de Poussière, il n'avait pas eu besoin de l'enfoncer d'un coup d'épaule : l'huis n'était même pas fermé.

La cabane était désespérément vide. À l'intérieur, le foyer éteint et froid témoignait que le jeune Chinois n'y avait pas passé la nuit.

Alors, devant les somptueuses montagnes dont les crêtes commençaient à poudroyer au soleil, sous un ciel d'azur où les aigles et les vautours traçaient leurs arabesques lentes et subtiles, face au troupeau de yaks et de moutons noirs qui l'observaient placidement, comme des dévots réincarnés prêts à écouter son divin prêche, Cinq Défenses avait laissé exploser sa colère et son chagrin.

Et, portés par l'immense écho venu des cimes, ses pleurs et ses gémissements avaient retenti jusqu'au bâtiment principal de Samyé, remplissant de tristesse les cœurs de Ramahe sGampo et de lama sTod Gling.

Umara avait bel et bien été enlevée par Brume de Poussière !

Que ne s'était-il méfié de ce jeune garçon qui n'avait

cessé de le regarder de travers, depuis que Lapika l'avait débusqué du fossé où il se terrait !

Comme il regrettait sa folle imprudence d'avoir laissé seule Umara, à portée de son ancien compagnon, lequel avait pu tranquillement ourdir sa vengeance et accomplir son acte funeste, pendant qu'il était parti observer les papillons !

De rage, il avait balayé les bols à thé et les assiettes qui encombraient la table sur laquelle Brume de Poussière prenait ses repas. La vaisselle prêtée par lama sTod Gling était tombée à terre en se brisant en mille morceaux.

Revenu dans sa maisonnette, Cinq Défenses avait passé la journée à se morfondre, tout en réfléchissant à ce qu'il convenait à présent de faire, avant de s'abîmer dans une longue prière.

Assis dans la position du lotus sur le seuil de la porte d'entrée, il avait tourné sa face vers la barrière dentelée des montagnes, puis il avait fermé les yeux et laissé les rayons solaires lui inonder le visage, comme la divine lumière du Bienheureux Bouddha.

Et devant ces cimes qui touchaient le ciel, et donc l'inaccessible paradis, il avait essayé de faire le vide dans son esprit.

Son maître lui avait toujours expliqué que c'était la condition indispensable pour entrer dans cet état ineffable où l'on arrivait, par un simple abandon de soi, à entrer en communion de pensée avec la Sainte Vérité du Bienheureux.

De celle-ci, en effet, il avait tant besoin !

C'était même la première fois de son existence qu'il connaissait un tel degré de détresse et un tel sentiment de solitude ; qu'il ressentait ce qu'était la dukka, cette douleur dans laquelle Gautama avait dit que le monde et les êtres baignaient ; qu'il avait envie de disparaître de la surface de la terre…

Vivre sans Umara était impossible.

Il n'avait pas d'autre choix que d'entrer en méditation et d'attendre un signe de la compassion du Bouddha à son égard.

Depuis toujours, l'esprit de Cinq Défenses éprouvait le plus grand mal à se laisser aller. C'était là, pourtant, l'attitude préalable à la mise en condition mentale nécessaire si l'on voulait atteindre ce stade où l'éveil de la conscience permettait de voir l'invisible et de comprendre l'indicible.

En fait, Cinq Défenses ne l'avait avoué à personne, et surtout pas à Pureté du Vide, mais il n'avait jamais réussi à méditer, fût-ce l'espace d'un instant, depuis qu'il était entré au noviciat du monastère de la Reconnaissance des Bienfaits Impériaux de Luoyang.

C'était plus fort que lui : il ne pouvait pas dominer l'activité de son esprit, perpétuellement en mouvement, et il lui était impossible de s'abstraire de la réalité afin de laisser voguer sa pensée vers les rivages de l'indicible.

L'unique fois où il avait demandé à Pureté du Vide, l'air de rien, comment il fallait s'y prendre, ce dernier lui avait répondu par un propos à mi-chemin entre l'avertissement et la boutade :

« On ne médite bien qu'à mon âge, lorsqu'on devient vieux ! Pour atteindre le quatrième stade de la méditation, il faut soi-même être devenu un bouddha. Quant à l'accès au premier de ces stades, le seul qui soit accessible aux pauvres humains de notre espèce, il faut que tu saisisses, Cinq Défenses, que c'est une question d'expérience et de pratique… Il faut que ton esprit l'accepte… »

Et tout le problème était là : l'esprit du jeune novice,

puis du moine confirmé qu'il était devenu, avait sûrement le plus grand mal à l'accepter.

Celui dont Pureté du Vide, néanmoins, allait faire son assistant avait beau s'acharner, il n'était jamais arrivé à ressentir, au-dessus de son crâne, les effets bienfaisants du doux regard du Bienheureux, tels que les manuels de méditation assise *chan* les décrivaient avec un luxe de précision.

C'était d'ailleurs la raison pour laquelle il s'était abîmé avec autant d'ardeur dans la pratique des arts martiaux.

Grâce aux exercices de *Taiqi* et au maniement du sabre fictif, auxquels il se livrait chaque matin à Luoyang, dès le lever du soleil, dans le parc du monastère de la Reconnaissance des Bienfaits Impériaux, il parvenait à gagner cet état d'apaisement où le cerveau cessait de ratiociner.

Lorsque ces mouvements, tout en souplesse et en grâce qui les rapprochaient de la danse acrobatique, ne suffisaient pas à canaliser son énergie, il lui suffisait de casser du tranchant de la main trois briquettes empilées les unes sur les autres, posées sur une table et, alors, il retrouvait son calme et sa sérénité.

De tout cela, Cinq Défenses avait conclu qu'il était davantage fait pour l'action que pour la méditation.

Or cette fois, l'enjeu était important.

Pour retrouver cette moitié de lui-même dont l'absence provoquait en lui cette impression d'arrachement insupportable, il avait besoin du secours du Bienheureux, mais également de celui de tous ses acolytes : Ananda, son cousin germain préféré, qui l'avait si pieusement servi ; Avalokiteçvara-Guanyin le Compatissant, bien sûr ; sans oublier Maitreya-Mile, le Bouddha du Futur, Amitâbha, celui de la Terre Pure de l'Ouest, et même Ksitigarbha- Dizang, le seul bodhisattva à être habillé en moine, qu'invoquaient volontiers les fidèles parce qu'il était capable d'apporter le salut aux âmes des défunts.

Au bout d'un long moment, Cinq Défenses se rendit à l'évidence : son esprit était tellement hanté par la disparition d'Umara qu'il était illusoire de prétendre penser à autre chose qu'à ce grand malheur...

Il en déduisit que son salut ne viendrait que de lui-même et que, dans ces conditions, le mieux était encore qu'il se lançât sans tarder à la recherche de sa bien-aimée.

Mais où aller ?

Dans quelle direction, nord ou sud, est ou ouest, cet ignoble Brume de Poussière avait-il pu emmener sa douce Umara ?

Il se perdait en conjectures, et l'immensité des cirques rocheux formés par toutes ces montagnes qui s'offraient à son regard n'était pas fait pour le rassurer.

Il lui fallait bouger ; il devait se décider très vite, sous peine de perdre tout espoir de la retrouver.

Sous ses yeux, une minuscule araignée avait alors traversé, en hésitant, le seuil de pierre sur lequel il était assis. Il s'était souvenu que, tout jeune enfant, il avait entendu dire que l'observation puis le décodage des infimes traces laissées par le mouvement d'une araignée permettaient à certains chamans de déterminer ce qu'il convenait de faire dans certaines situations.

Par association, une idée lui vint, certes peu orthodoxe pour un bouddhiste fervent, mais au point il en était, peu importaient les moyens : pourquoi n'utiliserait-il pas l'achillée *shicao*, la plante des devins, connue depuis la plus haute Antiquité chinoise pour prédire l'avenir ?

Dérivée du célèbre *Yijing*, le Livre des Trigrammes, la technique consistait à découper cette plante en quarante-neuf brins répartis en deux tas, l'un pour le ciel et l'autre pour la terre ; puis à procéder à de nouvelles divisions en nombres alternativement pairs et impairs, de façon à reconstituer les soixante-quatre hexagrammes du *Yijing*, qu'il suffisait, alors, d'interpréter.

Il regarda alentour.

À cette altitude, il ne poussait pas le moindre brin d'achillée. Et dans le cas contraire, il eût d'ailleurs été bien en peine de lire correctement les diagrammes.

Il n'y avait que les troupeaux de yaks et de moutons dont les os iliaques, chauffés sur des flammes, auraient pu, en se fendillant, délivrer les messages de l'ostéomancie, l'autre méthode divinatoire de ses ancêtres chinois.

Mais pas plus que les trigrammes, Cinq Défenses n'eût été capable de déchiffrer ces craquelures, qui ressemblaient à s'y méprendre aux caractères de l'écriture des premiers Chinois.

Il lui fallait se rendre, une fois de plus, à l'évidence : il ne pouvait compter que sur lui-même pour déterminer la direction que prendrait sa traque de Brume de Poussière.

Résigné, il se leva et se mit à marcher de long en large sur l'aire devant laquelle s'ouvrait la porte de la cabane où il avait été si heureux avec Umara.

À bien y réfléchir, Samyé étant un cul-de-sac, il n'y avait qu'une seule façon d'en repartir : c'était de franchir en sens inverse le col qui permettait d'y accéder !

Brume de Poussière et Umara n'avaient donc pu diriger leurs pas que vers le sud, en empruntant la route normale, celle que Cinq Défenses connaissait bien pour l'avoir déjà parcourue à trois reprises.

Il ne lui restait qu'à la parcourir une quatrième fois, en pressant le pas suffisamment pour avoir une chance de rattraper sa bien-aimée et son ravisseur.

Devant le Supérieur de Samyé, Ramahe sGampo, auquel il était allé rendre une ultime visite pour l'avertir de son prochain départ, il ne put toutefois s'empêcher de se laisser aller au désarroi.

— Ne devrais-je pas interpréter ce grand malheur qui m'accable comme un signal venu du Bienheureux lui-même, qui me reprocherait de m'être détourné de la Sainte Voie en cessant d'être moine ? Autant je suis prêt à payer mon dû, autant je trouverais injuste que la pauvre Umara en pâtisse... souffla-t-il, le visage angoissé et défait, au vieil aveugle.

— Cinq Défenses, il ne faut pas penser des choses pareilles. Il est normal que le courant emporte la branche jetée à la rivière. Si quelqu'un doit être critiqué, c'est plutôt celui qui t'envoya ici pour la première fois ! lâcha celui-ci de sa voix caverneuse.

— Vous faites allusion à maître Pureté du Vide ? s'exclama, stupéfait, son ancien assistant.

— Je crois avoir été clair ! conclut Ramahe sGampo, comme s'il jugeait sévèrement la conduite du Supérieur de Luoyang.

— J'ai peur de ne plus la revoir. Cette simple idée m'est insupportable. Depuis qu'Umara est devenue ma moitié, vivre sans elle est pour moi une telle souffrance !

— Le Bienheureux lui-même a dit à ses plus proches disciples, qui entendirent ces propos de sa bouche : « Détaché de tout désir passionné, le moine doué de sagesse ici-bas atteint l'immortelle quiétude, état impérissable de l'extinction. » Tu devrais t'inspirer de son enseignement ! murmura le vieux Tibétain.

— Je n'ai pas la prétention d'être doué de sagesse, puisque je ne me considère plus comme un moine. Je ne suis qu'un homme qui aime une femme de toutes ses forces !

— Voilà, mon fils, des propos fort peu bouddhiques ! lui lança Ramahe sGampo, non sans un soupçon d'ironie, au-delà de laquelle perçait une indéniable connivence.

— J'ai connu à mon tour l'Illumination... mon Révérend, mais ce fut l'illumination de l'amour ! Quand on aime, on se sent bien et on donne d'autant plus facilement aux autres ce qu'on a de meilleur en soi. Aussi, j'ose espérer que le Bienheureux en tiendra compte ! expliqua-t-il le plus sérieusement du monde.

— Lorsqu'on désire, on commence d'abord par être heureux ; mais plus tard, inéluctablement, on souffre ! Soit parce qu'on a perdu l'objet de son bonheur, soit, plus sournoisement, parce qu'on finit par avoir très peur de le perdre... Le bonheur, Cinq Défenses, ça n'existe que par rapport au malheur. N'oublie pas que l'une des Nobles Vérités du Très Saint Bouddha Gautama explique, précisément, en quoi consiste la douleur du monde, murmura la voix gutturale de Ramahe sGampo.

— Je n'ai aucune envie de m'approprier Umara. Je me contente de l'aimer, un point c'est tout ! Pourquoi le pauvre bouddhiste que je suis n'aurait-il pas droit au bonheur, comme tout un chacun ?

Son immense amour pour Umara faisait ainsi tenir à Cinq Défenses des propos qui, normalement, eussent heurté un vieux moine pétri de foi, mais c'était compter sans la sagesse du Supérieur de Samyé, lequel, même si ses yeux aveugles ne pouvaient plus croiser ceux des autres, n'avait pas son pareil pour sonder les cœurs.

— Je te sais parfaitement sincère, Cinq Défenses et je forme, ici même, le souhait le plus ardent que tu puisses retrouver cette jeune chrétienne, dit le vieux lama en prenant les mains de ce dernier dans les siennes.

Les paumes de l'aveugle irradiaient une douce chaleur qui lui avait fait du bien et contribué à apaiser quelque peu ses angoisses.

— Prends ça ! ajouta le Supérieur de Samyé en ôtant de son cou un minuscule reliquaire d'argent en forme de bouton de fleur de lotus accroché à une chaînette.

— Qu'y a-t-il à l'intérieur ?

— Du vent, Cinq Défenses ! Rien que du vent !

— Comment ça, du vent ? s'écria le jeune homme, ahuri.

— As-tu lu le *Sûtra de la Logique de la Vacuité Pure* ?

— À dire vrai, mon Révérend, ce texte fait appel à des formules si subtiles que je vous mentirais si je prétendais en avoir compris tout le sens !

— Dommage ! Il y est fait l'apologie du vide. C'est du néant, là où plus rien ne vient troubler l'esprit, que surgissent toujours les plus étincelantes fulgurances. Et, dans la nature, le vide se résume au vent et aux souffles ! Je te fais ce petit cadeau pour t'aider un peu à bien réfléchir à tout ça… conclut le Supérieur en souriant.

— Pourriez-vous m'accorder votre bénédiction ? supplia alors Cinq Défenses qui venait de se jeter à ses pieds.

— Elle est au-dessus de toi !

— Vivrai-je heureux, mon père ? osa-t-il murmurer dans un souffle.

— Va vers ton bonheur ! Il finira par te trouver !

Telles furent les dernières paroles de Ramahe sGampo, qui résonnaient encore à ses oreilles lorsque Cinq Défenses reprit le chemin pentu qui menait au col.

Le petit talisman d'argent dont le Supérieur aveugle lui avait fait cadeau et qui pendait à son cou était là pour lui rappeler les propos réconfortants de ce dernier, que Cinq Défenses se répétait à lui-même lorsqu'il sentait le découragement et la tristesse l'envahir, au point de le submerger.

Car il y avait des questions dont la formulation même suscitait en lui le vertige :

Avait-il eu raison de se jeter ainsi dans les bras de la jeune chrétienne nestorienne ?

N'avait-il pas pris le risque de se voir à la fois coupé de son Église et privé de celle qui lui était devenue indispensable ?

S'il avait su à l'avance qu'il souffrirait autant le jour où il la perdrait, qu'aurait-il fait ?

Ces interrogations, sans cesse ressassées, finissaient par le miner.

Certes, il lui suffisait de repenser aux moments extraordinaires partagés avec elle pour mesurer que la nostalgie et les regrets qui, à présent, l'assaillaient, n'étaient que la contrepartie du bonheur auquel ils avaient goûté avec tant de délectation.

L'amour était aussi un piège redoutable, dont les mâchoires se refermaient implacablement sur vous lorsque ce qui était fait pour être uni se séparait, laissant face à la solitude deux créatures éplorées qui ne retrouvaient jamais leur identité propre, tellement celle-ci avait été transformée par l'autre dont il était désormais si difficile de se passer !

Persuadé qu'il était parfaitement symétrique du sien, Cinq Défenses imaginait sans peine le chagrin d'Umara et cela ne faisait qu'accroître sa propre angoisse.

À la tombée de la nuit, à l'issue de sa première journée de marche, il était si perdu dans ses pensées qu'il ne s'était même pas aperçu qu'il avait mis un pied devant l'autre sans s'arrêter une seule fois !

À présent, c'était le troisième jour qu'il continuait à progresser à une allure vertigineuse, sur le chemin qui permettait de sortir de la vallée au fond de laquelle était niché le couvent de Samyé, espérant toujours rattraper Umara et Brume de Poussière, quand il distingua au loin, devant lui, la silhouette immobile d'un homme qui paraissait l'attendre.

La chienne jaune, truffe aux aguets, pila net.

C'était un signe néfaste, qui le fit se méfier.

D'ordinaire, Lapika se précipitait allégrement, pour leur faire fête, vers les rares inconnus qu'on croisait sur les chemins d'altitude du pays de Bod, à condition qu'ils fussent animés de bonnes intentions, ce que son flair détectait immanquablement.

Inquiet, il intima l'ordre à la chienne de rester à l'arrière, et l'animal obtempéra, émettant un grognement désappointé ; puis, avec prudence, il continua à avancer vers la silhouette qui ne bougeait pas d'un pouce.

Arrivé à quelques enjambées de l'homme, il constata que celui-ci le regardait sournoisement.

Il avait eu raison d'être sur ses gardes.

L'inconnu connaissait bien le maniement des armes, à en juger par la vitesse avec laquelle il avait fait glisser dans ses mains les deux poignards qu'il venait d'extraire de ses manches.

Instinctivement, Cinq Défenses, qui n'avait que ses poings à lui opposer, se mit en garde.

En adepte aguerri des arts martiaux, il s'efforçait de garder son calme. Pour surprendre l'adversaire, surtout lorsqu'il était armé, on lui avait appris qu'il fallait se concentrer sur soi-même, afin de mieux rassembler ses forces tout au fond de soi et de les accumuler, avant de les propulser soudainement à l'extérieur, d'un seul geste des bras et de jambes.

Car il s'agissait de frapper par surprise l'adversaire et, surtout, de lui couper le souffle et le faire tomber à terre.

Cinq Défenses poussa un cri rauque et sauvage, qui

résonna longtemps dans la montagne, lorsque, en l'espace d'un éclair, ses mains et ses pieds découpèrent l'air, en même temps qu'il propulsait tout son corps à l'assaut des poignards brandis par l'inconnu.

Sa manchette gauche s'abattit sur le cou de l'homme, tandis que la pointe de son pied droit s'enfonçait dans son abdomen, à l'endroit du foie.

L'homme, hurlant de douleur, surpris par la vivacité de son attaquant, vacilla et mit un genou à terre.

Pour Cinq Défenses, c'était le moment d'achever le travail : faire abandonner ses armes à son assaillant, avant de le plaquer dos contre le sol et de le neutraliser complètement en appuyant sur sa veine carotide.

Cinq Défenses l'empoigna par le cou, dans une clé formée par ses bras noués.

Au bord de l'asphyxie, l'homme bavait et éructait.

Au moment où il s'apprêtait à assener à l'inconnu le coup de grâce, en provoquant son évanouissement, l'assistant de Pureté du Vide ressentit une terrible douleur au flanc, comme si une lame de feu le traversait de part en part.

Les deux doigts qu'il posa à l'endroit qui brûlait étaient pleins de sang lorsqu'il les regarda.

Il venait d'être blessé et son adversaire avait réussi à se mettre à genoux.

Sans prendre de temps à regarder la fente étroite, déjà sanguinolente, que le couteau de son adversaire avait ouvert dans sa tunique, il repoussa violemment ce dernier et reprit son élan, à l'instinct, avant de projeter ses jambes de toutes ses forces contre la tête de celui qui cherchait, c'était évident, à le tuer.

Il n'avait pas le choix et c'était pour lui, à présent, une question de survie.

Tant bien que mal, malgré l'atroce douleur, il invoqua le bodhisattva Dizang, dont la gemme flammée, appelée aussi Perle Sainte, illuminait le monde des ténèbres, capable de juger les âmes et, si besoin était, de les délivrer des enfers.

Il se souvint aussi de la formule utilisée par son maître ès arts martiaux, lorsqu'il lui enseignait l'art de la détente meurtrière : faire de tout son corps une catapulte dont les jambes étaient le projectile.

Le choc des pieds tendus de Cinq Défenses fut si rude contre le cou de l'inconnu qu'il entendit distinctement craquer ses cervicales.

En même temps, il entendit le rugissement de Lapika qui avait sauté, tous crocs dehors, à la gorge du malandrin, dont le corps désarticulé gisait maintenant à même le sol.

Mais l'effort inouï qu'il avait fourni avait provoqué l'élargissement de sa blessure, de laquelle le sang, à présent, giclait abondamment. Cinq Défenses avait si mal qu'il ne voyait plus qu'un halo d'étoiles.

Blottie contre ses jambes, l'énorme chienne jaune lui léchait les mains en couinant.

Après avoir repris sa respiration, il put constater que l'homme, face contre terre, avait probablement perdu connaissance, puisqu'il ne bougeait plus. Ses deux dagues de bronze reposaient sur le sol, de chaque côté de lui.

Dans un ultime effort, il s'en approcha et se baissa pour lui retourner la tête. Elle faisait un angle droit avec son corps et ses yeux étaient révulsés. À la base de son cou déjà bleu, les canines de la chienne avaient laissé deux trous d'où s'échappait en gargouillant un flot de sang.

L'assaillant de Cinq Défenses était, tout simplement, en train de rendre l'âme, et ce dernier, hébété et au bord de la syncope, comprenait ce que tuer un homme voulait dire...

Il avisa un massif de rhododendrons, plus propice que le terrain découvert de la route pour reprendre son souffle.

Suivi par Lapika, il effectua avec peine, tordu par la douleur comme une racine de genévrier, les cinq pas qui l'en séparaient, et sa blessure lui faisait de plus en plus mal lorsqu'il réussit enfin à s'asseoir contre les feuilles de la plante, avant de sombrer dans l'inconscience en invoquant Dizang.

Lorsqu'il se réveilla, quelle ne fut pas sa surprise de constater que ce n'était pas ledit bodhisattva qui était penché au-dessus de lui, mais un beau visage de femme.

Il ressemblait à une sorte masque divin et hiératique, avec des yeux bridés comme des fentes, que séparait un long nez fin souligné par une bouche charnue entrouverte en un rassurant sourire.

Cinq Défenses commença par se demander s'il ne rêvait pas.

La douleur de son flanc, qui l'élançait, lui fit comprendre qu'il n'en était rien. Pour plus de sûreté, il tâta l'endroit qui lui faisait si mal et remarqua qu'il avait été recouvert par un bandage.

Il était couché sur un lit, sous une couverture de fourrure, dans une pièce à peine éclairée et à l'atmosphère tiède qui embaumait l'encens.

— Bois ce bol ! J'y ai placé un mélange d'herbes médicinales et de farine de millet, murmura la belle inconnue qui s'exprimait en tibétain.

Elle lui tendait une coupelle de terre cuite fumante. Tandis qu'elle l'aidait à avaler le liquide brûlant, il pouvait sentir ses mains douces et chaudes virevolter autour de son visage et effleurer ses joues.

— Où suis-je donc ? souffla-t-il, avant de crier de douleur en essayant de s'asseoir.

— Dans ma maison. Mon nom est Yarpa. Ici, cela

veut dire « celle qui est proche du Ciel ». Je suis une prêtresse bonpo. Dans la vallée, c'est moi qui rends le culte aux Neuf Dieux de Lumière qui habitent là-haut… Je t'ai trouvé gisant dans un buisson, en allant chercher des simples qui poussent dans la montagne. Tu as eu de la chance. Tu étais en train de te vider de ton sang, répondit la jeune femme en souriant.

— J'ai très soif ! peina-t-il à articuler.

— C'est normal. Cela fait deux jours que je te veille. Ta fièvre vient à peine de tomber. Tu étais brûlant et tu délirais…

Elle versa dans la coupelle une nouvelle ration de son breuvage, qu'il avala avec moins de difficulté que la première.

— Il y avait une chienne avec moi… murmura-t-il, pensant soudain à Lapika qu'il ne voyait nulle part.

— Pour commencer, elle ne me laissa pas approcher facilement de toi. Quand elle comprit que je voulais te soigner, elle se montra des plus gentilles. Je l'ai installée dehors, sous un auvent, attachée à un piquet. Elle sera sûrement contente de voir que tu te remets, dit Yarpa.

À peine avait-elle achevé son propos que Cinq Défenses, qui avait perdu beaucoup de sang et était très affaibli, s'était déjà endormi.

Les jours succédèrent aux nuits, à se désaltérer, à manger un peu et surtout à dormir, pendant lesquels Yarpa fut aux petits soins avec lui jusqu'à ce qu'un matin, il se sentît enfin capable de se lever et de mettre le nez dehors.

Lorsque, appuyé sur l'épaule de Yarpa, sa main frôlant l'opulente chevelure soyeuse, il franchit le seuil de la maison de la prêtresse, l'éblouissement fut si éclatant, après tant de jours passés dans la pièce à peine éclairée, qu'il put à peine ouvrir les yeux.

Le refuge de Yarpa donnait sur un vertigineux cirque de montagnes qui formaient, devant l'azur profond du ciel, une gigantesque corolle blanche semblable à celle de la fleur de l'Udumbara, cet arbre dont la floraison était si rare.

Bouche bée devant la majesté inouïe de ce paysage à mi-chemin entre le ciel et la terre, Cinq Défenses ne put s'empêcher de penser aux divines paroles du Bienheureux, par lesquelles il avait décrit le mal du monde : « L'orgueil du roi ressemble à une montagne qui se dresse sur l'océan du malheur universel ; une montagne entourée d'avidité et de convoitise ; et le regard des grands s'attache à ses versants, tandis que des petits il écrase la tête de ses pieds : telle est la racine si profonde du malheur ! »

Après ces longs moments passés immobilisé sur son lit de douleur et de fièvre, c'était avec ravissement qu'il redécouvrait ce que la nature avait de si fort, et même d'irremplaçable, au Pays des Neiges, parce que tout y était majestueux, plus haut et plus intense, plus coloré et odorant qu'ailleurs, comme si, au milieu des montagnes du Toit du monde, l'échelle normale des choses n'eût plus vraiment cours…

— Veux-tu marcher un peu ? Là-haut, il y a un promontoire d'où on domine toute la vallée ! proposa gentiment la prêtresse bonpo en le gratifiant d'un charmant sourire.

Elle était particulièrement séduisante, à présent qu'elle lui dévoilait la rangée de ses dents, aussi éclatantes que les cimes neigeuses étincelantes sous le soleil.

Comme il titubait encore un peu, elle lui tendit promptement la main, et, vu qu'il était très faible, il ne put faire autrement que de la lui prendre.

Comparée à celle d'Umara, elle était un peu rugueuse.

Mais le plus émouvant était cette odeur légèrement poivrée de la chevelure de Yarpa, dont il émanait un je-ne-sais-quoi de sauvage qui s'accordait avec le charme de la prêtresse bonpo.

Du haut du promontoire, où la présence de quelques ossements de chèvre témoignait qu'il devait servir d'aire de nourrissage à des vautours, les maisonnettes de pierre construites ici et là dans la vallée verdoyante paraissaient minuscules, comme si les hommes, dans une nature inhospitalière, devaient, pour survivre, se faire oublier des éléments qui les entouraient.

— C'est un village dispersé ! Dans ces maisons habitent mes ouailles, se contenta de murmurer Yarpa à Cinq Défenses, après qu'ils se furent assis, côte à côte, sur un énorme rocher auquel la pelure de lichen jaune striée de griffures orangées qui le recouvrait conférait l'aspect de la pointe de la queue d'un dragon facétieux qui se fût lové au flanc de la montagne…

— Quelle chance tu as, Yarpa, de vivre là ! dit-il, émerveillé par les contrastes des couleurs et des formes.

— Il ne tient qu'à toi de rester ici ! On y est bien, si près des Neuf Dieux ! lâcha-t-elle en riant.

Il la regarda, se demandant si elle plaisantait ou non.

— J'aimerais que l'un d'entre eux m'amène sur le Toit du monde ! s'écria-t-il.

C'était bien la première fois, depuis la disparition d'Umara, qu'une amusante pensée lui traversait l'esprit.

— Qui sait ! Il faut savoir les invoquer ! répondit la prêtresse bonpo, mi-figue, mi-raisin, avant de sourire à son tour.

Puis, au milieu des senteurs enivrantes et des taches de couleur chatoyantes des plantes d'altitude, arums géants, edelweiss, lys et orchidées sauvages, baguenaudiers et rhododendrons, ils redescendirent en riant, tels des enfants espiègles, vers la maisonnette où habitait Yarpa.

Cinq Défenses reprenait rapidement des forces.

Les jours s'égrenaient, ponctués d'agréables promenades, en compagnie de Lapika, dans des paysages dont le calme et la majesté étaient à peine troublés par le sifflement des marmottes, et où il n'était pas rare d'apercevoir ces papillons géants que Cinq Défenses avait d'abord pris pour des oiseaux, tellement leurs ailes étaient immenses.

Avec satisfaction, il constatait qu'il recouvrait toute sa vigueur antérieure, grâce, en particulier, à la nourriture roborative et au lait de yak sucré au miel que Yarka lui faisait absorber trois fois par jour.

Dans cet univers étrange, l'esprit du mahâyâniste blessé par le terrible choc de la disparition d'Umara commençait à s'apaiser.

La douceur de Yarpa y était pour beaucoup.

Elle parlait peu et ne lui posait jamais de questions sur les raisons de sa présence dans un endroit aussi isolé.

Il se sentait à la fois en sécurité et à l'aise, et même quelque peu hors du temps, loin des fracas du monde, auprès de cette femme discrète qui l'observait et le soignait avec tant de prévenance, alors qu'elle ne savait rien de lui.

Un soir qu'il était allongé sur sa couche, sur le point de s'endormir, en rêvant doucement au superbe couple d'aigles qu'ils avaient admiré au cours de leur habituelle virée au promontoire, il sentit, à son odeur poivrée, qu'elle se tenait debout à côté de lui.

D'habitude, à cette heure, Yarpa s'installait dans la pièce adjacente, où elle passait la nuit sur un lit étroit.

Il s'assit et la regarda.

Le visage de la Tibétaine était éclairé par les flammes de la cheminée.

— Je ne dormais pas ! Je suis venue voir si tout allait bien ! murmura-t-elle.

— Tu es gentille ! Tu sais, je me sens de mieux en mieux. Bientôt, je pourrai reprendre ma route.

— Ne veux-tu pas rester ici un peu plus longtemps ? Tu ne me gênes pas.

Des yeux de la prêtresse émanaient une infinie tendresse et un soupçon de tristesse qui la rendaient plus belle encore.

Il eut soudain envie de la toucher et tendit maladroitement la main vers elle.

Et aussitôt, devant ce signe qu'elle attendait depuis des jours, elle fut sur lui, comme une femelle léopard des neiges se ruant sur sa proie, et colla violemment sa bouche à la sienne.

Il pouvait sentir la langue tiède de Yarpa, juteuse comme un fruit, essayer de forcer la barrière de ses dents que, dans sa gêne et sa surprise, il maintenait serrées. Mais elle était si experte qu'elle ne mit pas longtemps à le faire céder.

À présent, elle avait pris sa tête dans ses mains et l'embrassait avec passion, tandis que le léger fourmillement caractéristique, prélude à son déploiement comme un mât d'étendard, remontait peu à peu le long de sa tige de jade.

La jeune prêtresse bonpo, tout en continuant à l'embrasser, avait réussi à ôter ses vêtements un à un, ce qui permettait à Cinq Défenses de découvrir la splendeur de son corps nu et mordoré, dont les braises rougeoyantes de l'âtre faisaient luire, comme si c'était un précieux vase de cuivre, les formes ô combien éloquentes.

Avant qu'il ait pu dire un mot, Yarpa, promptement

à califourchon sur lui, défit ses braies de la pointe de ses doigts légèrement rugueux, pour tomber sur le signe évident que, déjà, il la désirait.

Lorsqu'il sentit la douce morsure de la bouche brûlante de la prêtresse tibétaine sur la pointe de sa lance, Cinq Défenses eut toutes les peines du monde, après de si longues semaines d'abstinence, à empêcher le jaillissement de la fontaine de vie qui montait irrésistiblement en lui.

Pris dans un tourbillon, il s'arrangea pour se placer de sorte que sa tige de jade se trouvât juste à l'entrée de la sublime porte de Yarpa, dont les adorables lèvres roses s'ouvraient tout au fond de ses cuisses au toucher de soie.

— C'est bon ! murmura-t-elle, tandis que son ventre plat se durcissait comme un bouclier, au contact de la pointe de la lance de l'assistant de Pureté du Vide, encore toute frémissante.

Ce dernier n'était plus capable d'opposer la moindre résistance à la belle Tibétaine.

Il avait eu beau, lorsqu'elle l'avait embrassé et pour essayer de résister à la tentation qu'il sentait naître en lui, appeler à son secours le doux visage d'Umara, rien n'y avait fait : l'énergie amoureuse et l'incroyable sensualité de la jeune prêtresse avaient eu raison des fragiles barrières qu'il avait essayé, tant bien que mal, de placer devant ses assauts.

Elle l'avait désormais complètement à sa main et à sa bouche.

Alors, sur cette couverture de poils de yak, dans les bras de cette femme aussi sauvage que lascive et chaude, il finit par se laisser aller à son envie, qui était de se perdre en elle et d'inonder de sa liqueur intime le tréfonds de sa grotte secrète où sa tige de jade allait et venait, en arrachant à cette nouvelle amante des fris-

495

sonnements que ponctuaient les longs soupirs de son propre plaisir.

Épuisés par leurs ébats, ils s'endormirent dans les bras l'un de l'autre, jusqu'au petit matin.

Quand elle se réveilla, bien avant lui, la chienne jaune était à leurs pieds.

— J'ai mal agi ! dit-il à Yarpa lorsqu'elle lui apporta, après cette nuit d'étreintes folles, un bol de lait chaud sucré au miel.

— Pourquoi dis-tu ça ? Ne sommes-nous pas totalement accordés, comme Tsangpa et Chucham, le roi et la reine du Ciel, qui eurent neuf garçons et neuf filles, lesquelles en eurent neuf à leur tour et ainsi de suite, pour former tous les êtres qui peuplent la terre ?

— Je ne connais pas Tsangpa ni Chucham !

— Nos rituels célèbrent leur accouplement fameux : le roi du Ciel est descendu au sommet d'un saule, sous forme d'un rayon aux couleurs de l'arc-en-ciel, sur lequel est posé le coucou bleu ; cet oiseau va se jucher sur la tête de la reine du Ciel ; il bat trois fois des ailes ; alors, deux rayons, l'un blanc et l'autre rouge, sortent de son sexe et pénètrent dans le corps de la reine du Ciel par le sommet de sa tête ! Voilà, sans mentir, ce que je ressentais quand, cette nuit, tu allais et venais en moi… murmura-t-elle en lui caressant les épaules.

— Et si je te disais, ô douce Yarpa, que mon cœur est pris ailleurs ?

— Je ne te plais pas ? lança-t-elle en s'approchant si près de lui qu'il pouvait de nouveau sentir les effluves poivrés de sa chevelure, ainsi que l'ineffable odeur de ce corps qu'il avait eu l'occasion de humer de fond en comble.

Troublé, il remonta la couverture sous son menton. Un geste de plus de la prêtresse, et nul doute que, malgré l'aveu qu'il venait de lui faire, il n'eût une nouvelle fois succombé à ses charmes.

— Ce n'est pas ce que je veux dire ! Il est temps que je me lève ! bredouilla-t-il en perdant contenance.

Et cette fois, ce fut bien malgré elle, en penchant de façon anodine son visage vers le sien, ce qui eut pour effet de lui frôler le nez, que l'énigmatique Tibétaine déclencha un nouvel assaut de Cinq Défenses, encore plus fougueux que le précédent...

À présent, c'était lui qui mordillait fébrilement les lèvres de Yarpa, tout en lui caressant la tête, avant de se mettre à l'embrasser goulûment à son tour, comme si sa bouche était une gourde rituelle *hu*, remplie d'un délicieux nectar, et qu'il mourût littéralement de soif.

Alors, il avait suffi à la jeune prêtresse de dénuder l'un de ses seins, dont la pointe était déjà durcie, et le jeune mahâyâniste s'était violemment jeté en elle comme, dans la jungle, à la saison des amours, le tigre sur la tigresse.

— Dis-moi un peu que tu m'aimes... supplia-t-elle au moment où l'un et l'autre, unis dans leur chair, ne faisaient plus qu'un.

Mais l'extase de Cinq Défenses, dont le corps, vibrant des pieds à la tête, venait de se détendre comme un arc, était telle, après que sa flèche eut atteint sa cible, qu'il était incapable de parler.

— Je suis en train de me perdre... finit-il par souffler.

— Au Pays des Neiges, tous les chemins mènent au Toit du monde, là où vit la lionne blanche à la crinière turquoise ! Qu'as-tu donc à craindre, Cinq Défenses ?

— Rien... Ce serait trop compliqué à expliquer.

Ne souhaitant pas lui faire de la peine, il hésitait à lui en dire plus et, pour lui, c'était déjà le signe qu'il commençait à s'attacher à elle.

Il constatait avec angoisse qu'au rythme actuel de leurs ébats ils finiraient par ne plus pouvoir se passer l'un de l'autre, et que lui-même deviendrait prisonnier de Yarpa, comme un oiseau capturé au filet.

À moins qu'il ne la quittât rapidement…

Mais à moins, aussi, que ce ne fût là son destin !

Le destin !

Au cours de son noviciat, ce mot était proscrit au point qu'il était strictement interdit de le prononcer, sous peine de recevoir trois coups de gaule.

Entre bouddhistes, en lieu et place du destin, on ne parlait que du Samsara, ce cycle infini des morts et des naissances, cette roue imperturbable où les hommes étaient accrochés et à laquelle on n'échappait que lorsqu'on atteignait le stade ultime de bouddha.

Les professeurs enseignaient aux apprentis novices que l'homme n'était pas libre de ses choix, puisqu'il était la victime du Samsara ; il lui appartenait donc, par une vie appropriée, de se détacher de ce monde qui l'enchaînait de toute part.

Depuis qu'il avait quitté Luoyang, les innombrables péripéties auxquelles il avait été confronté avaient néanmoins appris à Cinq Défenses ce que signifiaient la liberté et le choix individuels.

Choisir ! Décider !

— Dis-moi ton avis, Lapika ! Que penses-tu de tout cela, mon grand chien ! demandait-il parfois, pour plaisanter, au molosse, lequel lui répondait par un gigantesque coup de langue sur les doigts.

Contrairement à ce que ses maîtres lui avaient inculqué, la vie humaine n'était faite que de choix, y compris celui de subir.

D'ailleurs, il pouvait fort bien décider de poser là son sac, autant qu'il le voulait, auprès de la belle Yarpa.

Il pouvait même choisir, même si cela paraissait

extraordinairement difficile, d'essayer d'oublier Umara.

Si une femme était capable de l'aider à estomper dans sa mémoire le souvenir de la jeune chrétienne, c'était bien Yarpa, dont les qualités s'avéraient, en l'occurrence, efficaces.

Yarpa, dont il avait toujours présent à la bouche le goût plus sauvage que celui de la jeune chrétienne, lequel était plus délicat et peut-être plus fruité…

Cinq Défenses constata alors, non sans un certain effarement, qu'il en était à comparer les jeunes femmes comme s'il s'agissait de deux vulgaires coupons de soie ou de deux grappes de raisin à l'étal d'un marchand, entre lesquels son goût l'eût fait balancer !

Puis, prenant conscience qu'elles ne le mèneraient nulle part, il s'efforça de chasser de son esprit ces pensées oiseuses.

Il ne servait en effet strictement à rien d'établir la liste des mérites et des atouts respectifs d'Umara et de Yarpa.

Ses états d'âme lui faisaient, par ailleurs, prendre conscience que l'amour et le sexe entretenaient des relations bien plus complexes qu'il n'y paraissait au premier abord, et qu'il continuait à aimer, plus que tout, la jeune chrétienne nestorienne.

S'il avait fini par succomber aux charmes et aux sortilèges de la belle prêtresse bonpo, son extraordinaire amour pour Umara restait intact, pur et lumineux comme un diamant.

Quand il serrait le corps de Yarpa, c'était celui d'Umara qu'il croyait tenir..

En fait, il n'aimait Yarpa que par Umara interposée.

La belle Tibétaine était davantage éprise de lui — il suffisait de l'entendre lui dire : « Je t'aime ! » — qu'il ne l'était d'elle.

Dès lors, s'éloigner d'elle, et le plus tôt possible, était le plus sage, car plus il retarderait son départ, et plus il la ferait souffrir.

Il n'ignorait pas non plus qu'il prenait là un gigantesque risque : celui, au cas où il ne retrouverait plus son Umara, d'avoir, au passage, abandonné et perdu cette jeune femme au corps magnifique et émouvant, capable de tant lui donner.

Mais la vie était ainsi faite : il y avait des moments où plusieurs routes s'offraient à vous, entre lesquelles il était impératif de choisir, parce qu'elles ne conduisaient pas au même endroit ni ne faisaient faire le même voyage.

Et seul l'avenir, qu'on ne pouvait jamais pressentir, permettait de dire si le choix était, ou non, le bon !

Alors, pour éviter de se tromper de direction, il fallait « agir en primitif » et laisser son instinct s'exprimer. Il fallait être capable d'écouter l'imperceptible murmure de cette voix intérieure qui, parfois, disait ce qu'on n'avait surtout pas envie d'entendre.

Et son instinct, à l'évidence, intimait à Cinq Défenses l'ordre de garder espoir, de ne pas s'arrêter en chemin mais, au contraire, de poursuivre la quête qui était la sienne, pour retrouver son unique moitié Umara.

Ce matin-là, après une nuit au cours de laquelle ils n'avaient pratiquement pas cessé de faire l'amour, Yarpa se rhabilla à la hâte.

Elle attendait un villageois qui, la veille au soir, l'avait fait prévenir de son arrivée.

L'homme au dos courbé et au visage buriné venait la supplier de pratiquer un exorcisme sur son enfant, dont ses voisins étaient persuadés qu'il était possédé par un démon vivant dans un arbre planté non loin de la masure familiale.

Yarpa partit avec lui.

Il lui était impossible, compte tenu de son statut de prêtresse bonpo qui savait parler à la fois aux démons et aux dieux, de ne pas accéder à une telle demande.

Quand elle revint, vers la fin de l'après-midi, Cinq Défenses l'attendait, assis sur le seuil de la maison.

— Que lui as-tu fait, à ce garçonnet ? lui demanda-t-il.

— Après m'être assurée qu'aucun démon ne l'habitait, j'ai lu dans son avenir… Il sera guerrier. C'est un métier noble. Son père avait l'air content de l'apprendre.

— Tu sais faire ça, prévoir ce qu'il adviendra à un homme ?

— Si tu le souhaites, je pourrais même lire ton futur ! Il me suffit pour cela de former le « tapis des Dieux ». Ne bouge surtout pas, je vais le faire. Il n'y en a pas pour longtemps ! annonça-t-elle, sans trop lui donner le choix.

Il n'avait eu pas la force de protester et se sentait encore moins le droit de le lui interdire. Après tout, n'était-ce pas aussi une façon pour lui de vérifier s'il faisait, ou non, le bon choix en la quittant ?

Elle étala sur le sol ce qu'elle appelait un « tapis des Dieux ».

C'étaient, en fait, des brins de laine de yak, teintés de différentes couleurs, qu'elle était allée chercher dans une caisse sous son lit.

En invoquant les « Neuf Dieux », elle les disposa en damier au pied du lit où ils faisaient si bien l'amour, sous le regard du molosse jaune qui devait se demander ce qui lui prenait, à cette femme.

Puis, après s'être bandé les yeux, elle y plaça, de façon aléatoire, des figurines de terre qu'elle avait sorties d'un sac rangé dans la même caisse. Celles qui ne tenaient pas debout étaient des mauvais présages.

Bientôt, ce ne furent pas moins d'une vingtaine de poupées, dont trois étaient renversées, qui peuplèrent ainsi le tapis des Dieux.

— Tu as de la chance. Il n'y en a que trois de néfastes pour dix-sept de bonnes. C'est une excellente proportion ! Les étoiles te protègent, ô Cinq Défenses ! Ta vie sera réussie !

— Peu m'importe ! Je ne crois pas à la chance ! Je ne crois qu'au Bouddha ! Dis-moi un peu de quoi seront faits les jours à venir. J'ai besoin de le savoir ! Le Bienheureux m'accordera-t-il toujours sa protection ? s'écria-t-il fébrilement.

La belle prêtresse tibétaine se remit à genoux et se pencha sur les figures géométriques plutôt étranges sur lesquelles reposaient les statuettes.

— Je te vois en Chine centrale ! murmura-t-elle, désespérée.

— Seul ? osa-t-il lancer.

— Veux-tu que je conjure pour toi les mauvais sorts ? lui demanda-t-elle en frissonnant, comme si elle n'avait pas entendu ce qu'il venait de dire.

— Pourquoi pas ? fit-il, ne se sentant pas la force de réitérer sa question.

Qu'avait-il à perdre, à laisser cette femme procéder à ses passes ? Elle venait de lui prodiguer de telles caresses et de tels hommages qu'il ne l'imaginait pas lui jeter un sort, si ce n'était lui mettre dans la tête l'idée de demeurer là avec elle !

Après s'être penchée longuement sur le motif complexe formé par l'enchevêtrement des poils et des poupées, la prêtresse s'empara d'une curieuse faucille-épée accrochée à une poutre et, accroupie sur le sol, l'enfonça méticuleusement dans les trois figurines qui gisaient sur le damier multicolore.

— Il y a là trois personnages qui te veulent du mal…
souffla-t-elle.

— Peux-tu me dire qui ils sont ?

— Je vois un nuage de brume, un bol à aumônes vide
et un point central, au milieu d'un cercle ! répondit-elle
sans hésiter.

Il reconnut sans peine ni étonnement Brume de Poussière : c'était normal, puisque ce sinistre individu lui
avait enlevé la femme de sa vie.

Pour Pureté du Vide, dont tout indiquait qu'il était
désigné par le bol à aumônes vide, il constatait avec
regret et même quelque dépit que le Supérieur de
Luoyang continuait certainement à lui en vouloir de ne
pas lui avoir donné de ses nouvelles ; à moins que ce ne
fût Wuzhao, qui ait eu, à son propos, des paroles mal-
heureuses…

Quant au cercle percé au centre, il avait beau se creu-
ser les méninges, il ne comprenait absolument pas à qui
la belle Yarpa pouvait faire allusion.

— Que fais-tu ? demanda-t-il à la prêtresse en la
voyant lever le poing serré avant de l'abattre sur les
figurines renversées, comme si sa main tenait un poignard invisible.

— Je leur donne à chacune un coup sur le cœur, que
nous appelons « trou de vie ». Après quoi, tu n'auras
vraiment plus rien à craindre des trois personnes qui
veulent ta perte ! répondit-elle d'un ton mystérieux.

— Merci beaucoup, Yarpa !

Une fois son rituel achevé, elle se rapprocha de lui et
colla son ventre contre le sien.

— Je t'aime ! Tu me plais bien ! Tu pourrais rester
ici avec moi. Nous nous marierions et puis tu me ferais
un garçon !

Voilà que l'offensive de charme recommençait.

Tandis qu'elle avait entrepris de le basculer sur le lit

et de le déshabiller à nouveau, il se souvenait parfaitement de la réflexion d'Umara, lorsqu'ils s'étaient croisés, en plein désert, avec le beau petit couple formé par le jeune Koutchéen et la jeune Chinoise : s'ils s'étaient, tous les quatre, si bien accordés, comme s'ils étaient des amis de longue date, c'était parce que le Koutchéen et la Chinoise étaient, sur le plan de leurs origines, dans une situation parfaitement symétrique à la leur, et unis, au-delà de tout clivage religieux, par le même amour radical.

De même, la magnifique histoire de l'étoile du Bouvier et de celle de la Tisserande, que la jolie Lune de Jade s'était plu à leur rappeler, lui revenait à l'esprit.

La morale de cette belle légende des deux étoiles séparées par la Voie lactée, qui se retrouvaient sur un pont jeté au-dessus de celle-ci, une fois par an, le jour de la fête des amoureux, n'était-elle pas un hymne aux vertus de l'espoir et une douce incitation à penser que les êtres désunis, dès lors qu'ils continuaient à s'aimer, finissaient toujours par se rejoindre un jour ?

Il avait tellement envie de le croire !

À présent, la bouche chaude de Yarpa engloutissait sa lance dressée vers le ciel.

Les caresses que la prêtresse tibétaine prodiguait à Cinq Défenses, dont le corps était à présent entièrement entre ses mains, étaient si ensorcelantes qu'elles lui faisaient oublier, malgré ses efforts les plus désespérés, la fille d'Addai Aggai...

Cinq Défenses était à ce fameux carrefour où tout, soudain, pouvait basculer...

Choisirait-il la proie pour l'ombre ?

Mais, surtout, qui était l'ombre et qui était la proie, de la douce et tendre Umara ou de la sauvage et sensuelle Yarpa ?

PRINCIPAUX PERSONNAGES

Addai Aggai, *évêque, dirigeant de l'Église nestorienne de Dunhuang.*

Bienfait Attesté, *Supérieur du couvent du Grand Véhicule à Turfan.*

Bouddhabadra, *Supérieur du monastère de l'Unique Dharma à Peshawar (Inde), chef de l'Église bouddhique du Petit Véhicule, parti pour un mystérieux voyage à Samyé (Tibet), et disparu depuis.*

Brume de Poussière, *orphelin chinois, ami d'Umara.*

Cargaison de Quiétude, *dit le Maître Parfait, chef de l'Église manichéenne de Turfan.*

Centre de Gravité, *Supérieur du couvent du Salut et de la Compassion (Dunhuang).*

Cinq Défenses, *moine du monastère de la Reconnaissance des Bienfaits Impériaux à Luoyang (Chine), envoyé par son supérieur à Samyé (Tibet), et finalement responsable des Jumeaux Célestes.*

Corbeille à Offrandes, *moine responsable des éléphants du couvent de Peshawar.*

Dame Wang, *première épouse officielle de Gaozong, destituée au profit de Wuzhao.*

Diakonos, *homme de confiance d'Addai Aggai, chargé de la filature clandestine.*

Gaozong, *dénommé Lizhi tant qu'il est prince héritier, fils de Taizong, empereur de Chine.*

Goléa, *dite la « Montagne », gouvernante d'Umara.*

Jolie Pure, *première concubine impériale, éliminée par Wuzhao.*

Joyau de la Doctrine, *moine rival de Poignard de la Loi.*

Lama sTod Gling, *secrétaire du Révérend Ramahe sGampo.*

Le ma-ni-pa, *moine errant ami de Cinq Défenses.*

Le Muet, *esclave turco-mongol de Wuzhao et exécutant de ses basses œuvres.*

Les Jumeaux Célestes, *une fille, Joyau, et un garçon, Lotus, mis au monde par Manakunda. La petite fille a la moitié du visage velue.*

Li Jingye, *préfet, Grand Censeur Impérial.*

Lihong, *fils de Wuzhao et Gaozong, nommé prince héritier à la place de Lizhong.*

Lizhong, *fils de Jolie Pure et Gaozong.*

Lune de Jade, *ouvrière chinoise du Temple du Fil Infini, amoureuse de Pointe de Lumière.*

Lûyipa, *maître de Nuage Fou qui lui enseigna le tantrisme.*

Majib, *chef d'une troupe de brigands parsis.*

Manakunda, *jeune moniale du couvent de Samyé, morte en mettant au monde les Jumeaux Célestes.*

Nuage Fou, *Indien adepte du tantrisme, drogué et assassin.*

Ormul, *Auditeur de l'Église manichéenne de Turfan.*

Petit Nœud à Défaire Facilement, *marchand de plantes médicinales sur la Route de la Soie.*

Pinceau Rapide, *calligraphe et peintre chinois de pure souche, membre du réseau du Fil Rouge.*

Poignard de la Loi, *premier acolyte de Bouddhabadra, parti à sa recherche.*

Pointe de Lumière, *Auditeur de l'Église manichéenne de Turfan, chargé de l'élevage clandestin de vers à soie, amoureux de Lune de Jade.*

Premier des Quatre Soleils Illuminant le Monde, *moine à Luoyang.*

Pureté du Vide, *Supérieur du monastère de la Reconnaissance des Bienfaits Impériaux à Luoyang (Chine), chef de l'Église bouddhique du Grand Véhicule.*

Ramahe sGampo, *Supérieur du couvent bouddhique de Samyé (Tibet), aveugle.*

Rouge Vif, *propriétaire du magasin Au Papillon de Soie, receleur de soie clandestine.*

Sainte Voie aux Huit Membres, *moine bouddhiste du couvent de Peshawar, né à Turfan.*

Taizong, *dit le Grand, père de Gaozong, empereur de Chine.*

Torlak, *surnommé Aiguille Verte, jeune Ouïgour converti au manichéisme et responsable du réseau du Fil Rouge.*

Ulik, *interprète entre Cinq Défenses et la bande de brigands parsis.*

Umara, *fille de l'évêque nestorien Addai Aggai.*

Vertu du Dehors, *ministre de la Soie.*

Wuzhao, *cinquième concubine impériale puis épouse officielle de l'empereur Gaozong.*

Yarpa, *prêtresse bonpo du Pays des Neiges.*

Zhangsun Wuji, *oncle de Gaozong, général, commandant en chef suprême des armées, ancien Premier ministre.*

Parfait Équilibre

José Frèches
L'Impératrice
de la soie

3. L'usurpatrice

POCKET

(Pocket n° 12281)

La Route de la Soie est devenue le théâtre d'une lutte de pouvoir sans merci. Wuzhao a pris sous son aile les Jumeaux Célestes, étranges réincarnations divines, qui deviennent entre ses mains un atout majeur pour asseoir son pouvoir. Mais le chemin est semé d'embûches : Umara est séquestrée par le chef du bouddhisme chinois, Lune de Jade kidnappée et vendue à l'empereur de Chine malade. Un jour viendra pourtant où tous les destins se rejoindront autour de Wuzhao à la cour de Chine, et où tous les héros se libéreront de leurs entraves…

Il y a toujours un Pocket à découvrir

Esclave de corps

Juliette Morillot
Les Orchidées Rouges de Shanghai

(Pocket n° 11523)

En 1937, Sangmi, petite Coréenne de 14 ans est enlevée à la sortie de l'école par des soldats japonais. Avec des dizaines d'autres adolescentes, elle est emmenée en Mandchourie. Là, commence un horrible cauchemar. Intégrée de force dans le corps des « femmes de réconfort » après avoir été violée plus de trente fois par jour pendant trois semaines, elle devient prostituée au service de l'armée impériale japonaise. Sa vie ne sera alors plus qu'une lutte perpétuelle, portée par un courage sans faille.

Il y a toujours un Pocket à découvrir

Épopée en ombre chinoise

(Pocket n°11870)

Alors que l'Angleterre de la fin du XVIIIe siècle s'ouvre peu à peu au monde du Soleil Levant, le jeune musicien Thomas Charles Perkins décide de partir pour la Chine afin d'oublier un amour malheureux. Fasciné par les mélodies envoûtantes de ce pays, il se laisse entraîner dans un monde mystérieux et découvre la troupe de théâtre du Paravent de Soie Rouge. Mais en Chine, les apparences sont souvent trompeuses, et derrière le masque des acteurs se cachent le danger… et l'amour.

Il y a toujours un Pocket à découvrir

Impression réalisée sur Presse Offset par

BRODARD & TAUPIN

GROUPE CPI

28252 – La Flèche (Sarthe), le 04-02-2005
Dépôt légal : mars 2005

POCKET – 12, avenue d'Italie - 75627 Paris cedex 13
Tél. : 01.44.16.05.00

Imprimé en France

L'empire du Milieu
entre guerres et passions...

José Frèches
Le disque de jade

Les chevaux célestes
*

Pocket n° 11994 - 640 p.

José Frèches
Le disque de jade

Poisson d'Or
**

Pocket n° 11995 - 576 p.

José Frèches
Le disque de jade

Les îles immortelles
***

Pocket n° 11996 - 512 p.

Sur la route montagneuse où ils fuient la menace du brigand Majib, Cinq Défenses et Umara, la jeune chrétienne nestorienne, savent que leur amour a la puissance du Yin et du Yang. Et ce n'est pas un hasard s'ils ont entre leurs mains ces deux sublimes nourrissons, les Jumeaux Célestes, précieux fardeaux qui accentuent néanmoins leur vulnérabilité.

La rumeur concernant les enfants divins les suit partout, du plus petit village jusqu'à la capitale impériale, Chang'An, où le couple vient s'abriter. Or la lutte entre l'impératrice rebelle, Wuzhao, et son époux Gaozong déchaîne les intrigues. Sans le savoir, le jeune couple risque ses pas au cœur d'une terrible tourmente où seule pourra les sauver la pureté de leurs sentiments...

« (...) les rebondissements abondent dans le 2ᵉ tome de cette trilogie d'une ampleur sans précédent. »

Elle

Également chez Pocket : dans la même série, *Le Toit du monde* (tome 1) et *L'usurpatrice* (tome 3) ; la trilogie du *Disque de jade*.

Texte intégral

ISBN 2-266-14464-2

CATÉGORIE

www.pocket.fr